Álgebra
preuniversitaria

Álgebra preuniversitaria

SEGUNDA EDICIÓN

Luis Humberto Parra Cabrera
Guillermo Parra Cabrera

MÉXICO • España • Venezuela • Colombia

Balderas 95, México, D.F.
C.P. 06040
521-21-05
512-29-03

CANIEM Núm. 121

Segunda edición

Hecho en México
ISBN 968-18-5149-8

Prólogo a la segunda edición

La matemática es una ciencia cultivada para ser utilizada como modificador de la naturaleza al diseñar satisfactores que garanticen el bienestar y la supervivencia de la humanidad. Es importante para todo docente de matemática en el nivel medio superior, conocer aun en forma muy general, la evolución que ha vivido esta ciencia, así como a sus más sobresalientes protagonistas; en ÁLGEBRA PREUNIVERSITARIA se ofrece una interesante semblanza a través de artículos situados al comienzo de cada capítulo. También se ha enfocado cada tema del programa oficial, desde sus casos más elementales hasta los que ofrecen mayor dificultad. Esta condición permite al docente el aprovechamiento total de ÁLGEBRA PREUNIVERSITARIA, en razón directa con las necesidades académicas en que se desarrolle su trabajo; asimismo, permite en cualquier caso, la retroalimentación, consolidación y fortalecimiento, a fin de garantizar en el alumno la continuidad de su formación.

Los autores

Respetuosamente, al docente

Hoy más que nunca, la enseñanza escolar requiere dejar de ser una aventura profesional para consolidar su condición de arte; como tal precisa por parte del docente, un claro estado de sensibilidad que lo lleve a la aplicación de técnicas y recursos que propicien en los estudiantes aprendizajes significativos, integrando así una sistematización de la enseñanza. Cada docente, en función de su propia experiencia, va creando su propio sistema, perfeccionándolo paulatinamente hasta lograr en el alumno conocimientos permanentes y aplicables bajo cualquier circunstancia. Para el mejor aprovechamiento de ÁLGEBRA PREUNIVERSITARIA, puede aplicarse el siguiente sistema:

– Explicar el tema correspondiente empleando un lenguaje claro que permita al alumno su amplia comprensión. Es conveniente imprimir un ritmo dinámico y ágil a fin de evitar el tedio, aburrimiento o fugas en la concentración. La explicación se reforzará con la presentación de ejemplos idóneos que no propicien dificultades operativas que pudieran distorsionar la comprensión lograda.

–Se hace uso de ÁLGEBRA PREUNIVERSITARIA. En forma individual, en parejas o ternas, se efectúa una lectura de comprensión del tema correspondiente, subrayando los conceptos sobresalientes, después de la cual se cambian impresiones en el "gran grupo" a manera de una plenaria breve y dinámica, con el fin de aclarar dudas y formar un criterio común. A continuación se analizan los ejemplos propuestos en el texto, apoyándose en el pizarrón y con la participación de algunos alumnos, aclarando las dudas que se presenten.

–Se pasa a la práctica. Aprovechando los "pequeños grupos", se resuelven los primeros tres ejercicios y se hace una evaluación grupal; este mecanismo podrá repetirse una o dos veces más, con sus respectivas evaluaciones. Finalmente se pasa a la práctica individual con su respectiva evaluación. Renglón muy importante es sugerir un trabajo extraescolar prudente que no resulte abrumador y que la clase de proposiciones no signifique obstáculos que le provoquen rechazo al estudiante.

Contenido

1. CONJUNTOS **11**
Conceptos básicos 13
Operaciones con conjuntos 26
Producto cartesiano 35
Relaciones 39
Aplicación o función 44

2. NÚMEROS REALES **55**
Números naturales 57
Números enteros 65
Números racionales 82
Su representación decimal 102
Números irracionales 116

3. EXPRESIONES ALGEBRAICAS **135**
Expresión algebraica 139
Operaciones con monomios 152
Operaciones con polinomios 166
Productos notables 182
binomio al cuadrado 183
binomio al cubo 185
binomios conjugados 188
productos de dos binomios con un término común 190
potencia de un binomio 197

Factorización 202
factor común 203
de una diferencia de cuadrados 205
de un trinomio cuadrado perfecto 206
de un trinomio de segundo grado 212
por asociación 214
de un trinomio general 215
de la suma o diferencia de cuadrados 218

4. EXPONENTES Y RADICALES 225
Exponentes y sus operaciones 228
producto 229
cociente 230
potencia 232
radicación 234
Radicales y sus operaciones 235
simplificación de radicales 236
introducción de un coeficiente 237
producto de radicales 239
potencia de un radical 244
cociente de radicales 245
raíz de un radical 247
racionalización de radicales 249

5. FRACCIONES ALGEBRAICAS 257
Máximo común divisor 258
Mínimo común múltiplo 261
Operaciones con fracciones algebraicas 264
simplificación 264
adición 266
sustracción 269

multiplicación 272
división 274

6. ECUACIONES CON UNA VARIABLE 277
Ecuaciones de primer grado 279
Ecuaciones de segundo grado 300

7. SISTEMAS SIMULTÁNEOS DE ECUACIONES 327
Sistemas simultáneos de ecuaciones con dos variables 328
método algebraico de reducción 328
método de igualación 332
método de sustitución 336
método gráfico 339
método por determinantes 342
Sistemas simultáneos de tres ecuaciones 345

8. INECUACIONES CON UNA Y DOS VARIABLES **367**
Desigualdades 369
Inecuaciones 370

RESPUESTAS DE LAS PRÁCTICAS **381**

1. Conjuntos

Conceptos básicos: Concepto de conjunto. Su representación. Conjunto vacío. Conjunto universal. Inclusión de conjuntos. Conjuntos complementarios.

Operaciones: Unión. Participación. Intersección. Diferencia. Complemento.

Las relaciones: Par ordenado de elementos. Producto cartesiano de dos conjuntos. Relaciones entre conjuntos. Propiedades de las relaciones. Relación de equivalencia. Relación de orden. Aplicación o función.

Notación simbólica

Símbolo	Significado	Símbolo	Significado
$\in$	pertenece a	$\equiv$	idéntico
$\notin$	no pertenece a	$\neq$	diferente a
$\subseteq$	incluido en	$>$	mayor que
$\supseteq$	incluye a	$<$	menor que
$\subset$	incluido estrictamente propiamente	$\ngtr$	no es mayor que
$\supset$	incluye estrictamente propiamente	$\nless$	no es menor que
$\cup$	unión o reunión	A~B	diferencia de conjuntos
$\cap$	intersección	A Disj B o también A) (B}	disjuntos o ajenos
$\exists$	existe por lo menos uno	# A	cardinal de A o números de elementos de A
/	tal que	$\forall$	para todo x
v	ro	D (R)	dominio de R
$\wedge$	y	lm (R)	imagen de R
$\Rightarrow$	corresponde unívocamente; implica	$x \, R \, y$	x está relacionado por R con y
$\Leftrightarrow$	corresponde biunívocamente: si y sólo si	R^{-1}	relación inversa de R
{......}	conjunto	$y = f(x)$	y igual función de x
ø	conjunto vacío	N	conjunto de los números naturales
U	conjunto universal	Z	conjunto de los números enteros
C(A) B	conjuntos complementarios	Q	conjunto de los números racionales
$\barwedge$	coordinable	$f; A \rightarrow B$	función de f en A en B
$\therefore$	por lo tanto		

Los creadores de la matemática

Sabías que...

La teoría de conjuntos

Desde la época de los griegos, tanto matemáticos como filósofos sintieron una atracción por el concepto de infinito en sus dos versiones: infinitamente grande e infinitamente pequeño. Posteriormente, otros estudiosos no aceptaron la noción actual de colección infinita de elementos y la correspondencia biunívoca entre dos conjuntos infinitos, pues sus resultados eran incompatibles con la razón. Aún más, en las polémicas en torno a los conjuntos intervinieron razonamientos y argumentos propios de la metafísica y la teología. Dado el temperamento característico de los matemáticos en la investigación, con frecuencia ignoraron aquello que no pudieron resolver en el campo de los conjuntos, y la aritmetización del análisis los obligó a aceptar la existencia de conjuntos de puntos, que se constituyó en la base de la fundamentación de la teoría de los conjuntos. Bolzano fue el primero en aceptar la elaboración de una teoría de conjuntos partiendo de la existencia de conjuntos infinitos reales y la noción de correspondencia biunívoca. Sus investigaciones sobre infinito se enfocaron básicamente en el aspecto filosófico de las cosas y, sin profundizar, posteriormente decidió abandonar las investigaciones al respecto.

Heine, con sus trabajos sobre series trigonométricas, despertó el interés de Cantor por el análisis de este campo de estudio.

Asimismo, Du Bois-Reymond se interesó en el estudio de las series trigonométricas y, en forma especial, en las relaciones entre conjuntos de puntos, aunque también su punto de vista fue filosófico, haciendo una distinción entre conjunto denso y no denso por extrapolación a partir de la continuidad que caracteriza a la recta numérica.

Riemann, Lipschitz, Hankel y Weierstrass aislaron conjuntos infinitos en sus investigaciones, aunque no sintieron la necesidad de desarrollar una aritmética de los conjuntos infinitos.

En 1874, Cantor publicó uno de sus trabajos sobre las series numéricas que publicara como su decimotercera memoria en la revista *Crelle* bajo el título de "Sobre una propiedad del conjunto de todos los números reales algebraicos", con lo cual surgió la teoría de conjuntos.

Según Cantor, "un conjunto es una colección de objetos definidos y separados que pueden ser concebidos por la inteligencia y para la que podemos decidir si un objeto dado pertenece a la colección".

Cantor, afirma la existencia de los conjuntos infinitos actuales. Aseveró que un conjunto es infinito si existe una correspondencia biunívoca entre él mismo y una de sus partes. La idea fundamental de la teoría de Cantor es la correspondencia biunívoca, la cual le sirve, entre otros factores, para definir la equivalencia entre dos conjuntos. Intentó ilustrar su concepto de equivalencia y de potencia mediante conjuntos de números, introduciendo el concepto de "numerable" para designar todo conjunto que pueda ponerse en correspondencia biunívoca con los números naturales.

Profundizando en el estudio de las series numéricas, Cantor llegó a introducir una teoría de los números cardinales y ordinales, de los cuales parte la aritmética. Esta aritmética especial la desarrolló entre 1879 y 1884 y la completó en sus trabajos publicados en los *Mathematische Annalen* en los años 1895 y 1897; con estos trabajos sorprendió a todos los eruditos de su época por sus ideas revolucionarias, pero a finales del siglo XIX algunos matemáticos, e incluso el mismo Cantor, plantearon cuestiones que pusieron en duda la veracidad de esta teoría surgiendo paradojas y problemas que quedaban sin solución. Esto motivó a los matemáticos a tomar partido en favor o en contra de la teoría de los conjuntos, prolongándose por mucho tiempo estos desacuerdos. Las dificultades con las cuales se encontró la teoría de los conjuntos, las aclararían Zermelo y Fraenkel mediante su axiomatización y el estudio de los fundamentos de la matemática.

CONCEPTOS BÁSICOS

Conceptos de conjunto

Existen varias definiciones del concepto de conjunto. Cantor da la siguiente: "Conjunto es una agrupación en un todo de objetos muy distintos de nuestra intuición o de nuestro pensamiento." Por su parte, N. Bourbaki, en la obra *Theórie des ensembles* publicada en 1970, expone la siguiente definición: "Un conjunto está formado por elementos susceptibles de poseer ciertas propiedades y tener entre ellos, o con elementos de otros conjuntos, ciertas relaciones".

Aquí emplearemos la definición que es más común: *Conjunto* es una reunión o agrupamiento de objetos de cualquier tipo que tiene alguna característica o propiedad en común.

Elemento o miembro es el nombre con el que se designa a cada uno de los objetos, animales, etc., que forman un conjunto.

Ejemplos:

- En el conjunto: los estados de la República Mexicana.

  Sus elementos son: cada uno de los estados que forman la República Mexicana.
- En el conjunto: los animales cuadrúpedos de la Tierra.

  Sus elementos son: cada uno de los animales con cuatro extremidades inferiores.
- En el conjunto: abecedario castellano.

  Sus elementos son: cada una de las letras que lo componen.
- En el conjunto: 1, 3, 5, 7, 9, 11, 13, 15 ...

  Sus elementos son: cada uno de los números impares conocidos.
- En el conjunto: 2, 3, 5, 7, 11, 13, 17 y 19

  Sus elementos son: los primeros ocho números primos.

Representación de un conjunto

Se ha convenido en representar a un conjunto con una letra mayúscula:

A, B, C, M, N, X, Y...

Los elementos de los conjuntos pueden ser representados por dibujos, palabras o letras minúsculas. En el uso de abstracción que se da a los conjuntos, su representación se hace exclusivamente por letras minúsculas:

$a, b, c, d, e, f, m, n, x, y...$

Un conjunto puede definirse por la *enumeración* de sus elementos, o bien por alguna *propiedad o cualidad* que cumplan todos sus elementos.

Cuando se define enumerando los elementos que forman el conjunto, su representación se hace por *extensión*; los elementos se escriben dentro de claves o llaves, separados por comas.

Ejemplos:

- El conjunto A de los días de una semana:
  A = {domingo, lunes, martes, miércoles, jueves, viernes, sábado}, designando con una letra minúscula a cada elemento:

  $$A = \{a, b, c, d, e, f, g\}$$

- El conjunto B de los números pares comprendidos entre 5 y 15:

  $$B = \{6, 8, 10, 12, 14\}$$

- El conjunto C de los números impares conocidos:

  $$C = \{1, 3, 5, 7, 9, 11, 13...\}$$

Nota. Como el número de elementos es infinito, el conjunto a representar es un *conjunto infinito* que se indica con puntos sucesivos.

Cuando el conjunto se define por cierta cualidad o propiedad, que cumplen todos los elementos que forman el conjunto, su representación se hace por *comprensión*. Para esto, se emplea una sola letra minúscula, generalmente x, con la cual se representa a un elemento cualquiera del conjunto.

Ejemplos:

- El conjunto A de los días de una semana:
  A = {x/x es un día de una semana}
  (Se lee: x "tales que" x es un día de la semana)
- El conjunto B de los números pares comprendidos entre 5 y 15:
  B = {x/x es un número par comprendido entre 5 y 15}
- El conjunto C de los números impares conocidos:
  C = {x/x es un número impar conocido}

Cualquier elemento de un conjunto le pertenece. Esto se indica simbólicamente con el signo $\in$ (''*pertenece a*'') así:

$a \in$ A indica que: elemento a pertenece al conjunto A.

$x \in$ B indica que: elemento x pertenece al conjunto B.

En el caso contrario, si desea precisar que no le pertenece, se indica tachando la $\in$ así $\notin$:

a $\notin$ A indica que: elemento a no pertenece a A.

$x \notin$ B indica que: elemento x no pertenece a B.

Ejemplos:

- M = $\{a, e, i, o, u\}$; por lo tanto: $a \in$ M; $e \in$ M; $i \in$ M; $o \in$ M; $u \in$ M; $b \notin$ M; $c \notin$ M
- P = $\{x$ / x es un número par $\}$; por lo tanto: 1 $\notin$ P; 2 $\in$ P; 3 $\notin$ P; 4 $\in$ P; 5 $\notin$ P

Conjunto vacío

Conviene establecer, con toda claridad, aquella situación en la que es necesario considerar a un conjunto que carece de elementos y en consecuencia es *vacío*. Se representa por la letra noruega ø. Si su representación se hiciera por extención, se indicaría como { }, pues la representación {0} indicaría que el conjunto está formado por un elemento llamado *cero*.

Ejemplos:

- Para representar al conjunto A de los habitantes de la Luna:
  A = ø, o bien A= { }.
- B = $\{x$ / x es un número primo divisible entre 4}
  B = ø, No existe un número primo divisible entre 4

Conjunto universal

De igual forma que para el conjunto vacío, ahora analizaremos a todo conjunto utilizado en forma limitada; este siempre es parte de otro mayor en el cual están considerados todos los elementos que pudieran existir del asunto en cuestión. Para indicar que se están considerando a todos los elementos existentes, se emplea el conjunto universal que se presenta por *U*.

Ejemplos:

- El conjunto N de números naturales.
- El conjunto de los seres vivientes que existen en la Tierra.
- El conjunto de los automóviles construidos.

Conjunto unitario

Cuando el conjunto está formado por un solo elemento con características que lo hacen único se trata de un conjunto unitario.

Ejemplos:

- El Monumento a la Revolución en la ciudad de México:
  A= { x/x es el monumento a la Revolución}
  A = {a}
- El satélite natural de la Tierra:
  B = {x/x es el satélite natural de la Tierra}
  B = {Luna}
- El número cero en el conjunto de números enteros:
  C = {x/x es el número cero}
  C = {0}

Cuantificadores

Estableciendo proposiciones en el universo

$$U = \{0, 1, 2, 3, 4, 5, 6, 7, 8, 9\}$$

sea la proposición: p = "x es número de una cifra", "x" representa a cada uno de los elementos de U.

Para eliminar el razonamiento por cada elemento considerado se forma la siguiente proposición verdadera:

p = "Todas las x son números de una cifra". El conjunto definido es:
A = {x/x sea un número de una cifra}; o bien A = {0, 1, 2, 3, 4, 5, 6, 7, 8, 9}.

Como todos los elementos hacen verdadera la proposición, el conjunto definido agrupa a todos los elementos que forman el universo propuesto:

$$A = U$$

Su diagrama de Venn es:

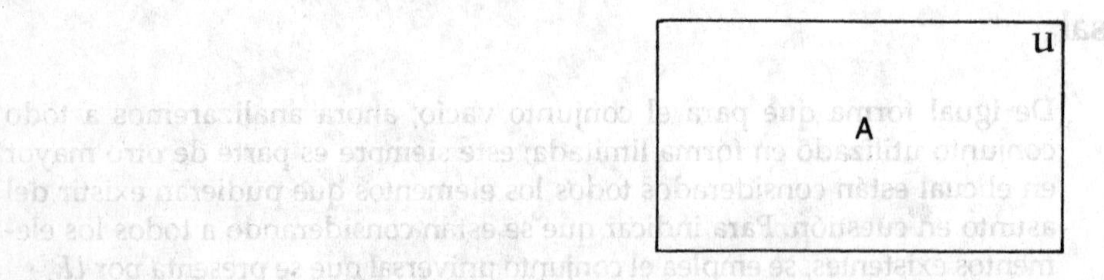

Ahora, la proposición abierta es q = "x es número impar de U".

Analizando a cada uno de los elementos del universo U, unos cumplen con esa condición y otros no; luego, la proposición verdadera es:

q = "Algunos x son números impares";

el conjunto definido es el siguiente:

$$B = \{1, 3, 5, 7, 9\},$$

y su representación en diagrama de Venn es:

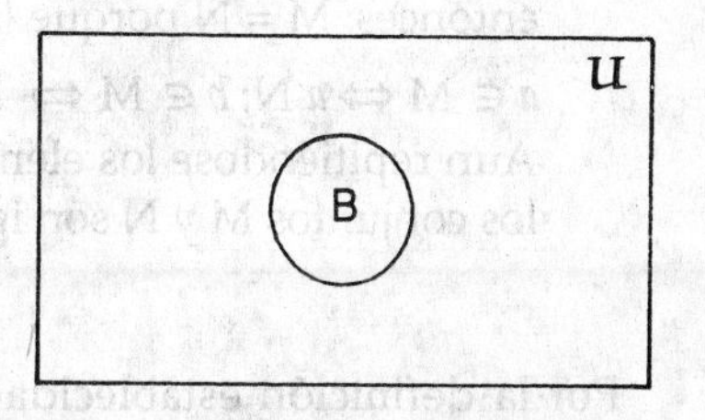

Si la proposición abierta es: r = "x es un número múltiplo de 10 en U", al revisar los elementos del universo considerado se concluye que no existe uno solo que haga verdadera la proposición abierta, luego el conjunto tendría la característica de carecer de elementos, es decir:

r = "Ningún x es múltiplo de 10".

El conjunto definido es conjunto vacío:

$$c = \{\ \} \quad \text{o sea} \quad c = \varnothing$$

Los términos "todos", "algunos", "ninguno" se denominan *cuantificadores*, y sirven para agilizar el manejo de las proposiciones al definir conjuntos en un universo establecido.

Igualdad y desigualdad de conjuntos

Dos conjuntos son iguales cuando ambos están compuestos por los mismos elementos, sin interesar el orden que pudieran tener.
El conjunto A es igual al conjunto B, si todo elemento de A pertenece a B y todo elemento de B pertenece a A. Es decir:

$$A = B,$$

cuando

$$\forall x \in A \Rightarrow x \in B,$$

y

$$\forall x \in B \Rightarrow x \in A,$$

o sea:

$$x \in A \Leftrightarrow x \in B,$$

Ejemplos:

- Si A = $\{a, b, c, d\}$ y B = $\{c, a, d, b\}$,
  entonces: A = B porque $\{a, b, c, d\} = \{c, a, d, b\}$, ya que:
  $a \in A \Leftrightarrow a \in B; b \in A \Leftrightarrow b \in B; c \in A \Leftrightarrow c \in B; d \in A \Leftrightarrow d \in B.$
- Si M = $\{a, b, a, c\}$ y N = $\{a, b, c, b\}$,
  entonces: M = N porque $\{a, b, c, b\} = \{c, a, d, b\}$, ya que:
  $a \in M \Leftrightarrow a\, N; b \in M \Leftrightarrow b\, N; c \in M \Leftrightarrow c \in N.$
  Aun repitiéndose los elementos persiste la igualdad y, en consecuencia, los conjuntos M y N son iguales a $\{a, b, c\}$.

Por la definición establecida para la igualdad resulta:

Todo conjunto es igual a sí mismo.
En consecuencia la igualdad de conjuntos es reflexiva.

Si un conjunto tiene los mismos elementos que otro, éste a su vez tiene los mismos elementos que el primero.
En consecuencia la igualdad de conjuntos es simétrica.

Si un conjunto tiene los mismos elementos que otro y éste los mismos elementos que un tercer conjunto, entonces el primero y el tercero tienen los mismos elementos.
En consecuencia la igualdad de conjuntos es transitiva.

Conclusión. Toda igualdad entre los conjuntos satisface los caracteres reflexivo, simétrico y transitivo. Por consecuencia, se trata de una relación de equivalencia. La desigualdad entre dos conjuntos se presenta cuando en uno de ellos existe por lo menos un elemento que no pertenece al otro.

Ejemplos:

- Si A = $\{a, b, c, d\}$ y B = $\{a, b, c\}$,
  entonces: A ≠ B porque $\{a, b, c, d\} \neq \{a, b, c\}$, ya que: $d \in A$ pero $d \notin B$
- Si M = {1, 2, 3, 4} y N = {2, 3, 4, 5}
  Entonces M ≠ N ya que $1 \notin N$ y $5 \notin M$

Subconjuntos

Inclusión

Si el conjunto A es *tal que* cualquiera de sus elementos es a la vez elemento del conjunto B, se dice que A está incluido en B. Esto se indica:

$A \subseteq B$, y se lee "A *está incluido en* B",

pues

$$\forall x / x \in A \Rightarrow x \in B$$

O sea que A está incluido en B si y sólo si todo elemento x tal que x pertence a A implica que x pertence a B.

Por lo expuesto debe considerarse que *todo conjunto está incluido en sí mismo*; por tanto, $A \subseteq A$ se lee: "A *incluido* en A", e indica que A está contenido en el mismo conjunto A.

Ejemplos:

- El conjunto B de las estaciones del año, está incluido en el conjunto de las estaciones del año: $B \subseteq B$.
- El conjunto C de las raíces que satisfacen a la ecuación $x^2 + x - 6 = 0$ está incluido en el conjunto de las raíces que satisfacen a la ecuación $x^2 + x - 6 = 0$: $C \subseteq C$.

En consecuencia, en una *inclusión* puede suceder que el conjunto incluido contenga a todos los elementos del otro conjunto, o bien que el conjunto incluido contenga algunos de los elementos del otro conjunto.

Al conjunto que está incluido en otro se le dice *subconjunto* del otro; es decir: Si A está incluido en B, se dice que A es un subconjunto de B, lo cual se representa así:

$$A \subseteq B$$

Lo anterior se puede indicar, también, al afirmar que el conjunto B incluye al conjunto A, haciendo la siguiente representación:

$B \supseteq A$ se lee: "B *incluye a* A";

por lo tanto,

$$A \subseteq B \Rightarrow B \supseteq A$$

Inclusión estricta o propia

Un cojunto está contenido o incluido estrictamente en otro cuando todos los elementos del primero pertenecen al segundo, pero de los elementos del segundo existe por lo menos uno que no pertenzca al primero.

Para diferenciar los símbolos de inclusión y de inclusión estricta, a este último se le elimina la línea horizontal que denota la posibilidad de igualdad en la inclusión, pues en la inclusión estricta no existe:

$\subseteq$ inclusión
$\subset$ inclusión estricta

Cuando se dice que A está incluido estrictamente en B signifca que todos los elementos que pertenecen a A también pertencen a B, pero no todos los elementos de B le pertencen a A.

Simbólicamente:

$$A \subset B,$$

porque:

$$\forall\, x \,/ x \in A \Rightarrow x \in B$$
$$\exists\, x \,/ x \in B \wedge x \notin A$$

$\exists$ se lee: "*existe por lo menos un elemento*".

Ejemplos:

- El conjunto de las vocales V está incluido estrictamente en el conjunto A de las letras del abecedario:

$$V \subset A,$$

porque:

$$\forall\, x \,/ x \in V \Rightarrow x \in A$$
$$\exists\, x \,/ x \in A \wedge x \notin V$$

- El conjunto A de números primos está incluido estrictamente en el conjunto B de números naturales:

$$A \subset B,$$

porque:

$$\forall\, x \,/ x \in A \Rightarrow x \in B$$
$$\exists\, x \,/ x \in B \wedge x \notin A$$

La inclusión estricta es equivalente al subconjunto estricto, se indica en la misma forma y valiéndose de los mismos signos.

La representación gráfica por medio de diagramas de Venn se hace dando una interpretación lo más fiel posible a la forma de inclusión de que se trate.

Ejemplos:

- M = {2, 4, 6, 8} y N = {1, 2, 3, 4, 5, 6, 7, 8, 9}

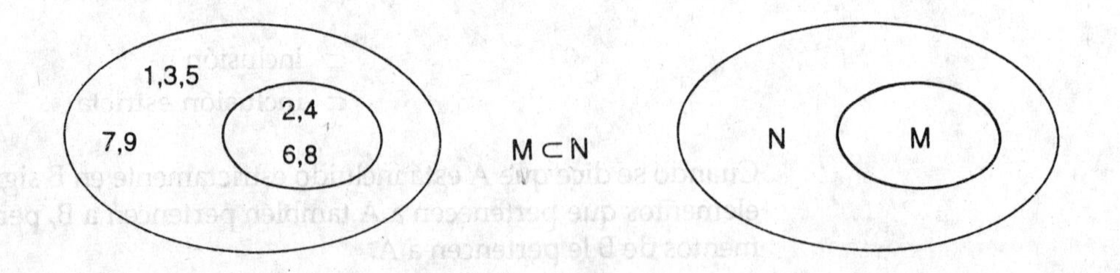

- C = {1, 2, 3, 4, 5, 6, 7, 8, 9, 10, 11, 12, 13, 14, 15, 16} con D = {1, 3, 5, 7, 9, 11, 13, 15} y E = {2, 4, 8}

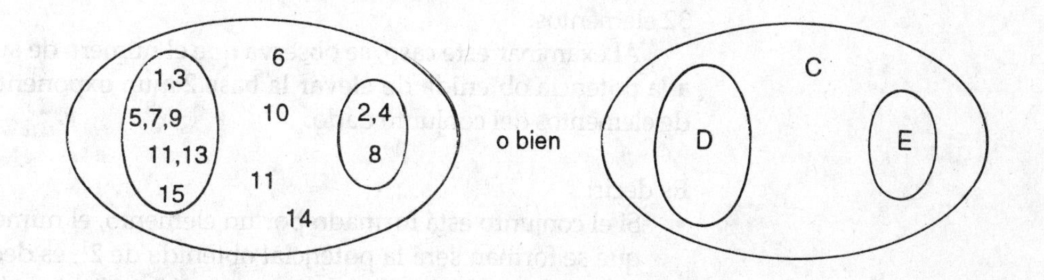

- P = {x /x sea y un perro} con Q = {x /x sea un cuadrúpedo} y R = {x /x sea un mamífero}

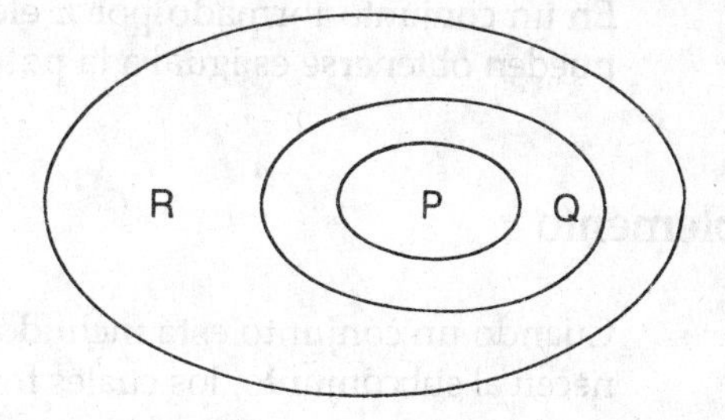

Para determinar con toda exactitud cuáles son los subconjuntos que pueden obtenerse de un conjunto, y además cuántos son, es necesario hacer un análisis de los siguientes conjuntos:

- Al analizar el conjunto de un elemento: {a}. Por la definición establecida para un subconjunto se tiene:
  primer subconjunto: ø
  segundo subconjunto: {a}
- Al analizar el conjunto formado por dos elementos: {a, b}, se tiene:
  primer subconjunto: ø
  segundo subconjunto: {a}
  tercer subconjunto: {b}
  cuarto subconjunto: {a, b}
- Ahora, al analizar el conjunto formado por tres elementos: {a,b, c}, se tiene:
  primer subconjunto: ø
  segundo subconjunto: {a}
  tercer subconjunto: {b}
  cuarto subconjunto: {c}
  quinto subconjunto: {a, b}
  sexto subconjunto: {a, c}
  séptimo subconjunto: {b, c}
  octavo subconjunto: {a, b, c}

Si se continuara el análisis con conjuntos formados con más elementos, se encontraría que, cuando el conjunto está formado por cuatro elementos, se formarían 16 subconjuntos, y en el conjunto formado por cinco elementos habría 32 elementos.

Al examinar este caso, se observa que el número de subconjuntos es igual a la potencia obtenida de elevar la base 2 a un exponente que es el número de elementos del conjunto dado.

Es decir:

- Si el conjunto está formado por un elemento, el número de subconjuntos que se forman será la potencial obtenida de 2^1, es decir 2.
- Para el formado por dos elementos será $2^2 = 4$ subconjuntos.
- Para el de tres elementos, $2^3 = 8$ subconjuntos, y así sucesivamente.

Por lo anterior se puede establecer que:

En un conjunto formado por n elementos, el número de subconjuntos que pueden obtenerse es igual a la potencia 2^n.

Conjunto complemento

Cuando un conjunto está incluido en otro, existen elementos que no pertenecen al subconjunto, los cuales forman a su vez un conjunto llamado *complemento.*

El conjunto A está incluido en B, luego los elementos que no pertenecen al conjunto A, forman el conjunto complemento de A con respecto al conjunto B.

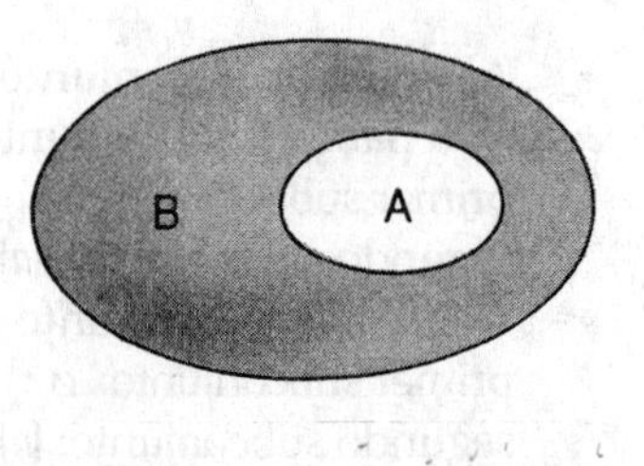

$$C_B, A = \{x \,/\, x \in B \wedge x \notin A\}$$

que se lee: El conjunto complemento de A con respecto a B está formado por elemento x tal que x pertenece al conjunto B y x no pertenece al conjunto A.

Un conjunto complemento también puede indicarse como una diferencia entre el conjunto y el conjunto incluido o subconjunto:

$$C_B, A = B — A$$

Ejemplo:

- En el conjunto D = { 3, 6, 9} y E = {1, 2, 3, 4, 5, 6, 7, 8, 9, 10}

El conjunto complemento de D con respecto a E es el formado por los elementos: 1, 2, 4, 5, 7, 8, 10.

$$C_E, D = \{1, 2, 4, 5, 7, 8, 10\}$$

Diagrama de Venn

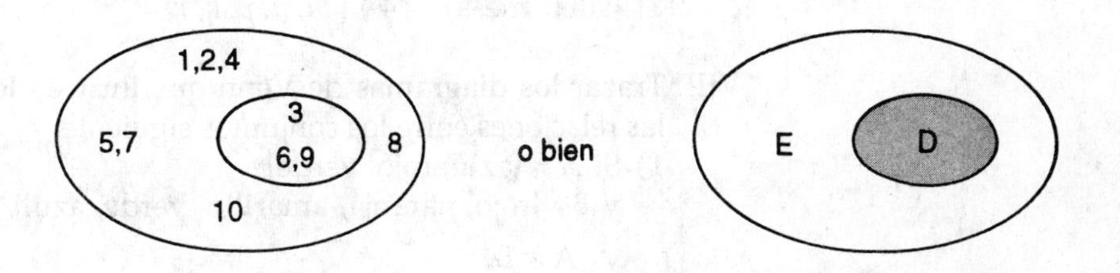

Práctica 1.1

Ejercicios para resolver:

I. Haciendo uso de los símbolos conjuntistas representar lo siguiente:
1) x pertenece a A.
2) b es un elemento del conjunto M.
3) a no pertenece a B.
4) M es un subconjunto de N.
5) A no es subconjunto de B.
6) M está incluido en P.

II. Expresar verbalmente las expresiones simbólicas:

1) $m \in$ M	3) $a \notin$ M	5) $\forall\ x / x \in$ A
2) A B	4) N $\subset$ P	6) { }

III. Representar por extensión los siguientes conjuntos:
1) Los días de la semana
2) Los meses del año.
3) Las vocales del abecedario.
4) Los números impares comprendidos hasta 20.
5) Conjunto de los números pares.
6) Los múltiplos de 5 hasta el número 100.

IV. Representar por comprensión los conjuntos de la pregunta anterior.

V. Construir los diagramas de Venn que representen a los conjuntos de la pregunta anterior.

VI. Decir si los dos conjuntos propuestos en cada caso son iguales o diferentes:
1) A = {5, 4, 3, 2, 1); B = {1, 2, 3, 4, 5}
2) C = {a, e, o}; D = {e, o, a}
3) E = {1, 2, 3, 3} F = {1, 2, 2, 3}
4) G = {a, b, c, d}; H = {b, c, d, e}
5) I = {1, 3, 5, 7}; J = {2, 4, 6, 8}

VII. Escribir los subconjuntos que tiene cada uno de los siguientes conjuntos:
1) {mesa} 3) {3, 6, 9}
2) {silla, mesa} 4) { m, n, p, q, r }

VIII. Trazar los diagramas de Venn que ilustren lo más fielmente posible las relaciones entre los conjuntos siguiente:
1) Si A = {azul, rojo, verde}
y B= {rojo, naranja, amarillo, verde, azul}
$\therefore$ A $\subset$ B.
2) M = (x/x sea una ciudad de la República Mexicana};
N = (x/x sea un estado de la República Mexicana};
P = (x/x sea un país del continente americano};
$\therefore$ M $\subset$ N y N $\subset$ P
3) A = {azul, rojo, verde};
B = {rojo, naranja, amarillo, verde azul};
[C_B, A] = B − A

Práctica 1.2

(En hojas por separado, resolver los ejercicios propuestos.)

I. Escribir por medio de símbolos conjuntistas las siguientes expresiones:
1) b es un elemento de A.
2) x no es un elemento de A.
3) Conjunto vacío.
4) A es un subconjunto de B.
5) M no es subconjunto de A.
6) Para todo x.
7) A está incluido en B.
8) M no está incluido en B.
9) Existe por lo menos uno de los elementos.
10) Conjunto universal

II. Representar simbólicamente, por extensión y por comprensión, cada uno de los siguientes conjuntos:
1) Conjunto de los meses del año.
2) Conjunto de los colores del arco iris.
3) Conjunto formado por los alumnos que integran la clase de matemática.
4) Conjunto de los días del año.
5) Conjunto de los números pares existentes entre 1 y 21.
6) Conjunto de los números impares existentes entre 20 y 50.
7) Conjunto de los números primos existentes entre 4 y 32.
8) Conjunto de los múltiplos de 2.
9) Conjunto de los divisores de 400.
10) Conjunto de los factores primos de 180.

III. Construir los diagramas de Venn que representen a los conjuntos enunciados en la pregunta anterior.

IV. Determinar la igualdad y desigualdad en los siguientes conjuntos. Dar las razones.

1) A = $\{a,b,c\}$ y B = $\{b,a,c\}$
2) C = $\{a,b,c,d\}$ y D = $\{b,c,d\}$
3) E = $\{a,b,c\}$ y F = $\{a,b,c,d,e\}$
4) G = $\{a,b,a,c\}$ y H = $\{a,b,c,b\}$
5) I = $\{a,b,a,c\}$ y J = $\{a,b,a\}$
6) K = $\{a,b,a,c,d\}$ y L = $\{a,b,c,d\}$
7) M = {4, 3, 2, 1} y N = {4, 1, 3, 2}
8) P = {1, 2, 3, 2, 3} y Q {1, 2, 3}
9) R = {1, 2, 5, 7} y S = {2, 4, 2, 8}
10) T = {2, 4, 6, 8} y U = {2, 4, 8}

V. Formar los subconjuntos que corresponden a cada uno de los siguientes conjuntos:

1) {escritorio}
2) $\{a\}$
3) {regla, lápiz}
4) $\{a,b\}$
5) {México, Guatemala, Honduras}
6) $\{a,b,c,d\}$
7) {rojo, azul, blanco, amarillo}
8) $\{m,n,p,q,r,s\}$

VI. Trazar los diagramas de Venn que indican el *subconjunto* o la *inclusión* entre los siguientes conjuntos:

1) A = {rojo, verde, azul, amarillo, violeta};
   B = {azul, rojo}
2) C = {pluma, lápiz};
   D = {cuaderno, libreta, lápiz, pluma, goma}
3) E = {Raúl, Carlos, Ricardo, José, Miguel};
   F = {José, Raúl, Carlos, Miguel}
4) G = {María, Inés, Martha}; H = {Sofía, Ruth, Ana}
5) I = {azul, violeta, verde, amarillo};
   J = {amarillo, blanco, negro, café};
6) M = {2, 4, 6, 8, 10, 12, 14, 16};
   N = {6, 12, 18, 24, 30}.
7) P = {1, 2, 3, 4, 5, 6, 7, 8, 9};
   Q = {3, 6, 9, 12, 15, 18};
   R = {9, 18, 27, 36}.
8) X = $\{x/x$ sea una letra del abecedario};
   Y = $\{x/x$ sea una vocal del abecedario};
   Z = $\{x/x$ sea una consonante compuesta del abecedario};
9) A = $\{x/x$ sea una ciudad de América};
   B = $\{x/x$ sea un país del continente americano}
   C = $\{x/x$ sea el continente americano}
10) M = $\{x/x$ sea un número real}
    N = $\{x/x$ sea un número entero positivo}
    P = $\{x/x$ sea un número entero negativo}

OPERACIONES CON CONJUNTOS

Los conjuntos pueden relacionarse en función de sus elementos para obtener nuevos conjuntos resultantes de las diferentes combinaciones que se hacen entre ellos. Estas combinaciones se conocen como operaciones con conjuntos, de las cuales las fundamentales son: unión, partición, intersección, diferencia y complemento.

Unión

La unión de dos conjuntos es el conjunto formado por todos los elementos que pertenecen a dichos conjuntos.

Considerando los conjuntos A y B, su unión será igual al conjunto formado por todos los elementos que pertenecen a los conjuntos A o B. Para **indicar esta operación se empleará el signo ∪ (se lee ''unión'').**

Simbólicamente:

$$A \cup B = \{x \,/\, x \in A \text{ o } x \in B\}$$

Gráficamente el resultado A ∪ B se indica sombreando o iluminando el área de los conjuntos A y B. Considerando los casos posibles de unión se ilustra como sigue:

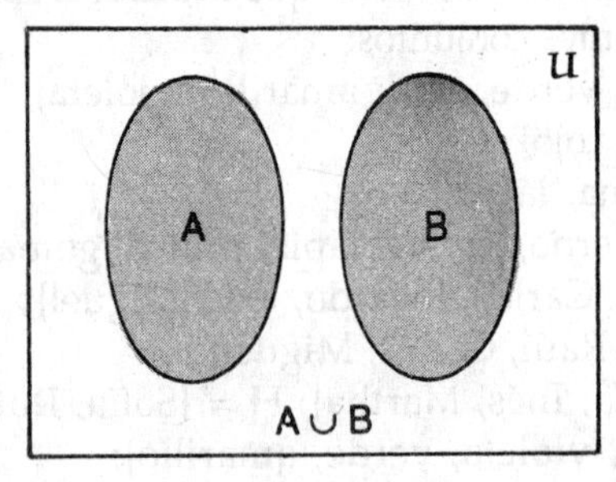

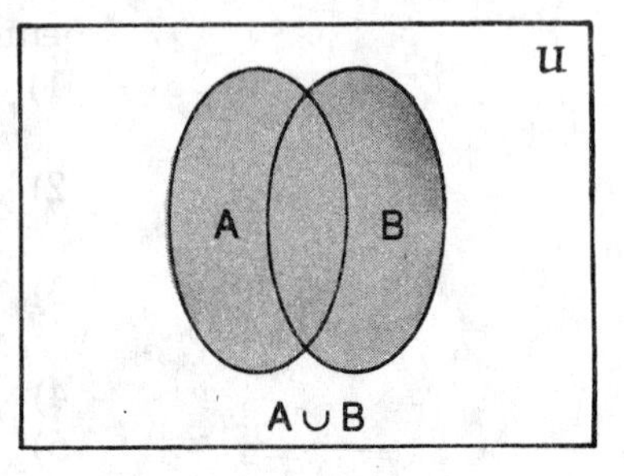

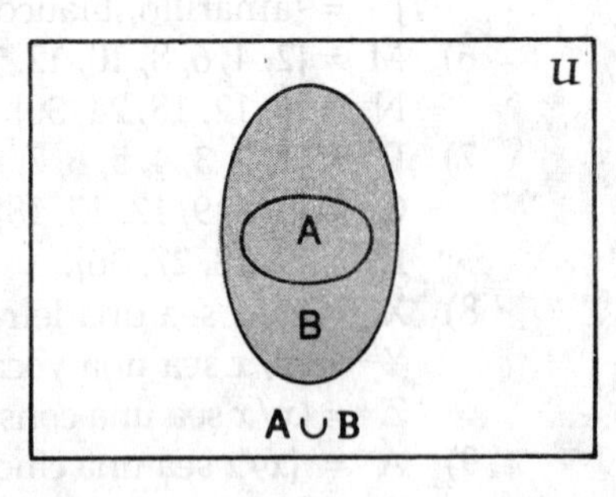

Ejemplos:

- Determinar la unión sabiendo que:

  $A = \{a, e, i, o, u\}$ y $B = \{b, c, d, f, g, h\}$

  $A \cup B = \{a, e, i, o, u, b, c, d, f, g, h\}$

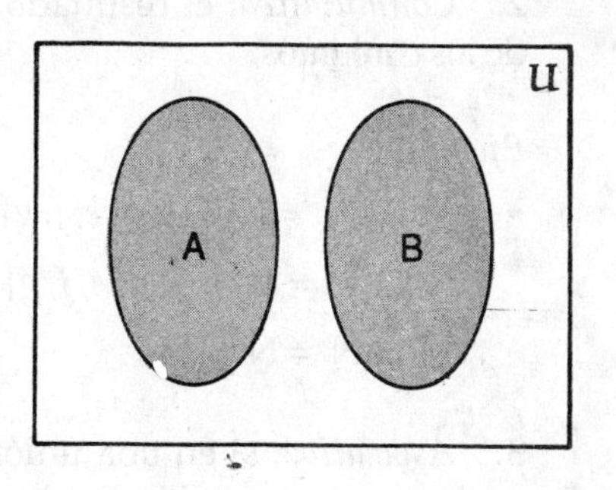

- **Determinar la unión** sabiendo que:
  C = {3, 1, 5, 7, 6, 9} y D = {3, 6, 9}
  $C \cup D = \{3, 1, 5, 7, 6, 9\} \therefore C \cup D = C$

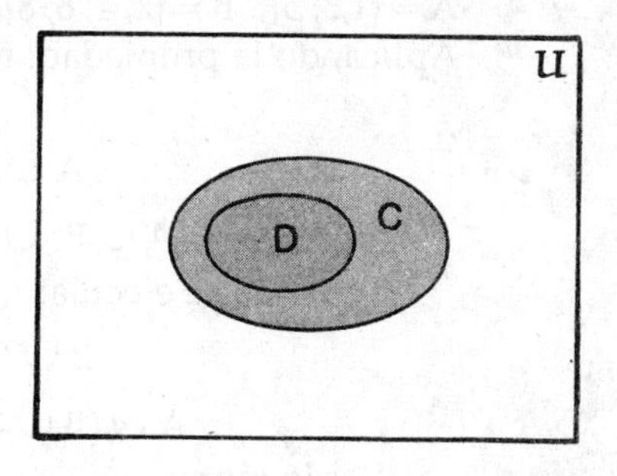

- **Determinar la unión** sabiendo que:
  E = {2, 4, 6, 8, 10, 12} y F = {4, 8, 12, 16, 20}
  $E \cup F = \{2, 4, 6, 8, 10, 12, 16, 20\}$

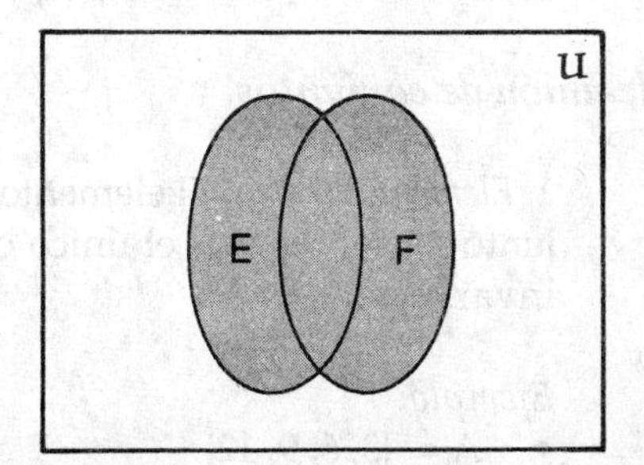

Propiedades

1. El resultado de la operación *unión* es único.

Ejemplo:

- M = {*a*, *b*, *c*, *d*} N = {*e*, *f*, *g*}
  $M \cup N = \{a, b, c, d, e, f, g\}$
  No puede existir otro resultado diferente a éste.

2. *Conmutativa*: el resultado de una unión no varía si se cambia el orden de los conjuntos.

Ejemplo:

- $M \cup N = \{a, b, c, d, e, f, g\}$

  $N \cup M = \{a, b, c, d, e, f, g\}$

  $\therefore M \cup N = N \cup M$.

3. *Asociativa*: si en una unión de más de dos conjuntos se sustituyen dos conjuntos por su unión resultante, se obtiene el mismo resultado.

Es decir:

$$A \cup B \cup C = (A \cup B) \cup C = A \cup (B \cup C).$$

Ejemplo:

- $A = \{1,3, 5\}$; $B = \{2, 4, 6, 8\}$ y $C = \{3, 6, 9, 12\}$

  Aplicando la propiedad, forman la unión correspondiente:

$$A \cup B = \{1, 3, 5, 2, 4, 6, 8\}$$

$$(A \cup B) \cup C = \{1, 3, 5, 2, 4, 6, 8, 9, 12\}$$

También se efectúa:

$$B \cup C = \{2, 4, 6, 8, 3, 9, 12\}$$

$$A \cup (B \cup C) = \{1, 5, 2, 4, 6, 8, 3, 9, 12\}$$

Por lo tanto:

$$(A \cup B) \cup C = A \cup (B \cup C)$$

Como se observa, el resultado se conserva invariable a pesar de la asociación de dos o más conjuntos, de ahí su nombre de *asociativa*.

Casos especiales de unión de conjuntos

1. *Elemento neutro*. El elemento neutro en una unión de conjuntos, es el conjunto vacío, pues es el único conjunto capaz de conservar al otro conjunto invariable.

Ejemplo:

- $A = \{3, 6, 9, 12\}$

  Si $A \cup ø = \{3, 6, 9, 12\}$

  $\therefore A \cup ø = A$

2. La unión de un conjunto con él mismo, es el mismo conjunto.

Ejemplo:

- $A = \{3, 6, 9, 12\}$

  Si $A \cup A = \{3, 6, 9, 12\}$

  $\therefore A \cup A = A$

3. Cuando la unión de dos conjuntos se hace considerando que uno esté incluido en el otro, la resultante será el conjunto que incluye al otro.

Ejemplo:

- $A = \{1, 2, 3, 4, 5, 6\}$ y $B = \{2, 4, 6\}$

  $A \cup B = \{1, 2, 3, 4, 5, 6\}$

  $\therefore A \cup B = A$

En consecuencia:

$$B \subset A \Rightarrow A \cup B = A$$

Partición

Se llama partición de un conjunto A, a todo conjunto de *subconjuntos no vacíos* de A y disjuntos entre sí, y tales que la unión de todos ellos da por resultado el conjunto A.

A cada subconjunto de una participación se le llama *clase*.

En un conjunto se pueden hacer diferentes particiones, de acuerdo con las necesidades requeridas.

Simbólicamente:

$$A = \{A_1; A_2; A_3; A_4 \ldots\}$$

Es un conjunto de subconjuntos, los que representan las particiones efectuadas al conjunto A.

$$\therefore A_1 \cup A_2 \cup A_3 \cup A_4 \cup \ldots = A$$

Gráficamente:

1a. partición

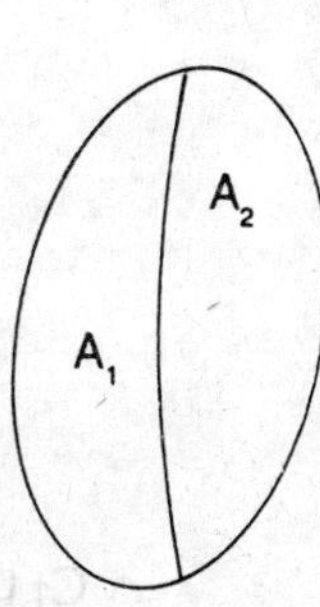

$A_1 \cup A_2 = A$

Formada por dos subconjuntos

2a. partición

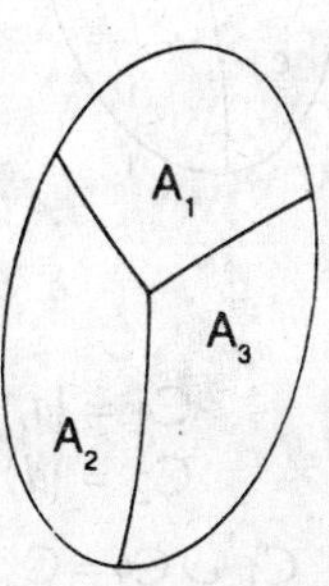

$A_1 \cup A_2 \cup A_3 = A$

Formada por tres subconjuntos

3a. partición

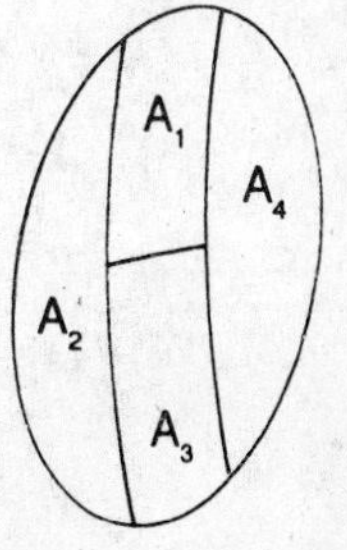

$A_1 \cup A_2 \cup A_3 \cup A_4 = A$

Formada por cuatro subconjuntos

Ejemplo:

- B = {*a, b, c, d, e, f, g, h, i, j, k*}

Efectuar tres diferentes particiones con el conjunto B.

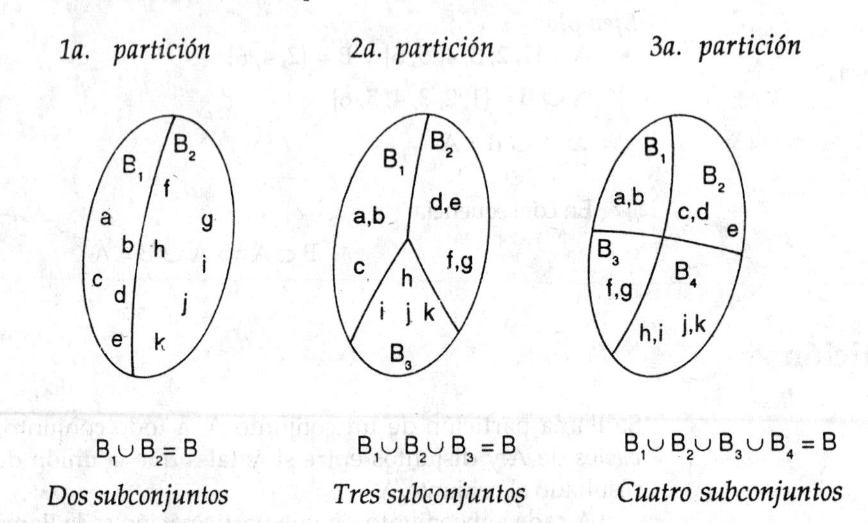

$B_1 \cup B_2 = B$ — *Dos subconjuntos*

$B_1 \cup B_2 \cup B_3 = B$ — *Tres subconjuntos*

$B_1 \cup B_2 \cup B_3 \cup B_4 = B$ — *Cuatro subconjuntos*

Una partición es regular cuando cada subconjunto está formado por el mismo número de elementos.

Ejemplo:

- C = {*a, b, c, d, e, f*}

Efectuar dos particiones regulares con el conjunto C.

1a. partición

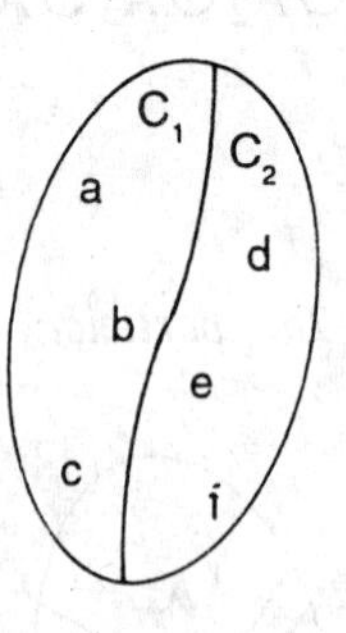

$C_1 = \{a, b, c\}$;
$C_2 = \{d, e, f\}$;

$\therefore\ C_1 \cup C_2 = C$

$C_1 \cap C_2 = \varnothing$

Cada subconjunto está formado por tres elementos

2a. partición

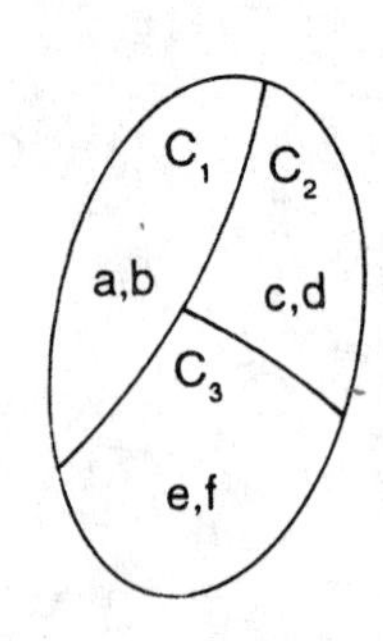

$C_1 = \{a, b\}$;
$C_2 = \{c, d\}$;
$C_3 = \{e, f\}$;

$\therefore\ C_1 \cup C_2 \cup C_3 = C$

$C_1 \cap C_2 \cap C_3 = \varnothing$

Cada subconjunto está formado por dos elementos

Intersección

La intersección de dos conjuntos es el conjunto formado por los elementos que pertenecen a ambos conjuntos.

Considérense los conjuntos A y B en los que existen elementos comunes a ambos que forman el conjunto de intersección.

$A \cap B$ se lee: "A intersección B"

Simbólicamente:

$$A \cap B = \{x / x \in A \text{ y } x \in B\}$$

Gráficamente:

El resultado de $A \cap B$ se indica sombreando o iluminando el área que es común a los conjuntos. Tomando en cuenta los casos posibles de intersección, se hacen las siguientes representaciones:

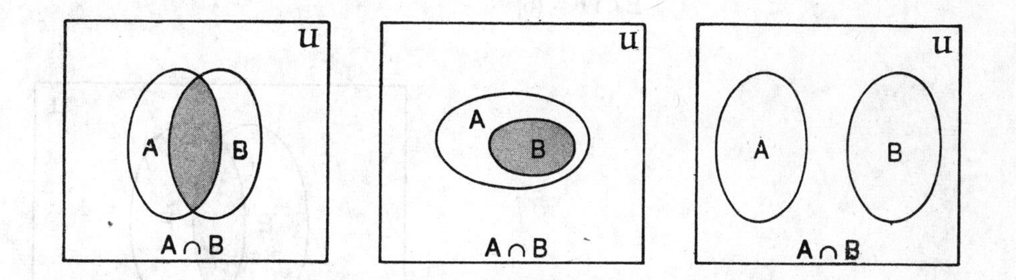

Observación. La última representación muestra conjuntos ajenos o disjuntos, por lo tanto no tienen elementos comunes y, al no haberlos, la intersección es el conjunto vacío

Ejemplos:

- Determinar el conjunto de intersección sabiendo que:
  $A = \{a, b, c, d, e, f\}$ y $B = \{d, e, f, g, h\}$
  $A \cap B = \{d, e, f\}$

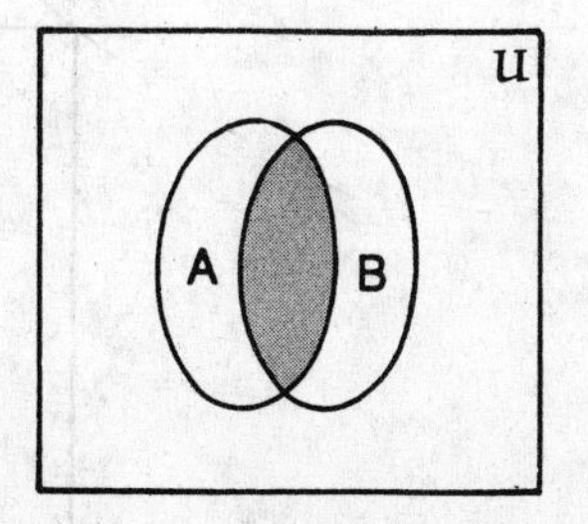

- Determinar la intersección de los conjuntos C y D sabiendo que:
  C = {2, 4, 6, 8, 10, 12, 14, 16} y D = {2, 4, 8, 16}
  $C \cap D = \{2, 4, 8, 16\}$ $\therefore$ $C \cap D = D$

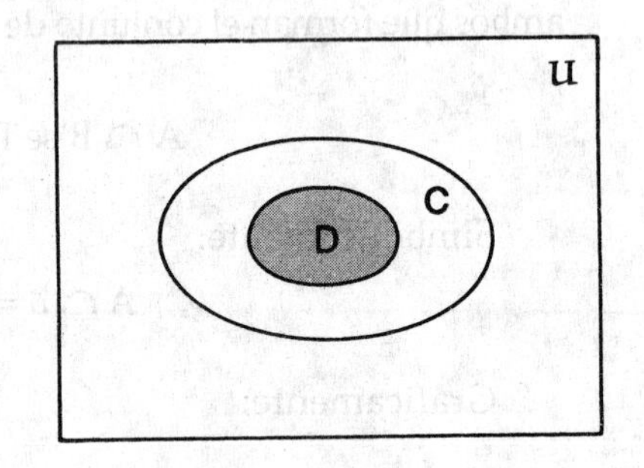

- Dar la intersección de los conjuntos E y F sabiendo que:
  E = {2, 4, 6, 8} y F = {3, 6, 9, 12}
  $E \cap F = \{6\}$

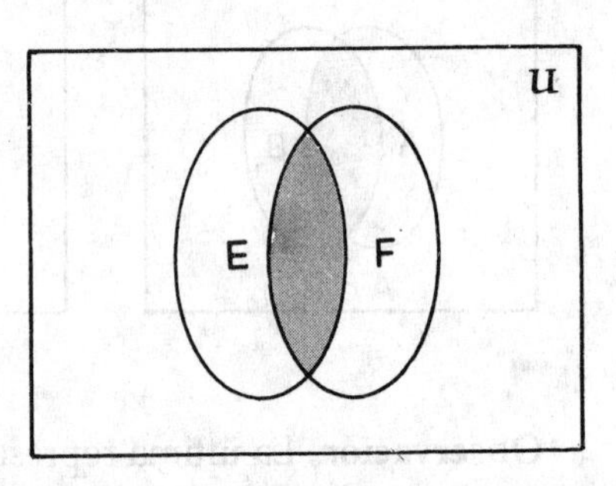

- Dar el conjunto que forma la intersección de G y H. Si
  G = {1, 3, 5, 7, 9} y H {2, 4, 6, 8, 10}
  $G \cap H = \emptyset$
  son conjuntos ajenos o disjuntos; por tanto su intersección es el conjunto vacío.

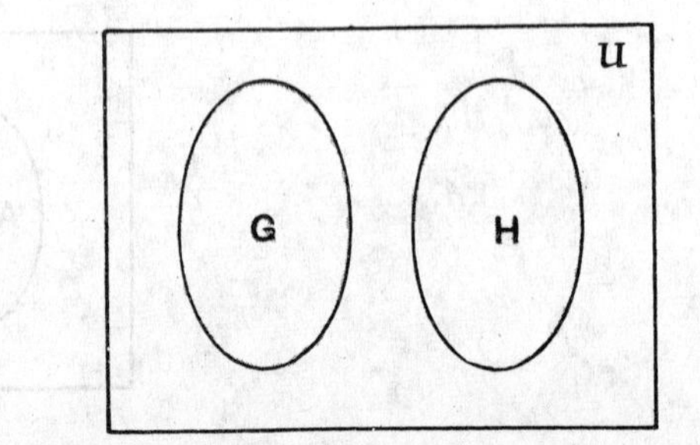

Propiedades

1a El resultado de la operación de intersección es *único*.

Ejemplo:

- $M = \{a, b, c, d\}$ $N = \{a, b, f, g\}$

  $M \cap N = \{a, b\}$

  No puede existir otro resultado diferente a éste.

2a *Conmutativa*: el resultado de la intersección no varía si se cambia el orden de los conjuntos.

Ejemplo:

- $M \cap N = \{a, b\}$ $N \cap M = \{a, b\}$

  $\therefore M \cap N = N \cap M$

3a *Asociativa*: si en la intersección de más de dos conjuntos se sustituyen dos conjuntos por su intersección efectuada, el resultado que se obtiene es el mismo. Es decir:

$$A \cap B \cap C = (A \cap B) \cap C = A \cap (B \cap C).$$

Ejemplo:

- Si $A = \{a, b, c, d, e\}$;

  $B = \{b, d, e, f, g, h\}$;

  $C = \{c, d, e, f, i, j\}$, la intersección $A \cap B \cap C$ se obtiene:

$$A \cap B = \{b, d, e\}$$

$$(A \cap B) \cap C \Rightarrow \{b, d, e\} \cap \{c, d, e, f, i, j\}$$

$$\therefore (A \cap B) \cap C = \{d, e\}$$

La intersección $A \cap B \cap C$ también se obtiene:

$$B \cap C = \{d, e, f\}$$

$$A \cap (B \cap C) \Rightarrow \{a, b, c, d, e\} \cap \{d, e, f\}$$

$$\therefore A \cap (B \cap C) = \{d, e\}$$

$$(A \cap B) \cap C = A \cap (B \cap C)$$

Casos especiales de intersección de conjuntos

1. La intersección de un conjunto con el mismo, es el conjunto mismo.

Ejemplo:

- $A = \{2, 4, 6\}$

  Si $A \cap A = \{2, 4, 6\}$

  $\therefore A \cap A = A$

2. La interserccíón de un conjunto con el conjunto vacío es el mismo conjunto vacío.

Ejemplo:

- $A = \{2, 4, 6\}$

  Si $A \cap \emptyset = \emptyset$

3. Cuando la intersección de dos conjuntos, se hace considerando que uno está incluido en el otro, la intersección es el conjunto incluido.

Ejemplo:

- $A = \{1, 2, 3, 4, 5, 6\}$ y $B = \{2, 4, 6\}$

  $A \cap B = \{2, 4, 6\}$

  $\therefore A \cap B = B$

En consecuencia:

$$\text{Si } B \subset A \Rightarrow A \cap B = B$$

Diferencia

La diferencia de los conjuntos A y B es el conjunto formado por los elementos que pertenecen a A, pero que no pertenecen a B. Tal diferencia se indica:

$A — B$ se lee: "A menos B"

También se indica:

$A \sim B$ se lee: "A diferencia B"

Simbólicamente:

$$A — B = \{x / x \in A \text{ y } x \notin B\}$$

Ejemplo:

- Si $A = \{a, b, c, d\}$ y $B = \{c, d, e, f\}$

  Su diferencia:

  $$A — B = \{a, b\}$$

  Gráficamente:

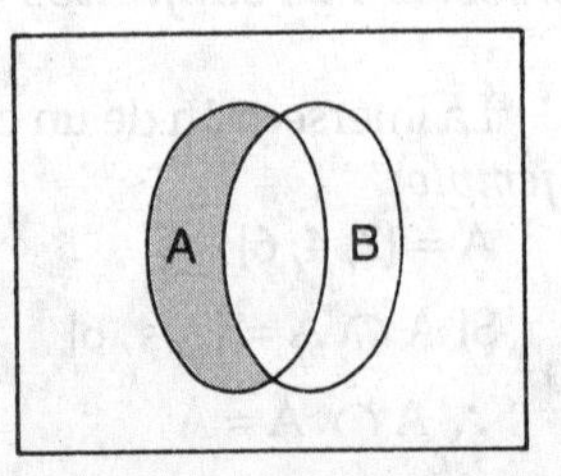

Considerando que todo conjunto es *subconjunto* del *conjunto universal, el complemento* es la diferencia del *conjunto universal* y el *conjunto dado.*

El complemento del conjunto X es el conjunto de elementos que no le pertenecen, lo cual se indica en forma muy simple con ~X. Si el complemento es una diferencia entre el conjunto universal y el conjunto X, se tiene:

$$U - X = \sim X$$

Simbólicamente:

$$\sim x = \{x / x \in U \text{ y } x \notin X\}$$

El diagrama correspondiente se indica, sombreando toda el área que no corresponda al conjunto X.

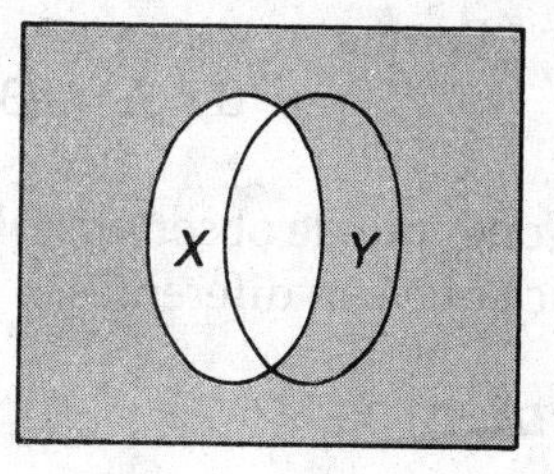

El complemento ~X es toda el área iluminada.

PRODUCTO CARTESIANO

Dados dos conjuntos A y B, se llama producto cartesiano del conjunto A por el conjunto B al conjunto C, cuyos elementos son todos los *pares ordenados* (x, y) tales que x pertenece al primer conjunto A y y pertenece al segundo conjunto B.

Simbólicamente:

$$A \times B \{(x, y) / x \in A \text{ y } x \in B\}$$

Ejemplo:

- Dados A = {1, 2} y B = {3, 4, 5}
  A x B = C
  A x B = {(1, 3); (1, 4); (1, 5); (2, 3); (2, 4); (2,5)}

  Gráficamente:

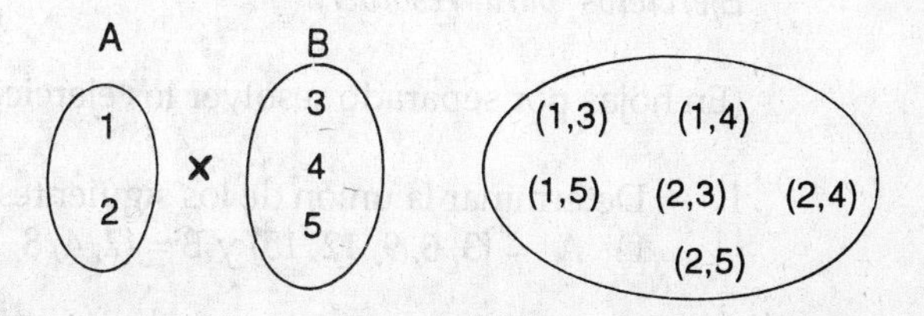

El producto también puede indicarse como una tabla de elementos:

A\B	3	4	5
1	(1, 3)	(1, 4)	(1, 5)
2	(2, 3)	(2,4)	(2, 5)

Como caso particular puede efectuarse el producto cartesiano de un conjunto por sí mismo.

Observación. Por la definición establecida, el producto cartesiano no es una operación conmutativa.

Es decir:

$$A \times B \neq B \times A,$$

Porque

$$B \times A = \{(3, 1); (3, 2); (4, 1); (4, 2); (5, 1); (5, 2)\}$$

Como puede observarse, los elementos aparecen en otro orden lo cual significa que son diferentes.

Par ordenado de elementos

Un *par ordenado* está formado por dos elementos dados en un cierto orden. Este se presenta escribiendo los elementos encerrados dentro de un paréntesis.

Se dice que dos pares ordenados (a, b) y (c, d) son iguales sólo cuando sus primeros y segundos elementos son iguales entre sí, respectivamente.

$$(a, b) = (c, d) \Leftrightarrow a = c; b = d$$

Ejemplo:

- Son pares ordenados:

  $(3, 5); (-5, 3); (a, b); (c, d)$

  El primer elemento de cada uno se nombra *primer componente*:

  $3; -5; a; c$

  El segundo elemento de cada uno se nombra *segundo componente*:

  $5; 3; b; d$

  No son pares ordenados iguales:

  $(3, 5)$ y $(5, 3)$

Práctica 1.3

Ejercicios para resolver:

(En hojas por separado resolver los ejercicios propuestos.)

I. Determinar la unión de los siguientes conjuntos:

1) $A = \{3, 6, 9, 12, 15\}$ y $B = \{2, 4, 8, 16\}$

2) C = {3, 6, 9, 12, 15, 18} y
D = {2, 4, 6, 8, 10, 12, 14, 16, 18}
3) E = {2, 4, 6, 8, 10, 12, 14, 16} y F = {2, 4, 8, 16}
4) G = {*a*, *b*, *c*, *d*, *e*, *f*, *g*, *h*, *i*} y H = {*a*, *e*, *i*, *o*, *u*}
5) I = {*a*, *e*, *i*, *o*, *u*} y J = {*b*, *c*, *d*, *f*, *g*}
6) M = {2, 4, 6, 8, 10}; N = {4, 8, 12, 16} y
P = {8, 16, 24, 32}
7) A = {1, 2, 3, 4, 5, 6, 7, 8}; B = {2, 4, 6, 8} y
C = {3, 6, 9, 12}
8) P = {*a*, *b*, *c*, *d*, *e*}; Q = {*d*, *e*, *f*, *g*, *h*} y
R = {*g*, *h*, *i*, *j*, *k*};
9) X = {*a*, *b*, *c*, *d*, *m*, *n*}; Y= {*d*, *e*, *f*, *g*, *m*, *n*} y
Z = {*p*, *q*, *r*, *s*, *t*}
10) A = {*x* /*x* sea un número par hasta 20};
B = {*x* /*x* sea un múltiplo de 3 hasta 21} y
C = {*x* /*x* sea un número múltiplo de 4 hasta 20}

II. Trazar los diagramas de Venn que representen las uniones efectuadas con los conjuntos de la pregunta anterior.

III. Formar particiones de dos y tres subconjuntos con los siguientes conjuntos:

1) A = {*a*, *b*, *c*, *d*, *e*, *f*, *g*, *h*, *i*, *j*}
2) B = {*m*, *n*, *p*}
3) C = {1, 2, 3, 4, 5, 6, 7, 8}

IV. Determinar los conjuntos de intersección en las siguientes relaciones de conjuntos:

1) A = {3, 6, 9, 12, 15, 18} y
B = {2, 4, 6, 8, 10, 12, 14, 16, 18}
2) C = {2, 4, 6, 8, 10, 12, 14, 16} y D = {2, 4, 8, 16}
3) E = {*a*, *e*, *i*, *o*, *u*} y F = {*b*, *c*, *d*, *f*, *g*}
4) G = {2, 4, 6, 8, 10}; H = {4, 8, 12, 16} y
I = {8, 16, 24, 32};
5) J = {1, 2, 3, 4, 5, 6, 7, 8}; K = {2, 4, 6, 8} y
L = {3, 6, 8, 10}

V. Trazar los diagramas de Venn que ilustren las intersecciones de la pregunta anterior.

VI. Determinar la diferencia en los siguientes conjuntos:

1) A = {*m*, *n*, *p*, *q*}; B = {*p*, *q*, *r*, *s*}
2) C = {1, 2, 3, 4, 5, 6, 7, 8}; D = {2, 4, 6, 8}
3) E = {*a*, *b*, *c*, *d*, *e*, *f*, *g*, *h*, *i*};
F = {*a*, *b*, *c*, *d*, *e*, *f*, *g*, *h*, *i*}

VII. Trazar los diagramas de Venn que representen la diferencia en los conjuntos de la pregunta anterior.

VIII. Trazar los diagramas de Venn que ilustren los complementos de los conjuntos:

1) Ilustrar: complemento M′ de M
2) Ilustrar: complemento N′ de N
3) Ilustrar: complemento $(M \cup N)'$ de $M \cup N$
4) Ilustrar: complemento $(M \cap N)'$ de $M \cup N$

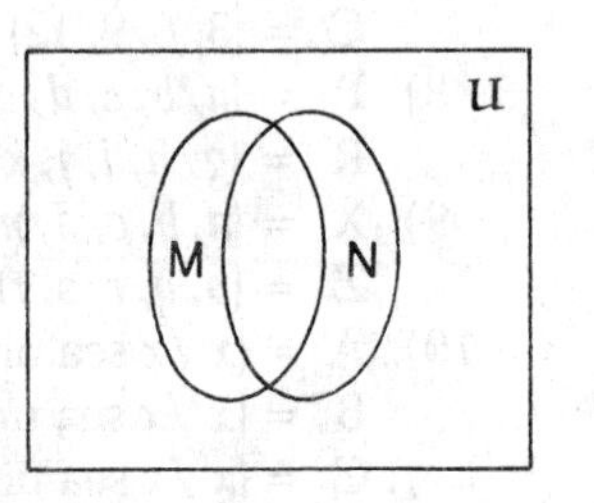

IX. Propuestos los conjuntos A, B y C

$A = \{a, b, c, d, e, f, g, h, i\}$
$B = \{c, g, h, j, k, l, m\}$
$C = \{c, g, h, n, p, q\}$

1) Hallar $A \cup B \cup C$ y trazar el diagrama de Venn correspondiente.
2) En igual forma $A \cap B \cap C$
3) De la misma manera $A - B$; $B - C$ y $A - C$
4) Ilustrar únicamente los complementos: A'; B'; C'; $(A \cup B)'$; $(B \cup C)'$

X. Conocidos los conjuntos:

$A = \{1, 2, 3, 4, 5, 6, 7, 8, 9, 10\}$,
$B = \{2, 4, 6, 8, 10\}$,
y $C = \{1, 3, 5, 7, 9\}$

1) Hallar $A \cup B \cup C$ y trazar el diagrama de Venn correspondiente.
2) En igual forma $A \cap B$; $B \cap C$; $A \cap C$
3) De la misma manera $A — B$; $A — C$; $A — (B \cup C)$
4) En forma gráfica indicar los complementos A'; B'; C'; $(B \cup C)'$; $A' \cup (B \cup C)'$

XI. Efectuar particiones de dos, tres, y cuatro subconjuntos, con cada uno de los siguientes conjuntos:

1) $A = \{a, b, c, d, e, f, g, h, i\}$
2) $B = \{1, 2, 3, 4, 5, 6\}$
3) $C = \{a, 1, b, 2, c, 3, d, 4, e, 5\}$

RELACIONES

Relaciones entre conjuntos

Si en un producto cartesiano A x B se consideran solamente los pares ordenados cuyo primer elemento del par esté vinculado con el segundo por cierta condición o propiedad específica, el subconjunto de A x B, así obtenido, es una relación entre los elementos del conjunto A y los del conjunto B.

Toda relación se indica por $\Re$.

Simbólicamente:

$$A \,\Re\, B = C$$

$$C = \{(x, y) \;/\; x \in A; y \in B; x \,\Re\, y\},$$

donde $x \,\Re\, y$ indica que y está vinculada con x por la relación $\Re$; y es imagen del elemento x por la relación $\Re$.

A la relación entre dos conjuntos también se le llama *correspondencia* entre esos dos conjuntos.

Dominio y contradominio

En general, si se establece la relación entre los conjuntos A y B, se llama *dominio* de la relación $\Re$ al conjunto formado por los elementos de A, que son primeros elementos de los pares ordenados de esa relación. Al dominio también se le conoce como *campo de definición o campo existencial*.

Se llama *contradominio* de la relación $\Re$ al conjunto formado por los elementos de B, que son segundos elementos de los pares ordenados de esa relación. Al contradominio también se le conoce como *imagen o codominio*.

Distribuición práctica. Se distribuyen en dos columnas formando una tabla, de tal manera que en la primera figuren los elementos del primer conjunto que tienen correspondencia en el segundo.

x	y
x_1	y_1
x_2	y_2
x_3	y_3
.	.
.	.
.	.
x_n	y_n

donde:

$$x_1 \,\Re\, y_1; x_2 \,\Re\, y_2; x_3 \,\Re\, y_3; .., {}^n x_n \,\Re\, y_n$$

Ejemplos:

- $\mathfrak{R} \rightarrow$ Capital del estado
  A = {Toluca, Chilpancingo, Mérida}
  B = {Yucatán, México, Guerrero}

Después de efectuado el producto cartesiano A × B = C, el subconjunto que cumple con la relación indicada es:

C = {(Toluca, México); (Chilpancingo, Guerrero); (Mérida, Yucatán)}.

Gráficamente:

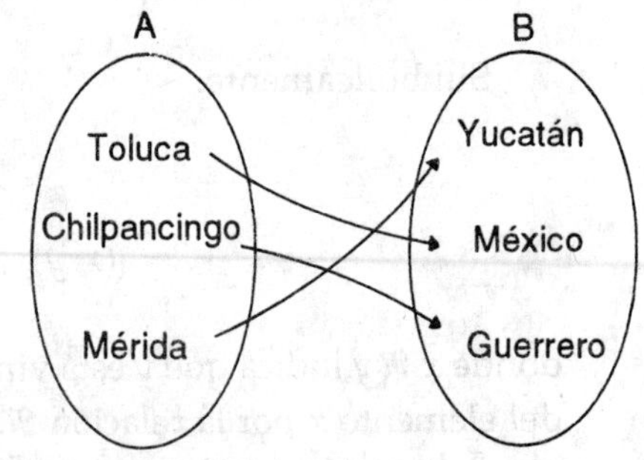

Distribución práctica:

Capital	Estado
Toluca Chilpancingo Mérida	México Guerrero Yucatán

- $\mathfrak{R} \rightarrow$ mayor que

D = {10, 8, 7, 5, 3, 1}
E = {6, 4, 2}

Después de efectuado el producto cartesiano D × E = F, el subconjunto que cumple con la relación indicada es:

F = {(10, 6); (10, 4); (10, 2); (8, 6); (8, 4); (8, 2); (7, 6); (7, 4); (7, 2); (5, 4); (5, 2); (3, 2)}

Gráficamente:

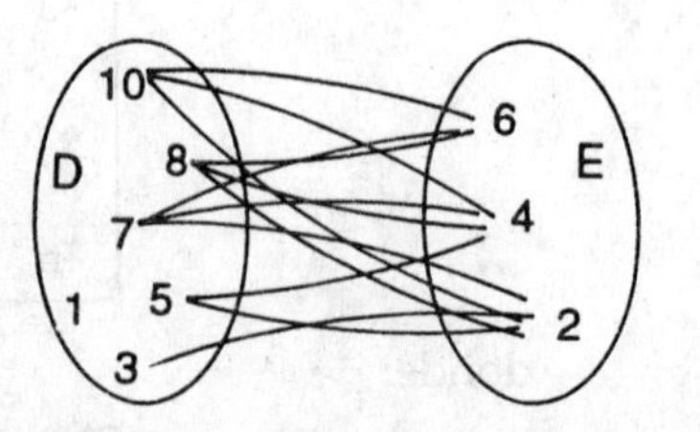

Representación práctica:

x	y
10	6
10	4
10	2
8	6
8	4
8	2
7	6
7	4
7	2
5	4
5	2
3	2

Propiedades de las relaciones

Considerando los elementos de las relaciones, se pueden establecer relaciones de carácter propio o *propiedades*, que a continuación estudiaremos.

Carácter o propiedad idéntica o refleja

Una relación definida en A es idéntica o reflexiva cuando todo elemento del conjunto es imagen de sí mismo.

$$\mathfrak{R}(x) = x$$

Gráficamente:
Una flecha cerrada indica que cada elemento corresponde a sí mismo.

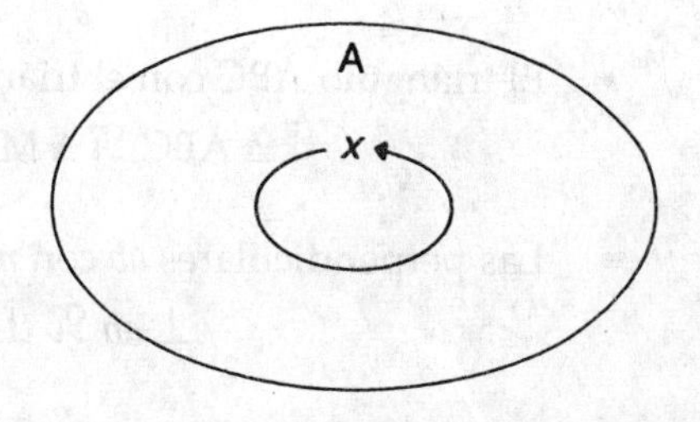

En general, una relación definida entre los elementos de un mismo conjunto puede poseer el carácter idéntico, reflexivo o reflejo si mediante esa relación todo elemento x de ese conjunto es imagen o correspondiente a sí mismo.

Ejemplos para la relación de igualdad:

- Un punto A:

$$A = A$$

- Un segmento de recta $\overline{AB}$:

$$\overline{AB} = \overline{AB}$$

- Un triángulo ABC:

$$\Delta\ ABC = \Delta\ ABC$$

Carácter o propiedad recíproca o simétrica

Se dice que una relación definida entre los elementos de un conjunto es recíproca o simétrica si se verifica que, cuando al elemento x le corresponde el elemento y, en la relación $\mathfrak{R}$, también al elemento y le corresponde el elemento x en esa misma relación.

$$\text{Si } x\ \mathfrak{R}\ y \Rightarrow y\ \mathfrak{R}\ x$$

Gráficamente:

Una doble flecha indica la reciprocidad:

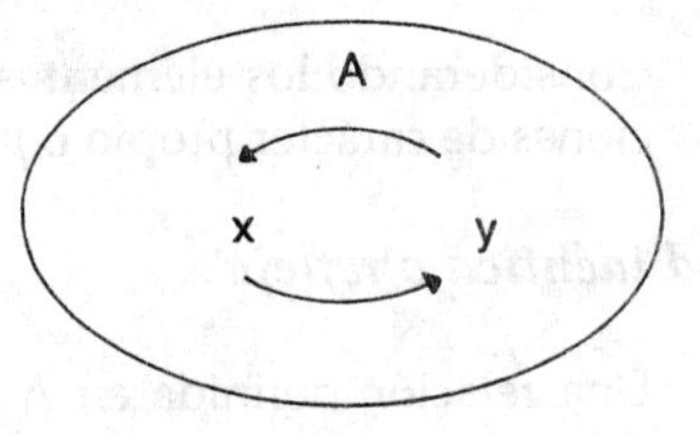

$$(x, y) \in \mathfrak{R} \Rightarrow (y, x) \in \mathfrak{R}$$

Ejemplos:

- El segundo de recta $\overline{AB}$ con $\overline{CD}$:

$$\overline{AB}\ \mathfrak{R}\ \overline{CD} \Rightarrow \overline{CD}\ \mathfrak{R}\ \overline{AB}$$

- El triángulo ABC con el triángulo MNP:

$$\Delta\ ABC\ \mathfrak{R}\ \Delta\ MNP \Rightarrow \Delta\ MNP\ \mathfrak{R}\ \Delta\ ABC$$

- Las perpendiculares *ab* con *mn*:

$$\perp ab\ \mathfrak{R}\ \perp mn \Rightarrow \perp mn\ \mathfrak{R}\ \perp ab$$

Carácter o propiedad transitiva

Se dice que una relación es transitiva cuando se cumple la siguiente condición: si a un elemento x le corresponde un elemento y, y al elemento y le corresponde un elemento z, entonces al elemento x le corresponde el elemento z.

$$x\ \mathfrak{R}\ y \text{ y } y\ \mathfrak{R}\ z \Rightarrow x\ \mathfrak{R}\ z$$

Gráficamente:
Las flechas señalan la transitividad:

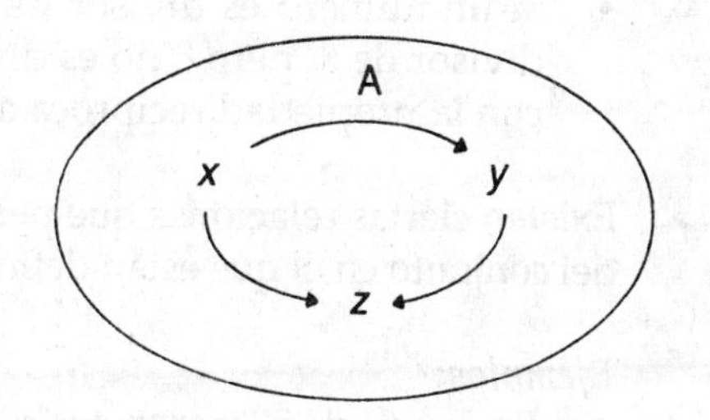

Ejemplos:

- Si $5 < 7$ y $7 < 10 \Rightarrow 5 < 10$
- Si a // b y b // c $\Rightarrow$ a // c

Relación de equivalencia

Una relación es de equivalencia cuando es *reflexiva, simétrica* y *transitiva*.

Ejemplos:
- Las relaciones de *igualdad* son reflexivas, simétricas y transitivas.
- El *paralelismo* de las rectas de un plano es reflejo, simétrico y transitivo, por lo tanto es una relación de equivalencia.

En toda relación de equivalencia existente entre los elementos de un conjunto es posible efectuar una partición del mismo en subconjuntos, a los que se les llaman *clases de equivalencia*, y que son equivalentes respecto a esa relación.

Ejemplo:

Hablando de la relación de equivalencia *''paralela a''*, existente entre las rectas trazadas en un plano, es posible efectuar una partición en ese mismo conjunto, de tal manera que, a cada clase o subconjunto pertenezcan todas las paralelas entre sí que tienen la misma dirección.

Relación de orden

Una relación es de orden cuando es reflexiva, *antisimétrica* y transitiva.

Ejemplos:
- En la relación "*divisor de*":
- Cualquier número es divisor de sí mismo: 4 es divisor de 4; 6 es divisor de 6; 8 es divisor de 8, *es una relación reflexiva.*

- Si un número es divisor de otro, y éste a su vez es divisor de un tercero, el primero es divisor del tercero: 4 es divisor de 8 y 8 es divisor de 24; por tanto, 4 es divisor de 24, *es una relación transitiva.*
- Si un número es divisor de otro, éste no es divisor del primero: 4 es divisor de 8, pero 8 no es divisor de 4. Es antisimétrico por no cumplir con la propiedad recíproca o simétrica.

Existen ciertas relaciones que permiten el ordenamiento de los elementos del conjunto en el que están definidas.

Ejemplos:
- En la relación "*menor que*":
- Aplicada a los números naturales se forma un ordenamiento de menor a mayor.
- La relación "*menor que*" no es reflexiva, es antisimétrica, es transitiva.

Cuando las relaciones son únicamente *transitivas*, se llaman *relaciones de orden estricto.*

APLICACIÓN O FUNCIÓN

Dentro de las relaciones existe una que tiene gran importancia por el uso que se hace de ella; se le conoce con el nombre de *aplicación o función.*

Cuando una relación cumple con la condición de que "*a cada elemento del dominio le hace corresponder un único elemento del contradominio como imagen*", se le denomina como aplicación o función.

Simbólicamente la *notación* de una aplicación o función se hace considerando que y es la imagen de x mediante la aplicación de la función f:

$$y = \mathrm{f}(x)$$

También se puede representar:

$$x \longrightarrow y = \mathrm{f}(x) \text{ o bien } f : x \longrightarrow y,$$

que se lee: "a x le corresponde $y = \mathrm{f}(x)$"

Ejemplos:
- La relación persona-edad es una función, ya que a cada persona, que es un elemento del primer conjunto, se le hace corresponder con un número del segundo conjunto, que es exactamente el que corresponda a su edad.
- La relación "*capital de*" es una aplicación o función, pues a cada capital le corresponde únicamente un país o bien un estado.
- La relación "*mitad de*" también es una aplicación o función en el conjunto de los números racionales.
- La relación "*hijo de*", entre el alumnado de una escuela y el conjunto de padres, es una aplicación o función, pues a cada hijo corresponde un padre, sin importar que a más de un niño le corresponda el mismo padre.

En consecuencia, en la aplicación o función lo único importante es que *''a cada elemento del primer conjunto le corresponda uno y sólo uno en el segundo''*, sin considerar que a dos o más elementos del primer conjunto le correspon- da la misma imagen en el segundo.

Las *aplicaciones o funciones* pueden representarse utilizando los diagra- mas de Venn-Eüler indicando, de acuerdo con el concepto de función, que a cada elemento del dominio le corresponde uno solo del codominio.

1) Cuando cada elemento del contradominio es correspondiente de uno solo del dominio:

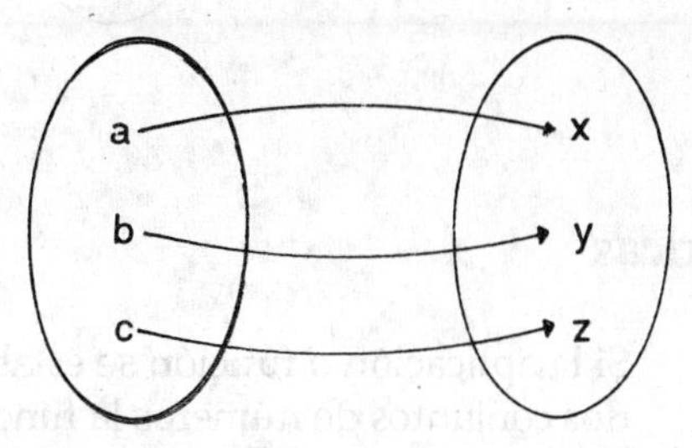

2) Cuando cumpliendo con el concepto de función, además hay un elemento del codominio que es correspondiente de más de un elemento del dominio:

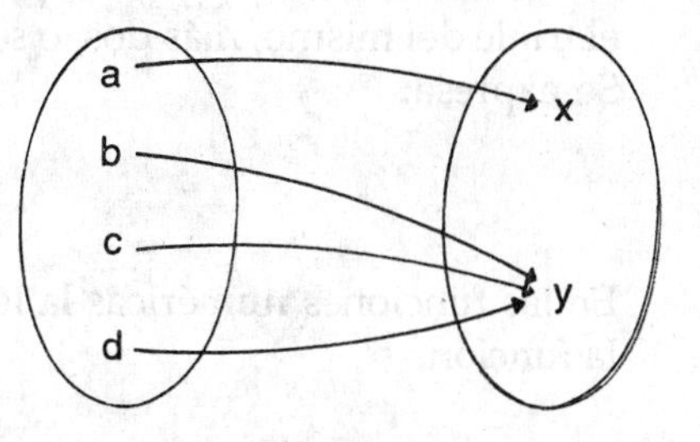

3) Si trata de una función de elementos de un conjunto en el mismo conjunto:

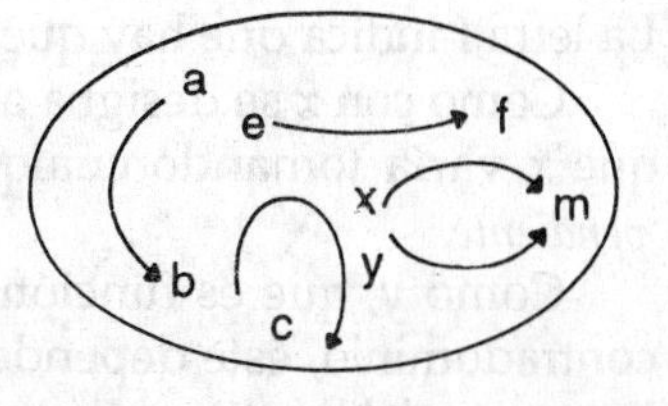

4) Cuando a todos los elementos del dominio le corresponde únicamente un elemento del codominio:

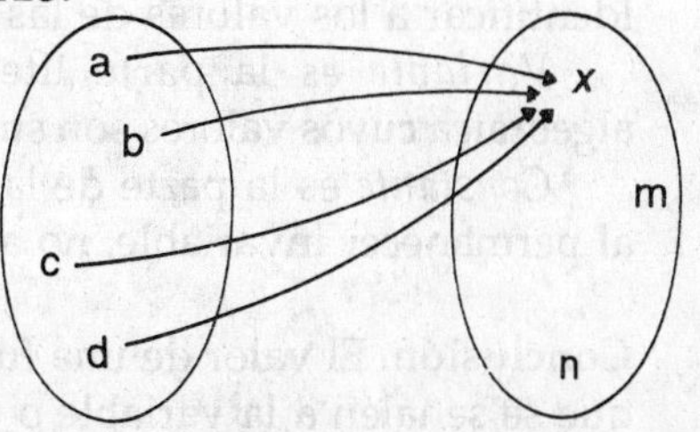

El siguiente diagrama no corresponde a función alguna ya que hay elementos del dominio que tienen más de una imagen:

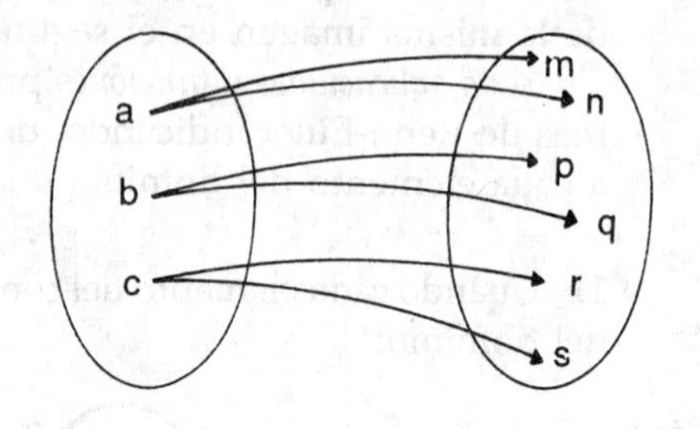

Funciones numéricas

Si la aplicación o función se establece entre un conjunto de números o entre dos conjuntos de números la función se llama *función numérica.*

Ejemplo:
La función numérica que indique que a cada número se le hace corresponder el triple del mismo, más dos, o sea: $3x + 2$
Se expresa:

$$y = 3x + 2$$

En las funciones numéricas la letra f indica las operaciones que establecen la función.

$$\text{Si } y = f(x)$$
$$y = 3x + 2$$

La letra f indica que hay que multiplicar x por 3 y sumarle 2 al producto.

Como con x se designa a cualquiera de los valores del dominio, es decir que x varía tomando cualquiera de esos valores, se llama *variable independiente.*

Como y, que es función de x, representa un elemento cualquiera del contradominio, éste depende del valor de x que se emplea, por eso a y se le llama *variable dependiente*.

Una función numérica puede expresarse mediante una fórmula, y por lo tanto las fórmulas pueden ser interpretadas por *funciones*, si se cuida de identificar a los valores de las variables y de las constantes.

Variable es la parte literal de una fórmula o de una expresión algebraica cuyos valores son sustituidos por valores numéricos.

Constante es la parte de la fórmula o expresión algebraica cuyo valor, al permanecer invariable, no afecta directamente al valor de la función.

Conclusión. El valor de una función depende estrictamente de los valores que se señalen a la variable o variables independiente(s).

Ejemplos:

- En la fórmula $e = v \cdot t$, en donde e = espacio recorrido; v = velocidad; t = tiempo empleado.
  La variable dependiente es e; la variable independiente es t, y v es la constante.
- En la fómula $A = \pi r^2$, para obtener el área del círculo, la variable dependiente es A; la variable independiente es r y la constante es π.
- En la ecuación $y = 2x + 3$ dada en función de x

$$y = f(x)$$

La variable dependiente es y; la variable independiente es x, y la constante es 3.

Para las funciones numéricas sobre todo es muy cómodo disponerlas en forma práctica en cuadros de valores llamados *tablas*, las cuales, como se recordará, se organizan en dos columnas, tal como se indicó para las relaciones.

Ejemplos:

- Para la función propuesta $y = 3x + 2$:

x	$y = 3x + 2$
—3	—7
—2	—4
—1	—1
0	2
1	5
2	8
3	11

$y = 3(-3) + 2 = -9 + 2$
$y = 3(-2) + 2 = -6 + 2$
$y = 3(-1) + 2 = -3 + 2$
$y = 3(0) + 2 = 0 + 2$
$y = 3(1) + 2 = 3 + 2$
$y = 3(2) + 2 = 6 + 2$
$y = 3(3) + 2 = 9 + 2$

- Para la fórmula $°F = \frac{9° C}{5} + 32$:

°C	$°F = \frac{9° C}{5} + 32$
100°	212°
125°	257°
150°	302°
200°	392°

$°F = \frac{9(100)}{5} + 32$
$°F = \frac{9(125)}{5} + 32$
$°F = \frac{9(150)}{5} + 32$
$°F = \frac{9(200)}{5} + 32$

Representación gráfica

Toda función numérica puede representarse respecto a dos ejes, para lo cual se consideran dos rectas que se cruzan perpendicularmente formando una horizontal y una vertical. El punto de intersección se considera como origen. El sistema de *ejes coordenados* o *cartesianos* es ideal para este propósito, de tal manera que en el eje de las abscisas se marcan los elementos del *dominio* y en el eje de las ordenadas se marcan los elementos del *contradominio*; desde cada punto de abscisa y ordenada se trazan perpendiculares que se interceptan en un punto.

De acuerdo con la tabla de valores de la función se determina si la gráfica ha de ser de barras, poligonal o corresponde a un lugar geométrico. El conjunto de todos los puntos considerados se llama *gráfica de la función*.

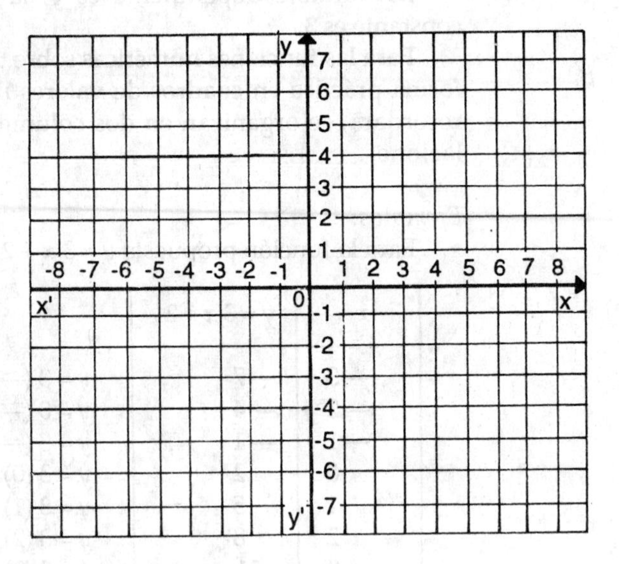

Ejemplos:

• Trazar la gráfica:

Hora	*Temp.* °C
8	38.5
10	39
12	38
14	37

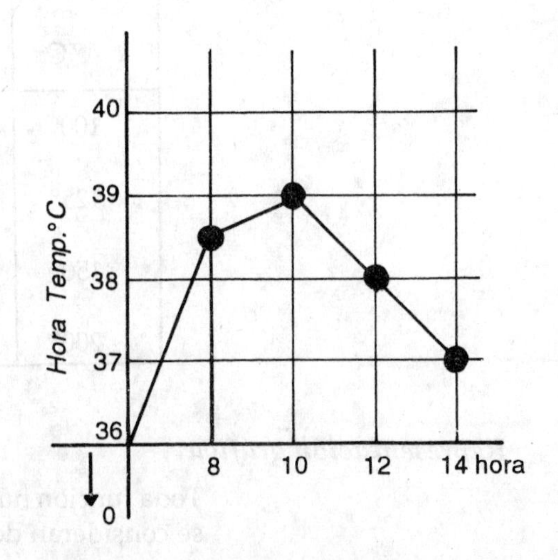

- Trazar la gráfica de la función $y = 2\,x$:

x	y	
3	6	A
2	4	B
1	2	C
0	0	D
—1	—2	E
—2	—4	F
—3	—6	G

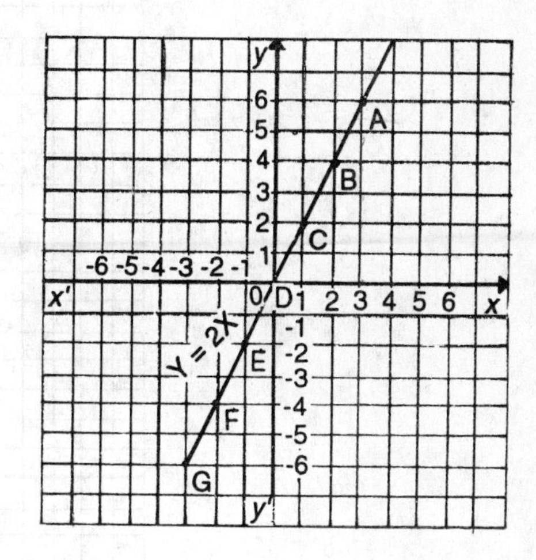

- Trazar la gráfica de la función $y = x^2$:

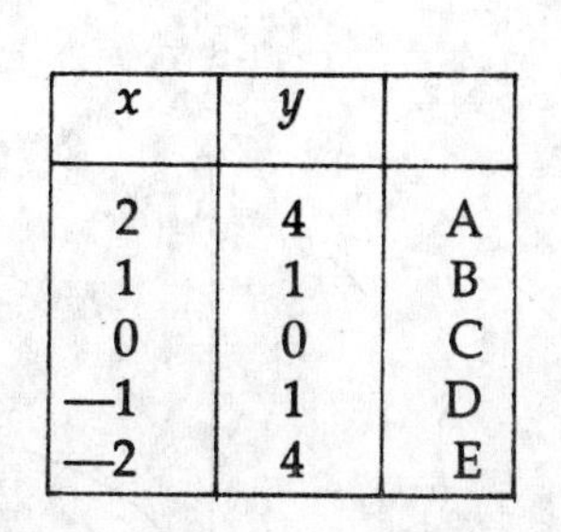

x	y	
2	4	A
1	1	B
0	0	C
—1	1	D
—2	4	E

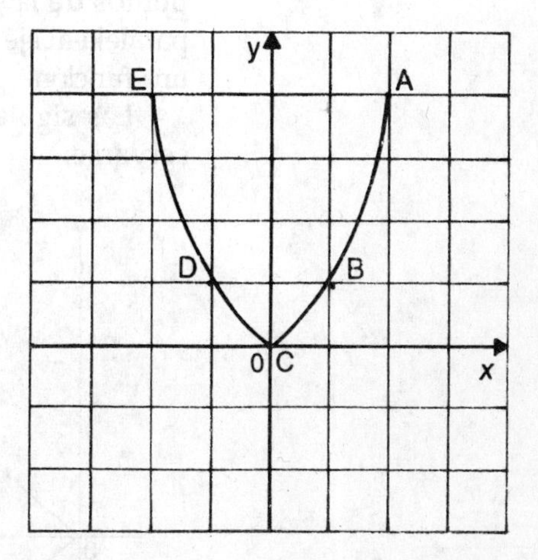

Para generalizar se puede tomar como ejemplo la función que se define en el conjunto de los números reales, suponiendo que los puntos que se presentan en los ejes coordenados están tan próximos que determinan una curva.

Para $y = f(x)$ la gráfica podrá ser:

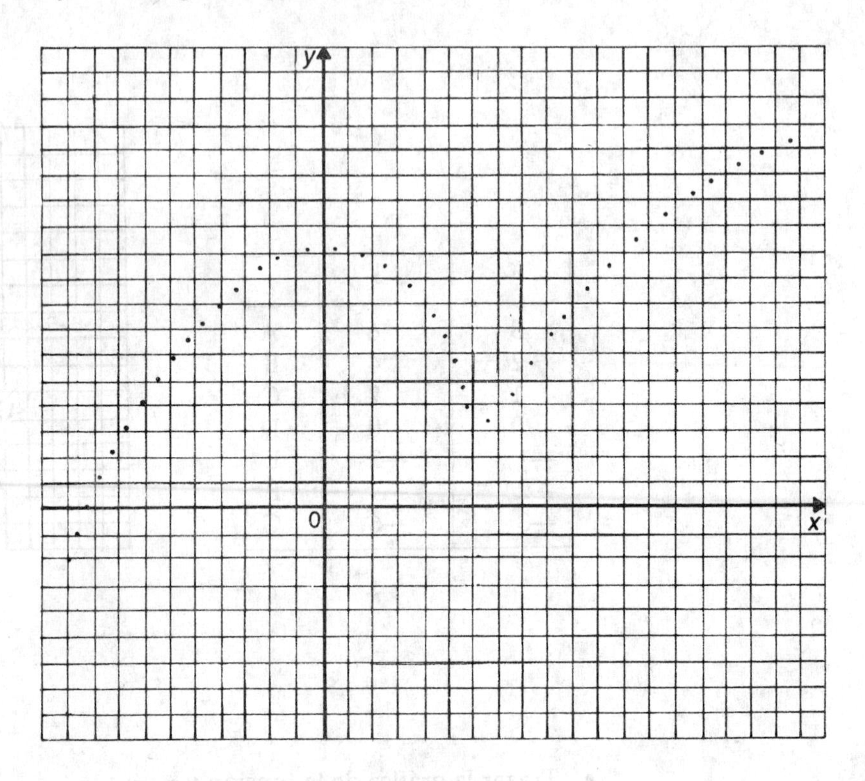

Observación. De acuerdo con la definición de función no puede haber dos puntos de la gráfica que tengan la misma abscisa; por lo tanto, toda recta paralela al eje de y no puede tener más de un punto común con la gráfica de una función.

Las siguientes gráficas no corresponden a funciones, como podrá observarse:

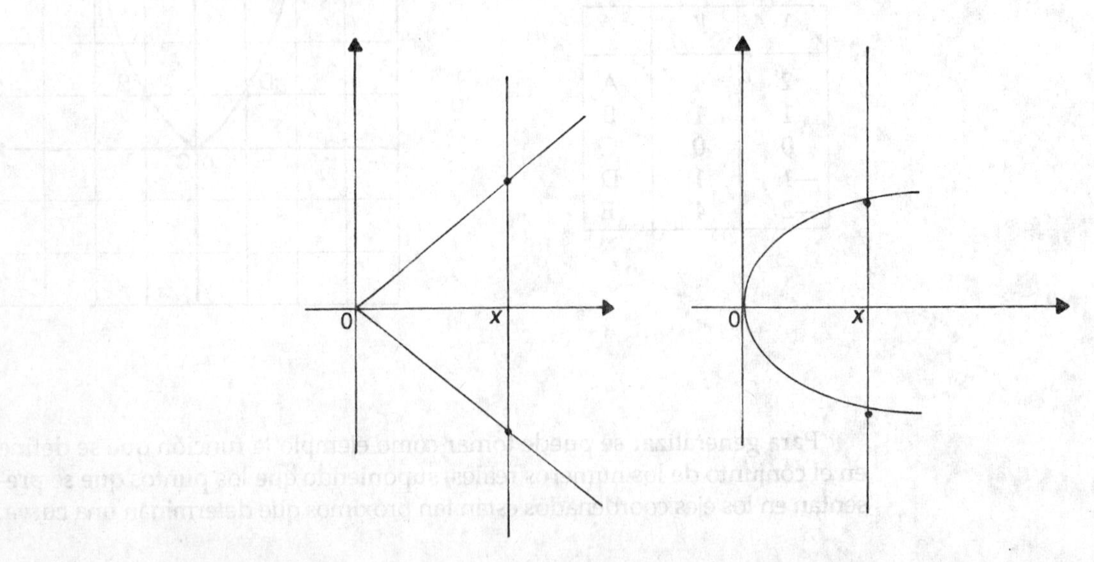

Función inyectiva

Se dice que la función es inyectiva cuando distintos elementos del contradominio corresponden a elementos distintos del dominio. No interesa que elementos del contradominio no sean imágenes de ningún elemento del dominio.

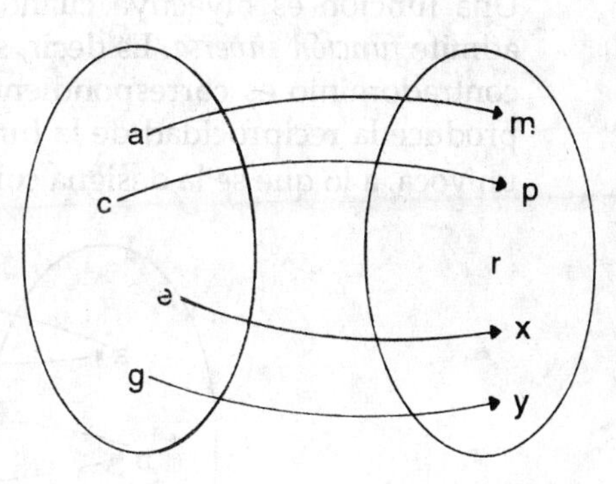

Ejemplos:

- La función que relaciona una ciudad capital a cada país es inyectiva pues, como fácilmente se comprende, ciudades capitales diferentes (*contradominio*) corresponden a países diferentes (*dominio*) y, desde luego, ninguna ciudad es capital de dos países diferentes.
- La función $f(x) = x^3$ es inyectiva, puesto que los cubos de dos números reales son imágenes de dos números reales diferentes.
- La función $f(x) = x^2$ no es inyectiva, puesto que dos números reales (2) y (—2) tienen la misma imagen (4).

Función suprayectiva

La función es suprayectiva cuando a toda imagen del contradominio le corresponde cuando menos un elemento del dominio.

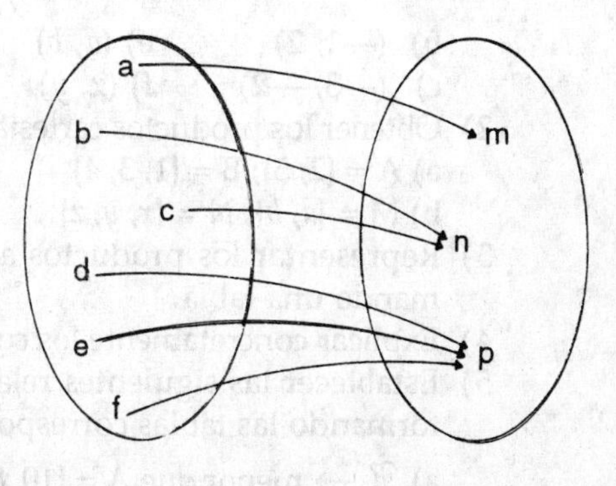

Ejemplos:

- La función $f(x) = x^3$ es suprayectiva cuando se considera que cualquier cubo de un número real es imagen de los mismos sin importar que sea positivo o negativo.

- La función $f(x) = x^2$ definida en $\Re$ no es sobreyectiva porque ningún número negativo es cuadrado de un número real.

Función biyectiva

Una función es biyectiva cuando es inyectiva y suproyectiva, es decir, admite *función inversa*. Es decir, si $y = f(x)$ es tal que cada imagen de y del contradominio es correspondiente de un solo elemento x del dominio se produce la reciprocidad de la función generando una correspondencia biunívoca, a lo que se la designa como *función inversa*, representada por f^{-1}.

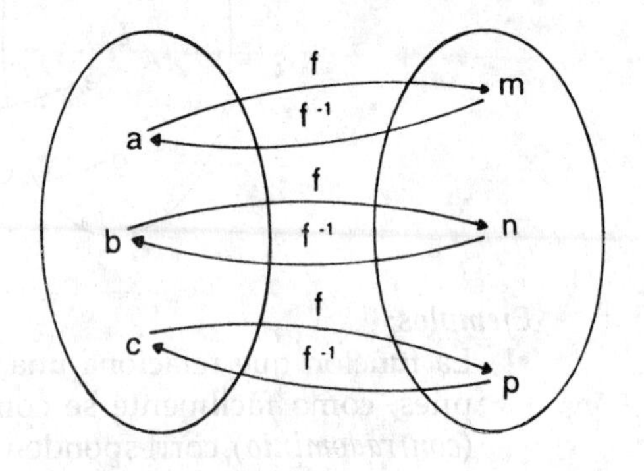

Práctica 1.4

Ejercicios para resolver

(En hojas por separado realizar los siguientes ejercicios.)

1) Determinar la primera componente de los siguientes pares ordenados:
   a) (2, 3) d) $\left(-\frac{3}{4}, 6\right)$
   b) (—1, 2) e) (a, b)
   c) (—3, —2) f) (x, y)
2) Obtener los productos cartesianos con los siguientes conjuntos:
   a) A = {2, 5}; B = {1, 3, 4}
   b) M = {a, b}; N = {x, y, z}
3) Representar los productos anteriores con diagramas de Venn y formando una tabla.
4) Explicar concretamente los conceptos de dominio y contradominio.
5) Establecer las siguientes relaciones, trazando el diagrama de Venn y formando las tablas correspondientes:
   a) $\Re$ → menor que A = {10, 8, 6}; B = {13, 11, 9, 7}
   b) $\Re$ → múltiplo de M = {3, 4, 5, 7}; N = {2, 6, 8, 10, 12}
6) Explicar brevemente las condiciones que deben satisfacerse para obtener una relación de equivalencia.
7) Dar dos ejemplos de relaciones de equivalencia.

8) Explicar en forma breve las condiciones que deben reunirse para obtener una relación de orden.
9) Dar dos ejemplos de relaciones de orden.
10) ¿Cuándo existe una relación de orden estricto?

2. Números reales

Números naturales: Conjunto de los números naturales "N". Su representación gráfica. Operaciones y sus propiedades.

Números enteros: Conjunto de números enteros "Z". Su representación gráfica. Valor absoluto. Operaciones y sus propiedades.

Números racionales: Conjunto de los números racionales "Q". Su representación gráfica. Operaciones y sus propiedades. Conjunto ordenado Q. Representación decimal. Conversión de un racional a su forma decimal. Conversión de la forma decimal a la de racional.

Números irracionales: Conjunto de números irracionales "I". Su representación gráfica. Exponente fraccionario.

Números reales: Conjunto de los números reales "R". Su representación gráfica. Operaciones de racionales e irracionales cuando son representados en su equivalencia decimal, redondeo de cifras decimales. Operaciones de irracionales con su radical. Racionalización.

Los creadores de la matemática

Sabías que...

En la antigua Babilonia

En Mesopotamia se asentó una civilización durante un periodo que comprende desde el año 5000 a.C. hasta los inicios del cristianismo. Su centro cultural fue la ciudad de Babilonia. En matemáticas su evolución fue continua y profunda, prolongándose hasta la época que coincide con el nacimiento de nuestra era.

Los babilonios tenían una numeración de tipo posicional, considerada como una de las más antiguas; consistía en un sistema mixto con base 10 y base 60, en la cual el cero se representa con un espacio y los demás números con tipos cuneiformes. Para multiplicar y dividir se utilizaban tablas (quizá formadas con base en adiciones sucesivas para la multiplicación y del inverso para la división). Por algunos textos se deduce que manejaron relaciones exponenciales en términos de potencias sucesivas de un número dado.

En Álgebra, enunciaban y resolvían problemas sin utilizar notaciones simbólicas sistematizadas; podían resolver ecuaciones cuadráticas completando el cuadrado o por sustitución, así como ecuaciones cúbicas y bicuadráticas. Llegaron a resolver sistemas de dos ecuaciones, generalmente una lineal y otra cuadrática. Entre algunos testimonios que aún existen en la Universidad de Yale, se encontró un documento en el que aparece un problema cuyo enunciado conduce a una ecuación de sexto grado, pero como cuadrática de una de tercer grado. En las excavaciones de Susa en Irán se localizó otro problema especial, cuyo enunciado conduce a una ecuación de octavo grado, pero cuadrática de una de cuarto grado. Todo lo anterior demuestra la habilidad verdaderamente sorprendente con la que manejaron el Álgebra.

En el antiguo Egipto

Localizado en una región geográfica en la que el clima seco permitió la conservación de documentos y constancias del desarrollo de aquella civilización en forma de papiros y de grandes obras y monumentos arquitectónicos, se han realizado excavaciones e investigaciones profundas. Los numerosos documentos, en forma de papiros, revelan con gran veracidad su avance matemático.

En el papiro de Rhind, escrito por Ahmes (1650 a. C.), adquirido por Henry Rhind en 1858 y que se conserva en el British Museum de Londres, se encuentra información muy completa sobre los conocimientos matemáticos de esa época, como el manejo de la Aritmética, la Estereometría, la Geometría, el cálculo de las pirámides y problemas prácticos.

El rollo de cuero de las matemáticas egipcias, también conservado en el British Museum, se adquirió junto con el papiro de Rhind, contiene una serie de sumas escritas en forma de fracciones unitarias, lo que demuestra el conocimiento, aunque rudimentario, de las fracciones.

Según algunas fuentes se sabe que su sistema de numeración fue de base 10, no posicional y de principio aditivo. En otro sistema llamado hierático, también fue de base 10, pero el principio repetitivo es sustituido por signos especiales. Presenta números del 1 al 10 y potencias de 10, trabaja básicamente con fracciones unitarias, pero también con cualquier otra fracción. Los problemas de tipo algebraico los resolvieron en forma aritmética o por ecuaciones lineales por el método de falsa posición; resolvían problemas que dan lugar a sistemas de ecuaciones simultáneas, pero no resolvieron ecuaciones cuadráticas. Trabajaron exitosamente las progresiones aritméticas y posiblemente también las geométricas.

NÚMEROS REALES

El conjunto de los números reales (**R**) agrupa a todas las clases de números que pueden ser localizados en una recta o eje numérico, por lo que en ocasiones se les llama números escalares. Los números reales son el resultado de la ampliación del conjunto de números naturales (**N**) para poder satisfacer con plenitud las necesidades del cálculo y sus exigencias de mayor exactitud.

En esta etapa previa a la realización de estudios profesionales es necesario hacer un estudio más formal que permita conocer y analizar sus estructuras y propiedades, así como los campos del cálculo que se efectúan con los subconjuntos numéricos que los forman y así sean aplicados en el momento oportuno.

En este capítulo se seguirá un método analítico, con base en el cual se hace una revisión de los números naturales, enteros, racionales e irracionales. Que en su totalidad integran al conjunto de los *números reales*.

NÚMEROS NATURALES

Concepto

Con la incorporación de la teoría de conjuntos creada por Georg Cantor (1845–1918) se establece el concepto de números, como consecuencia de una relación biunívoca entre los elementos de dos o más conjuntos (desde el punto de vista cuantitativo); con ésta se forma la cardinalidad con los conjuntos de su misma clase, que dan lugar a una representación simbólica llamada *número*, el cual se identifica por un *nombre* o *numeral* (según al idioma que corresponda). Esto es, cada clase simboliza una cardinalidad diferente que representa un número llamado "natural", como se observa a continuación:

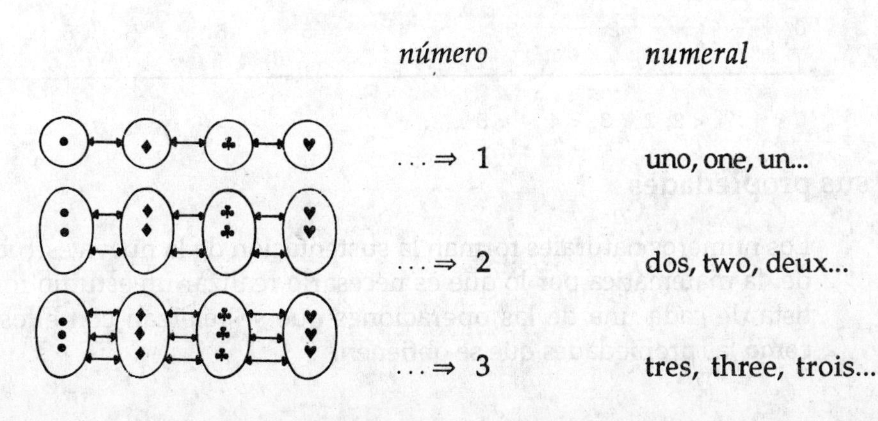

El conjunto de ellos forma el *conjunto de los números naturales,* que se representa con la letra "N", el cual forma un ordenamiento de menor a mayor; este ordenamiento se establecía por lo común a partir de la "unidad" representada por el número "uno", formando un sistema numérico al agregar a cada número establecido una unidad para formar el siguiente, y así continuar indefinidamente. Según Ricardo Dedekind, Pitágoras así lo definió:

$$N = \{1, 2, 3, 4, 5, 6, 7, \ldots n, n + 1, n + 2, n + 3, n + 4 \ldots\}$$

Con la teoría de conjuntos se hace posible la introducción del *cero* como número representativo del cardinal, que incluye una clase de conjuntos que indican "inexistencia de elementos", cuyo representativo conjuntista es:

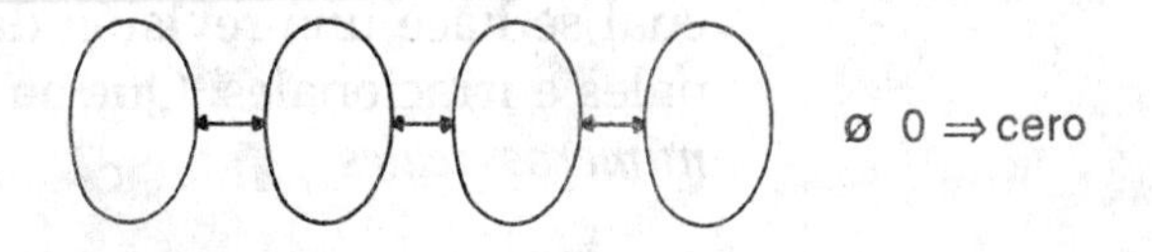

Ante esta nueva alternativa de considerar la cardinalidad del número "cero", Giusseppe Peano modificó lo establecido por Dedekind en uno de los postulados del principio de inducción finita que dice: "Toda propiedad que tiene el número 1 y se hereda al pasar de cada número natural al siguiente, la tienen todos los números naturales". Al modificarse se establece que: "Toda propiedad que tiene el 0 y se hereda al pasar de n a n+1 (para todo valor de n), la tienen todos los números naturales", estableciendo así que los números naturales en su serie deben empezar con 0 (cero).

$$N = \{0, 1, 2, 3, 4, 5, 6, 7, \ldots n, n + 1, n + 2, n + 3, n + 4 \ldots\}$$

La serie de los números naturales en una recta numérica ocupan la siguiente posición:

0 1 2 3 4 5 6 7 8 9

0 < 1 ; 1 < 2; 2 < 3; < 4; 4 < 5 ......

Operaciones y sus propiedades

Los números naturales forman la sustentación de la nueva estructura de la matemática por lo que es necesario realizar un estudio formalista de cada una de las operaciones que se realizan con ellos, así como las propiedades que se obtienen.

Adición

Siendo los números naturales los representativos de la cardinalidad de cada una de las diferentes clases de conjuntos por los elementos que los forman, se establece la siguiente definición: "*Adición* es la operación en la que a los cardinales de dos conjuntos finitos y disjuntos se le asigna el cardinal de la unión de ambos conjuntos".

Para comprender la definición se consideran dos conjuntos que sean finitos y disjuntos con las letras M y N, además los cardinales de $M = a$ y $N = b$.

Por ser disjuntos, no hay intersección: $M \cap N = \emptyset$

El signo de la adición es (+) y se lee "más".

Cumplidas las condiciones requeridas se establece que el cardinal de la unión es: $M \cup N = a + b$

Ejemplo:

- Si $M = \{a, b, c\}$ conjunto cardinal 3, y $N = \{m, n, p, q, n\}$ conjunto de cardinal 5, entonces $M \cup N = \{a, b, c, m, n, p, q, r\}$ conjunto de cardinal 8. Esto significa que: $3 + 5 = 8$.

  Los cardinales de los términos que forman la unión se llaman *sumandos* y el cardinal de la unión se llama *suma*.

  Las propiedades de la adición consideran las siguientes afirmaciones:
- La adición es una operación de estructura cerrada en el conjunto N.

  Es sencillo afirmar lo anterior, ya que la suma de dos números naturales siempre es otro número natural cumpliendo con la propiedad de *cerradura*.

  Las propiedades deducidas en la unión de conjuntos dan acceso a las propiedades siguientes:
- Como ya se estableció, M y N son dos conjuntos finitos y disjuntos que en su unión son conmutativos. Es decir:

$$M \cup N = N \cup M$$

Sabiendo que cardinal de $M = a$ y cardinal de $N = b$, entonces:

$$a + b = b + a$$

"La adición de números naturales es conmutativa".

Ejemplo numérico:

- $3 + 5 = 5 + 3$.

Ampliando el razonamiento a más de dos sumandos se obtiene la siguiente generalización:

$$a + b + c + d = d + c + b + a$$

- Considérese a los conjuntos M y N se le agrega el conjunto P que tiene las siguientes características: P = $\{x, y\}$ conjunto de cardinal 2.

  Tomando como antecedente que la unión de conjuntos es asociativa:

$$(M \cup N) \cup P = M \cup (N \cup P);$$

  además,

$$(M \cup N) \cup P = M \cup N \cup P$$

  Haciendo la representación con sus cardinales correspondientes:

$$(a + b) + c = a + (b + c) = a + b + c$$

"La adición de números naturales es asociativa."

Ejemplo numérico:

- $(3 + 5) + 2 = 3 + (5 + 2) = 3 + 5 + 2$

  La propiedad asociativa se acepta para más de tres números, estableciendo una generalización:

$$a + (b + c) + (d + e + f) = a + b + c + d + e + f$$

  "En la adición de números naturales se pueden intercalar o suprimir paréntesis."

- En la unión de conjuntos se justifica que $M \cup \emptyset = M$. Si el cardinal establecido para M es igual a "a" y el cardinal del conjunto Ø es 0 se forma la representación: $a + 0 = a$.

"El elemento neutro de la adición de números naturales es el cero."

Sustracción

En el manejo de los conjuntos, el ''conjunto diferencia'' representa la base de sustentación para esta operación con números naturales. Considerando que las literales m y s representan los cardinales de dos números naturales (siempre que $m \geq s$); la diferencia entre ellos es otro número natural representado por la literal d, cuya única condición es que al ''sumarse'' con s sea igual a m:

$$m - s = d \text{ si y sólo si } d + s = m$$

En esta operación el número representado por m se llama *minuendo*, al número representado por s, *sustraendo*, y al número representado por d *diferencia*.

En el conjunto de números naturales N la operación únicamente se puede efectuar cuando el minuendo es "mayor " o "igual" que el sustraendo:

$$8-5=3 \Leftrightarrow 3+5=8 \quad m>s$$

$$\therefore \quad m \geq s$$

$$7-7=0 \Leftrightarrow 0+7=7 \quad m=s$$

Cuando el minuendo es menor que el sustraendo, la sustracción no es posible porque no hay un número natural que cumpla con las condiciones ya establecidas:

$8-17=?$ (No existe un número natural que al sumarse a 17 sea igual a 8.)

- Por lo anteriormente demostrado, la sustracción no es una operación que forme una estructura cerrada en el conjunto de números naturales.
- En la sustracción el elemento neutro es el cero:

$$8-0=8$$
$$a-0=a$$

Multiplicación

Recurriendo nuevamente a los conjuntos, sean M = $\{a,b,c,d\}$ y N = $\{m, n\}$. Al efectuar el producto cartesiano correspondiente se tiene:

$M \times N = \{(a, m); (a, n); (b, m); (b, n); (c, m); (c, n); (d, m); (d, n)\}$

Los cardinales correspondientes a los conjuntos son:

cardinal de M = 4; cardinal de N = 2; cardinal de M x N = 8; por lo tanto:

$$4 \times 2=8$$

En esta operación los cardinales 4 y 2 reciben el nombre de *factores*, y el cardinal 8 el de *producto*.

Si el producto cartesiano se hace con un conjunto vacío, no es posible formar pares ordenados y, en consecuencia, no hay producto:

Sean los conjuntos A = {a, b} y B = Ø , su producto cartesiano es: $A \times B = A \times \emptyset = \emptyset$.

Aplicando el producto a los cardinales de los conjuntos A y B:

$$2 \times 0=0$$

Para generalizar lo anterior se establece que "*m*" representa a cualquier número cardinal que a su vez es un número natural:

$$m \times 0 = 0$$

"Todo número natural multiplicado por cero, tiene como producto al cero."

Si ahora se considera el caso de un producto cartesiano en donde:

A = {*a*, *b*, *c*} y B = {* }, se tiene A x B = {(*a*,*); (*b*,*); (*c*,*)}

Siendo los cardinales de los conjuntos A = 3 y B = 1 y además Ax B = 3 se forma el producto: 3 x 1 = 3.

Generalizando: $m \cdot 1 = m$

"Todo número natural multiplicado por 1 tiene como producto al mismo número."

El producto de dos números naturales siempre es otro número natural, por lo tanto: "La multiplicación es una operación de estructura cerrada en el conjunto de los números naturales".

Al hablar de las propiedades de la multiplicación, conviene mencionar que en los productos cartesianos no existe la propiedad conmutativa; es decir: $M \times N \neq N \times M$, pero existe la biyección $M \times N \leftrightarrow N \times M$, en la cual se hace corresponder al par ordenado (*a*, *b*) el par (*b*, *a*). Al tratarse de los cardinales se acepta que el cardinal del producto de (M x N) sea igual al cardinal del producto (N x M). Es decir: $ab = ba$

Ejemplo numérico:

- $3 \times 5 = 5 \times 3$

porque:

$3 \times 5 = 15$
$5 \times 3 = 15$

En la multiplicación de números naturales, el orden de los factores no altera el producto, por lo que es una operación que tiene la propiedad *conmutativa*.

La multiplicación de dos números naturales es asociativa, ya que en los conjuntos en producto cartesiano es asociativo. Es decir:

$$(M \times N)P = M(N \times P)$$

Representando a los cardinales de los conjuntos propuestos por literales: cardinal de M = a; cardinal de N = b y cardinal de P = c, se puede hacer la siguiente correspondencia:

$$(a \; . \; b)\, c = a\,(b \; . \; c)$$

Ejemplo numérico:
Siendo los números naturales: 4, 5, 6

$$(4 \times 5) \times 6 = 4 \times (5 \times 6),$$

ya que

$$(4 \times 5) \times 6 = 20 \times 6 = 120$$

y

$$4 \times (5 \times 6) = 4 \times 30 = 120$$

La multiplicación es distributiva respecto de la adición y la sustracción de números naturales. En cuanto a la adición, véase el siguiente ejemplo:

$$5\,(4 + 2 + 6) = (5 \times 4) + (5 \times 2) + (5 \times 6) = 20 \times 10 \times 30 = 60$$

Efectuando la adición indicada en el paréntesis: 5 (12) = 60. El siguiente ejemplo ilustra el caso de la sustracción:

$$4\,(8 - 5) = (4 \times 8) - (4 \times 5) = 32 - 20 = 12$$

Efectuando la sustracción indicada en el paréntesis: 4 (3) = 12. En forma general:

$$n\,(a + b) = n \, . \, a + n \, . \, b$$
$$n\,(a - b) = n \, . \, a - n \, . \, b$$

Potenciación

"Si en la multiplicación de números naturales los factores son los mismos números, el resultado se llama *potencia*."

Ejemplos numéricos:

$7 = 7 \Leftrightarrow 7^1$ (Siete elevado a uno)

$5 \times 5 = 25 \Leftrightarrow 5^2 = 25$ (Cinco elevado al cuadrado)

$4 \times 4 \times 4 = 64 \Leftrightarrow 4^3 = 64$ (Cuatro elevado al cubo)

El número factor recibe el nombre de *base*. El número pequeño escrito en la parte superior derecha es el *exponente*.

El exponente indica el número de veces que la base debe multiplicarse por sí misma para dar la potencia como resultado.

Generalizando: Si $a \in N$ y $n \in N$

$\underbrace{a.a.a.a.a. \dots .a}_{n \text{ factores}} = a^n$ Siempre que $n \geq 2$

División

Es la operación inversa de la multiplicación. Cuando son conocidos el producto y el otro factor, permite conocer uno de los factores de la multiplicación. Es decir:

Si $4 \times 5 = 20$, entonces $20 \div 4 = 5$ y $20 \div 5 = 4$

Cuando el dividendo es múltiplo del divisor, se obtiene un cociente exacto. Es decir: $D : d = c$ porque $c.d = D$.

Cuando el dividendo no es múltiplo del divisor, la división no es exacta y tiene un residuo. Es decir: $20 \div 6 = 3$ sobrando 2. Por lo tanto, $20 = 6 \times 3 + 2$.

El cociente y el residuo son números naturales. En este caso se llama *división euclidiana*, en la cual se verifica que el dividendo (D) es igual al producto del divisor (d) multiplicado por el cociente y la suma del residuo.

Generalizando : $D = d \cdot c + r$

Radicación

Es la operación inversa de la potenciación; permite conocer el número que al multiplicarse por sí mismo es igual a un poco menor que el número propuesto.

Se representa por un signo que recibe el nombre de *radical*. Los elementos de la radicación son:

$$\sqrt[n]{a} \;\Big|\; b \qquad r$$

n: Índice de la raíz.
a: Radicando o número propuesto.
b: Raíz o resultado.
r: Residuo, si no es exacta.

Se debe cumplir:

$a = b^n + r$, siendo $r \geq 0$ y que $b^n \leq a$

Raíz cuadrada. Con base en la definición establecida se forma la tabla:

0^2	1^2	2^2	3^2	4^2	5^2	6^2	7^2	8^2	9^2 ...
↓	↓	↓	↓	↓	↓	↓	↓	↓	↓
0	1	4	9	16	25	36	49	64	81 ...

En la raíz cuadrada no se acostumbra escribir el índice de la raíz.

Ejemplos:

- La raíz cuadrada de 36 se obtiene buscando en la tabla el número que, elevado al cuadrado, sea igual o menor que 36. En este caso se cumple: $b^n = a$ y, por lo tanto, la raíz es exacta.

$$\sqrt{36} \;|\; 6 \qquad 36 \qquad b = 6; r = 0$$

- La raíz cuadrada de 27 se obtiene en la tabla de cuadrados al localizar el número que elevado al cuadrado sea algo menor que 27. En este caso: $b^n < a$ y, por lo tanto, la raíz tiene residuo.

$$\sqrt{27} \;|\; 5 \qquad 27 \qquad b = 5; r = 2$$

NÚMEROS ENTEROS

En ecuaciones, en la sustracción realizada en el conjunto de los números naturales el minuendo resulta menor que el sustraendo, por lo que no hay solución posible en el conjunto N. Por este motivo fue necesario crear una clase de números que no sólo efectuaran las operaciones de los números naturales, sino que tuvieran la capacidad de resolver la sustracción donde $m < s$.

Haciendo la representación de una diferencia de dos números naturales como un par ordenado, por ejemplo la diferencia "2", se puede hacer con pares ordenados como (5, 3) o bien (3, 1) o también (2, 0), y así continuar infinitamente haciendo pares.

Al mencionar pares ordenados se habla de un producto cartesiano, y siendo los números naturales los únicos conocidos hasta este momento (hablando cronológicamente), se establece el producto de N x N, el cual necesariamente agrupa a todos los pares ordenados que cumplan con una relación de *diferencia*, entre los cuales se encuentran los citados. Es decir: N x N = {(2, 0), (3, 1), (4, 2), (5, 3), (6, 4)...}

Si el minuendo es menor que el sustraendo, los pares ordenados que se forman, como (1, 3), (2, 4), etc., no pueden relacionarse con ninguna diferencia pues "no existe".

Estableciendo una relación de *igualdad* que se cumpla con dos pares ordenados con la misma relación de *diferencia*, se puede hacer la adición de los elementos de dichos pares ordenados como se indica a continuación:

$$(2, 0), (3, 1) \Leftrightarrow 2 + 1 = 0 + 3 \quad \therefore \; 3 = 3$$

Al aplicar por analogía el mismo tratamiento a los pares en los que el minuendo es menor que el sustraendo:

$$(1, 3) \text{ y } (2, 4) \Leftrightarrow 1 + 4 = 3 + 2 \quad \therefore \; 5 = 5$$

Se puede afirmar que en el conjunto de pares ordenados obtenidos del producto N x N se establece una relación de diferencia sabiendo que en forma general se cumple:

$$(a, b) \; \Re \; (c, d) \Leftrightarrow a + d = b + c$$

La relación anterior cumple plenamente con las condiciones establecidas para considerarla una *relación de equivalencia*, con la cual, en el producto cartesiano N x N, se forman clases como las que se anotan a continuación:

{(3, 0); (4, 1); (5, 2); (6, 3); ...} Representativo más simple de esta clase (3, 0)
{(2, 0); (3, 1); (4, 2); (5, 3); ...} Representativo más simple de esta clase (2, 0)
{(1, 0); (2, 1); (3, 2); (4, 3); ...} Representativo más simple de esta clase (1, 0)
{(0, 0); (1, 1); (2, 2); (3, 3); ...} Representativo más simple de esta clase (0, 0)
{(0, 1); (1, 2); (2, 3); (3, 4); ...} Representativo más simple de esta clase (0, 1)
{(0, 2); (1, 3); (2, 4); (3, 5); ...} Representativo más simple de esta clase (0, 2)
{(0, 3); (1, 4); (2, 5); (3, 6); ...} Representativo más simple de esta clase (0, 3)

Todas las clases que tienen como representativo más simple al par formando por un número natural significativo como primer elemento y al número cero como segundo elemento, toma la forma general (*a*, 0) siempre que a ≠ 0. Se conocerán como *números enteros positivos*, los cuales se representarán únicamente por el número natural significativo con el signo (+) , llamado positivo. Es decir: (*a*, 0) = +*a*.

De las clases anotadas, son números enteros positivos:

$$(3, 0) = +3$$
$$(2, 0) = +2$$
$$(1, 0) = +1$$

La clase que tiene como elementos al mismo número como antecedente y consecuente del par ordenado, tienen como menor representativo al par (0, 0) que será escrito en los números enteros como "cero". Son de esta clase los siguientes:

$$(1, 1) = 0$$
$$(2, 2) = 0$$
$$(3, 3) = 0$$

Todas las clases que tienen como representativo más simple al par formado por el cero como primer elemento y un número natural como segundo elemento (siempre que sea diferente de 0) se conocerán como *números enteros negativos*, los cuales serán escritos únicamente por el número natural significativo con el signo ($-$) llamado negativo. Es decir: $(0, a) = -a$.

De las clases anotadas son números enteros negativos:

$$(0, 1) = -1$$
$$(0, 2) = -2$$
$$(0, 3) = -3$$

Este nuevo conjunto numérico se llamará *conjunto de números enteros*, y se representará por la letra Z.

Cumpliendo con las condiciones establecidas por la relación de orden, los números negativos serán escritos a la izquierda de los números positivos, teniendo como origen al cero. Su posición en una recta numérica es:

-8 -7 -6 -5 -4 -3 -2 -1 0 +1 +2 +3 +4 +5 +6 +7 +8

Si la recta fuera trazada en posición vertical, los números positivos quedarían arriba del origen cero y los números negativos abajo.

Una representación simbólica del conjunto Z es la siguiente:

$$Z = \{ \{-Z\} \cup \{0\} \cup \{+Z\} \}$$

Recordando que N = {0, 1, 2, 3, 4, 5, 6, 7, 8, ...} se observa que se forma una biyección con ^{+}Z = {+1, +2, +3, +4, +5, +6, +7, +8, ...} y {0}, aceptando que los números enteros podrían representarse con signo o sin él con lo que se formaría una relación de equivalencia. En la recta numérica se observa:

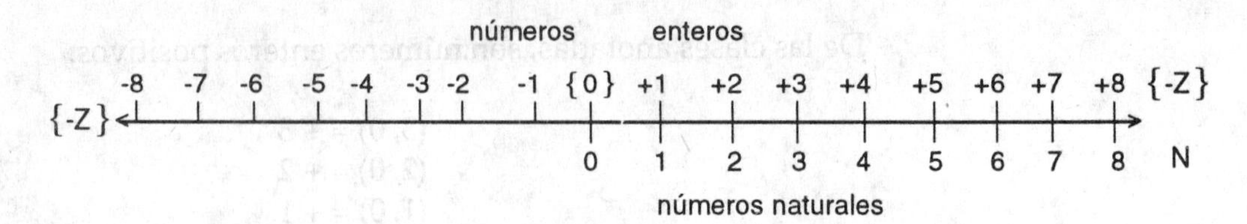

El conjunto N es un subconjunto del conjunto Z. Es decir: $N \subset Z$

Propiedades de los números enteros. Operaciones

Las operaciones con los números enteros se deben efectuar tomando en cuenta que son varias clases de números: positivos, cero y negativos, que se identifican con sus respectivos signos.

Valor absoluto es el que considera únicamente al número sin considerar si es positivo o negativo.

Ejemplos:

- $|+3| = 3$; $|-5| = 5$; $|0| = 0$

Adición

Tomando como punto de partida el razonamiento establecido de que un número entero es un par ordenado de dos números naturales, la operación de adición se efectúa con base en el principio establecido que indica: "La adición de dos pares ordenados es otro par ordenado que se obtiene sumando las primeras componentes y las segundas componentes en forma ordenada." Es decir: $(a,b) + (c,d) = (a + c, b, d)$.

Ejemplo numérico:

- La adición de +5 y +3 se indica (+5) + (+3) =
  +5 es el representativo del par ordenado (5, 0)
  +3 es el representativo del par ordenado (3, 0)

Efectuando la adición de pares ordenados:

$$(5, 0) + (3, 0) = (5 + 3, 0 + 0) = (8, 0)$$

El par ordenado (8, 0) se representa por el entero +8, por lo tanto: (+5) + (+3) = +8. Una vez hecha la anterior demostración, se aceptan los siguientes resultados:

$$(+4) + (+6) + (+2) = +12 \; ; (+1) + (+7) + (+8) + (+10) = +26$$

"La adición de dos números positivos es otro número positivo."

Ejemplo numérico:

- La adición de –7 y –5 se indica (–7) + (–5) =
  – 7 es el representativo del par ordenado (0, 7)
  – 5 es el representativo del par ordenado (0, 5)

  Efectuando la adición de pares ordenados:

  (0, 7) + (0, 5) = (0 + 0, 7 + 5) = (0, 12).

  El par ordenado (0, 12) se representa por –12, por lo tanto:
  (–7) + (–5) = –12.

  Una vez hecha la demostración, se aceptan los siguientes resultados:

  (–5) + (–3) + (–6) = –14; (–1) + (–2) + (–10) + (–14) = –27

"La adición de dos números enteros negativos es otro número entero negativo."

Ejemplo numérico:

- La adición de –3 y +8 se indica (–3) + (+8) =
  – 3 es el representativo del par ordenado (0, 3)
  +8 es el representativo del par ordenado (8, 0)

  Efectuando la adición de pares ordenados:

  (0, 3) + (8, 0) = (0 + 8, 3 + 0) = (8, 3)

El par ordenado (8, 3), por la relación de diferencia establecida para la creación de los números enteros, tiene el representativo más simple en el par ordenado (5,0) = +5; por lo tanto: (–3) + (+8) = +5.

Aplicando la demostración a otras sumas similares:

(–5) + (+9) = +4 ; (–5) + (+12) = +7
(+7) + (–2) = +5; (+16) + (–11) = +5

De igual forma, la adición de –9 y +4 se indica (–9) + (+4) = –5 Sumando sus pares ordenados que los representan:

(0, 9) + (4, 0) = (0 + 4, 9 + 0) = (4, 9)

El par ordenado (4, 9) tiene como representativo más simple al par ordenado (0, 5) = –5, por lo tanto: (– 9) + (+ 4) = –5.

Aplicando la demostración a otras sumas similares:

(–8) + (+4) = –4; (–15) + (+9) = –6
(+4) + (–9) = –5; (+12) + (–20) = –8

"En la adición de dos números enteros, uno positivo y el otro negativo o viceversa el resultado es la *diferencia de sus valores absolutos* con el signo que tenga el de mayor valor absoluto."

Por último, si la suma es (+8) + (–8) = 0, efectuando la operación con los pares ordenados se obtiene:

$$(8, 0) + (0, 8) = (8+0, 0+8) = (8, 8)$$

El par ordenado (8, 8) tiene como su más simple representativo al par ordenado (0, 0) = 0. Por lo tanto: (+8) + (–8) = 0.

Aplicando la demostración a otras adiciones similares:

$$(-5) + (+5) = 0; (+14) + (-14) = 0; (-1) + (+1) = 0$$

Por la posición que tienen dos números de igual valor absoluto pero con signo contrario se les llama *números simétricos*. Son simétricos: +8 y –8; –5 y + 5; +1 y –1.

Las propiedades de los números naturales son aplicables a los números enteros; por lo tanto, al aplicar las propiedades conmutativa y asociativa se resuelven las siguientes operaciones:

$$(+4) + (+7) + (-5) + (-3) = 11 - 8 = +3$$
$$(-7) + (+6) + (-2) + (+8) = -9 + 14 = +5$$
$$(+3) + (-5) + (-8) + (+10) = +13 - 13 = 0$$
$$(-12) + (+4) + (+3) + (-1) = -13 + 7 = -6$$

Sustracción

Por definición establecida en el conjunto N: La sustracción es la operación que tiene un resultado llamado *diferencia* que es "el número que sumado a otro llamado sustraendo es igual a un tercer número llamado minuendo". Es decir: $m - s = d \Leftrightarrow d + s = m$.

En el conjunto de números enteros, la operación se puede efectuar en todos los casos sin importar que el minuendo sea mayor, igual o menor que el sustraendo, ya que fueron creados para resolver este problema.

Ejemplos numéricos:

La diferencia de +5 y +8, se indica: (+5) – (+8) =...

- El número diferencia es aquel que sumado con +8 sea igual a +5. El número es –3 porque: (+8) + (–3) = + 5. Por lo tanto: (+5) – (+8) = –3.
- La diferencia de –4 y –6, se indica: (–4) – (–6) =...
  El número diferencia es el que al sumarse con –6 sea igual a –4. El número es +2 porque: (–6) + (+2) = –4. Por lo tanto: (–4) – (–6) = +2.

- La diferencia de +6 y –9 se indica: (+6) – (–9) = ...
  El número diferencia que al sumarse con –9 sea igual a +6 es +15, porque (–9) + (+15) = +6. Por lo tanto: (+6) – (–9) = +15.

La forma de obtener el número *diferencia* consiste en sumar al número minuendo el simétrico o inverso aditivo del número sustraendo. En los ejemplos anteriores se tiene:

$$(+5) - (+8) = +5 - 8 = -3$$
$$(-4) - (-6) = -4 + 6 = +2$$
$$(+6) - (-9) = +6 + 9 = +15$$

Otros ejemplos:

$$(-7) - (+7) = -7 -7 = -14$$
$$(+8) - (+8) = +8 - 8 = 0$$

Multiplicación

Al efectuar la multiplicación con números enteros, el signo de su producto es consecuencia de la operación realizada; esto se comprueba desarrollando las operaciones con los pares ordenados de los cuales son representativos.

Debe recurrirse al procedimiento aplicado en la multiplicación de dos pares ordenados, el cual, para una fácil presentación, se hará en forma esquematizada. Sea la multiplicación de los pares ordenados:

$$(a, b) \,.\, (c, d) = \ldots$$

La primera componente se obtiene como se indica:

$$(a, b) \,.\, (c, d) = (a \,.\, c + .b \;\; d, \ldots).$$

La segunda componente se obtiene así:

$$(a, b) \,.\, (c\,, d) = (\ldots, a \,.\, d + b \,.\, c).$$

Uniendo las dos componentes:

$$(a, b) \,.\, (c, d) = (a \,.\, c + b \,.\, d,\; a \,.d + \; b \,.c).$$

Ejemplos numéricos:

- Al multiplicar +5 por +3 se indica (+5) (+3) = ...
  Los pares ordenados representativos son (5, 0) y (3, 0); aplicando el procedimiento esquematizado se tiene:

$$(5, 0)\ (3, 0) = (5 \cdot 3 + 0 \cdot 0, 5 \cdot 0 + 0 \cdot 3), (15 + 0, 0 + 0) = (15, 0)$$

representativo entero +15

Por lo tanto:

$$(+5)\ (+3) = +15$$

- **Al multiplicar $(+6)\ (-4) = \ldots$, la multiplicación de sus pares ordenados es:**

$$(6, 0)\ (0, 4) = (6 \cdot 0 + 0 \cdot 4, 6 \cdot 4 + 0 \cdot 0) = (0 + 0, 24 + 0) = (0, 24)$$

representativo entero – 24

Por lo tanto:

$$(+6)\ (-4) = -24$$

- **Al multiplicar $(-7)\ (-2) = \ldots$, la multiplicación de sus pares ordenados es:**

$$(0, 7)\ (0, 2) = (0 \cdot 0 + 7 \cdot 2, 0 \cdot 2 + 7 \cdot 0) = (0 + 14, 0 + 0) = (14, 0)$$

representativo entero +14

Por lo comprobado se puede afirmar que si en la multiplicación de números enteros los factores son:

(positivo) (positivo) = producto positivo; $(+)\ (+) = +$
(negativo) (negativo) = producto negativo; $(+)\ (-) = -$
(negativo) (negativo) = producto positivo. $(-)\ (-) = +$

Por lo tanto, el producto de dos números enteros se obtiene como se ejemplifica:

$$(+4)\ (+7) = +28$$
$$(+6)\ (-4) = -24$$
$$(-7)\ (+3) = -21$$
$$(-5)\ (-7) = +35$$

Las propiedades establecidas para los números naturales también son las de los números enteros; por eso sólo mencionaremos en forma general:

La multiplicación de números enteros es **conmutativa:**

$$(+a)\ (+b) = (+b)\ (+a)$$
$$(-a)\ (-b) = (-b)\ (-a)$$
$$(+a)\ (-b) = (-b)\ (+a)$$
$$(-a)\ (+b) = (+b)\ (-a)$$

La multiplicación de números enteros es **asociativa:**

$$[(-a)(+b)](-c) = (-a)[(+b)(-c)]$$

La multiplicación de números enteros es **distributiva** respecto de la adición y la sustracción:

$$n(-a + b - c) = -an + bn - cn$$

El elemento neutro en la multiplicación de números enteros es $+1$.

División

En el conjunto de los números enteros la división es una operación que tiene un resultado entero sólo cuando el dividendo es múltiplo del divisor. Es decir: $D : d = c$ porque: c . d = D.

Ejemplos numéricos:

- $(+12) : (+4) = +3$, porque $(+4)(+3) = +12$
- $(-15) : (+5) = -3$, porque $(+5)(-3) = -15$
- $(-20) : (-5) = +4$, porque $(+4)(-5) = -20$

Se acepta la representación de la división como una fracción:

$$\frac{D}{d} = c$$

Ejemplos numéricos:

- $\frac{+8}{+2} = +4$, porque $(+4)(+2) = +8$
- $\frac{-15}{+5} = -3$, porque $(-3)(+5) = -15$
- $\frac{-14}{-7} = +2$, porque $(+2)(-7) = -14$

Si el dividendo no es múltiplo del divisor, no existe resultado en el conjunto de los números enteros (Z), en cuyo caso se deja indicada en forma de fracción:

Ejemplos:

- $(+5) : (+3) = +\frac{5}{3}$

- $(-13) : (-7) = +\frac{13}{7}$

- $(-3) : (+8) = -\frac{3}{8}$

Para que todos los resultados de una división formen un conjunto será necesario crear un conjunto con más capacidad a fin de que contenga las clases de números que requiere esta operación.

Potenciación

Es el producto que se obtiene al multiplicar entre sí factores iguales. En los números enteros la multiplicación, como ya se indicó, incluye los signos de los factores.

Ejemplos numéricos:
- $(+3)^5 = (+3)(+3)(+3)(+3)(+3) = +243$
- $(+5)^4 = (+5)(+5)(+5)(+5) = +625$
- $(+4)^3 = (+4)(+4)(+4) = +64$
- $(+6)^2 = (+6)(+6) = +36$

De los ejemplos se deduce que si la base es positiva, la potencia será positiva.

Ejemplos numéricos:
- $(-7)^2 = (-7)(-7) = +49$
- $(-3)^4 = (-3)(-3)(-3)(-3) = +81$
- $(-2)^6 = (-2)(-2)(-2)(-2)(-2)(-2) = +64$

De los anteriores ejemplos se deduce que: "si la base es negativa, la potencia será positiva únicamente si el exponente es un número par".

En los siguientes ejemplos numéricos: se observa que:

$$(-5)^3 = (-5)(-5)(-5) = -125;$$
$$(-3)^5 = (-5)(-5)(-5)(-5)(-5) = -243;$$
$$(-2)^7 = (-2)(-2)(-2)(-2)(-2)(-2)(-2) = -128,$$

se observa que: "Si la base es negativa; la potencia será negativa únicamente cuando el exponente sea un número impar".

Operaciones con potencias de la misma base

Producto

Sea efectuar el producto:

$$(+5)^2 . (+5)^3 = ...$$

Desarrollando las potencias:

$$(+5)^2 = (+5)(+5); \quad (+5)^3 = (+5)(+5)(+5)$$

Por lo tanto:

$$(+5)^2 (+5)^3 = (+5)(+5)(+5)(+5)(+5) = (+5)^5;$$

Es decir:

$$(+5)^2 (+5)^3 = (+5)^{2+3} = (+5)^5$$

Si la base es negativa se cumple la misma condición. Por ejemplo:

Sea efectuar el producto:

$$(-3)^4 (-3)^2 = (-3)^{4+2} = (-3)^6$$

Generalizando:

$$a^m \cdot a^n = a^{m+n}$$

"El producto de dos o más potencias de la misma base, es igual a la misma base con un exponente igual a la suma de los exponentes de los factores."

Cociente con potencias de la misma base

Representando al cociente como una fracción:

$$\frac{(+5)^6}{(+5)^2} = ...$$

Desarrollando las potencias:

$$\frac{(+5)^6}{(+5)^2} = \frac{(+5)(+5)(+5)(+5)(+5)(+5)}{(+5)(+5)} = (+5)^4$$

Comprobando la división:

$$(+5)^4\,(+5)^2 = (+5)^6$$

Restando los exponentes del dividendo y el divisor se obtiene:

$$\frac{(+5)^6}{(+5)^2} = (5)^{6-2} = (+5)^4$$

Es el mismo resultado obtenido.

Si la base es negativa se cumple la misma condición.

Ejemplo:

$$\frac{(-3)^4}{(-3)^2} = (-3)^{4-2} = (-3)^2$$

La comprobación se hace al desarrollar las potencias:

$$\frac{(-3)^4}{(-3)^2} = \frac{(-3)\,(-3)\,(-3)\,(-3)}{(-3)(-3)} = (-3)^2$$

Generalizando:

$$\frac{a^m}{a^n} = a^{m-n}$$

"El cociente obtenido de dividir dos potencias de la misma base es igual a la misma base con un exponente que es la diferencia del exponente del dividendo con el exponente del divisor."

En la división de potencias de la misma base es conveniente considerar algunos casos específicos:

Sea la división

$$(+5)^4 : (+5)^3 = (+5)^{4-3} = (+5)^1$$

Desarrollando las potencias se obtiene el siguiente resultado:

$$\frac{(+5)^4}{(+5)^3} = \frac{(+5)\,(+5)\,(+5)\,(+5)}{(+5)\,(+5)\,(+5)} = (+5)^1$$

El resultado $(+5)^1$ representa una forma de indicar una potencia, ya que siendo el exponente el número 1 no se desarrolla el producto. Por lo tanto: $(+5)^1 = +5$.

"Si la base de una potencia tiene como exponente al número 1, la potencia es la misma base.'' Es decir $a^1 = a$.

Sea ahora la división:

$$(+5)^3 : (+5)^3 = (+5)^{3-3} = (+5)^0$$

Desarrollando las potencias:

$$\frac{(+5)^3}{(+5)^3} = \frac{(+5)\,(+5)\,(+5)}{(+5)\,(+5)\,(+5)} = 1,$$

porque: "Todo número o valor dividido entre su mismo número o valor es igual a 1".

Siendo 1 y $(+5)^0$ resultados obtenidos de la misma operación, en la cual se han empleado procedimientos diferentes, se establece la aceptación de su equivalencia. Por lo tanto: $(+5)^0 = 1$.

''Cuando la potencia de una base tiene como exponente al número cero, su valor equivalente es uno.'' Es decir: $a^0 = 1$.

Por último, sea la división:

$$(+5)^3 : (+5)^4 = (+5)^{3-4} = (+5)^{-1}$$

Desarrollando las potencias:

$$\frac{(+5)^3}{(+5)^4} = \frac{(+5)\,(+5)\,(+5)}{(+5)\,(+5)\,(+5)\,(+5)} = \frac{1}{+5}$$

Siendo $\frac{1}{+5}$ y $(+5)^{-1}$ resultados obtenidos de la misma operación en la cual se han empleado procedimientos diferentes, se establece la aceptación de la equivalencia: $(+5)^{-1} = \frac{1}{+5}$.

Sea otro ejemplo el siguiente:

$$(+3)^2 : (+3)^5 = (+3)^{2-5} = (+3)^{-3}$$

Desarrollando las potencias:

$$\frac{(+3)^2}{(+3)^5} = \frac{(+3)\,(+3)}{(+3)\,(+3)\,(+3)\,(+3)\,(+3)} = \frac{1}{(+3)^3}$$

Por lo tanto:

$$(+3)^{-3} = \frac{1}{(+3)^3}$$

"Toda potencia con exponente negativo es igual a la fracción que tiene como numerador a la unidad y como denominador a la misma potencia con exponente positivo." Es decir:

$$a^{-m} = \frac{1}{a^m}$$

Potencia de una potencia

En esta operación se debe indicar con toda claridad la potencia y el exponente de la nueva potencia, haciendo uso adecuado de los paréntesis. Sea el ejemplo numérico:

$$[(-5)^2]^3 = \ldots$$

La potencia es $(-5)^2$ y se debe elevar al cubo, es decir:

$$(-5)^2 \cdot (-5)^2 \cdot (-5)^2 = (-5)^{2+2+2} = (-5)^6$$

Lo anterior equivale a multiplicar el exponente de la base por el exponente de la potencia:

$$[(-5)^2]^3 = (-5)^{2 \times 3} = (-5)^6$$

Generalizando: $(a^x)^y = a^{xy}$

Radicación

En los números enteros la radicación es una operación que se emplea sólo en los casos en los que el resultado sea otro número entero; por lo tanto, es necesario analizar las condiciones posibles en la raíz cuadrada, cúbica, cuarta, quinta, etcétera.

Raíz cuadrada

Es la operación que permite conocer un número que elevado al cuadrado sea igual o un poco menor que el propuesto. En el campo de los números enteros, únicamente se tiene un resultado entero cuando el número que elevado al cuadrado es exactamente igual que el propuesto.

Si el número al que se le va a extraer la raíz cuadrada es positivo, se obtiene el siguiente resultado:

$\sqrt{+9} = +3$ y -3, porque $(+3)(+3) = +9$ y también $(-3)(-3) = +9$

$\sqrt{+16} = 4$ y -4, porque $(+4)(+4) = +16$ y también $(-4)(-4) = +16$

Si el número propuesto es negativo, no existe resultado porque no hay un número entero que multiplicado por sí mismo sea igual a un número negativo:

$\sqrt{-4}$ = no hay resultado en el conjunto Z

$\sqrt{-36}$ = no hay resultado en el conjunto Z

Raíz cúbica

Es la operación que permite conocer el número que elevado al cubo sea igual o un poco menor que el propuesto. En el campo de los números enteros, sólo se toman en cuenta los números que elevados al cubo sean exactamente igual al propuesto.

$\sqrt[3]{+8} = +2$, porque $(+2)(+2)(+2) = +8$

$\sqrt[3]{-27} = -3$, porque $(-3)(-3)(-3) = -27$

Práctica 2.1

Ejercicios para resolver:

1. Escribir el número entero representativo de cada uno de los siguientes pares ordenados de números naturales:

(5, 3)=	(8, 2) =	(5, 0) =	(7, 1) =
(3, 3)=	(7, 7) =	(1, 1) =	(0, 0) =
(3, 5) =	(2, 8) =	(0, 5) =	(1, 7) =
(8, 0) =	(1, 0) =	(15, 0) =	(23, 0)=
(0, 4) =	(0, 8) =	(0, 47) =	(0, 82)=

2. Resolver las siguientes sumas con números enteros:

(+8) + (+9) + (+4) + (+6) =	(+12) + (+15) + (+25) + (+18)=
(–7) + (–4) + (–2) + (–6) =	(–9) + (–5) + (–12) + (–10) =

(+18) + (–5) = (–15) + (+12) =
(+6) + (–3) + (+7) + (–10)= (+13) + (–6) + (–9) + (1) =
(–26) + (+12) + (+14) + (+5) = (138) + (–56) + (–65) + (+42)=

3. Realizar las siguientes sustracciones con números enteros:

(+11) – (+4) = (+9) – (+15) =
(+7) – (+7) = (–15) – (–12) =
(–8) – (–13) = (–11) – (–11) =
(+13) – (–12) = (–16) – (+9) =
(+10) – (–10) = (–5) – (+5) =

4. Efectuar las siguientes sumas y restas combinadas:

(+3) – (–2) + (–9) + (–1) – (–7) – (–3) =
(–12) + (–4) – (–11) – (+8) + (–12) + (–6) =
(+20) – (–15) + (–16) + (+12) – (–14) – (–9) =
(–19) – (–6) + (–7) + (–13) – (–19) + (–21) =
(–25) – (+13) – (–14) – (+25) – (–12) – (+16) =

5. Desarrollar las multiplicaciones con los pares ordenados, y de acuerdo con el resultado escribir el número entero representativo:

Ejemplo resuelto:
(4, 0) (2, 0) = (4 . 2 + 0 . 0, 4 . 0 + 0 . 2) = (8 + 0, 0 + 0) = (8, 0) = +8
(7, 0) (3, 0) =
(5, 0) (8, 0) =
(0, 4) (0, 2) =
(0, 5) (0, 6) =
(7, 0) (0, 5) =
(4, 0) (0, 3) =
(0, 5) (7, 0) =

6. Multiplicar los siguientes números enteros:
(+15) (+12) = (+11) (–18) =
(–13) (+9) = (+15) (–6) =
(–12) (–10) = (–13) (–15) =
(–8) (–7) (–3) = (–6) (–4) (–5) (–6) =
(–9) (+1) (–7) (+6) = (+12) (–3) (–6) (–5) =

7. Hacer las siguientes divisiones con números enteros:

$(+15) : (-3) =$ $(-24) : (+6) =$

$(-30) : (-5) =$ $(+8) : (+16) =$

$(-3) : (+9) =$ $(-7) : (-14) =$

$(+8-5) : (-3) =$ $(-7+4) : (+3) =$

$(+5-8+6) : (+7-4) =$ $(+9+6-5) : (+5-10) =$

8. Resolver las siguientes potencias con números enteros:

$(-5)^2 =$ $(-4)^3 =$

$(-3)^4 =$ $(-6)^1 =$

$(-8)^0 =$ $(-5+3)^3 =$

$(-7-3)^2 =$ $(-9+5-4)^2 =$

$(-7+5+1)^0 =$ $(-9+7+2)^3 =$

9. Desarrollar las operaciones con potencias de la misma base:

$(+7)^2 . (+7)^3 . (+7) =$ $(-3)^3 . (-3)^4 =$

$(+5)^4 : (+5)^3 =$ $(-2)^5 : (-2)^5 =$

$(+6)^3 : (+6)^4 =$ $[(-5^2]^3 =$

$[(+4)^2]^2 =$ $[(+5-3)^3]^2 =$

$[(-4+3-1)^2]^4 =$ $[(+9-7-1)^3]^3 =$

10. Extraer la raíz cuadrada y cúbica:

$\sqrt{+25} =$ $\sqrt[3]{+27} =$ $\sqrt{-25} =$

$\sqrt{+81} =$ $\sqrt[3]{-125} =$ $\sqrt[3]{+216} =$

$\sqrt{+121} =$ $\sqrt[3]{+64} =$

$\sqrt{-4} =$ $\sqrt[3]{-8} =$

NÚMEROS RACIONALES

Al estudiar las operaciones con números enteros Z en la división no se forma una operación con estructura cerrada porque existen casos de ella que no tienen un número entero como resultado, por lo que fue necesario crear una nueva clase de números que pudiera aceptarse como resultado en cualquier división con números enteros.

Como en realidad lo que se busca es una ampliación del conjunto de los números enteros Z, se inicia el razonamiento a partir de la representación de números enteros en los que se establezca una *relación de cociente* entre su antecedente y consecuente (excluyendo la división por cero). Sean los pares ordenados:

(+8, +2); (–24, –6); (+4, +1); (–16, –4);... son representativos del entero +4
(–6, +2); (+15, –5); (+6, –2); ... son representativos del entero –3
(–8, –8);(+7,+7);(–2, –2); ... son representativos del entero +1
(0, +4); (0, –3); (0, +2); ... son representativos del entero 0

Si se forma un conjunto con los pares ordenados que se obtienen al multiplicar $Z \times Z-\{0\}$, en donde Z es el conjunto de números enteros y $Z-\{0\}$ es el mismo conjunto pero excluyendo al cero, el producto cartesiano está formado por todos los pares ordenados posibles, en los cuales se cumple la relación establecida de cociente exacto, y además de otros pares ordenados que no tienen su cociente exacto, que es el caso que se estudia. La única condición es que formen una relación de equivalencia como se indica: $(a, b)\ R\ (c, d)$ si y sólo si $a \cdot d = b \cdot c$.

Ejemplos:

- (–6, +2) = (+15, –5) cumplen con la relación de equivalencia porque (–6) (–5) = (+2) (+15)
  $+30 = +30$

  (–6; +2), (+15, –5),... son representativos del cociente –3 (entero).

- (–3, +9) = (+2,–6) cumplen con la relación de equivalencia porque (–3) (–6) = (+9) (+2)
  $+18 = +18$

  (–3, +9), (+2, –6), ... son representativos de su cociente $-\frac{1}{3}$ (no entero) porque $\frac{-3}{+9} = \frac{+2}{-6} = \frac{1}{-3}$

De todos los pares ordenados existentes, los que cumplan con esta relación de equivalencia forman clases que se llamarán *números racionales* (por representar una razón entre dos números).

El representativo de cada una de estas clases es el par formado por los números irreductibles. Por ejemplo:

$$\{\ldots (+20, -4), (-25, +5), (+10, -2), (-5, +1)\} \Rightarrow \frac{-5}{+1} = -5$$

$$\{\ldots (6, 10), (-9, -15), (-6, -10), (3, 5)\} \Rightarrow \frac{3}{5}$$

$$\{\ldots (-3, 12), (5, -20)\ (-2, 8), (1, -4)\} \Rightarrow \frac{+1}{-4} = -\frac{1}{4}$$

En general, para nombrar a cada clase formada, se elige el par irreductible representado por (a,b) que será representado en adelante así $\frac{a}{b}$ solamente si b $\neq 0$.

A la primera y segunda componentes se les llamará *numerador* y *denominador*, respectivamente.

Todas las clases resultantes que se obtienen de la relación de equivalencia establecida formarán el conjunto de *números racionales* y se representarán con la letra Q. Los números racionales que integran el conjunto Q se puede representar por todas las fracciones equivalentes que cumplen con la condición:

$$\frac{a}{b}\ R\ \frac{c}{d} \quad \text{Si } a \cdot d = b \cdot c.$$

$$\ldots \frac{10}{15} = \frac{8}{12} = \frac{6}{9} = \frac{4}{6} = \frac{2}{3} \quad \text{El representativo es } \frac{2}{3}$$

$$\ldots \frac{10}{5} = \frac{8}{4} = \frac{6}{3} = \frac{4}{2} = \frac{2}{1} \quad \text{El representativo es } \frac{2}{1}$$

$$\ldots \frac{0}{5} = \frac{0}{4} = \frac{0}{3} = \frac{0}{2} = \frac{0}{1} \quad \text{El representativo es } \frac{0}{1}$$

Existen números racionales que tienen una equivalencia con los números enteros, y son aquellos que tienen como denominador a la unidad en su representativo más simple:

$$\frac{+3}{1} \Leftrightarrow +3;\ \frac{+2}{1} \Leftrightarrow +2;\ \frac{+1}{1} \Leftrightarrow +1;\ \frac{+0}{1} \Leftrightarrow 0;\ \frac{-1}{1} \Leftrightarrow -1;\ \frac{-2}{1} \Leftrightarrow -2,$$

estableciendo una biyección del subconjunto Q' del conjunto Q con el conjunto Z, como se observa a continuación:

$$Z = \{\ldots, -3, -2, -1, 0, +1, +2, +3, \ldots\}$$

$$Q' = \{..., \frac{-3}{1}, \frac{-2}{1}, \frac{-1}{1}, \frac{0}{1}, \frac{+1}{1}, \frac{+2}{1}, \frac{+3}{1}, ...\}$$

Los números racionales se pueden representar en una recta o eje numérico que previamente sea subdividido en dos, tres, cuatro, cinco o más partes iguales, según sea el número que aparece como denominador. Con el número del numerador se localiza la posición en la recta.

Ejemplos:

- Ubicar en la recta numérica a los racionales: $\frac{+3}{4}, \frac{-1}{4}, \frac{+7}{4}, \frac{-4}{4}$.

  Cada espacio entre las unidades se divide en cuatro partes iguales (cuartos); con los números de los numeradores se localiza la posición correcta:

  -1 0 +1 +2

  $-\frac{4}{4}$ $-\frac{1}{4}$ $+\frac{3}{4}$ $+\frac{7}{4}$

- Ubicar en la recta numérica a los racionales: $\frac{-2}{3}, \frac{+1}{3}, \frac{-3}{3}, \frac{-4}{3}$

  Cada espacio entre las unidades se divide en tres partes iguales (tercios):

  -2 -1 0 +1 +2

  $\frac{4}{3}$ $-\frac{2}{3}$ $+\frac{1}{3}$ $+\frac{3}{3}$

Conjunto ordenado Q

Cuando se establece la condición *relación de equivalencia* con los elementos de dos pares ordenados que se obtienen del producto cartesiano:

Z x Z – {0}, deberá cumplirse que: $\frac{a}{b} = \frac{c}{d}$ si y sólo si: $a \cdot d = b.c.$

Es decir: $$\frac{3}{5} = \frac{9}{15}$$

si y sólo si $$(3)(15) = (5)(9)$$
$$45 = 45$$

Es decir: $\frac{6}{12} = \frac{3}{6}$

si y sólo si $(6)(6) = (12)(3)$

$36 = 36$

Si no se cumple esta condición, puede suceder que: $\frac{a}{b} > \frac{c}{d}$ si y sólo si $a \, . \, d \rangle b \, . \, c$. Es decir : $\frac{4}{5} > \frac{3}{8}$ si y sólo si $(4)(8) > (5)(3) = 32 > 15$

También puede suceder que: $\frac{a}{b} < \frac{c}{d}$ si y sólo si $a \, . d < b \, . \, c$. Es decir:

$\frac{5}{9} < \frac{2}{3}$ si y sólo si $(5)(3) < (9)(2) = 15 < 18$

Conclusión. "Cuando dos números racionales no establecen una relación de equivalencia, uno es mayor que el otro."

Signos de los números racionales

Tomando como referencia el hecho de que los números racionales están formados por un par ordenado (*a*, *b*) en la forma $\frac{a}{b}$, en donde *a* es un número entero y *b* es otro número entero $\neq 0$ (positivos o negativos), los signos que les corresponden se sujetan a las siguientes situaciones:

El número racional $\frac{a}{b}$ es positivo si: $a \, . \, b > 0$

Es decir: $\frac{+3}{+5}$ es positivo porque: $(+3)(+5) = +15; +15 > 0; +\frac{3}{5}$

$\frac{-2}{-7}$ es positivo porque: $(-2)(-7) = +14; +14 > 0; +\frac{2}{7}$

El número racional $\frac{a}{b}$ es negativo si : $a \, . \, b < 0$. Es decir:

$\frac{-2}{+3}$ es negativo porque: $(-2)(+3) = -6 ; -6 < 0 ; -\frac{2}{3}$

Si el número racional tiene un denominador negativo $\frac{a}{-b}$ se aplica la propiedad fundamental de las fracciones y se multiplica por (–1) a los dos términos:

$$\frac{a(-1)}{-b(-1)} = \frac{-a}{b} = -\frac{a}{b}$$

Es decir: $\frac{3}{-4}$ multiplicado por (–1): $\frac{3(-1)}{-4(-1)} = \frac{-3}{+4} = -\frac{3}{4}$

Propiedades de los números racionales. Operaciones

Los números racionales $+\frac{a}{b}$ o $-\frac{a}{b}$ son fracciones de una clase especial porque contienen un signo que debe tomarse en cuenta al combinarlos en las diferentes operaciones que se efectúen con ellos, por lo que es necesario tomar los procedimientos aplicados con los números enteros y sus propiedades, ya que forman una ampliación al conjunto Z. Es decir: $Z \subset Q$.

Adición

Sólo pueden sumarse números racionales de la misma clase, es decir, que tengan el mismo denominador: $\frac{a}{d} + \frac{b}{d} + \frac{c}{d} = \frac{a+b+c}{d}$. La suma se hace con los numeradores, dejando el mismo denominador.

Ejemplos:

- $\left(+\frac{3}{5}\right) + \left(-\frac{4}{5}\right) = \frac{+3+4}{5} = +\frac{7}{5}$
- $\left(-\frac{2}{3}\right) + \left(-\frac{4}{3}\right) = \frac{-2-4}{3} = \frac{-6}{3} = -2$
- $\left(+\frac{3}{7}\right) + \left(-\frac{2}{7}\right) = \frac{+3-2}{7} = \frac{+1}{7} = \frac{1}{7}$
- $\left(+\frac{5}{8}\right) + \left(-\frac{7}{8}\right) = \frac{+5-7}{8} = \frac{-2}{8} = -\frac{1}{4}$

Para obtener la suma de números racionales de diferente clase (con diferente denominador) y convertirlos en la misma clase, será necesario transformarlos a sus equivalentes, esto es, que tengan un denominador común.

$$\frac{a}{b} + \frac{c}{d} = \frac{ad + bc}{bd}$$

Ejemplos:

- $\left(+\frac{3}{5}\right) + \left(+\frac{2}{10}\right) = \frac{+6+2}{10} = \frac{+8}{10} = +\frac{4}{5}$
- $\left(-\frac{4}{5}\right) + \left(-\frac{2}{3}\right) = \frac{-12-10}{15} = \frac{-22}{15} = -\frac{22}{15}$
- $\left(-\frac{3}{18}\right) + \left(+\frac{3}{4}\right) = \frac{-6+27}{36} = \frac{+21}{36} = +\frac{7}{12}$

En la adición no es necesario separar con paréntesis a los sumandos:

- $+\frac{3}{5} + \frac{2}{10} = \frac{+6+2}{10} + \frac{+8}{10} = +\frac{4}{5}$
- $-\frac{4}{5} - \frac{2}{3} = \frac{-12-10}{15} = \frac{-22}{15} = -\frac{22}{15}$
- $-\frac{3}{18} + \frac{3}{4} = \frac{-6+27}{36} = \frac{+21}{36} = +\frac{7}{12}$

Las propiedades establecidas en la adición de números enteros Z son las mismas que pueden aplicarse en la adición de los números racionales.

Sustracción

Al igual que en la sustracción de números enteros, la diferencia se obtiene "sumando el valor del minuendo con el inverso aditivo del sustraendo".

Para obtener la diferencia de $\frac{a}{b}$ con $\frac{c}{d}$ se aplica el mismo criterio:

$$\left(+\frac{a}{b}\right) - \left(+\frac{c}{d}\right) = \left(+\frac{a}{b}\right) + \left(-\frac{c}{d}\right)$$

Ejemplos:

- $\left(+\frac{3}{8}\right)-\left(-\frac{5}{8}\right)=\left(+\frac{3}{8}\right)+\left(-\frac{5}{8}\right)=\frac{+3-5}{8}=\frac{-2}{8}=-\frac{1}{4}$

- $\left(-\frac{5}{3}\right)-\left(-\frac{3}{4}\right)=\left(-\frac{5}{3}\right)+\left(+\frac{3}{4}\right)=\frac{-20+9}{12}=\frac{-11}{12}=-\frac{11}{12}$

- $\left(-\frac{3}{7}\right)-\left(+\frac{2}{5}\right)=-\frac{3}{7}-\frac{2}{5}=\frac{-15-14}{35}=\frac{-29}{35}=-\frac{29}{35}$

- $\left(+\frac{4}{5}\right)-\left(+\frac{4}{5}\right)=+\frac{4}{5}-\frac{4}{5}=\frac{0}{5}=0$

Multiplicación

Para la multiplicación de números enteros se comprueba que:

(positivo) (positivo) = positivo; (+) (+) = +
(positivo) (negativo) = negativo; (+) (–) = –
(negativo) (positivo) = negativo; (–) (+) = –
(negativo) (negativo) = positivo. (–) (–) = +

Siendo a y b dos números enteros, su producto será:

$(+a)\ (+b) = +ab$
$(+a)\ (-b) = -ab$
$(-a)\ (+b) = -ab$
$(-a)\ (-b) = +ab$

Los mismos criterios establecidos en la multiplicación con números enteros se aplican para la multiplicación con números racionales. Es decir:

Sean $\frac{a}{1}$ y $\frac{b}{1}$ dos números racionales, su producto será:

$$\left(+\frac{a}{1}\right)\left(+\frac{b}{1}\right)=+\frac{ab}{1}$$

$$\left(+\frac{a}{1}\right)\left(-\frac{b}{1}\right)=-\frac{ab}{1}$$

$$\left(-\frac{a}{1}\right)\left(+\frac{b}{1}\right) = -\frac{ab}{1}$$

$$\left(-\frac{a}{1}\right)\left(-\frac{b}{1}\right) = +\frac{ab}{1}$$

Generalizando los criterios anteriores, si $\frac{a}{b}$ y $\frac{c}{d}$ son números racionales, su producto se obtiene al multiplicar a los numeradores y a los denominadores de las fracciones que representan a dichos números.

$$\frac{a}{b} \cdot \frac{c}{d} = \frac{ac}{bd}$$

Ejemplos:

- $\left(+\frac{1}{3}\right)\left(+\frac{1}{4}\right) = +\frac{1}{12}$

- $\left(+\frac{3}{4}\right)\left(-\frac{2}{5}\right) = -\frac{6}{20} = -\frac{3}{10}$

- $\left(-\frac{3}{7}\right)\left(+\frac{4}{5}\right) = -\frac{12}{35}$

- $\left(-\frac{2}{3}\right)\left(-\frac{3}{4}\right) = +\frac{6}{12} = \frac{1}{2}$

Las propiedades establecidas para la multiplicación de números enteros se aceptan para la multiplicación de números racionales.

El elemento neutro para la multiplicación de racionales es $\frac{1}{1}$ porque:

Si $\frac{a}{b}$ es racional, se verifica que: $\frac{a}{b} \cdot \frac{1}{1} = \frac{a}{b}$

En la multiplicación de números racionales existe el *elemento inverso*, que es el racional que al multiplicarse por otro da por resultado el elemento neutro.

El inverso de $\frac{3}{4}$ es $\frac{4}{3}$ porque: $\frac{3}{4} \cdot \frac{4}{3} = \frac{12}{12} = \frac{1}{1} = 1$

El inverso de $\frac{1}{5}$ es $\frac{5}{1}$ porque: $\frac{1}{5} \cdot \frac{5}{1} = \frac{5}{5} = \frac{1}{1} = 1$

El inverso de $\frac{2}{1}$ es $\frac{1}{2}$ porque: $\frac{2}{1} \cdot \frac{1}{2} = \frac{2}{2} = \frac{1}{1} = 1$

Generalizando:

El inverso de $\frac{a}{b}$ es $\frac{b}{a}$ porque: $\frac{a}{b} \cdot \frac{b}{a} = \frac{ab}{a\,b} = \frac{1}{1} = 1$

División

En el conjunto de los números enteros, la división es la operación *inversa* de la multiplicación que permite conocer un valor llamado *cociente* (c) que, al multiplicarse por otro llamado *divisor* (d), es igual al *dividendo* (D). Es decir:

$$D : d = c \text{ porque } c \,.\, d = D.$$

Ejemplo:

$$30 : 5 = 6 \text{ porque } 6 \,.\, 5 = 30$$

Para la división de los números racionales se establece la siguiente condición: $D = \frac{a}{b}$; $d = \frac{c}{d}$ y $c = \frac{x}{y}$

Aplicando el mismo criterio establecido con los número enteros:

$$\frac{a}{b} : \frac{c}{d} = \frac{x}{y} \qquad \text{porque } \frac{x}{y} \cdot \frac{c}{d} = \frac{a}{b} \qquad (1)$$

Para obtener el cociente $\frac{x}{y}$, se multiplican los miembros de la igualdad (1) por el inverso de $\frac{c}{d}$, como se observa a continuación:

$$\frac{x}{y} \cdot \frac{c}{d} \cdot \frac{d}{c} = \frac{a}{b} \cdot \frac{d}{c},$$

resultando:

$$\frac{x}{y} = \frac{a}{b} \cdot \frac{d}{c}$$

Es decir: "El cociente $\frac{x}{y}$ se obtiene multiplicando el dividendo $\frac{a}{b}$ por el recíproco del divisor $\frac{c}{d}$ "

Ejemplos:

- $\frac{3}{5} : \frac{2}{7} = \frac{3}{5} \cdot \frac{7}{2} = \frac{21}{10}$ Comprobación: $\frac{21}{10} \cdot \frac{2}{7} = \frac{42}{70} = \frac{3}{5}$
- $\frac{1}{3} : \frac{5}{4} = \frac{1}{3} \cdot \frac{4}{5} = \frac{4}{15}$ Comprobación: $\frac{4}{15} \cdot \frac{5}{4} = \frac{20}{60} = \frac{1}{3}$

En este momento conviene considerar la necesidad de haber formado el sistema numérico Q de los números racionales como una solución a la problemática de obtener cocientes exactos en las divisiones con números enteros. Ejemplo: La división 5:8 en el conjunto Z de los números enteros no tiene resultado, pero en el conjunto de los números racionales sí lo tiene porque:

$$\frac{5}{1} : \frac{8}{1} = \frac{5}{1} \cdot \frac{1}{8} = \frac{5}{8},$$

considerado éste como cociente exacto.

Otro ejemplo es la división de los números enteros 11 : 17 en el conjunto de los racionales, que sería:

$$\frac{11}{1} : \frac{17}{1} = \frac{11}{1} \cdot \frac{1}{17} = \frac{11}{17},$$

considerado cociente exacto.

Generalizando: La división de los enteros $a : b$ se obtiene como se indica: $\frac{a}{1} : \frac{b}{1} = \frac{a}{1} \cdot \frac{1}{b} = \frac{a}{b}$ Es decir: $a : b = \frac{a}{b}$

Potenciación

Para los números enteros se dice que cuando el exponente es un número natural, "la potenciación es el producto obtenido de multiplicar factores iguales entre sí".

Haciendo extensivo este concepto para los números racionales, puesto que se forman por números naturales, se acepta que:

$$\left(\frac{a}{b}\right)^n = \frac{a^n}{b^n}$$

Ejemplos:

- $\left(+\frac{4}{7}\right)^1 = \frac{4^1}{7^1} = +\frac{4}{7}$

- $\left(-\frac{2}{5}\right)^2 = \frac{-2^2}{5^2} = +\frac{4}{25}$

- $\left(+\frac{3}{4}\right)^3 = \frac{3^3}{4^3} = \frac{27}{64}$

- $\left(-\frac{2}{5}\right)^3 = \frac{-2^3}{5^3} = -\frac{8}{125}$

- $\left(-\frac{1}{5}\right)^4 = \frac{-1^4}{5^4} = +\frac{1}{625}$

- $\left(-\frac{1}{3}\right)^5 = \frac{-1^5}{3^5} = -\frac{1}{243}$

Exponente "cero"

$$\left(\frac{5}{7}\right)^0 = \frac{5^0}{7^0} = \frac{1}{1} = 1; \left(-\frac{3}{5}\right)^0 = \frac{-3^0}{5^0} = \frac{1}{1} = 1$$

Es decir:

$$\left(\frac{a}{b}\right)^0 = \frac{a^0}{b^0} = \frac{1}{1} = 1$$

Exponente negativo

Los procedimientos establecidos para las operaciones con potencias de la misma base en el conjunto Z también pueden aplicarse en las operaciones con potencias de la misma base en el conjunto Q.

Si el exponente es un número entero negativo conviene recordar que:

En los enteros:

$$a^{-m} = \frac{1}{a^m}$$

En los racionales:

$$\left(\frac{a}{b}\right)^{-m} = \frac{1}{\left(\frac{a}{b}\right)^m} = \frac{\frac{1}{1}}{\frac{a^m}{b^m}} = \frac{b^m}{a^m};$$

es decir:

$$\left(\frac{a}{b}\right)^{-m} = \left(\frac{b}{a}\right)^{m}$$

Ejemplos numéricos:

- $5^{-2} = \frac{1}{5^2} = \frac{1}{25}$
- $(-2)^{-3} = \frac{1}{-2^3} = \frac{1}{-8} = -\frac{1}{8}$
- $\left(\frac{3}{4}\right)^{-2} = \left(\frac{4}{3}\right)^{2} = \frac{16}{9}$
- $\left(-\frac{2}{5}\right)^{-2} = \left(-\frac{5}{2}\right)^{2} = \frac{25}{4}$
- $4^{-3} = \frac{1}{4^3} = \frac{1}{64}$
- $(-3)^{-2} = \frac{1}{-3^2} = \frac{1}{9}$
- $\left(\frac{2}{5}\right)^{-3} = \left(\frac{5}{2}\right)^{3} = \frac{125}{8}$
- $\left(-\frac{2}{7}\right)^{-3} = \left(-\frac{7}{2}\right)^{3} = -\frac{343}{8}$

Raíz cuadrada

Esta operación no forma en el conjunto de números enteros Z, una operación de estructura interna, pues la solución en los números enteros sólo se limita a que el subradical resulte positivo y cuadrado perfecto, en cuyo caso la solución corresponde a dos raíces que tienen el mismo valor absoluto y signo contrario.

Ejemplos:

- $\sqrt{+25} = \pm 5$
- $\sqrt{+144} = \pm 12$

Cuando el número es negativo, no hay resultado posible en el conjunto de números enteros Z.

Ejemplos:

- $\sqrt{-25}$ = no hay resultado en Z
- $\sqrt{-169}$ = no hay resultado en Z

En el conjunto de números racionales Q también se cumplen las mismas condiciones.

Ejemplos:

- $\sqrt{+\frac{9}{25}} = \pm\frac{3}{5}$
- $\sqrt{+\frac{36}{121}} = \pm\frac{6}{11}$
- $\sqrt{-\frac{4}{49}}$ = no hay resultado en Q

Raíz cúbica

En el conjunto de los números enteros Z se obtiene un resultado entero cuando es un cubo perfecto sin importar que el subradical sea positivo o negativo. Las mismas condiciones son cumplidas en el conjunto de números racionales Q. Es decir: si el número al que se le extrae la raíz cúbica es positivo, su raíz es positiva, y si es negativo, su raíz será negativa.

Ejemplos:

- $\sqrt[3]{+\frac{8}{27}} = +\frac{2}{3}$
- $\sqrt[3]{+\frac{125}{64}} = +\frac{5}{4}$
- $\sqrt[3]{-\frac{8}{27}} = -\frac{2}{3}$
- $\sqrt[3]{-\frac{125}{64}} = -\frac{5}{4}$

Generalizando, la operación de radicación en el conjunto de números racionales, presenta dos alternativas claramente marcadas:

1. Si el número del subradical es un racional positivo y su exponente es positivo y número par, el resultado es una doble raíz, con el mismo valor absoluto y signo contrario.

Ejemplos:

- $\sqrt[4]{+\frac{16}{81}} = \pm\frac{2}{3}$
- $\sqrt[6]{+\frac{729}{15625}} = \pm\frac{3}{5}$

2. Si el número del subradical es un racional positivo o negativo y su exponente es positivo y número impar, el resultado es la raíz con el mismo signo del subradical.

Ejemplos

- $\sqrt[5]{+\frac{32}{1024}} = +\frac{2}{4}$
- $\sqrt[7]{-\frac{1}{128}} = -\frac{1}{2}$

Práctica 2.2

I. Escribir el signo = si se establece una relación de equivalencia con las fracciones anotadas. En el caso de no formarse, escriba cualquiera de los signos < o > según le corresponda:

Ejemplos resueltos:

$\frac{3}{4} = \frac{9}{12}$ $\frac{3}{4} < \frac{5}{6}$ $\frac{3}{4} > \frac{2}{5}$

Porque: (3) (12) = (4) (9) 36 = 36

Porque: (3)(6) < (4)(5) 18 < 20

Porque: (3)(5) > (4)(2) 15 > 8

Ejercicios a resolver:

1) $\frac{4}{5} \cdots \frac{20}{25}$ $\frac{4}{5} \cdots \frac{2}{3}$ $\frac{4}{5} \cdots \frac{5}{6}$

Porque: ( )( ) ( )( ) Porque: ( )( ) ( )( ) Porque: ( )( ) ( )( )

2) $\frac{12}{15} \dots \frac{5}{6}$ $\frac{12}{15} \dots \frac{4}{5}$ $\frac{12}{15} \dots \frac{2}{3}$

Porque: Porque: Porque:

( )( ) ( )( ) ( )( ) ( )( ) ( )( ) ( )( )

3) $\frac{7}{9} \dots \frac{4}{5}$ $\frac{7}{9} \dots \frac{2}{5}$ $\frac{7}{9} \dots \frac{14}{18}$

Porque: Porque: Porque:

( )( ) ( )( ) ( )( ) ( )( ) ( )( ) ( )( )

4) $\frac{21}{35} \dots \frac{6}{10}$ $\frac{21}{35} \dots \frac{12}{40}$ $\frac{21}{35} \dots \frac{3}{5}$

5) $\frac{1}{8} \dots \frac{2}{13}$ $\frac{1}{8} \dots \frac{1}{9}$ $\frac{1}{8} \dots \frac{1}{5}$

6) $\frac{15}{20} \dots \frac{135}{180}$ $\frac{3}{4} \dots \frac{21}{28}$ $\frac{18}{24} \dots \frac{9}{12}$

7) $\frac{5}{7} \dots \frac{11}{12}$ $\frac{21}{25} \dots \frac{9}{10}$ $\frac{7}{8} \dots \frac{8}{9}$

8) $\frac{12}{17} \dots \frac{8}{11}$ $\frac{16}{22} \dots \frac{24}{33}$ $\frac{6}{13} \dots \frac{2}{5}$

II. Resolver las siguientes operaciones con números racionales:

1) $\left(+\frac{3}{5}\right)+\left(+\frac{2}{3}\right)+\left(+\frac{1}{6}\right)=$

2) $\left(-\frac{3}{4}\right)+\left(-\frac{2}{5}\right)+\left(-\frac{1}{8}\right)=$

3) $\left(+\frac{3}{4}\right)+\left(-\frac{2}{7}\right)+\left(+\frac{3}{5}\right)=$

4) $\left(-\frac{2}{9}\right)+\left(+\frac{1}{5}\right)+\left(-\frac{3}{7}\right)=$

5) $\left(-\frac{3}{4}\right)+\left(+\frac{2}{5}\right)+\left(-\frac{3}{6}\right)+\left(+\frac{1}{2}\right)=$

6) $-\frac{5}{12}-\frac{3}{4}+\frac{1}{8}+\frac{2}{6}-\frac{1}{3}=$

7) $\frac{3}{15}+\frac{2}{5}-\frac{4}{20}-\frac{5}{10}-\frac{1}{20}=$

8) $\frac{11}{16}-\frac{3}{2}+\frac{2}{8}-\frac{5}{6}-\frac{6}{4}=$

9) $-\frac{13}{20}+\frac{5}{10}-\frac{7}{5}+\frac{3}{4}-\frac{1}{2}=$

10) $-\frac{3}{14}+\frac{5}{28}-\frac{1}{7}-\frac{4}{20}+\frac{1}{4}=$

11) $\left(+\frac{3}{5}\right)-\left(+\frac{2}{7}\right)=$

12) $\left(+\frac{4}{5}\right)-\left(+\frac{3}{4}\right)=$

13) $\left(-\frac{3}{8}\right)-\left(-\frac{2}{5}\right)=$

14) $\left(-\frac{1}{9}\right)-\left(-\frac{4}{5}\right)=$

15) $\left(+\frac{5}{8}\right)-\left(-\frac{3}{7}\right)=$

16) $\left(+\frac{6}{10}\right)-\left(-\frac{3}{5}\right)=$

17) $\left(-\frac{6}{12}\right)-\left(+\frac{3}{6}\right)=$

18) $\left(-\frac{5}{8}\right)-\left(+\frac{10}{16}\right)=$

19) $\left(+\frac{4}{13}\right)-\left(+\frac{4}{13}\right)=$

20) $\left(-\frac{4}{9}\right)-\left(-\frac{4}{9}\right)=$

21) $\left(-\frac{3}{4}\right)-\left(-\frac{2}{5}\right)+\left(\frac{2}{6}\right)-\left(\frac{3}{4}\right)=$

22) $\left(\frac{7}{12}\right)+\left(-\frac{2}{5}\right)-\left(-\frac{6}{10}\right)-\left(\frac{3}{4}\right)=$

23) $-\left(-\frac{5}{14}\right)-\left(\frac{6}{8}\right)+\left(-\frac{3}{4}\right)+\left(\frac{2}{5}\right)=$

24) $\left(-\frac{5}{6}\right)+\left(\frac{3}{10}\right)-\left(-\frac{2}{5}\right)+\left(-\frac{1}{4}\right)-\left(+\frac{2}{6}\right)=$

25) $-\left(-\frac{3}{5}\right)+\left(\frac{2}{7}\right)-\left(\frac{7}{10}\right)-\left(-\frac{3}{2}\right)+\left(\frac{6}{10}\right)=$

26) $\left(-\frac{3}{5}\right)\left(-\frac{4}{7}\right)=$

27) $\left(+\frac{5}{6}\right)\left(\frac{6}{5}\right)\left(-\frac{1}{3}\right)=$

28) $\left(-\frac{1}{5}\right)\left(-\frac{3}{7}\right)\left(-\frac{2}{9}\right)=$

29) $\left(+\frac{12}{15}\right)\left(+\frac{6}{7}\right)\left(\frac{14}{12}\right)=$

30) $\left(-\frac{7}{8}\right)\left(-\frac{4}{14}\right)\left(-\frac{4}{6}\right)=$

31) $\left(+\frac{5}{12}\right):\left(-\frac{7}{8}\right)=$

32) $\left(-\frac{3}{2}\right):\left(-\frac{5}{6}\right)=$

33) $\left(-\frac{9}{11}\right):\left(+\frac{3}{7}\right)=$

34) $\left(+\frac{14}{8}\right):\left(-\frac{7}{4}\right)=$

35) $\left(-\frac{12}{10}\right):\left(-\frac{6}{20}\right)=$

36) $\dfrac{\frac{2}{5}}{-\frac{3}{7}}=$

37) $\dfrac{-\frac{4}{7}}{\frac{2}{3}}=$

38) $\dfrac{-\frac{7}{4}}{-\frac{3}{5}}=$

39) $\dfrac{\frac{9}{5}}{\frac{5}{9}}=$

40) $\dfrac{-\frac{11}{15}}{\frac{11}{15}}=$

41) $\left(-\frac{2}{9}\right)^{2}=$

42) $\left(-\frac{6}{8}\right)^{3}=$

43) $\left(-\frac{5}{4}\right)^{4}=$

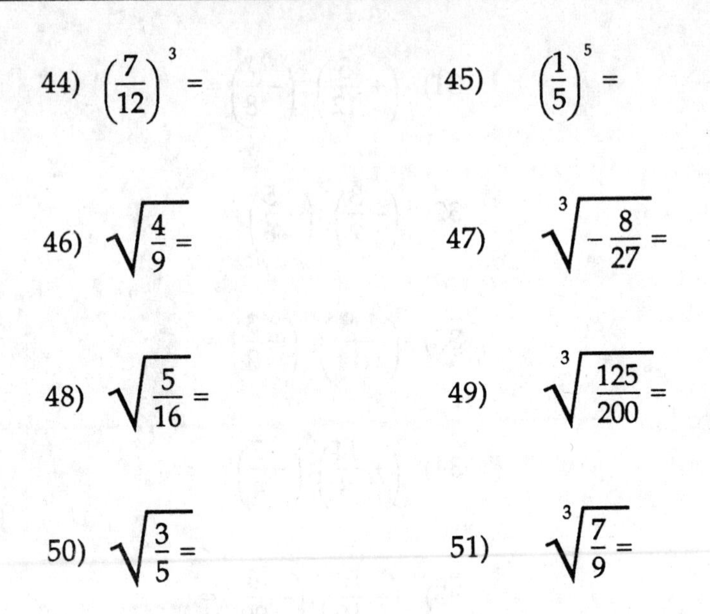

44) $\left(\frac{7}{12}\right)^3 =$ 45) $\left(\frac{1}{5}\right)^5 =$

46) $\sqrt{\frac{4}{9}} =$ 47) $\sqrt[3]{-\frac{8}{27}} =$

48) $\sqrt{\frac{5}{16}} =$ 49) $\sqrt[3]{\frac{125}{200}} =$

50) $\sqrt{\frac{3}{5}} =$ 51) $\sqrt[3]{\frac{7}{9}} =$

III. Calcular el valor de las siguientes expresiones numéricas:

1) $5\left(-\frac{2}{3}+\frac{3}{4}\right)+2\left(5-\frac{3}{5}-\frac{1}{2}\right)=$

2) $2-\frac{3}{4}\left(-\frac{1}{2}+\frac{2}{3}\right)+3-\frac{1}{2}\left(+\frac{5}{3}-\frac{3}{2}\right)=$

3) $\left(-\frac{3}{4}\right)\left(-\frac{2}{5}\right)-1+2\left(\frac{3}{5}\right)+2=$

4) $4-\frac{3}{7}+2\left(-\frac{3}{5}+2\right)-5\left(3-\frac{1}{4}\right)=$

5) $-3\left[+5-\frac{1}{2}\left(2-\frac{1}{3}\right)\right]+2\left[-\frac{1}{2}+2\left(-\frac{3}{5}+1\right)\right]=$

6) $-\left\{-\frac{3}{4}\left(-1-\frac{3}{4}\right)+4\left[-\frac{1}{2}\left(-3+\frac{2}{3}\right)\right]-\left(7+\frac{4}{5}\right)\right\}=$

7) $\dfrac{\frac{2}{3}}{\frac{3}{4}} + \dfrac{\frac{2}{5}}{\frac{3}{5}} - \dfrac{\frac{4}{6}}{\frac{1}{2}} =$

8) $\dfrac{3-\frac{1}{9}}{\frac{4}{11}} - \dfrac{\frac{1}{3}}{\frac{3}{4}+\frac{2}{5}} =$

9) $\dfrac{-2\left(-\frac{1}{3}+1\right)^2}{-\frac{3}{5}\left(-\frac{1}{2}+3\right)} + \dfrac{\left[\frac{4}{3}-\left(\frac{3}{4}\right)-\frac{1}{2}\right]^2}{\left(-\frac{3}{5}+\frac{1}{2}\right)^2-\left(\frac{1}{5}\right)^3}$

10) $\dfrac{\left(+\frac{1}{5}\right)^3 - \left(-\frac{1}{2}+\frac{2}{3}\right)^2}{\left(-\frac{3}{5}+1\right)^2} - \dfrac{3\left(\frac{1}{2}\right)^2-4\left(\frac{1}{3}\right)^2}{\left(\frac{3}{7}-\frac{1}{8}-\frac{1}{5}\right)^2}$

11) $\sqrt{\frac{1}{4}}+\sqrt{1-\frac{8}{9}}+\sqrt{1\frac{3}{4}}=$

12) $\sqrt[3]{\frac{1}{8}}+\sqrt[3]{-\frac{1}{27}}-\sqrt[3]{\frac{8}{27}}=$

13) $\sqrt{2+\frac{1}{4}}-\sqrt{1+\frac{9}{16}}+\sqrt[3]{-\frac{1}{64}}=$

14) $\dfrac{\sqrt{\frac{16}{36}}+\sqrt[3]{\frac{8}{27}}}{\sqrt{1+\frac{9}{16}}-\sqrt[3]{\frac{1}{8}}}=$

15) $\dfrac{\sqrt[3]{\dfrac{11}{8}+2-\dfrac{4}{5}}}{\dfrac{3}{5}+\sqrt{1-\dfrac{3}{4}}}=$

Su representación decimal

Si a y b representan números enteros, su cociente indicado se representa por $\frac{a}{b}$

Cuando en las fracciones el denominador es 10, 100, 1 000, 10 000, etc, recibe el nombre de *fracción decimal*. Ejemplos: $\frac{3}{10}$, $\frac{15}{100}$, $\frac{8}{1\,000}$, $\frac{107}{10\,000}$, etcétera.

Como el sistema de numeración es de base 10 (decimal), las fracciones decimales se incorporan al sistema de representación de los números enteros colocando un punto "decimal" como signo de separación y escribiendo las fracciones decimales hacia la derecha ocupando cada cifra un lugar sin dejar espacios vacíos (que en caso necesario serán ocupados por "ceros"). A partir del punto hacia la derecha, cada lugar representa una división de la unidad en 10, 100, 1 000, 10 000, etc., partes iguales, por lo que recibe los nombres de décimos, centésimos, milésimos, diezmilésimos, cienmilésimos, millonésimos (micra), etcétera.

Ejemplos:

- 12.5 se lee: Doce enteros, cinco décimos.
- 6.03 se lee: Seis enteros, tres centésimos.
- 158.00016 se lee: Ciento cincuenta y ocho enteros, dieciséis cienmilésimos.

Conversión de un racional a su forma decimal

Cualquier fracción se puede convertir a su forma decimal dividiendo el numerador entre su denominador, aproximando hasta lograr (si es posible) que el residuo sea cero.

Ejemplos numéricos:

- Convertir la fracción $\frac{3}{8}$ a su forma decimal:

$$\frac{3}{8} = .375$$

- Convertir la fracción $\frac{18}{4}$ a su forma decimal:

$$\frac{18}{4} = 4.5$$

- Convertir la fracción $\frac{3}{5}$ a su forma decimal:

$$\frac{3}{5} = .6$$

Hay fracciones que no tienen una representación exacta en su forma decimal, por lo que debe darse una aproximación para dar el resultado más exacto.

Ejemplos:

- $\frac{2}{3} = .666666 \ldots$ o $= .\overline{6}$
- $\frac{7}{11} = .636363 \ldots$ o $= .\overline{63}$
- $\frac{17}{7} = 2.428571428571 \ldots$ o $= 2.\overline{428571}$

Como se puede deducir de los anteriores ejemplos, es necesario conocer por anticipado si la fracción común tiene una representación decimal exacta o si es una fracción decimal inexacta (periódica pura o mixta).

Para identificar si la fracción común tiene una representación decimal exacta o inexacta, el denominador se descompone en factores primos:

a) Si los factores de la fracción en su forma irreductible son los números primos: 2 ó 5 o su producto, la fracción es exacta. Por ejemplo:

$$\frac{1}{2} = .5; \quad \frac{3}{4} = .75; \quad \frac{4}{5} = .8; \quad \frac{3}{8} = .375; \quad \frac{7}{20} = .35; \text{ etcétera.}$$

b) Si los factores primos no son ni 2 ni 5, la fracción decimal es inexacta periódica pura. Por ejemplo:

$$\frac{1}{3} = .3333.. = .\bar{3}; \quad \frac{6}{11} = .545454... = .\overline{54}; \quad \frac{5}{7} = .714285714285... = .\overline{714285}$$

c) Si los factores son 2 ó 5 o ambos y, además, figuran otros factores primos, la fracción decimal es inexacta periódica mixta. Por ejemplo:

$$\frac{7}{22} = .31818... = .3\overline{18}; \quad \frac{1}{6} = .1666... = .1\bar{6}; \quad \frac{4}{15} = .266\,... = .2\bar{6}$$

Conversión de la forma decimal a racional

Para reconvertir la forma decimal de un racional a la correspondiente fracción común, en primer lugar es necesario determinar si la fracción decimal es exacta o inexacta, y después aplicar el procedimiento que convenga en cada caso:

- Si la fracción decimal es exacta, la fracción común se forma escribiendo la cifra significativa como numerador (sin punto decimal) y como denominador, 10 para los décimos, 100 para los centésimos, 1 000 para los milésimos, etc.

Ejemplos:

- $.3 = \frac{3}{10}; \; .07 = \frac{7}{100}; \; .008 = \frac{8}{1000} = \frac{1}{125}$
- $.25 = \frac{25}{100} = \frac{1}{4}; .05 = \frac{5}{100} = \frac{1}{20}; \; .48 = \frac{48}{100} = \frac{12}{25}; .027 = \frac{27}{1\,000}$

- Si la fracción decimal del tipo periódica pura es inexacta, se obtiene la fracción común correspondiente escribiendo como numerador las cifras que forman el periodo, y como denominador tantos nueves como cifras formen los periodos.

Ejemplos:

- $.333\,... = .\bar{3} = \frac{3}{9} = \frac{1}{3}$ • $.666\,... = .\bar{6} = \frac{6}{9} = \frac{2}{3}$
- $.5454\,... = .\overline{54} = \frac{54}{99} = \frac{6}{11}$ • $.327327\,... = .\overline{327} = \frac{327}{999} = \frac{109}{333}$

Nota. Si hay cifras enteras, al hacer las conversiones se conservan inafectables a estos procedimientos:

$$2.\overline{3} = 2\,\frac{3}{9} = 2\,\frac{1}{3};\ 4.\overline{6} = 4\,\frac{6}{9} = 4\,\frac{2}{3};\ 315.\overline{54} = 315\,\frac{54}{99} = 315\,\frac{6}{11}$$

- Si la fracción decimal del tipo periódica mixta es inexacta, la fracción común correspondiente se obtiene aplicando un procedimiento general de cuya demostración se puede prescindir. Sea N la representación de la fracción decimal que se desea transformar a su correspondiente fracción común:

$$N = .3373737... = .3\overline{37}$$

El periodo es de dos cifras: $10^2 = 100$, por lo tanto:

$$\begin{array}{r} 100 \cdot N = 33.737 \\ -\ N = \ \ .337 \\ \hline 99\ N = 33.400 \end{array}$$

Despejando:

$$N = (33.400 : 99)$$

Multiplicando para suprimir el punto de la fracción:

$$N = \frac{33400}{99000} = \frac{167}{495}$$

Sea $N = .2666... = .2\overline{6}$

El periodo es de una cifra: $10^1 = 10$, por lo tanto:

$$\begin{array}{r} 10 \cdot N = 2.66 \\ -N = \ .26 \\ \hline 9\ N = 2.40 \end{array}$$

Despejando:

$$N = \frac{2.40}{9} = \frac{240}{900} = \frac{4}{15}$$

Sea $N = .21888... = .21\overline{8}$

El periodo es de una cifra: $10^1 = 10$, por lo tanto:

$$10.N - N = 2.18 - .21$$

$$9N = 1.97$$

$$N = \frac{1.97}{9} = \frac{197}{900}$$

Si la fracción decimal tuviera un periodo de tres cifras sería: $10^3 = 1\,000$.

Notación científica

Existen campos científicos de la investigación y la estadística en los cuales aparecen números muy grandes o muy pequeños formados por muchas cifras, de las cuales, en su mayoría, son ceros. En otras palabras, si el número es muy grande, sus últimas cifras son ceros, y si son muy pequeños, sus primeras cifras después del punto decimal son ceros; éstos resultan de difícil manejo para los diferentes cálculos en los que intervienen.

Por esa razón fue necesario crear una expresión simplificada de los ceros, que se conoce como *notación científica.* Este es un sistema numérico de base 10, en el que se pueden utilizar sus potencias para representar lugares de los valores representados por ceros y formar un producto con las cifras significativas.

Véase la siguiente tabla con las potencias de 10:

$10^0 = 1$	$10^6 = 1000\,000$
$10^1 = 10$	$10^7 = 10\,000\,000$
$10^2 = 100$	$10^8 = 100\,000\,000$
$10^3 = 1\,000$	$10^9 = 1000\,000\,000$
$10^4 = 10\,000$	$10^{10} = 10\,000\,000\,000$
$10^5 = 100\,000$	...

La notación científica se logra expresando al número como el producto de dos factores, siendo uno de ellos un número mayor que 1 y menor que 10 y el otro una potencia de 10.

- En la Astronomía, por ejemplo, el año luz es aproximadamente de 9 500 000 000 000 km.

- Se puede expresar: $95 \times 10^{11} = 9.5 \times 10^{12}$

- El número: $358\,000\,000\,000 = 358 \times 10^9 = 3.58 \times 10^{11}$

- El número: $52\,000\,000\,000 = 52 \times 10^{10} = 5.2 \times 10^{11}$

Cuando los números son menores que la unidad, también pueden representarse en notación científica, ya que las fracciones decimales pueden expresarse con exponentes negativos, según se observa en la siguiente tabla:

$$10^{-1} = \frac{1}{10^1} = .1\,;\ 10^{-2} = \frac{1}{10^2} = \frac{1}{1\,00} = .01\,;\ 10^{-3} = \frac{1}{1000} = .001\,;\ \text{etc.}$$

Así: $10^{-4} = .0001$; $10^{-5} = .00001$; $10^{-6} = .000001$; $10^{-7} = .0000001$; etc. Haciendo el mismo razonamiento que en el caso anterior, se obtiene el siguiente criterio: "Todo número decimal se puede expresar en notación científica cuando se escribe como el producto de un número mayor que el 1 y menor que 10 por una potencia de 10 con exponente negativo."

En el sistema métrico decimal la unidad fundamental es el metro que, según su origen, tenía una longitud igual a "un diezmillonésimo de la cuarta parte del meridiano terrestre". Es decir: $000\,000\,025 = 2.5 \times 10^{-8}$ (medición exacta).

La masa del electrón es:

$$.000\,000\,000\,000\,000\,000\,000\,000\,000\,911 = 9.11 \times 10^{-28}$$

Otros ejemplos: $.325 = 3.25 \times 10^{-1}$

$$.000\,000\,008 = 8 \times 10^{-9}$$
$$.000\,000\,000\,045 = 4.5 \times 10^{-11}$$

Operaciones con fracciones decimales

Los procedimientos para efectuar las operaciones con fracciones decimales pueden ser aplicados sin demostración, usando las siguientes reglas prácticas.

Adición

La adición de números con fracciones decimales se logra alineando la posición del punto decimal de los sumandos para lograr que cada una de sus cifras formen columnas de números de la misma clase: unidades con unidades, decenas con decenas, décimos con décimos, centésimos con centésimos, etc. La operación se empieza con las cifras de la derecha sin importar el punto y se termina por las cifras de la izquierda.

Ejemplo:

- 1 325.0016 + 26 986.1412 − 86.0004 + 105 700.05 − 8.000 057 =

+1 325.0016	+ 1 325.0016	−86.000 4
+ 26 986.1412	+26 986.1412	− 8.000 057
− 86.000 4	+105 700.05	− 94.000 457
+ 105 700.05	+ 134 011.192 8	
− 8.000 057	−094.000 457	
+ 133 917.192 343	+ 133 917.192 343	

Sustracción

La sustración de números con fracciones decimales se indica escribiendo dentro de paréntesis al minuendo y al sustraendo, separados por el signo de resta (–).

La diferencia se obtiene: sumando el minuendo con el inverso aditivo del sustraendo.

Ejemplos:

- (– 1 472.0015) – (–985.7432) = – 1 472.0015 + 985.7432= –486.2583
- (+ 4. 253.07) – (–2 754.8675) = + 4 253.07 + 2. 754. 8675= + 7 007.9375
- (–8 674.006) – (+ 6 542.8302) = –8 674.006 – 6 542.8302 = –15 216.8362

Multiplicación

Se consideran dos situaciones:

1. La multiplicación de un número con fracción decimal por un número natural se obtiene haciendo la multiplicación como si se tratara de números enteros; a continuación se cuentan las cifras decimales y en el producto se cuentan de derecha a izquierda para ubicar correctamente el punto.

   Ejemplos:

   - .463 x 15 = 6.945
   - .00936 x 7 = 0.06552
   - 5 756.03 x 9 = 51 804.27

2. La multiplicación de dos números con fracciones decimales se obtiene multiplicando las cifras numéricas como en el caso de los números enteros; a continuación se suman todas las cifras decimales y se cuentan en el producto de derecha a izquierda para ubicar el punto.

   Ejemplos:

   - 3.025 x 2.007 = 6.071175
   - 845.8 x.00032= . 270656

   Cuando son números racionales representados en su forma decimal, el signo del producto se determina tomando en cuenta los productos de signos:

   (+) (+) = +   (+) (–) = –
   (–) (–) = +   (–) (+) = –

Ejemplos:

- (–2.004) (+3.6) = – 07.2144
- (–0.0012) (+0.0500)= – .00006

Potenciación

Como en los números enteros, la potenciación de fracciones decimales es el producto que se obtiene de multiplicar entre sí factores iguales cuando así lo indica su exponente.

Ejemplos:

- $(+ .006)^2 = +.000036$
- $(+ 0.12)^3 = +0.001728$
- $(+1.5)^3 = + 3.375$
- $(- .005)^2 = +.000025$
- $(-.011)^3 = -.000001331$
- $(- 1.2)^4 = +2.0736$

Nota: El número de cifras decimales que corresponden a la potencia es igual al duplo si es un cuadrado, al triplo si un cubo, etc. de las cifras decimales que tiene el número de la base.

División

Cuando el dividendo no es múltiplo del divisor, la división de dos números enteros se puede conocer con el menor error posible, aproximando a décimos, centésimos, milésimos, etc., y dando el cociente como un número con fracciones decimales. Por ejemplo:

7.5	4.714285	.44	6.25
6 ⟌ 45	7 ⟌ 33	9 ⟌ 40	8 ⟌ 50
30	50	40	20
0	10	4	40
	30		0
	20		
	60		
	40		
	5		

La división de números que contienen fracciones decimales se realiza con los mismos procedimientos, pero estableciendo las siguientes condiciones:

Si el dividendo es un número con fracción decimal y el divisor es un número natural, el punto decimal del dividendo conserva su posición en el cociente colocando las cifras numéricas donde les corresponda al efectuar la operación. Por ejemplo:

.0775	.00014	3.35
42 | 3.257	48 | .00712	38 | 127.48
317	232	13 4
239	40	208
20	1	18

Por lo contrario, si el divisor es un número con fracción decimal y el dividendo es un número natural, se transforma en una división de dos números enteros multiplicando dividendo y divisor por: 10,100, 1 000, 10 000, etc., hasta lograr que las cifras decimales del divisor se conviertan en enteras. Es decir, las cifras decimales del divisor serán los ceros que se agreguen en el dividendo. Por ejemplo:

	234375		234
.00032 | 75	32 | 7500000	3.52 | 825	352 | 82500
	110		1210
	140		1540
	120		132
	240		
	160		
	0		

Pero si el dividendo como el divisor son números con fracciones decimales, es comprensible suponer que el divisor debe transformarse a número entero multiplicando el divisor y dividendo por: 10, 100, 1 000, etc., como en el caso ya estudiado, y efectuando la división en la forma conocida. Por ejemplo:

	19.8	6.5
.028 | .4567	28 | 456.7	5.2 | 34.25
	176	305
	247	45
	23	

Práctica 2.3

Expresar el resultado utilizando una o dos cifras enteras y la correspondiente potencia de 10.

Ejercicios para resolver:

1) $36\,000 \times 0.00025 =$

2) $40\,000 \times 0.00003 =$

3) $0.0000125 \times 0.4 =$

4) $0.00048 \times 50\,000 \times 6\,000 =$

5) $0.000065 \times 0.00003 \times 400\,000 =$

6) $\dfrac{540\,000}{0.0027} =$

7) $\dfrac{.144}{360}$

8) $\dfrac{0.000225}{0.0000015} =$

9) $(0.004)^3 =$

10) $(0.00007)^3 =$

11) $(1\,200\,000)^2 =$

12) $(0.00025)^3 =$

13) $(0.000016)^2 =$

14) $\sqrt{0.00000144} =$

15) $\sqrt[3]{0.000000125} =$

16) $\sqrt{0.000225} =$

17) $\sqrt[3]{0.000001331} =$

18) $\dfrac{49\,000 \times 1860\,000}{700\,000} =$

19) $\dfrac{30000 \times 0.0000004 \times 0.000012}{(0.00006)^2} =$

20) $\dfrac{10\,000 \times 25\,000 \times 0.00015}{0.00075 \times 0.01} =$

21) $\dfrac{1\,000\,000 \times 0.00005 \times 400}{2\,000 \times 0.005} =$

22) $\sqrt{\dfrac{0.00072 \times 40\,000}{20}} =$

Operaciones de números decimales en su notación científica

Multiplicación

Las operaciones de números decimales en notación científica permiten simplificar los procedimientos para obtener resultados en forma clara y sencilla, como puede observarse a continuación:

Aplicando la propiedad asociativa de la multiplicación se resuelven las siguientes multiplicaciones:

$$(3.5 \times 10^6)\,(5 \times 10^7) = (3.5 \times 5)\,(10^6 \times 10^7) = 17.5 \times 10^{13} = 1.75 \times 10^{14}$$

$$(1.4 \times 10^{-8})\,(1.2 \times 10^{-6}) = (1.4 \times 1.2)\,(10{-}8 \times 10^{-14}) = 1.68 \times 10^{-22}$$

$$(1.3 \times 10^{-5})\,(3 \times 10^8)\,(10^{-6}) = (1.3 \times 3)\,(10^{-5} \times 10^8 \times 10^{-6}) = 3.9 \times 10^{-3}$$

Potenciación

En la potenciación se procede en forma análoga a la multiplicación:

Sea 0.004^3;

en notación científica: $(4 \times 10^{-3})^3 = 4^3 \times (10^{-3})^3 = 64 \times 10^{-9} = 6.4 \times 10^{-8}$
Sea -0.03^3;
En notación científica: $-(3 \times 10^{-2})^3 = -27 \times 10^{-6} = 2.7 \times 10^{-5}$.
Sea la multiplicación: $0.15 \times 0.004 \times 0.3$;
en notación científica: $0.15 = 15 \times 10^{-2} = 1.5 \times 10^{-1}$
$0.004 = 4 \times 10^{-3}$
$0.3^2 = (3 \times 10^{-1})^2 = 3^2 \times 10^{-2} = 9 \times 10^{-2}$

Efectuando la multiplicación en notación científica:

$$(1.5 \times 10^{-1})(4 \times 10^{-3})(9 \times 10^{-2}) = (1.5 \times 4 \times 9)(10^{-1-3-2}) = 54 \times 10^{-6} = 5.4 \times 10^{-5}$$

Sea la multiplicación: $0.2^6 \times 400 \times 0.015^2$;
en notación científica: $0.2^6 = (2 \times 10^{-1})^6 = 64 \times 10^{-6}$
$400 = 4 \times 10^2$
$0.015^2 = (1.5) \times 10^{-2})^2 = 2.25 \times 10^{-4}$.

Efectuando la multiplicación en notación científica:

$$(64 \times 4 \times 2.25)(10^{-6+2-4}) = 576 \times 10^{-8} = 5.76 \times 10^{-6}$$

División

Sea la división de números en su notación científica:

$$\frac{2.6 \times 10^{-11}}{4 \times 10^{-7}} = \frac{2.6}{4} \times \frac{10^{-11}}{10^{-7}} = 0.65 \times 10^{-11-(-7)} = 0.65 \times 10^{-4} = 6.5 \times 10^{-5}.$$

Sea la operación: $\dfrac{(2.04 \times 10^{-5})(8 \times 10^{-3})}{(1.7 \times 10^{-4})(10^{-6})} = \dfrac{2.04 \times 8}{1.7} \cdot \dfrac{10^{-5} \times 10^{-3}}{10^{-4} \times 10^{-6}} =$

$$= 9.6 \cdot \frac{10^{-8}}{10^{-10}} = 9.6 \times 10^2.$$

Práctica 2.4

Ejercicios para resolver:
(Evite el uso de la calculadora al realizar los ejercicios.)

I. Sumar los siguientes números:

1) $3.025 + 6.256 + 0.0618 + 0.00524 + 0.4316 =$

2) $-3.786 - 2.57 - 0.7926 - 0.0035 - 0.000567 =$

3) $0.9875 - 2.654 + 5.642 - 3.654 + 5.578 =$

4) $-0.0794 + 3.645 - 9.521 + 0.00645 - 0.0387 =$

5) $0.0854 - 0.0965 + .7584 - .03971 + .4987 =$

II. Efectuar las siguientes diferencias:

1) $(6.586) - (-2.741) =$

2) $(-.7865) - (+3.984) =$

3) $(-2.9874) - (-4.987) =$

4) $(0.0684) - (0.00496) =$

5) $(-0.0382) - (-0.0382) =$

III. Multiplicar los siguientes números:

1) $(2.0037)(-1.0508) =$

2) $(-1.05004)(-2.0056) =$

3) $(-4.0008)(2.0572) =$

4) $(0.5804)(-0.02084) =$

5) $(-0.3087)(-0.05043) =$

IV. Obtener los cocientes al dividir los siguientes números. Aproximar a diezmilésimos:

1) $(8.0674) : (2.653) =$

2) $(-2.5083) : (0.584) =$

3) $(-1.7943) : (-0.9076) =$

4) $(0.0584) : (-0.0792) =$

5) $(-0.006875) : (-5.804) =$

V. Obtener el valor de las potencias:

1) $(0.05)^2 =$

2) $(0.07)^3 =$

3) $(0.03)^4 =$

4) $(-0.052)^2 =$

5) $(-0.01)^3 =$

6) $(-0.006)^4 =$

7) $(3.08)^2 =$

8) $(-5.72)^3 =$

9) $(-1.08)^4 =$

10) $(1.002)^5 =$

VI. Extraer la raíz cuadrada de los siguientes números:

1) $\sqrt{4.09} =$

2) $\sqrt{0.25} =$

3) $\sqrt{0.04} =$

4) $\sqrt{0.004} =$

5) $\sqrt{0.0016} =$

VII. Efectuar las siguientes operaciones:

1) $(-2.25 + 3.08) - (4.08 - 2.65) =$

2) $(5.062 - 3.07) + (-4.12 + 5.67) =$

3) $(2.05 \times 3.5) - (6.8 \times 3.6) =$

4) $(3.2 \times 1.5) - (1.6 \times 4.2) =$

5) $(5.3 \times 2.3) + (1.8 \times 1.7) - (4.5 \times 4.2) =$

VIII. Resolver las siguientes operaciones:

1) $\dfrac{(4.2 \times 3.6) - (8.7 \times 1.5)}{3.5 \times 1.2} =$

2) $\dfrac{0.52 + 0.84 - 0.37}{-5.6 + 0.0028} =$

3) $\dfrac{(0.8)^2 + (-0.5)^3 - (0.7)^2}{(0.05)^2 + (0.03)^3} =$

4) $$\frac{(-2.07 + 3.6)^2 - (5.04 - 3.06)^2}{(4.05 - 403)^3 + (2.004 - 2.002)^4} =$$

5) $$\frac{\sqrt{0.04 + 0.03 - (0.01)^3}}{(-0.02)^3 - \sqrt{0.25 + 0.05}} =$$

IX. Notación científica

1. Escribir en notación científica los números decimales siguientes:

a) 0.0318 =

b) 0.00052 =

c) 0.0000215 =

d) 0.000000008 =

e) 0.00000000127 =

2. Escribir la forma decimal de los números representados en notación científica.

a) 2.5×10^{-4} =

b) 4.15×10^{-7} =

c) 3.2×10^{-5} =

d) 1.08×10^{-9} =

e) 1.7×10^{-12} =

X. Multiplicar los números representados en notación científica:

1) $(1.05 \times 10^{-3})\,(5 \times 10^{-6})$ =

2) $(3.2 \times 10^{2})\,(5.1 \times 10^{4})$ =

3) $(5.4 \times 10^{-6})(2.5 \times 10^{4})$ =

4) $(2 \times 10^{5})\,(1.8 \times 10^{-5})$ =

5) $(4.2 \times 10^{-7})\,(1.7 \times 10^{+3})$ =

NÚMEROS IRRACIONALES

Dentro del conjunto de los números racionales existen algunos que, al efectuar la operación de *radicación*, no tienen raíz cuadrada, cúbica, cuarta, quinta, etc. exacta y que, al desarrollar una aproximación con su representativo decimal, no obtienen una *fracción periódica* de ningún tipo. Estos números conforman una clase especial, que por sus características se pueden agrupar en un conjunto. Reúnen tales aspectos los siguientes: $\sqrt{2}$; $\sqrt{3}$; $\sqrt{5}$; $\sqrt[3]{2}$; $\sqrt[3]{3}$; $\sqrt[3]{4}$; $\sqrt[4]{2}$; $\sqrt[4]{3}$; $\sqrt[4]{4}$; $\sqrt[5]{2}$;...

En otras palabras, siendo la raíz cuadrada la operación de mayor uso en el cálculo operativo, son números con estas características todos los enteros positivos que no tienen raíz cuadrada exacta y que no forman periodos al aproximarse las cifras decimales, a pesar de la mayor aproximación que logrará conseguirse. Por ejemplo:

$$\sqrt{2} = 1.41421356\ldots \qquad \sqrt{3} = 1.7320508\ldots$$
$$\sqrt{5} = 2.2360679\ldots \qquad \sqrt{6} = 2.4494897\ldots$$

Existen algunos valores que no corresponden al resultado de una raíz cuadrada, cúbica, cuarta, etc., pero que reúnen las mismas características ya mencionadas, como el número $\pi = 3.141592653589\ldots$ y el número $e = 2.718281828459\ldots$

A este nuevo conjunto de números que resultan de la inexactitud en la radicación, además de los números especiales π y "e": se les llama *números irracionales*, mismos que serán representados con la letra "I".

Concepto

"Los números irracionales 'I' son los que tienen infinitas cifras decimales no periódicas y que, en consecuencia, no pueden representarse como una razón entre dos números enteros para que tomen la forma de un racional."

En la búsqueda para representar un número irracional como un valor exacto, se encontró en los exponentes una forma de representarlos y aun efectuar operaciones con ellos.

Esa es posible con un exponente fraccionario que se forma como se indica a continuación:

$$\sqrt[b]{x^a} = x^{\frac{a}{b}}$$

Es decir: "Todo número o valor (llamado base) que tenga un exponente fraccionario corresponde a un valor con radical que tiene como índice al denominador y como exponente del subradical al numerador". Así:

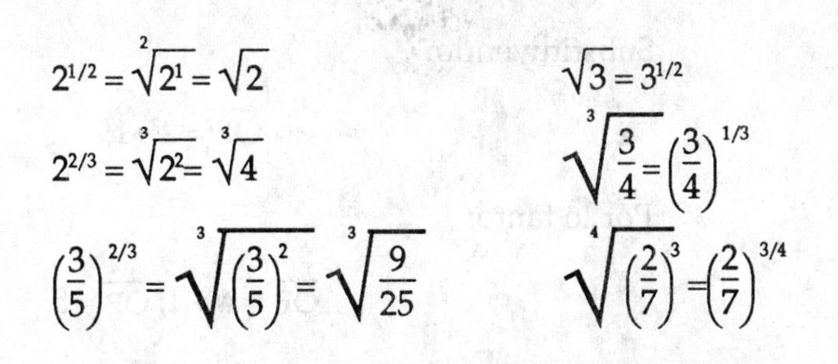

$$2^{1/2} = \sqrt[2]{2^1} = \sqrt{2} \qquad \sqrt{3} = 3^{1/2}$$

$$2^{2/3} = \sqrt[3]{2^2} = \sqrt[3]{4} \qquad \sqrt[3]{\frac{3}{4}} = \left(\frac{3}{4}\right)^{1/3}$$

$$\left(\frac{3}{5}\right)^{2/3} = \sqrt[3]{\left(\frac{3}{5}\right)^2} = \sqrt[3]{\frac{9}{25}} \qquad \sqrt[4]{\left(\frac{2}{7}\right)^3} = \left(\frac{2}{7}\right)^{3/4}$$

Localización en la recta numérica

Posición de los números irracionales "I" en una recta numérica, que resultan de una operación como en los cálculos realizados con el teorema de Pitágoras, se aplica el procedimiento como en el siguiente ejemplo: tómese el número irracional $\sqrt{2}$ y supóngase que es un valor constante para la hipotenusa de un triángulo rectángulo isósceles, cuya longitud de sus dos catetos es la unidad 1. Por medio del teorema de Pitágoras:

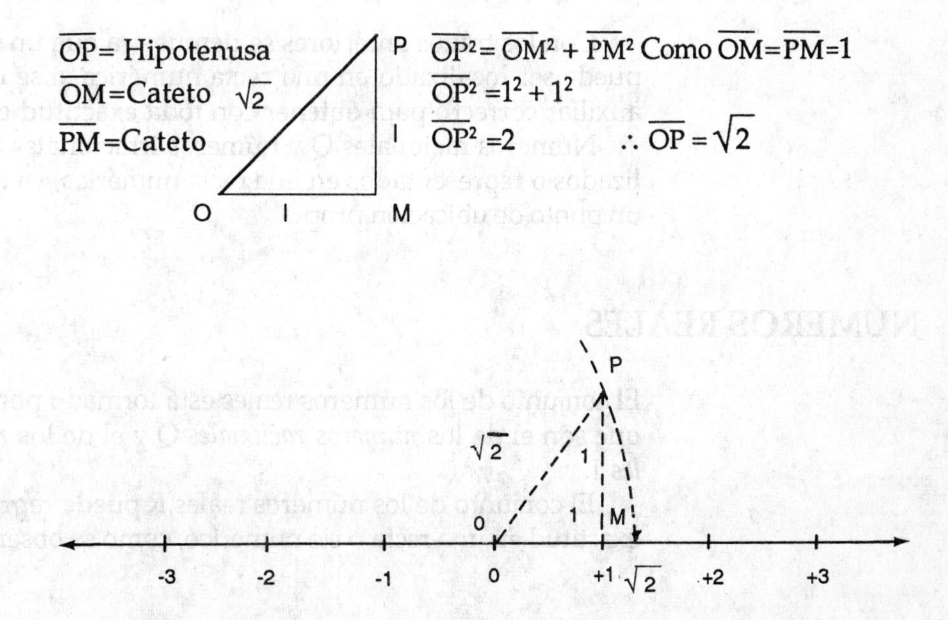

Si ahora se construye un rectángulo que tenga en uno de sus catetos el OM= 2 unidades, y en el otro cateto el PM= 1 unidad, aplicando el teorema de Pitágoras para obtener el valor de la hipotenusa OP:

$$\overline{OP}^2 = \overline{OM}^2 + \overline{PM}^2$$

Substituyendo:

$$\overline{OP}^2 = 2^2 + 1^2$$

Por lo tanto:

$$\overline{OP} = 4 + 1; \overline{OP} = 5$$

Haciendo la representación en la recta numérica:

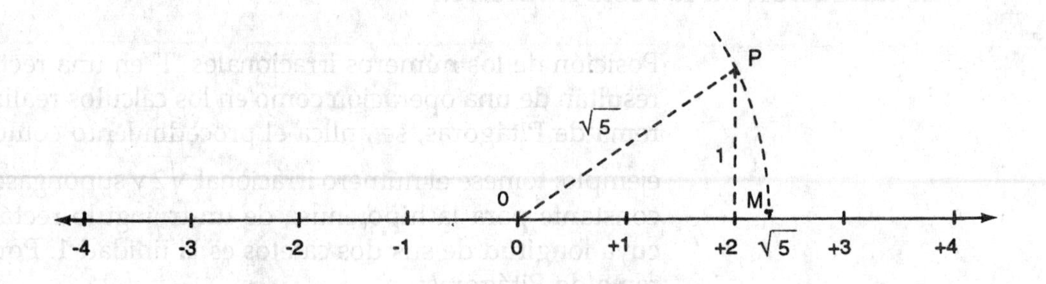

Con los trazos anteriores se demuestra que un número irracional puede ser localizado en una recta numérica si se desarrolla el trazo auxiliar correcto para obtener con toda exactitud el lugar exacto.

Números racionales Q y números irracionales I pueden ser localizados o representados en una recta numérica, ya que cada uno tiene un punto de ubicación propio.

NÚMEROS REALES

El conjunto de los números reales está formado por dos subconjuntos que son el de los *números racionales* Q y el de los *números irracionales* I.

El conjunto de los números reales R puede representarse con toda exactitud en una recta o eje numérico, como se observa a continuación:

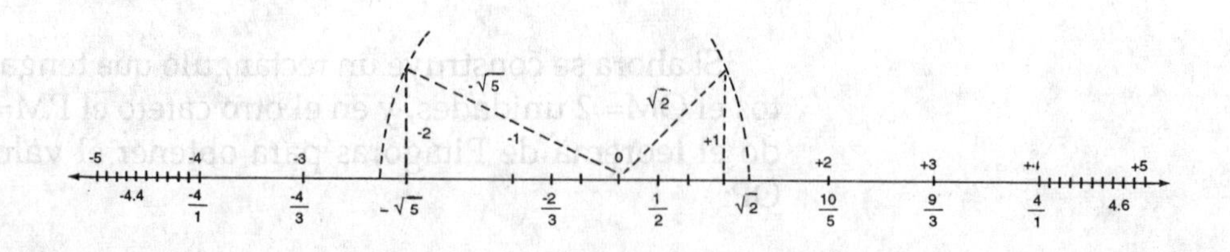

En el ordenamiento de los números reales R se debe tomar muy en cuenta que en los números racionales (fracciones) se cumple la *propiedad de densidad,* ya que en el intervalo formado entre dos de ellos siempre es posible localizar o ubicar otro número, sin importar que sea representado en su forma decimal periódica.

En los números irracionales (números con radical), considerados como expresiones decimales no periódicas, también existe un punto de localización o de ubicación inconfundible. Por ejemplo, la localización del irracional $\sqrt{3} = 1.7320508...$ se obtiene en la siguiente forma:

1. Con la cifra entera se localiza el intervalo entre 1 y 2.
2. Se divide en diez marcas iguales para ubicar a la primera cifra decimal 7.
3. Se divide el intervalo localizado entre 7 y 8 en otras diez marcas iguales, para ubicar la segunda cifra decimal 3.
4. En forma análoga se puede continuar para localizar la tercera cifra decimal 2 y así sucesivamente.

0 1 1.1 1.2 1.3 1.4 1.5 1.6 1.7 1.8 1.9 2

↑
1.73

Operaciones de los números reales

Números racionales e irracionales representados en su equivalencia decimal

Es muy frecuente recurrir a la representación decimal de estas clases de números reales con las que se obtienen resultados que se consideran muy exactos dependiendo de la aproximación que se maneje.

Sea por ejemplo la suma:

$$\sqrt{5} + \frac{2}{3} + \sqrt{2} =$$

Obteniendo sus valores decimales aproximados hasta diezmilésimos:

$$\sqrt{5} = 2.2360 \ldots$$

$$\frac{2}{3} = 0.6666 \ldots$$

$$+ \quad \sqrt{2} = 1.4142 \ldots$$

$$4.3168 \ldots$$

Como la aproximación está hecha en diezmilésimos, la diferencia se obtiene en las mismas decimales de la aproximación y, en consecuencia, tendría menor margen de error si la aproximación fuera mayor. Es decir, aproximado a diezmillonésimos se tiene:

$$\sqrt{5} = 2.2360679\ldots$$
$$\frac{2}{3} = 0.666666\ldots \quad +$$
$$\underline{\sqrt{2} = 1.4142135\ldots}$$
$$4.3169480\ldots$$

La diferencia entre el primer resultado y el segundo es de 0.000148..., que manejada en cienmilésimos es de 0.0001 (un diezmilésimo), unidad que normalmente no puede ser marcada en una recta numérica.

Sea la multiplicación:

$$\frac{2}{3} \cdot \frac{3}{7} = \frac{6}{21} = \frac{2}{7} \qquad \frac{2}{7} = .2857142\ldots$$

En su forma de decimales:

$$(.6666\ldots)(.4285\ldots) = .2856381\ldots$$

La diferencia entre un resultado y otro es de .0000761..., que no es siquiera un diezmilésimo.

Con los ejemplos anteriores se comprueba que, al aplicar un criterio de "redondeo", cienmilésimos o diezmilésimos (quinta o cuarta cifra decimal) es suficiente para alcanzar una exactitud permisible. El redondeo se hace con el criterio que se muestra a continuación:

1. Si la cifra que le sigue a la última cifra decimal conservada es mayor o igual que 5, se agrega una unidad. Por ejemplo:

   $0.327662\ldots \rightarrow 0.328 \qquad 4.53205\ldots \rightarrow 4.5321$

   $\frac{2}{3} = 0.66666\ldots \rightarrow 0.6667 \qquad \pi = 3.141592\ldots \rightarrow 3.1416$

   Es conveniente hacer notar que el máximo error que pudiera presentarse no excede de un medio de la unidad de la primera cifra no conservada, siempre que la cifra omitida sea 5.

2. La última cifra conservada se mantiene inalterable si la siguiente es menor que 5.

La cifra máxima despreciada que puede aceptarse es 4, que en los diezmilésimos reduce el error. Por ejemplo:

$0.32762... \rightarrow 0.3276 \qquad 4.53205... \rightarrow 4.532$

$\frac{1}{3} = 0.33333... \rightarrow 0.3333 \qquad \sqrt{2} = 1.41421... \rightarrow 1.4142$

Si se aplica el redondeo a las cifras decimales representativas de la operación presentada como ejemplo se tiene:

$$\begin{aligned} \sqrt{5} &= 2.2361 \\ \frac{2}{3} &= 0.6667 \quad + \\ \sqrt{2} &= \underline{1.4142} \\ & 4.3170. \end{aligned}$$

Recuérdese que el resultado obtenido en la aproximación hasta la séptima cifra fue 4.3169480...; si se compara con el que se obtuvo ahora: 4.3170, la diferencia de 0.0001, cifra que no excede el error máximo; asimismo, como ya se indicó, no puede ser marcada en una recta numérica con los procedimientos normales.

No debe perderse la perspectiva de exactitud, ya que con el manejo de las fracciones decimales no exactas, las operaciones dan resultados que no son del todo precisos y que el error cometido se sujeta a cierto control que puede ser analizado.

Práctica 2.5

Ejercicios para resolver:

I. Escribir a la derecha del signo de pertenencia ∈ la letra representativa del conjunto a que pertenece cada uno de los números escritos: +Z si es entero positivo; –Z si es entero negativo; +Q si es racional positivo; –Q si es racional negativo:

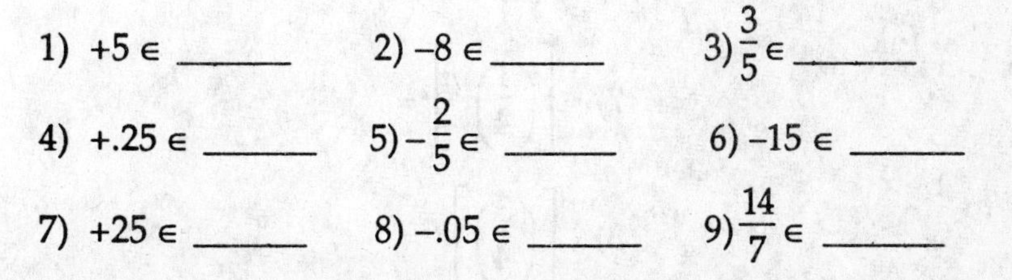

1) $+5 \in$ ______ 2) $-8 \in$ ______ 3) $\frac{3}{5} \in$ ______

4) $+.25 \in$ ______ 5) $-\frac{2}{5} \in$ ______ 6) $-15 \in$ ______

7) $+25 \in$ ______ 8) $-.05 \in$ ______ 9) $\frac{14}{7} \in$ ______

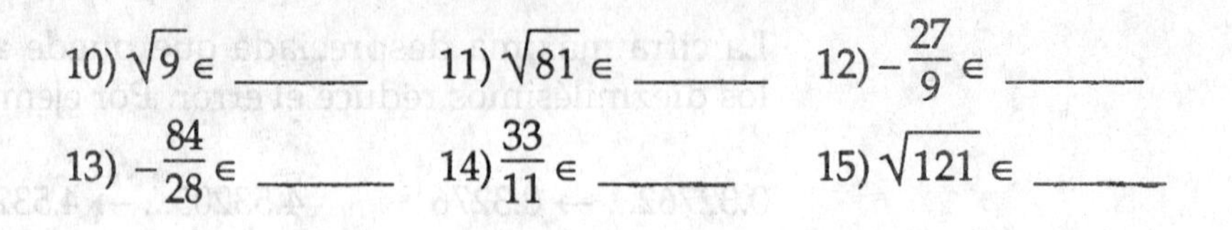

10) $\sqrt{9} \in$ ______ 11) $\sqrt{81} \in$ ______ 12) $-\frac{27}{9} \in$ ______

13) $-\frac{84}{28} \in$ ______ 14) $\frac{33}{11} \in$ ______ 15) $\sqrt{121} \in$ ______

II. De igual forma que el ejercicio anterior, escribir las letras representativas de los conjuntos racionales "Q" o irracionales "I":

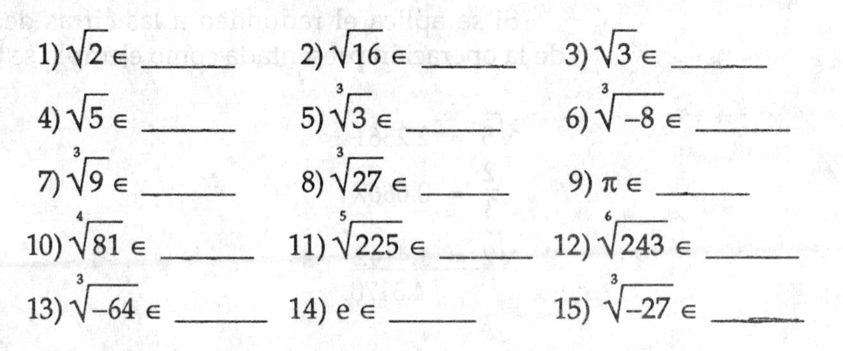

1) $\sqrt{2} \in$ ______ 2) $\sqrt{16} \in$ ______ 3) $\sqrt{3} \in$ ______

4) $\sqrt{5} \in$ ______ 5) $\sqrt[3]{3} \in$ ______ 6) $\sqrt[3]{-8} \in$ ______

7) $\sqrt[3]{9} \in$ ______ 8) $\sqrt[3]{27} \in$ ______ 9) $\pi \in$ ______

10) $\sqrt[4]{81} \in$ ______ 11) $\sqrt[5]{225} \in$ ______ 12) $\sqrt[6]{243} \in$ ______

13) $\sqrt[3]{-64} \in$ ______ 14) $e \in$ ______ 15) $\sqrt[3]{-27} \in$ ______

III. Operaciones con exponentes:

Antes de proceder a la resolución de los siguientes ejercicios, es conveniente revisar los conceptos correspondientes y realizar los desarrollos en hojas especiales; finalmente compare sus resultados con los que se encuentran en las hojas de resultados.

1) $(4)^{1/2} \cdot (8)^{1/3} = \sqrt{4} \cdot \sqrt[3]{8} = 2 \cdot 2 = 4$

2) $(4)^{2/4} \cdot (25)^{1/2} \cdot \left(-\frac{1}{8}\right)^{1/3} =$

3) $\left(\frac{1}{2}\right)^{-1} \cdot (625)^{-1/2} = \left(\frac{1}{2}\right)^{1}\left(\frac{1}{\sqrt{625}}\right) = \frac{2}{1} \cdot \frac{1}{25} = \frac{2}{25}$

4) $\left(\frac{2}{162}\right)^{1/2} \cdot \left(\frac{8}{27}\right)^{1/3} \cdot (256)^{1/4} =$

5) $(4)^{3}\left(\frac{1}{4}\right)^{-1}\left(\frac{1}{27}\right)^{1/3} =$

6) $(4^{2})^{-3} =$

7) $\left[\left(\frac{1}{4}\right)^{1/2}\right]^{2} =$

8) $\left[\left(\frac{3}{4}\right)^{2}\right]^{1/2} =$

9) $\left[\left(\frac{1}{8}\right)^{1/3}\right]^{-2} =$

10) $\left[\left(\frac{2}{8}\right)^{1/2}\right]^{-3} =$

Práctica 2.6

Ejercicios para resolver:

I. En cada caso trazar una recta numérica y hacer las subdivisiones que correspondan a los denominadores de los números racionales propuestos:

1) Ubicar en una recta numérica los racionales: $+\frac{2}{3}; -\frac{1}{3}; +\frac{5}{3}; -\frac{6}{3}; +\frac{9}{3}$

2) Ubicar en otra recta numérica los siguientes: $+\frac{1}{5}; +\frac{3}{5}; -\frac{2}{5}; -\frac{4}{5}; \frac{15}{5}; -\frac{13}{5}$

3) En una tercera recta numérica dar la posición de: $+\frac{3}{4}; -\frac{2}{4}; +\frac{1}{2}; -\frac{3}{2}; -\frac{8}{4}; +\frac{2}{2}; +\frac{7}{4}$

II. Representar en su forma decimal los siguientes números racionales:

1) $+\frac{1}{2} =$

2) $-\frac{3}{4} =$

3) $+\frac{2}{5} =$

4) $-\frac{3}{5} =$

5) $-\frac{1}{6} =$

6) $+\frac{1}{3} =$

7) $-\frac{11}{7} =$

8) $+\frac{29}{5} =$

III. Transformar los siguientes decimales a fracciones racionales:

1) $+.25 =$

2) $-.5 =$

3) $+.75 =$

4) $-.20 =$

5) $+.4 =$

6) $+.\overline{3} =$

7) $-.\overline{6} =$

8) $-.\overline{9} =$

9) $-.325\overline{25} =$

10) $+7.325\overline{325} =$

11) $-12.625 =$

12) $+8.075 =$

IV. Operaciones con números racionales representados como fracciones y como decimales:

1) Transformar los decimales a fracciones y resolver:

a) $\frac{3}{5} + 0.25 - \frac{2}{3} =$

b) $-2.025 + 4\frac{2}{5} - 1.75 =$

c) $(+1.3)\left(+\frac{3}{5}\right) =$

d) $\left(-\frac{2}{3}\right)(+0.6)\left(+\frac{3}{7}\right) =$

e) $(-5.2424) : \left(-\frac{3}{4}\right) =$

2) Transformar los números racionales a sus equivalencias decimales y resolver las operaciones:

a) $-0.6 + \frac{3}{8} + 2.025 - 1\frac{3}{4} =$

b) $+2.5 - \frac{3}{5} + 1\frac{4}{7} - 1.3 =$

c) $(-1.75)\left(+\frac{3}{5}\right)(-0.4)=$

d) $(+3.125)\left(-\frac{5}{9}\right)(+1.327)=$

e) $(-6.372):\left(+\frac{3}{5}\right)=$

3) Extraer la raíz cuadrada:

a) $\sqrt{81}=$
b) $\sqrt{144}=$
c) $\sqrt{225}=$
d) $\sqrt{625}=$
e) $\sqrt{\frac{9}{16}}=$
f) $\sqrt{\frac{4}{81}}=$
g) $\sqrt{\frac{36}{121}}=$
h) $\sqrt{\frac{25}{100}}=$
i) $\sqrt{0.49}=$
j) $\sqrt{0.0025}=$
k) $\sqrt{110.25}=$
l) $\sqrt{0.00049}=$

4) Extraer la raíz cúbica:

a) $\sqrt[3]{+27}=$
b) $\sqrt[3]{-64}=$
c) $\sqrt[3]{+125}=$
d) $\sqrt[3]{-343}=$

e) $\sqrt[3]{+\frac{216}{8}}=$

f) $\sqrt[3]{-\frac{125}{216}}=$

g) $\sqrt[3]{+\frac{8}{1000}}=$

h) $\sqrt[3]{-4.913}=$

V. Escribir el representativo decimal de los siguientes números reales redondeando la aproximación en la cuarta cifra decimal de las aproximaciones.

1) $\sqrt{5}+\frac{3}{5}+\sqrt{7}=$ 2) $\frac{7}{9}+\sqrt{6}+\frac{1}{2}=$

3) $\frac{3}{7}+\sqrt{8}+\frac{1}{3}+\sqrt{10}=$ 4) $\sqrt{11}+\pi+\sqrt{2}+\frac{1}{7}=$

5) $\frac{5}{9}+\sqrt{3}+\pi+\sqrt{15}=$

VI. Trazar una recta numérica cuya longitud sea de 10 cm desde su origen hacia +1 y hacia –1 marcando las divisiones de los centímetros y de los milímetros y proceda a ubicar con la mayor exactitud posible los siguientes decimales:

1) +0.0326, 2) –0.2543, 3)+0.5634, 4) –0.8674, 5) +0.9004

VII. Trazar otra recta numérica similar a la del ejercicio anterior, y efectuando las raíces aproximadas a centésimos ubicar los siguientes:

1) $\sqrt{3}$, 2) $\sqrt{5}$, 3) $-\sqrt{2}$, 4) $-\sqrt{5}$, 5) $+\sqrt{8}$, 6) $-\sqrt{12}$

Operaciones de números irracionales en su forma con radical

Retomando la idea de que los números irracionales agrupan a todos los números que no tienen raíz exacta (cuadrada, cúbica, cuarta, etc.) y que por consecuencia conservan su radical, al tratar de obtener exactitud extrayendo la raíz y aproximando lo más posible, no se forman cifras periódicas. En consecuencia, es necesario establecer procedimientos que permitan efectuar operaciones considerando a los números en su forma más exacta, esto es, conservando el radical.

De la radicación, la raíz cuadrada es la operación de mayor uso en el cálculo operativo, como ya se mencionó; por lo tanto, es necesario hacer el siguiente razonamiento:

De principio se podría considerar una macrocomputadora en la cual se encontrarán las cifras decimales que formen un periodo y, aún más, que en unos miles de cifras sería posible comprobar que estos números fueran racionales. Por lo tanto, para evitar especulaciones, se hará el siguiente razonamiento con el número más simple de ellos: $\sqrt{2}$.

Partiendo del supuesto que $\sqrt{2}$ es un número racional, se puede representar como la razón entre dos números enteros positivos (p y q) en su forma irreductible:

$$\sqrt{2} = \frac{p}{q}$$

Elevando al cuadrado a los dos miembros:

$$\left(\sqrt{2}\right)^2 = \left(\frac{p}{q}\right)^2$$

$$2 = \frac{p^2}{q^2}$$

$$2q^2 = p^2 \text{ o bien } p^2 = 2q^2$$

El número p^2 es par porque es igual a 2 por un entero; además, si p fuera impar, también lo sería p^2, y el número q debería ser impar para que la fracción $\frac{p}{q}$ fuera irreductible, pues de lo contrario sería simplificable por dos. También conviene recordar que cualquier número entero par, se puede escribir como el doble de otro número entero. Por ejemplo, $6 = 2 \times 3$; $8 = 2 \times 4$; $10 = 2 \times 5$; $12 = 2 \times 6$.

Esto significa que si p es considerado número par, puede escribirse: $p = 2k$. Pero como ya tenía la forma : $p^2 = 2q^2$ al sustituir puede tomar la forma:

$$(2k)^2 = 2q^2$$
$$4k^2 = 2q^2$$

Ahora bien, si el cuadrado de q es par; q debe ser también par, ya que de lo contrario contradice por completo los razonamientos establecidos. Se concluye que: "Suponer que $\sqrt{2}$ es un número racional es un absurdo y, por consecuencia, es irracional, puesto que ningún número es a la vez par e impar".

El razonamiento anterior se hace extensivo a todos los números enteros positivos que no son cuadrados perfectos y no tienen raíz cuadrada exacta.

En cuanto al valor numérico de π, se considera que utilizando 11 cifras decimales de su valor se tiene un cálculo casi exacto. $\pi = 3.141592653589...$ En la práctica se maneja una aproximación con el racional $\pi = \frac{22}{7}$ cuyo origen no es muy claro.

Se ha convenido en utilizar únicamente la raíz positiva y llamarlos números irracionales como *números con radical.* Las operaciones se presentarán por su grado de dificultad.

Multiplicación con radicales del mismo índice

Sea la multiplicación de dos números racionales:

porque $\sqrt{9} \text{x} \sqrt{16} = \sqrt{9 \text{ x } 16} = \sqrt{144} = 12,$

por lo tanto $\sqrt{9} = 3 \text{ y } \sqrt{16} = 4$

$$3 \text{x} 4 = 12$$

Por definición, la raíz cuadrada es la operación "que permite conocer el número que elevado al cuadrado es igual al número propuesto". Es decir:

$$\text{Si } \sqrt{a} = m \text{ entonces } m^2 = a$$
$$\text{Si } \sqrt{b} = n \text{ entonces } n^2 = b$$

Multiplicando los dos miembros de las igualdades:

$$m^2 \cdot n^2 = a \cdot b,$$

o bien

$$(m \cdot n)^2 = a \cdot b \Leftrightarrow m \cdot n = \sqrt{a \cdot b}$$

Pero como se estableció que: $m = \sqrt{a}$ y $n = \sqrt{b}$ resulta que:

$$\sqrt{a} \cdot \sqrt{b} = \sqrt{a \cdot b}$$

Ejemplos numéricos:

- $\sqrt{3} \cdot \sqrt{5} = \sqrt{3 \cdot 5} = \sqrt{15}$
- $\sqrt{7} \cdot \sqrt{2} \cdot \sqrt{6} = \sqrt{7 \cdot 2 \cdot 6} = \sqrt{84}$, pero $\sqrt{84} = \sqrt{4 \cdot 21} = \sqrt{4} \cdot \sqrt{21} = 2\sqrt{21}$
- $\sqrt{2} \cdot \sqrt{8} = \sqrt{2 \cdot 8} = \sqrt{16} = 4$

Haciéndolo extensivo a las raíces con cualquier índice:

$$\sqrt[n]{a} \cdot \sqrt[n]{b} = \sqrt[n]{a \cdot b}$$

Ejemplos numéricos:

- $\sqrt[3]{4} \cdot \sqrt[3]{4 \cdot 5} = \sqrt[3]{20}$
- $\sqrt[3]{4} \cdot \sqrt[3]{6} = \sqrt[3]{4 \cdot 6} = \sqrt[3]{24}$, pero $\sqrt[3]{24} = \sqrt[3]{8 \cdot 3} = \sqrt[3]{8} \cdot \sqrt[3]{3} = 2\sqrt[3]{3}$
- $\sqrt[4]{8} \cdot \sqrt[4]{2} = \sqrt[4]{8 \cdot 2} = \sqrt[4]{16} = 2$
- $\sqrt[4]{27} \cdot \sqrt[4]{3} \cdot \sqrt[4]{2} = \sqrt[4]{27.3.2} = \sqrt[4]{162}$, pero $\sqrt[4]{162} = \sqrt[4]{81 \cdot 2} = \sqrt[4]{81} . \sqrt[4]{2}$ $= 3\sqrt{2}$

División con radicales del mismo índice

Tomando como base las condiciones establecidas para la multiplicación se puede aceptar la validez de la siguiente igualdad:

$$\frac{\sqrt{a}}{\sqrt{b}} = \sqrt{\frac{a}{b}}$$

Ejemplos numéricos:

- $\dfrac{\sqrt{12}}{\sqrt{3}} = \sqrt{\dfrac{12}{3}} = \sqrt{4} = 2$

- $\sqrt{\frac{9}{4}}=\frac{\sqrt{9}}{\sqrt{4}}=\frac{3}{2}$

- $\sqrt{\frac{3}{9}}=\frac{\sqrt{3}}{\sqrt{9}}=\frac{\sqrt{3}}{3}$

- $\frac{\sqrt{54}}{\sqrt{3}}=\sqrt{\frac{54}{3}}=\sqrt{18}=\sqrt{9\cdot 2}=\sqrt{3\cdot 2}$

El procedimiento se hace extensivo a la división de radicales con un índice cualquiera:

$$\frac{\sqrt[n]{a}}{\sqrt[n]{b}}=\sqrt[n]{\frac{a}{b}}$$

Ejemplos numéricos:

- $\frac{\sqrt[3]{24}}{\sqrt[3]{3}}=\sqrt[3]{\frac{24}{3}}=\sqrt[3]{8}=2$
- $\frac{\sqrt[3]{29}}{64}=\frac{\sqrt[3]{29}}{\sqrt[3]{64}}=\frac{\sqrt[3]{29}}{4}$
- $\sqrt[3]{\frac{8}{27}}=\frac{\sqrt[3]{8}}{\sqrt[3]{27}}=\frac{2}{3}$
- $\sqrt[4]{\frac{108}{27}}=\sqrt[4]{4}$

Adición con radicales del mismo índice

La condición para que la operación pueda realizarse es que los *sumandos sean semejantes;* en este caso serían radicales semejantes.

Son radicales semejantes los que además de tener el mismo índice, tienen el mismo subradical. Por ejemplo:

$$\sqrt[3]{3};\ 2\sqrt{3}; -5\sqrt{3}; -\sqrt{3}; \qquad 4\sqrt[3]{2}; -2\sqrt[3]{2};\ \sqrt[3]{2}; -\sqrt[3]{2};$$

Los números escritos antes del radical son los *coeficientes factores* de estos términos, con los cuales se efectúa la operación. Es decir:

$$3\sqrt{3}+4\sqrt{3}-2\sqrt{3}=(3+4-2)\sqrt{3}=5\sqrt{3}$$

$$-5\sqrt[3]{4}+8\sqrt[3]{4}-2\sqrt[3]{4}=(-5+8-2)\sqrt[3]{4}=\sqrt[3]{4}$$

En la adición con números con radical, se cumplen las propiedades conmutativa y asociativa.

Observación importante. Si los números con radical son racionales por tener raíz exacta, primero se debe extraer la raíz y después se suman:

Es correcto: $\sqrt{9}+\sqrt{16}=3+4=7$

Es incorrecto: $\sqrt{9}+\sqrt{16}=\sqrt{9+16}=\sqrt{25}=5$

Es correcto: $\sqrt[3]{8}+\sqrt[3]{27}=2+3=5$

Es incorrecto: $\sqrt[3]{8}+\sqrt[3]{27}=\sqrt[3]{8+27}=\sqrt[3]{35}$

En diversas ocasiones los sumandos son números con radical que en apariencia no son radicales semejantes. No obstante, después de descomponerlos en sus factores y extrayendo la raíz del factor que la tenga, muchas veces sí se presentan los términos semejantes requeridos, como sucede en los siguientes ejemplos:

$$\sqrt{45}-\sqrt{20}+\sqrt{5}-\sqrt{80}=\sqrt{9\cdot5}-\sqrt{4\cdot5}-\sqrt{16\cdot5}=3\sqrt{5}-2\sqrt{5}+\sqrt{5}-4\sqrt{5}=$$

$$=(3-2+1-4)\sqrt{5}=-2\sqrt{5}$$

$$\sqrt[3]{4}+\sqrt[3]{108}-\sqrt[3]{256}=\sqrt[3]{4}+\sqrt[3]{27.4}-\sqrt[3]{64.4}=\sqrt[3]{4}+3\sqrt[3]{4}-4\sqrt[3]{4}=$$

$$=0\sqrt[3]{4}=0.$$

Sustracción con radicales del mismo índice

Al igual que en la adición, las condiciones para la sustracción de números con radical son las mismas, o sea que deben existir radicales semejantes para que la operación se pueda realizar, el procedimiento aplicado a la sustracción de racionales es el que se menciona enseguida. La sustracción de dos radicales semejantes es igual a la adición del valor radical minuendo con el simétrico del valor del radical sustraendo. Véase los siguientes ejemplos:

$$(3\sqrt{2})-(-2\sqrt{2})=3\sqrt{2}+2\sqrt{2}=5\sqrt{2}$$

$$\left(-5\sqrt[3]{5}\right)-\left(-4\sqrt[3]{5}\right)=-5\sqrt[3]{5}+4\sqrt[3]{5}=-\sqrt[3]{5}$$

Racionalización de fracciones

Existen fracciones en las que aparecen números con radical tanto en el numerador como en el denominador. Cuando el número con radical está en el denominador, es necesario transformarla en otra fracción equivalente pero que tenga en el denominador un número sin radical que permita efectuar operaciones. La operación que permite encontrar la fracción equivalente con las condiciones mencionadas recibe el nombre de *racionalización*. La racionalización se logra al aplicar la propiedad fundamental de la fracción que a la letra dice: "Una fracción no altera su valor si se multiplica o divide numerador y denominador por el mismo número." Como el propósito es eliminar el radical del denominador sin alterar el valor de la fracción, se debe multiplicar la fracción por un número con el mismo radical y con otro subradical que al multiplicarse por el existente lo transforme en cuadrado perfecto, a fin de extraerle la raíz exacta. No debe importar que en el numerador aparezca un radical.

Ejemplos:

- $\dfrac{2}{\sqrt{2}}=\dfrac{2\cdot\sqrt{2}}{\sqrt{2}\cdot\sqrt{2}}=\dfrac{2\sqrt{2}}{\sqrt{2}}=\dfrac{2\sqrt{2}}{2}=\sqrt{2}\quad\therefore\quad\dfrac{2}{\sqrt{2}}=\sqrt{2}$
- $\dfrac{5}{\sqrt[3]{4}}=\dfrac{5\sqrt[3]{4^2}}{\sqrt[3]{4}\cdot\sqrt[3]{4^2}}=\dfrac{5\sqrt[3]{4^2}}{\sqrt[3]{4^3}}=\dfrac{5\sqrt[3]{16}}{4}\quad\therefore\quad\dfrac{5}{\sqrt[3]{4}}=\dfrac{5\sqrt[3]{16}}{4}$
- $\dfrac{6}{\sqrt[4]{3}}=\dfrac{6\cdot\sqrt[4]{3^3}}{\sqrt[4]{3}\cdot\sqrt[4]{3^3}}=\dfrac{\sqrt[4]{3^3}}{\sqrt[4]{3^4}}=\dfrac{6\sqrt[4]{27}}{3}=2\sqrt[4]{27}\;\therefore\;\dfrac{6}{\sqrt[4]{3}}=2\sqrt[4]{27}$

Práctica 2.7

I. Multiplicar los siguientes números con radical. Si es posible, el resultado debe descomponerse en factores y simplificar el radical:

1) $\sqrt{2}\cdot\sqrt{8}=\sqrt{16}=4.$ 2) $\sqrt{3}\cdot\sqrt{5}\cdot\sqrt{6}=\sqrt{90}=\sqrt{2\cdot5\cdot9}=3\sqrt{10}$

3) $\sqrt{3}\cdot\sqrt{11}\cdot\sqrt{7}=$ 4) $\sqrt{2}\cdot\sqrt{10}\cdot\sqrt{12}=$

5) $\sqrt{12}\cdot\sqrt{20}\cdot\sqrt{18}=$ 6) $\sqrt[3]{2}\cdot\sqrt[3]{4}=$

7) $\sqrt[3]{3}\cdot\sqrt[3]{5}\cdot\sqrt[3]{9}=$ 8) $\sqrt[3]{5}\cdot\sqrt[3]{6}\cdot\sqrt[3]{7}=$

9) $\sqrt[4]{2}\cdot\sqrt[4]{8}=$ 10) $\sqrt[4]{32}\cdot\sqrt[4]{162}$

II. Dividir los siguientes números con radical. Si es posible, simplificar el radical descomponiendo los resultados en sus factores:

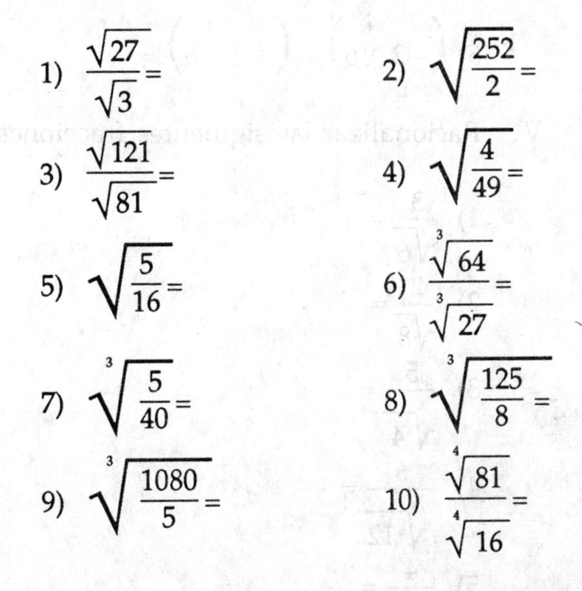

1) $\dfrac{\sqrt{27}}{\sqrt{3}}=$ 2) $\sqrt{\dfrac{252}{2}}=$

3) $\dfrac{\sqrt{121}}{\sqrt{81}}=$ 4) $\sqrt{\dfrac{4}{49}}=$

5) $\sqrt{\dfrac{5}{16}}=$ 6) $\dfrac{\sqrt[3]{64}}{\sqrt[3]{27}}=$

7) $\sqrt[3]{\dfrac{5}{40}}=$ 8) $\sqrt[3]{\dfrac{125}{8}}=$

9) $\sqrt[3]{\dfrac{1080}{5}}=$ 10) $\dfrac{\sqrt[4]{81}}{\sqrt[4]{16}}=$

III. Asegurarse que los términos numéricos sean radicales semejantes para sumarlos. Si no lo son, descomponer cada subradical en factores y extraer la raíz para obtener ''radicales semejantes'':

1) $3\sqrt{2}+5\sqrt{2}=$ 2) $-7\sqrt{3}-5\sqrt{3}=$

3) $6\sqrt{5}-7\sqrt{5}-3\sqrt{5}+2\sqrt{5}=$ 4) $-\sqrt[3]{4}+2\sqrt[3]{4}-5\sqrt[3]{4}+4\sqrt[3]{4}=$

5) $5\sqrt[3]{3}-6\sqrt[3]{3}+2\sqrt[3]{3}-3\sqrt[3]{3}=$ 6) $\sqrt{18}+\sqrt{2}-\sqrt{50}=$

7) $-\sqrt{48}+\sqrt{12}+\sqrt{27}-\sqrt{3}=$ 8) $\sqrt{12}+\sqrt{18}-\sqrt{18}+\sqrt{27}=$

9) $\sqrt[3]{4}-\sqrt[3]{32}+\sqrt[3]{108}=$ 10) $-\sqrt[3]{16}+\sqrt[3]{250}-\sqrt[3]{54}=$

IV. Sustracción con radicales del mismo índice:

1) $\left(2\sqrt{5}\right)-\left(-3\sqrt{5}\right)=$

2) $\left(-4\sqrt{2}\right)-\left(-4\sqrt{2}\right)=$

3) $\left(-3\sqrt[3]{4}\right)-\left(-2\sqrt[3]{3}\right)=$

4) $\left(-\sqrt[3]{3}\right)-\left(-2\sqrt[3]{3}\right)=$

5) $\left(-2\sqrt[4]{6}\right)-\left(+2\sqrt[4]{6}\right)=$

V. Racionalizar las siguientes fracciones:

1) $\dfrac{3}{\sqrt{6}}=$

2) $\dfrac{2}{\sqrt{8}}=$

3) $\dfrac{5}{\sqrt[3]{4}}=$

4) $\dfrac{6}{\sqrt[3]{12}}=$

5) $\dfrac{4}{\sqrt[4]{2}}=$

3. Expresiones algebraicas

Expresión algebraica: Términos semejantes. Término nulo. Grado de un monomio. Grado de un polinomio. Valor numérico de una expresión algebraica.
Operaciones con términos: Adición. Sustracción. Multiplicación. Potencia. Cociente. Raíz.
Operaciones con polinomios: Adición. Sustracción. Producto. Potencia. División. Productos notables. Cálculo de un término general. Factorización. Cocientes notables.

Los creadores de la matemática

Sabías que...

La antigua Grecia

Los textos en los que se puede recabar información son copias que la mayoría de las veces han sido interpretadas bajo un criterio personal de los investigadores e historiadores, ante la escasa originalidad encontrada; por ello es necesario brindar un voto de confianza a la veracidad de sus aportaciones profesionales.

Las matemáticas en Grecia tuvieron gran influencia de los babilonios y de los egipcios, quienes, habiendo notado la vivacidad, inteligencia, curiosidad, anhelo de investigación y dedicación de los griegos, lograron la proeza de transformar esta materia en una ciencia de tipo deductivo, sustituyendo el empirismo por axiomas, definiciones y teoremas como elementos de demostración.

Dos fueron los sistemas de numeración que utilizaron básicamente con números enteros y de base 10. Uno de ellos fue el sistema ático y el otro el sistema jónico, los dos de tipo aditivo. En el jónico se utilizó el uso del alfabeto fenicio (22 letras consonantes) y, añadiendo vocales, pudieron expresar números hasta centenas o más, los egipcios representaron a las fracciones como fracciones unitarias.

Artesanos de la matemática griega

Para mencionar a todos los grandes sabios que se transformaron en hacedores del conocimiento matemático, cualquier espacio es insuficiente, por lo que sólo se mencionarán algunos, quienes, por la trascendencia de sus trabajos, son más recordados.

Tales de Mileto

Se le considera uno de los siete sabios de la antigüedad. Inicialmente fue comerciante, ingeniero, astrónomo, estadista y matemático; logró una considerable fortuna que, posteriormente, le permitió dedicarse al estudio y viajar a Egipto en donde estudió matemáticas y astronomía. Cuando regresó a su natal Mileto sorprendió a todos por su talentoso proceder, el cual lo llevó a ganar un gran prestigio en toda Grecia. Se le atribuyeron soluciones de precisión como la de medir la distancia entre la orilla y un barco que se localizara en el mar; así como el procedimiento para calcular la altura de una pirámide con el auxilio de un bastón vertical. En Geometría destacó ampliamente al obtener demostraciones que con el nombre de teoremas afirmaron y confirmaron la veracidad de sus enunciados.

Combinó un raro sentido del humor, con un conocimiento profundo de la naturaleza humana. Tenía como máxima: "Conócete a ti mismo"; y afirmaba que la conducta que debía guiar una vida justa y buena era "Abstenerse de hacer lo que criticamos en los demás".

Sin lugar a dudas se le considera el primer matemático famoso en esta disciplina, al facilitar el camino del razonamiento y la deducción de los conocimientos propios de esta ciencia.

La escuela pitagórica

El nacimiento de Pitágoras de Samos se ubica en la primera mitad del siglo VI. Según la información de que se dispone, fue alumno de Tales y de su discípulo Anaximandro. En más de una ocasión viajó a Egipto y Babilonia y cuando decidió regresar a su natal Samos, la encontró bajo una dominación despiadada, por lo que se trasladó a Crotona, la cual pertenecía a la Magna Grecia (sur de Italia), donde fijó su lugar de residencia. Fue ahí donde organizó y fundó una congregación de carácter místico y religioso exclusiva para la clase aristócrata, en la cual sus integrantes convivían como en una comuna bajo rigurosísimas reglas para dedicarse al estudio y a la meditación; en esta "Academia" se estudiaba filosofía, matemáticas, ciencias naturales y otras disciplinas, entre las que se incluían ciencias ocultas, según se tiene noticia. Llegó el momento en que su influencia fue tan grande y las tendencias aristocráticas tan fuertes, que el grupo democrático del sur de Italia tomó la drástica determinación de desaparecer de raíz dicha secta, destruyendo edificios e instalaciones que la albergaban por un lado, y por otro, realizando una tenaz persecución de todos sus integrantes para así evitar que pudieran reagruparse. Por su parte, Pitágoras se refugió en Metaponto, donde según se sabe murió a edad avanzada. A pesar de todo, la secta continuó sus trabajos e investigaciones iniciadas con anterioridad que, de acuerdo con las costumbres de la época, fueron atribuidas al fundador y maestro.

Según la filosofía de la escuela pitagórica, se afirmaba que el número entero forjaba las diversas cualidades de los elementos que integran el universo: "Todo es número". El alma y su unión con Dios se consigue con el conocimiento de las matemáticas. Dios es la unidad y el mundo es la pluralidad con los elementos contrarios. La armonía es divina cuando se forma por relaciones numéricas; el que comprende la armonía numérica se vuelve divino e inmortal.

Los pitagóricos estudiaron los números y por sus propiedades los clasificaron en: pares, impares, amistosos, perfectos, abundantes, deficientes y también en números figurados que con puntos conforman figuras geométricas y aún más a los poliedros, a las pirámides, etcétera.

La música y las matemáticas se fusionaron al estudiar formalmente las vibraciones de las cuerdas, lo que les permitió construir las escalas. Al imaginar la "música de las esferas", enfocaron su atención en la astronomía, al creer que los cuerpos celestes, al moverse en el espacio, emitían un sonido imperceptible al oído humano.

Realizaron el estudio de las proporciones con cantidades conmensurables y clasificaron las medias proporcionales en media aritmética, media geométrica y media armónica. Se les otorga el descubrimiento de los números irracionales, como resultado del manejo de las cantidades inconmensurables.

En geometría se les atribuye la proposición que dice: "En un triángulo rectángulo, el cuadrado de la hipotenusa es igual a la suma de los cuadrados de los otros dos lados", con la elaboración de las fórmulas para encontrar dos números cuadrados cuya suma sea a la vez un cuadrado. Asimismo se les adjudica la construcción de los cuerpos cósmicos: tetraedro, hexaedro, octaedro, dodecaedro e icosaedro. Para la resolución de los problemas algebraicos crearon procesos geométricos, como es el caso de las identidades algebraicas como binomios al cuadrado, binomios conjugados, etcétera.

Platón y la Academia

Platón nació en Atenas hacia el año 427 a.C. Miembro de una familia acomodada, recibió una magnífica educación; en su juventud fue discípulo de Sócrates, quien influyó en su decisión de estudiar filosofía. La relación entre ellos permaneció hasta que Sócrates fue condenado a beber cicuta. A la muerte de éste, Platón se dedicó a viajar por el Oriente, Egipto y la Magna Grecia, regresando a su natal ciudad por el año de 337 a.C. Entonces decidió fundar una escuela de filosofía que fuera a la vez un lugar de reunión y de estudio, con alojamientos y una biblioteca a la que llamaría "La Academia", en la cual se dedicó a la docencia durante 40 años hasta su muerte en el año 348 a.C. Quienes han analizado su obra, en gran parte confirman la gran predilección que tenía por las matemáticas, como se comprueba en su obra conocida como *Diálogos* (La República, Fedón, Timeo, Teeteo y Epínomis).

En "La Academia" se reunían los matemáticos más brillantes de la época, por lo que se convirtió en el vértice de todas las actividades. Se comenta que la gran amistad que tuvo con Arquitas de Tarento, célebre matemático de la Magna Grecia, influyó decisivamente en Sócrates para el estudio de esta disciplina. En los *Diálogos* se han localizado temas matemáticos como la Teoría de los Números, las Figuras Cósmicas o Platónicas, la Estereometría, un estudio de los Fundamentos Matemáticos y la Axiomática. Se le atribuye la introducción del método analítico en las demostraciones matemáticas.

No se tiene un criterio unánime para aceptar a Platón como un participante directo en el desarrollo de la matemática de su época, pero sí se acepta la participación de los trabajos de "La Academia".

Eudoxo

Eudoxo de Cnido. Famoso matemático, geómetra, médico, astrónomo, orador y filósofo. Discípulo de Arquitas de Tarento, se trasladó a Atenas para estudiar filosofía y retórica, también realizó un largo viaje a Egipto para estudiar astronomía y realizar observaciones astronómicas. De regreso a Atenas alcanzó, junto con sus alumnos, una gran reputación hacia el año 365 a.C., teniendo la oportunidad de intercambiar ideas en debates con Platón. Sobre sus trabajos originales se le atribuyen la Teoría de las Proporciones expuesta en el libro V de los *Elementos* de Euclides. Proclo afirmó que Eudoxo aumentó el número de teoremas generales de la geometría. Según Arquímedes, fue él quien elaboró el Axioma de la Continuidad (lema de Arquímedes), en el cual se fundamenta básicamente el método Exhaustivo. Se considera a Eudoxo como el padre de la astronomía científica. Entre sus discípulos más brillantes se encuentran Menecmo, cuyo descubrimiento más notable fue el de las Secciones Cónicas, lo que permitió resolver el problema de Delos; también descubrió las propiedades de la parábola y de la hipérbola cuyas ecuaciones son necesarias para la "duplicación del cubo", y su hermano Dinostrato, quien quizá fue el primero en utilizar con éxito la "cuadratriz" en la resolución de la cuadratura del círculo.

EXPRESIÓN ALGEBRAICA

Es la forma escrita de representar en álgebra un valor, una operación o un conjunto de ellas. Se emplean signos, números y letras. La expresión algebraica más simple está formada por un solo término, el cual comprende un número real que se nombra *Coeficiente* y una o más letras ordenadas que pueden tener o no exponente, las que determinan su *parte literal*, colocadas en esa forma.

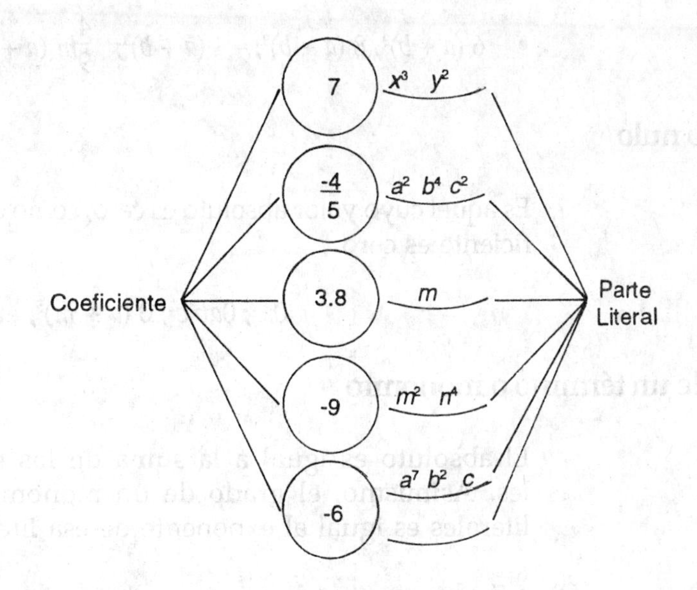

Cuando la expresión algebraica está formada por un solo término se le nombra *monomio*; si contiene dos o más se le nombra *polinomio*, aunque es común que cuando contiene dos términos se le llame *binomio* y cuando contiene tres *trinomio*.

Son monomios:

$$6ax^3; -\frac{7}{5}b^4cx; \frac{1}{2}bh; 37m^2n^4, \text{ etcétera.}$$

Son binomios:

$$3a + 2b; 7x - 4; a - \frac{3}{4}b; 4x^3y + 1.3mn^2; \text{ etcétera.}$$

Son trinomios:

$$8x^2 + 5x - 3; 4x - 3y + 9z; 2a^2 + 3ab - 5b^2; \text{ etcétera.}$$

Son polinomios:

$$2x^5 - 3x^4 + 2x^3 - 7x^2 + 3x + 9; 4xy^2 + 7x^2y^3 - 11x^3y^4; \text{ etcétera.}$$

Términos semejantes

Son aquellos que tienen la parte literal idéntica y que su única variación se manifiesta en el coeficiente.

Ejemplos:

- $4x^3y^2z^5; -3x^3y^2z^5; -\frac{3}{4}x^3y^2z^5; 15.8x^3y^2z^5; x^3y^2z^5$; etcétera.
- $6(a+b)^3; 8(a+b)^3; -4(a+b)^3; \frac{4}{9}m(a+b)^3; 2.6(a+b)^3$; etcétera.

Término nulo

Es aquel cuyo valor absoluto es cero, como consecuencia de que su coeficiente es cero.

$0x^2; 0ab^3c^2; 0(a+m)^5$; etcétera.

Grado de un término o monomio

El absoluto es igual a la suma de los exponentes de sus literales. Asimismo, el grado de un monomio respecto a una de sus literales es igual al exponente de esa literal.

• $7xy^2z^4$	es de primer grado con respecto a x	(Grado 1°)
	de segundo grado con respecto a y	(Grado 2°)
	de cuarto grado con respecto a z	(Grado 4°)
	su grado absoluto es 7	Grado 7°

Grado de un polinomio

Cuando se da el grado respecto de una literal, se determina por el exponente mayor que tenga esa literal. En general, un polinomio debe presentarse ordenado respecto de una literal, ya sea en forma *creciente*, es decir del menor al mayor exponente de esa literal, o bien *decreciente*, del mayor al menor.

Para determinar su grado absoluto se toma la literal de mayor grado absoluto, sin importar la literal que lo contenga ni el término.

• $3xy^4 - 5x^2y^2 + 9x^3y - 2y$	es decreciente respecto de y
	es creciente respecto de x
	su grado absoluto es 5°

- $\frac{3}{4}a^2b^3c^4 - 7a^5b^4c - 3a^3b^2c^3$ su grado absoluto es 10
  es creciente respecto de a
  es creciente respecto de b
  es decreciente respecto de c

  $\frac{3}{4}a^2b^3c^4 - 3a^3b^2c^3 - 7a^3b^4c$ es creciente con respecto a a.

  $-3a^3b^2c^3 + \frac{3}{4}a^2b^3c^4 - 7a^5b^4c$ es creciente con respecto a b.

  $\frac{3}{4}a^2b^3c^4 - 3a^3b^2c^3 - 7a^5b^4c$ es decreciente con respecto a c.

Valor numérico de una expresión algebraica

Cuando se conoce el valor numérico de cada una de las literales que aparecen en una expresión, es posible calcular el valor numérico de cada expresión con sólo sustituir correctamente esas letras por sus valores y efectuar las operaciones que estén indicadas.

Si $a = 4$ entonces:

- $3a = 3(4) = 12$
- $a^3 = (4)^3 = 64$
- $2a^2 = 2(4)^2 = 2(16); = 3$
- $\frac{5a^4}{7} = \frac{5(4)^4}{7} = \frac{5(256)}{7} = \frac{1\,280}{7}$

Si $m = -3$ entonces:

- $5m = 5(-3) = -15$
- $m^4 = (-3)^4 = +81$
- $-7m^3 = -7(-3)^3 = -7(-27) = +189$
- $m - 3 = (-3) - 3 = -3 - 3 = -6$
- $-3m^2 + 2m - 7 = -3(-3)^2 + 2(-3) - 7 =$

  $= -3(9) + 2(-3) - 7 =$

  $= -27 - 6 - 7 =$

  $= -40$

Si $a = \frac{1}{3}$ entonces:

- $4a^2 = 4\left(\frac{1}{3}\right)^2 = 4\left(\frac{1}{9}\right) = \frac{4}{9}$

- $3a^3 - 2a^2 + 7 = 3\left(\frac{1}{3}\right)^3 - 2\left(\frac{1}{3}\right)^2 + 7 =$

  $= 3\left(\frac{1}{27}\right) - 2\left(\frac{1}{9}\right) + 7 =$

  $= \frac{1}{9} - \frac{2}{9} + 7 =$

  $= \frac{62}{9}$

Si $x = -5; y = 2; z = -3$ entonces:

- $\frac{3\,xy}{z} = \frac{3\,(-5)\,(2)}{(-3)} = -\frac{-30}{-3} = +10$

- $\frac{2x - 5y^3}{15z} = \frac{2\,(-5) - 5\,(2)^3}{15\,(-3)} = \frac{-10\,-40}{-45} = \frac{-50}{-45} = \frac{10}{9}$

- $\sqrt{5y + xz} = \sqrt{5(2) + (-5)\,(-3)} = \sqrt{10 + 15} = \sqrt{25} = 5$

Si $a = 4; b = -2; c = -1; m = -\frac{1}{2}; n = \frac{1}{3}$

- $3\,a^2 - 2bn^2 + 4\,c^8m = 3\,(4)^2 - 2\,(-2)\left(\frac{1}{3}\right)^2 + 4\,(-1)^8\left(-\frac{1}{2}\right) =$

  $= 3\,(16) - 2\,(-2)\left(\frac{1}{9}\right) + 4\,(+1)\left(-\frac{1}{2}\right) =$

  $= 48 + \frac{4}{9} - 2 =$

  $= \frac{418}{9}$

Si $a = -\frac{1}{3}$; $b = 3$; $c = -1$; $m = -2$ $x = \frac{2}{3}$; $y = \frac{1}{2}$; $z = 1$, entonces:

- $3a + 2b = 5$
- $4c^2 + 5m^3 + 3\,(c + m)^2 = 4\,(-1)^2 + 5\,(-2)^3 +$

  $+\, 3\,[(-1) + (-2)]^2 =$

  $= 4\,(1) + 5\,(-8) + [-1 - 2]^2 =$

  $= 4 - 40 + (-3)^2 =$

  $= -27$

- $3\,(2x^2 + 3xy + 2z)^2 = 3\left[2\left(\frac{2}{3}\right)^2 + 3\left(\frac{2}{3}\right)\left(\frac{1}{2}\right) + 2\,(1)\right]^2 =$

  $= 3\,[2\left(\frac{4}{9}\right) + 1 + 2]^2 =$

  $= 3\,[\frac{8}{9} + 3]^2 = 3\left(\frac{35}{9}\right)^2 =$

  $= \frac{1225}{81}$

- $\dfrac{5a^2 + 6\,(b - 3y)}{8y^3 - 2(7a - b)} = \dfrac{5\left(-\frac{1}{3}\right)^2 + 6\,[\,3 - 3\left(\frac{1}{2}\right)]}{8\left(\frac{1}{2}\right)^3 - 2\,[\,7\left(-\frac{1}{3}\right) - 3]} =$

  $= \dfrac{5\left(\frac{1}{9}\right) + 6\,[\frac{3}{2}]}{8\left(\frac{1}{8}\right) - 2\,[-\frac{16}{3}]} = \dfrac{86}{105}$

Práctica 3.1

Ejercicios para resolver:

I. Calcular el valor numérico de cada una de las expresiones algebraicas que se proponen sabiendo que el valor de cada literal es:

$a = -\frac{1}{3}$; $b = 3$; $c = -1$; $m = -2$; $x = \frac{2}{3}$; $y = \frac{1}{2}$; $z = 1$

1) $3ab =$

2) $4ab + 3xy - 5cz =$

3) $5x^2 =$

4) $4b^2c^3 =$

5) $7x^3y^2 =$

6) $\sqrt{3b^3} =$

7) $\sqrt[3]{2m^2} =$

8) $2m^3 - 3a^2 =$

9) $(a - b)^2 =$

10) $(3x + 2y)^4 =$

11) $(3b^2 + 5m)^3 =$

12) $5\,(m + 3x)^2 + 10 =$

13) $\frac{2b}{m} =$

14) $\frac{3x}{4y} =$

15) $\frac{x + y}{a} =$

16) $\frac{2a - 3b}{4x + 5y} =$

17) $\frac{7x^2}{a-b}$

18) $\frac{5m^3y^2}{a} =$

19) $\frac{7c^8 + 5z^5}{(2y)^4} =$

20) $2(b-c)-3(x-y)+(m-z)^3=$

21) $\dfrac{3(2a-m)}{2x+y}=$

22) $\dfrac{(b-3c)-2\,(6a-x)}{3x+m^3}=$

23) $\dfrac{7(2a-b)+3\,(2c-3m)}{2x+3y-5c}=$

24) $\dfrac{3a^2b}{x}+\dfrac{5m^3x^2}{x-y}=$

25) $\dfrac{3x-2y}{a\,b}+\dfrac{4\,(3x-y)}{2m-x}-\dfrac{2}{5}=$

26) $\dfrac{7\,(m-b)}{3a}-\dfrac{2\,(3x-5y)^3}{3(a-\ 2b)}=$

27) $\dfrac{6xy^2}{5by}-\dfrac{8\,(x+z)}{z-x}=$

28) $\dfrac{5\,(a-3)}{4\,(3b-x)}+\dfrac{2(m-3)}{b^2-z^3}-\dfrac{4\,(2a-c^3)}{c-x}=$

29) $\dfrac{3ab\ +5a^2b\ -7ab^2}{(a+b)}=$

30) $\dfrac{3xy\ -2m^2+5ab}{7(c-3)}=$

Aplicaciones del valor numérico

Verificación del valor de la o las incógnitas de una ecuación

Se sustituye el valor obtenido para la incógnita en la ecuación propuesta y se resuelven las operaciones así formadas; si se obtiene una identidad, el resultado es correcto. Comúnmente se le llama *comprobación*.

- $4(x-5)-(7x+11)=15-(3x+8)+2(7x-1)-8$

Verificarla para $x=-2$:

$$4(-2-5,[7(-2)+11] = 15-[3(-2)+8]+2[7(-2)-1]-8$$
$$4(-7)-[-3] = 15-[2]+2[-15]-8$$
$$-28+3 = 15-2-30-8$$
$$\boxed{-25 = -25}$$

- $6x^2-5x-4=0.$

Verificarla para $x_1=\frac{4}{3}$ y para $x_2=-\frac{1}{2}$:

para $x_1=\frac{4}{3}$

$$6\left(\frac{4}{3}\right)^2-5\left(\frac{4}{3}\right)-4=0$$
$$\frac{32}{3}-\frac{20}{3}-4=0$$
$$\boxed{0=0}$$

para $x_2=-\frac{1}{2}$

$$6\left(-\frac{1}{2}\right)^2-5\left(-\frac{1}{2}\right)-4=0$$
$$+\frac{3}{2}+\frac{5}{2}-4=0$$
$$\boxed{0=0}$$

- $\frac{x+5}{2x}=\frac{5x-1}{3}$

Verificarla para $x_1=\frac{3}{2}$ y $x_2=-1$:

a) Sustituyendo $x_1=\frac{3}{2}$

$$\frac{\frac{3}{2}+5}{2\left(\frac{3}{2}\right)}=\frac{5\left(\frac{3}{2}\right)-1}{3}$$
$$\boxed{\frac{13}{16}=\frac{13}{6}}$$

b) Sustituyendo $x_2=-1$

$$\frac{(-1)+5}{2(-1)}=\frac{5(-1)-1}{3}$$
$$\boxed{-2=-2}$$

- $\frac{3x}{7}+\frac{4(x-5)}{14}=4.$

Verificarla para $x=\frac{38}{5}$:

$$\frac{3\left(\frac{38}{5}\right)}{7}+\frac{4\left[\left(\frac{38}{5}\right)-5\right]}{14}=4$$
$$\frac{114}{35}+\frac{26}{35}=4 \qquad \boxed{4=4}$$

- $\frac{3-x}{5} - \frac{7-4y}{9} = -\frac{86}{45}$

Verificarla para $x = 2; y = -3$:

$$\frac{3-(2)}{5} - \frac{7-4(-3)}{9} = -\frac{86}{45}$$

$$\frac{1}{5} - \frac{19}{9} = -\frac{86}{45}$$

$$-\frac{86}{45} = -\frac{86}{45}$$

- $4x + \frac{7y-4}{3} + \frac{2(z-4)}{9} = -\frac{8}{9}$ [1] Verificar cada una de ellas para:

$\frac{2x-1}{4} - \frac{3y+z}{3} = -\frac{41}{60}$ [2] $x = \frac{1}{3}$ $y = \frac{2}{5}$

$3x - 5y - 9z = 26$ [3] $z = -3$

En la ecuación [1]:

$$4\left(\frac{1}{3}\right) + \frac{7\left(\frac{2}{5}\right) - 4}{3} + \frac{2[(-3)-4]}{9} = -\frac{8}{9}$$

$$\frac{4}{3} - \frac{2}{3} - \frac{14}{9} = -\frac{8}{9}$$

$$\boxed{-\frac{8}{9} = -\frac{8}{9}}$$

En la ecuación [2]:

$$\frac{2\left(\frac{1}{3}\right) - 1}{4} - \frac{3\left(\frac{2}{5}\right) + (-3)}{3} = -\frac{41}{60}$$

$$-\frac{1}{12} - \frac{3}{5} = -\frac{41}{60}$$

$$\boxed{-\frac{41}{60} = -\frac{41}{60}}$$

En la ecuación [3]:

$$3\left(\frac{1}{3}\right)-5\left(\frac{2}{5}\right)-9\,(-3)=26$$

$$1-2+27=26$$

$$\boxed{26=26}$$

Tabulación

La expresión matemática que se propone permanece constante y por lo menos uno de los valores sugeridos para las literales, se modifica en cada caso. Finalmente se resuelven las operaciones indicadas.

- $A = bh$

  $P = 2\,(b + h)$ $\qquad b = \{15;\ 56;\ 3.6;\ \frac{51}{4}\}$

  $h = \{9;18;1.7;\ \frac{28}{5}\}$

b	15	56	3.6	$\frac{51}{4}$	cm
h	9	18	1.7	$\frac{28}{5}$	cm
A	135	1 008	6.12	$\frac{305}{7}$	cm^2
P	48	148	10.6	$\frac{367}{20}$	cm

{ $A = (15)\,(9) = 135$
$P = 2(15 + 9) = 48$

$A = (3.6)\,(1.7) = 6.12$
$P = 2\,(3.6 + 1.7) = 10.6$

{ $A = (56)\,(18) = 1\,008$
$P = 2\,(56 + 18) = 148$

$$A=\left(12\,\frac{3}{4}\right)\left(5\,\frac{3}{5}\right)=\frac{307}{5}$$

$$P = 2\left(12\frac{3}{4} + 5\frac{3}{5}\right) = \frac{367}{20}$$

- $V = \dfrac{4\pi r^3}{3}$ $\quad r = \{15; 8; 2.4; \frac{28}{5}\}$

r	15	8	2.4	$\frac{28}{5}$	cm
V	.180	2176.90	57.54314	735.24598	cm^3

$V = 4\ (3.14)\ (15^3);$ $\quad V = 180\ cm^3$

$V = 4\ (3.14)\ (8^3);$ $\quad V = 2\,176.90\ cm^2$

$V = 4\ (3.14)\ (2.4^3);$ $\quad V = 57.54314\ cm^3$

$V = 4\ (3.14\ (5.6^3);$ $\quad V = 735.24598\ cm^3$

- $x = \pm\sqrt{81 - y^2}$ $\quad y = \{ 8; 7; 6; 5; 4\}$

y	8	7	6	5	4
x	± 4.1231	± 5.6569	± 6.7082	± 7.4833	± 8.0623

$$x = \pm\sqrt{81 - (8)^2} = \pm\sqrt{17}$$

$$x = \pm\sqrt{81 - (7)^2} = \pm\sqrt{32}$$

$$x = \pm\sqrt{81 - (6)^2} = \pm\sqrt{45}$$

$$x = \pm\sqrt{81 - (5)^2} = \pm\sqrt{56}$$

$$x = \pm\sqrt{81 - (4)^2} = \pm\sqrt{65}$$

- $y = \text{sen}\,\alpha^2$ $\quad \alpha\ \{15°; 30°; 45°; 60°; 75°\}$

α	15°	30°	45°	60°	75°
y	0.2588	0.5000	0.7071	0.8660	0.9659

$y = \text{sen}\ 15°; y = 0.2588$

$y = \text{sen}\ 30°; y = 0.5000$

$y = \text{sen}\ 45°; y = 0.7071$

$y = \text{sen}\, 60°; y = 0.8660$

$y = \text{sen}\, 75°; y = 0.9659$

$fx = 15 \cos \alpha$

$\alpha = \{15°; 30°; 45°; 60°; 75°\}$

α	15°	30°	45°	60°	75°
fx	14.49	12.99	10.61	7.5	3.88

$fx = 15 \cos 15°; = 15\ (0.9659); = 14.49$

$fx = 15 \cos 30°; = 15\ (0.8660); = 12.99$

$fx = 15 \cos 45°; = 15\ (0.7071); = 10.61$

$fx = 15 \cos 60°; = 15\ (0.5000); = 7.5$

$fx = 15 \cos 75°; = 15\ (0.2588); = 3.88$

Práctica 3.2

Ejercicios para resolver:

I. Comprobar que el resultado propuesto para cada ecuación es correcto:

1) $3x + 4x + 15 = 4x + 9;$ $\underline{x = -2}$

2) $11x - 5(3x+2) = 14x + 62;$ $\underline{x = -4}$

3) $5x - 3(2x-9) + 8 = 2(3x - 9) + 4;$ $\underline{x = 7}$

4) $\frac{x}{4} + 3 = 7 \quad x \underline{= 16}$

5) $\frac{3x}{4} + \frac{17}{6} - \frac{5x}{2} = -\frac{2}{3}$ $\underline{x=2}$

6) $\frac{3x-2}{11} + \frac{4x+1}{22} = -\frac{3}{2}$ $\underline{x=-3}$

7) $\frac{3}{5x} + \frac{8}{x} = \frac{2}{3} \quad x = \frac{129}{\underline{10}}$

8) $\frac{2}{x+4}+\frac{3}{x+3}=\frac{8}{x+4}$ $\underline{x=-2}$

9) $\frac{3}{2x}+\frac{5}{x}=8$ $x=\frac{13}{16}$

10) $3m^2+14m+8=0$ $m_1=-\frac{2}{3}$

$m_2=-4$

11) $9x^2-24x+16=0$

$x_1=\frac{3}{4}$ $x_2=\frac{3}{4}$

12) $20x^2+21x-27=0$

$x_1=-\frac{9}{5}$ $x_2=\frac{3}{4}$

13) $\frac{3x+5}{x+1}=\frac{x+7}{x}-\frac{5}{6}$

$x_1=2$ $x_2=-\frac{21}{17}$

14) $3x+5y=-\frac{19}{2}$

$x=-\frac{2}{3}$ $y=-\frac{3}{2}$

15) $4x+3y=7z=17\frac{2}{3}$

$x=+3$ $y=-2$ $z=-\frac{5}{3}$

II. Tabular las fórmulas con los valores propuestos:

1) $F=\frac{9C}{5}+32$ °C = {25°; 40°; 55°; 70°; 85°}

2) $e=\frac{at^2}{2}$ a constante = 2m/seg^2;

t = {5; 10; 15; 20; 25; 30}

3) $y=\tan\beta$ β {15°; 30°; 45°; 60°; 75°; 90°}

4) $f\,x = F\cos\alpha$ $\quad f = \{100; 50; 70; 90; 200; 150\}$ (kg).

$\alpha = \{15°; 24°; 38°; 45°; 60°; 75°\}$

5) $x = 14 - 3y$ $\quad y = \{-3; 5; -4; 3; -7; -5\}$

OPERACIONES CON MONOMIOS

Adición

También se le nombra *reducción de términos semejantes*. La adición emplea exclusivamente términos semejantes. Dada la naturaleza positiva o negativa de los coeficientes deben establecerse las siguientes reglas:

a) La adición de dos o más términos semejantes precedidos del mismo signo, es otro término semejante del mismo signo, cuyo coeficiente es igual a la suma de todos los coeficientes.

Ejemplos:

- $3x^3y^2 + 5x^3y^2 + 11\,x^3y^2 + 4x^3y^2 = 23x^3y^2$
- $-8a^4b^5c - 2a^4b^5c - 6a^4b^5c = -16a^4b^5c$
- $\frac{3}{5}m^2 + \frac{5}{8}m^2 + \frac{11}{10}m^2 = \frac{93}{40}m^2$

b) La adición de dos términos semejantes precedidos de signos diferentes es igual a otro término semejante, cuyo signo es igual al del término mayor y el coeficiente es igual a la diferencia de los coeficientes de los términos propuestos.

Ejemplos:

- $8m^5n^2 - 3\,m^5n^2 = 5m^5n^2$
- $-9x^2y + 5x^2y = -4x^2y$
- $-3xyz + 6xyz = 3xyz$
- $5am^5 - 7am^5 = -2am^5$

Cuando en una adición aparecen varios términos positivos y negativos, se aplica la propiedad asociativa de la adición resolviendo por separado todos los términos positivos, a continuación los negativos y finalmente la operación con los resultados parciales obtenidos.

Ejemplos:

- $5ab + 8ab - 4ab + 5ab - 8ab - 5ab + 7ab =$
  $= 25ab - 17ab = 8ab$
- $6x^3 + 8x^3 - 11x^3 + 4x^3 - 15x^3 + 2x^3 - 4x^3 - 5x^3 =$
  $= 20x^3 - 35x^3 = - 15x$

En una misma adición pueden aparecer dos o más clases de términos semejantes. En este caso se resuelve la suma de términos semejantes en forma independiente a la manera ya mencionada, ampliándose de este modo la aplicación de la ley asociativa.

Ejemplos:

- $3m^5 - 8m^4 + 2m^4 - 7m^5 - 9m^4 + 6m^4 - 11m^5 =$
  $= - 15m^5 - 9m^4$

- $2a + 5c - 7c - 5a + 7b - 4c - 3a + 5b - 8b + 6a - 11c =$
  $= 4b - 17c$

Práctica 3. 3

Ejercicios para resolver:

1) $9ab + 8ab + 3ab =$

2) $5m^2 + 7m^2 + 2m^2 + m^2 =$

3) $3x^3y^4 + 8x^3y^4 + 2x^3y^4 + 5x^3y^4 + 7x^3y^4 =$

4) $\frac{2}{3}x + \frac{7}{3}x + \frac{5}{3}x + \frac{8}{3}x =$

5) $\frac{7}{9}m^2x + \frac{8}{3}m^2x + \frac{11}{6}m^2x =$

6) $\frac{3}{4}ax^5 + \frac{2}{3}ax^5 + \frac{9}{4}ax^5 + \frac{5}{6}ax^5 + \frac{1}{3}ax^5 =$

7) $1.32\, m^2n^2 + 4.57\, m^2n^2 =$

8) $2.05\, ab^2 + 0.37ab^2 + 1.27ab^2$

9) $1.75\,m^5n^2 + 0.25\,m^5n^2 + 1.15m^5n^2 + 0.135m^5n^2 =$

10) $-6xy - 3xy - 9xy - 5xy - 12xy =$

11) $-12mn - mn - 4\,mn - 8\,mn - 7\,mn =$

12) $-\frac{2}{3}a^2b - \frac{3}{4}a^2b - \frac{5}{2}a^2b - \frac{7}{12}a^2b =$

13) $-0.27y^4z - 1.18y^4z - 2.06y^4z - 1.49y^4z =$

14) $3by - 5by + 9by + 11by - 18by - 14by + 7by =$

15) $2a - 11a + 14a + a - 9a - 7a + 8a =$

16) $-7a^2b^2 + 9a^2b^2 - 4a^2b^2 - 5a^2b^2 + 18a^2b^2 + a^2b^2 =$

17) $2a - 5b - 7a + 8b + 11a - 9b =$

18) $6ab^2c - 3bc - 7ab + 15\,ab^2c + 9ab - 6bc - 12ab^2c =$

19) $\frac{3}{5}bc^2 + 11b^2c - \frac{2}{3}bc - \frac{9}{5}b^2c - \frac{3}{4}bc^2 + \frac{1}{30}bc - \frac{7}{2}b^2c =$

20) $\frac{3}{4}ax^3 + \frac{1}{2}a^3x + \frac{8}{5}a^3x - \frac{15}{8}ax^3 - \frac{4}{3}a^3x - \frac{5}{2}ax^3 =$

Sustracción

Esta operación utiliza exclusivamente términos semejantes en el minuendo y el sustraendo. Para obtener la diferencia de monomios semejantes se le suma al minuendo el inverso aditivo del sustraendo.

Ejemplos:

- $(14\,x) - (5\,x) = 14\,x - 5\,x; = 9x$
- $(8x^3y^2) - (-3x^3y^2) = 8x^3y^2 + 3x^3y^2; = 11x^3y^2$
- $(5m^2n^3) - (7\,m^2n^3) = 5m^2n^3 - 7m^2n^3; = -2m^2n^3$
- $(-6\,a^2b^2c^2) - (-4a^2b^2c^2) = -6a^2b^2c^2 + 4a^2b^2c^2; = -2a^2b^2c^2$

- $\left(\frac{2}{3}m^5z^2\right)-\left(\frac{4}{5}m^5z^2\right)=\frac{22}{15}m^5z^2$
- $(-2.8bx^4)-(-1.6bx^4)=-1.2\,bx^4$

Práctica 3.4

Ejercicios para resolver:

1) $(7b^2xz)-(8b^2xz)=$
2) $(16a^5b^3)-(7a^5b^3)=$
3) $(-14x^2y^7)-(11x^2y^7)=$
4) $(-12x^5y)-(-9x^5y)=$
5) $\left(\frac{3}{7}a^2b^3\right)-\left(-\frac{2}{3}a^2b^3\right)=$
6) $\left(-\frac{7}{8}b^5c^2\right)-\left(\frac{3}{4}b^5c^2\right)=$
7) $\left(\frac{11}{9}x^2y^3\right)-\left(-\frac{5}{6}x^2y^3\right)=$
8) $(1.9\,b^4c^5)-(2.81\,b^4c^5)=$
9) $(-2.85\,m^5n^4)-(-1.17\,m^5n^4)=$
10) $\left(-\frac{3}{5}a^7b^2c^5\right)-(1.5\,a^7b^2c^5)=$
11) $(18\,m^3n^4)-(11\,m^3n^4)=$
12) $(-21\,xy^4)-(14\,xy^4)=$
13) $(7\,x^3z^2)-(-8\,x^3z^2)=$
14) $(-19\,ab)-(-7ab)=$
15) $(2.57\,m^5)-(14.18\,m^5)=$
16) $(17.94\,a^3b^3)-(8.09\,a^3b^3)=$

17) $(-0.621y^4) - (-2.43y^4) =$

18) $\left(-\frac{2}{7}a^4b^4\right) - \left(-\frac{5}{14}a^4b^4\right) =$

19) $\left(\frac{15}{8}b^3c^4\right) - \left(-\frac{7}{4}b^3c^4\right) =$

20) $\left(-\frac{7}{2}m^2n^4\right) - \left(\frac{5}{3}m^2n^4\right) =$

Multiplicación

De términos o monomios

Dada la naturaleza positiva o negativa del término es necesario establecer las siguientes reglas, a fin de obtener el signo del producto:

a) El producto de dos términos de signos iguales es positivo.
b) El producto de dos términos de signos diferentes es negativo.
c) Por lo tanto, el producto de tres o más términos de signos diferentes es positivo si el número de términos negativos es par, y negativo si el número de términos negativos es impar.

Para resolver el producto de dos o más términos se procede a realizar las siguientes etapas:

a) Se multiplican los signos con el criterio arriba establecido.
b) Se multiplican los valores absolutos de los números coeficientes.
c) El producto de las literales se obtiene sumando los exponentes de las literales iguales y ordenando alfabéticamente las literales diferentes. Es decir:

$$a \cdot a^2 = a^{1+2} = a^3; \quad a \cdot b = ab$$
$$b^2 \cdot b^3 = b^{2+3} = b^5; \quad a^3 \cdot b^2 = a^3b^2$$

Ejemplos:

- $4x^2 \cdot 3x^3 = 12x^5$
- $(-5a^3)(-3x^4) = 15a^3x^4$
- $(-7a^4)(2a^3m^3) = -14a^7m^3$

- $(18\,x^2y^4z)\,(-3\,x^2z^4) = -54\,x^4y^4z^5$
- $\left(-\frac{3}{4}x^4y\right)\left(-\frac{2}{3}x^2y^4\right) = \frac{1}{2}x^6y^5$
- $(-1.8\,a^2b^2)\,(0.2\,a^5bc) = -0.36\,a^7b^3c$
- $(-3\,x)\,(-2\,y)\,(5\,xy) = 30\,x^2y^2$
- $\left(\frac{3}{4}\,a\right)(-2.5\,b)\left(-\frac{11}{4}\,a^2x\right)(-24\,a^3b) = -\frac{495}{4}\,a^6b^2$

De un monomio por un polinomio

El algoritmo de esta operación es una aplicación reiterada del caso anterior que, al mismo tiempo, se justifica con la propiedad distributiva de esta operación: Es decir, se multiplica al monomio factor por cada uno de los términos que forman al polinomio.

Ejemplos:

- $4\,x^2y\,(-3\,x + 2\,x^2y - 5\,x^3y^2) = -12\,x^3y + 8\,x^4y^2 - 20\,x^5y^3$
- $-\frac{3}{4}x^2y^2\left(\frac{2}{3}x^3y - \frac{3}{7}xy^2\right) = -\frac{1}{2}x^5y^3 + \frac{9}{28}x^3y^4$
- $1.5\,a^2b^3c\,(-4\,ab^2 + 6\,a^3b - 2\,abc) = -6\,a^3b^5c + 9\,a^5b^4c + 3\,a^3b^4c^2$

Práctica 3.5

Ejercicios para resolver:

I. Obtener el producto de las siguientes expresiones algebraicas:

1) $(3xy)\,(-5\,ax^4) =$

2) $(-7x)\,(-2x)\,(5x^2)\,(-8x^4) =$

3) $(-5\,x^3y^2z)\,(-3\,ax^4y^2)\,(+2z) =$

4) $(5\,x^2y^4)\,(-2\,x^5y^2) =$

5) $(0.7)\ (1.2\ a^2)\ (a^2b) =$

6) $\left(\frac{3}{2}m^4n^3\right)\left(-\frac{2}{5}m^2y^3\right)(-3\ mn^4) =$

7) $(-6\ x^3y^2)\ (1.7\ xy^2) =$

8) $(2.84\ mn^2)\left(-\frac{3}{4}m^2nx\right) =$

9) $(1.7\ ax)\ (-2.8)\ (-3.1\ a^2b)\ (-0.1) =$

10) $\left(\frac{2}{3}amx^2\right)\left(-\frac{3}{4}mx^3\right)(1.5\ xy^2) =$

11) $(-3\ a)\ (-2\ x)\ (3\ ax^2)\ (-x^2y)\ (y^2) =$

12) $\left(\frac{3}{4}x\right)\left(-\frac{1}{2}x^2y\right)\left(-\frac{8}{5}xy^5\right)\left(-\frac{2}{5}x^2y^2\right)\left(+\frac{5}{2}xy\right) =$

13) $(1.3\ a^2b)\ (-0.1\ m^2)\ (-am)\ (-b)\ (-2.1\ abx^2) =$

14) $(4\ a^2b)\ (-3\ ab - 5\ b^2 + 3\ a^2b^3) =$

15) $(5\ ax^3 - 2\ ax^2 + 3\ a^2b^4x)\ (-2\ a^2x^2) =$

16) $(-8\ ax - 11\ a^2bx + 5\ bx^3 - 3\ abx)\ (-12\ ab^2x^4) =$

17) $\left(\frac{3}{4}m^2n\right)\left(-\frac{5}{2}m^2n^2 + \frac{3}{5}m^3n - \frac{8}{3}m\right)$

18) $\left(\frac{2}{9}x^4y + 5\ x^2y\right)(-2\ axy^2) =$

19) $1.8rs\ (-1.2\ r^3s^2 - 2\ ar^2s^3 + rs^2) =$

20) $4\ az^2\left(-\frac{2}{3}a^2z^3 + 2.5\ az^4 - 4\ z^5 + 14\right) =$

Potenciación

Si bien la potenciación puede calcularse multiplicando el monomio base por sí mismo las veces que indique el exponente, la mejor forma de resolver consiste en aplicar el siguiente algoritmo:

(BASE) ^{EXPONENTE} = POTENCIA:

a) Se calcula la potencia correspondiente del coeficiente.
b) Se multiplica el exponente de cada literal por el exponente de la potencia.

Asimismo, de acuerdo con la naturaleza del signo, se establecen los siguientes criterios para aplicarse al manejo de signos:

a) Cuando la base es negativa y el exponente es un número par, la potencia es positiva.
b) Cuando la base es negativa y el exponente es un número impar, la potencia es negativa.
c) Consecuentemente, cuando la base es positiva, la potencia siempre es positiva, sin importar la calidad par o impar del exponente.

Ejemplos:

- $(3x^3)^2 = 9x^6$
- $(-4x^3)^3 = -64x^9$
- $(-2a^2m^3y^2)^4 = -32a^{10}m^{15}y^{10}$
- $\left(-\frac{3}{4}m^5n^4\right)^4 = \frac{81}{25}\,6\,m^{20}n^{16}$
- $(0.5y^3x^2)^2 = 0.25y^6x^4$
- $(-1.5a^3b^2)^2 = 2.25a^6b^4$
- $\left(-\frac{4}{3}xy^5\right)^3 = -\frac{64}{27}x^3y^{15}$

Práctica 3.6

Ejercicios para resolver:

1) $(5x^2)^3 =$

2) $(-3x^3)^2 =$

3) $(2x^5)^4 =$

4) $(-7x^2y^3)^3 =$

5) $(-2x^2y^2x^3)^4 =$

6) $(5x^4y^3)^2 =$

7) $(9xy^4)^3 =$

8) $(-6x^4y^4)^2 =$

9) $\left(-\frac{2}{5}a^3\right)^2 =$

10) $\left(-\frac{3}{7}b^4\right)^2 =$

11) $\left(-\frac{5}{8}a^2b\right)^3 =$

12) $\left(-\frac{3}{8}a^3b^2\right)^3 =$

13) $\left(-\frac{4}{3}m^2n^5\right)^5 =$

14) $\left(-\frac{2}{5}a^2b^4c\right)^3 =$

15) $\left(-\frac{3}{7}m^2b^5\right)^3 =$

División

Es la operación inversa de la multiplicación; en ésta se emplean sólo dos valores: el dividendo y el divisor. Puede ser propuesta en forma horizontal o como fracción algebraica:

Dividendo: divisor=cociente; o así $\frac{\text{Dividendo}}{\text{divisor}} = \text{cociente}$

$D : d = c \qquad \frac{D}{d} = c$

De acuerdo con la naturaleza positiva o negativa de los coeficientes, debe observarse el siguiente criterio para el uso de los signos:

a) El cociente de dos términos del mismo signo es positivo.
b) El cociente de dos términos de signos diferentes es negativo.

El cociente se obtiene como se indica:

a) Los valores absolutos de los coeficientes se dividen si el dividendo es múltiplo del divisor; en caso contrario, se indica como fracción (número racional) en su forma más simple.
b) Las literales iguales se dividen restando sus exponentes.
c) Las literales que no encuentren su correspondiente se escriben sin cambio alguno, y cuidando de colocarlas en el lugar que originalmente fueran propuestos (dividendo o divisor).
d) Si la resta de exponentes es positiva, la literal resultante es un valor entero pero pueden suceder los siguientes casos:

1°. Que el exponente resultante sea negativo. En este caso se utilizará su *recíproco*, afectando al exponente de signo positivo.

Ejemplos:

- $a^2 : a^5 = a^{-3} = \dfrac{1}{a^3}$
- $m : m^2x = m^{-1} : x = \dfrac{m^{-1}}{x} = \dfrac{1}{mx}$

2°. Que el exponente resultante sea cero, entonces deberá aplicarse la regla que dice:

"Todo número elevado al exponente cero es igual a la unidad".

Ejemplos:

- $x^2 : x^2 = x^0 = 1$
- $a^2b^5x^3 : a^2b^5x^3 = a^0b^0x^0; = 1 \cdot 1 \cdot 1 \cdot = 1$

Si la operación se presenta como fracción algebraica, se resuelve en forma similar y conviene entonces considerarla como una simplificación.

Ejemplos:

- $-24\,x^5 : 8x^2 = -3\,x^3$
- $16\,mn^3 : (-2\,m^4n) = -\dfrac{8\,n^2}{m^3}$
- $81\,a : 27\,a^3b^2c^3 = \dfrac{3}{a^2b^2c^3}$

- $175\,a^5b^2c^3 : 175\,a^5b^2c^3 = 1$
- $\frac{2}{3}x^2 \div \frac{5}{8}xy = \frac{16x^2}{15xy}\,; = \frac{16x}{15y}$
- $\frac{2}{9}ab^2 \div \frac{14}{9}a^3b^2 = \frac{18ab^2}{126\,a^3b^5}\,; = \frac{1}{7\,a^2\,b^3}$

De igual manera, debe considerarse la posibilidad de que los coeficientes no sean divisibles entre sí; en tal caso, se repetirán en el resultado, justamente en el lugar que les corresponde. Cuando se juzgue conveniente, puede cambiarse de la forma horizontal a la forma fraccionaria y resolverla como simplificación:

Ejemplos:

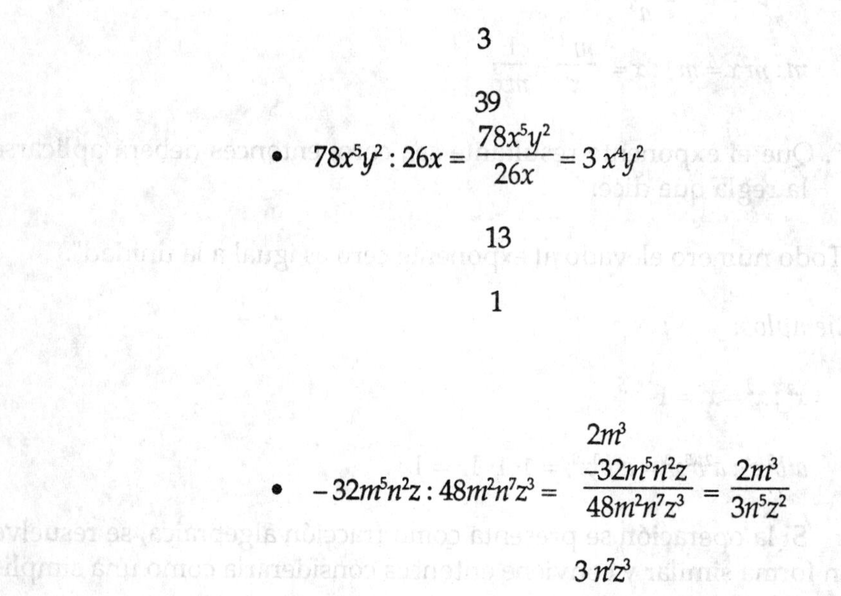

División de un polinomio entre un monomio

Esta es propiamente una aplicación reiterada del caso anterior, sujeta a las condiciones establecidas por la propiedad distributiva.

Ejemplos:

- $(15m^3n + 45am^2n^4 - 30a^2m^2n^2) : 15a^2m^3 = \frac{n}{a} + \frac{3n^4}{a\,m} - \frac{2n^2}{m}$

- $(-8ax^3 + 14m^3x^2 - 35am^2) : (-7amx) = \dfrac{8x^2}{7m} - \dfrac{2m^2x}{a} + \dfrac{5m}{x}$

- $\left(\dfrac{3}{5}x^3y^2 - \dfrac{2}{3}ax^4y^5 - \dfrac{5}{4}a^2x^2y\right) : \dfrac{4}{3}ax^2y^3 = \dfrac{9x}{20ay} - \dfrac{x^2y^2}{2} - \dfrac{15a}{16y^2}$

Práctica 3.7

Ejercicios para resolver:

1) $105a^5b^2c^3 : 35a^3bc^2 =$

2) $-45axy^2 : -9ay^2 =$

3) $-18m^5n^2 \div 6m^2n =$

4) $24a^3b^2c \div -8a^3c =$

5) $\dfrac{5}{8}m^5n^3x^5 : \dfrac{5}{2}am^5nx^2 =$

6) $3.6a^5x^7 : 9a^4x^2z^3 =$

7) $-1.75x^4y^8 : -.25x^5y^7 =$

8) $-3.08 : 0.77a^2b^3 =$

9) $(-48a^5b^2 - 64a^2bx^5 + 144ab^5) : (-16a^2b^3x) =$

10) $(-56m^2n^4 + 140am^5x - 70m^3n^3 + 14) : (-28m^2n^5) =$

11) $\dfrac{165ax^5b^2 - 33mx^5}{11ax^4} =$

12) $\dfrac{-68xy^4z + 85mx^4y^3 - 17m^2xy^4}{-34m^2xyz} =$

13) $\dfrac{2.3x^5 + 9.2x^4 - 23x^3 - 4.6x^2}{-2.3x} =$

14) $\left(\frac{3}{4}x^3y^2 + \frac{2}{3}xy^2 - \frac{5}{2}x^2y^2\right) : \left(\frac{5}{2}x^2y^3\right) =$

15) $\left(1.25xy - \frac{3}{2}x^2y^2 - 4x^3y^3\right) : (0.25xy) =$

Radicación

Es la operación que determina el término que, al multiplicarse por sí mismo un número de veces indicado por el *índice* del radical, da por resultado el término propuesto; al quedar alojado éste dentro del radical, recibe el nombre de *radicando* o *subradical*. Para su determinación se sigue el siguiente algoritmo.

a) Se calcula la raíz del valor absoluto del coeficiente, según se indique por el índice del radical.
b) Se divide el exponente de cada literal del subradical entre el índice del radical.

Pueden presentarse los siguientes casos:

1°. Que el coeficiente no tenga un valor exacto de acuerdo con la raíz propuesta. En este caso se tratarán por métodos adecuados que proporciona el estudio de operaciones con radicales.
2°. También es posible que uno o más exponentes no sean divisibles entre el exponente del radical, dando lugar a exponentes fraccionarios. Al igual que en el caso anterior, su solución está comprendida dentro del estudio de los radicales.

En relación con la naturaleza positiva o negativa del coeficiente, cuando éste es negativo y el índice del radical es un número par, su raíz no tiene un valor real, quedando incluido dentro del conjunto de los números imaginarios.

Ejemplos:

- $\sqrt[2]{144a^4b^8c^2} = 12a^5b^4c.$
- $\sqrt[3]{-343\,x^6y^9} = -7x^2y^3.$
- $\sqrt[4]{16m^{12}y^{20}} = 2m^3y^5.$

- $\sqrt{-36a^{8}}$ = raíz imaginaria.

- $\sqrt[4]{-81x^{12}}$ = raíz imaginaria.

- $\sqrt{\dfrac{9x^{4}y^{6}}{16m^{8}}} = \dfrac{3x^{2}y^{3}}{4m^{4}}$.

Práctica 3.8

Ejercicios para resolver:

1) $\sqrt{4m^{4}} =$

2) $\sqrt{9n^{8}} =$

3) $\sqrt{25x^{6}} =$

4) $\sqrt{64x^{4}y^{12}} =$

5) $\sqrt{16m^{8}n^{6}} =$

6) $\sqrt[3]{8a^{6}} =$

7) $\sqrt[3]{64b^{9}} =$

8) $\sqrt[3]{27a^{3}b^{6}} =$

9) $\sqrt[3]{216a^{9}} =$

10) $\sqrt[3]{343b^{12}} =$

11) $\sqrt{625\,n^{6}} =$

12) $\sqrt{324m^{10}} =$

13) $\sqrt[3]{729a^{6}b^{12}} =$

14) $\sqrt[3]{125y^{15}z^{9}} =$

15) $\sqrt[4]{81m^{8}n^{16}} =$

16) $\sqrt[4]{625m^{8}n^{20}} =$

17) $\sqrt{\dfrac{400a^{6}}{196\,b^{4}}} =$

18) $\sqrt{\dfrac{49x^{10}y^{8}}{900m^{6}n^{4}}} =$

19) $\sqrt[3]{\dfrac{64x^{21}y^{9}}{125a^{12}}} =$

20) $\sqrt[4]{\dfrac{16m^{12}}{625a^{16}}} =$

OPERACIONES CON POLINOMIOS

Adición

Los sumandos son polinomios, que cuando se escriben en forma horizontal, cada uno de ellos se agrupa dentro de un paréntesis; su resolución consiste en suprimir paréntesis y reducir términos semejantes.

- $(3a^2b + 5ab - 4ab^2) + (7ab - 8a^2b - 2ab^2) + (6ab^2 + \ldots$

  $\ldots + 6a^2b + 3ab) = 3a^2b + \underline{5ab} - 4ab^2 + \underline{7ab} - 8a^2b -$

  $- 2ab^2 + 6ab^2 + 6a^2b + \underline{3ab}\ ; = a^2b + 15ab$

Cuando se escribe en forma de suma vertical, cada polinomio, que ahora es un sumando, ocupa un renglón, pero de tal modo que se forman columnas en las que vayan términos semejantes y estén así ordenadas de acuerdo con un criterio creciente o decreciente.

Ejemplo:

- $$\begin{array}{rcl} 3a^2b & + & 5ab - 4ab^2 \\ -8a^2b & + & 7ab - 2ab^2 = a^2b + 15ab. \\ \underline{6a^2b} & \underline{+} & \underline{3ab + 6ab^2} \\ a^2b & + & 15ab \end{array}$$

Si la reducción de los términos semejantes da por resultado un término nulo, no debe escribirse ningún resultado.

Ejemplos:

- $(7x^3y^4 + 4x^2y^5 + 3xy^6 + 4y^7) + (3x^2y^5 + 3y^7 - 2x^3y^4 -$
  $- 6xy^6) + (2xy^6 - 6x^2y^5 + 5x^3y^4 - 9y^7) + (5y^7 - 3x^3y^4 +$
  $+ 7xy^6 + 2x^2y^5) = 7x^3y^4 + 4x^2y^5 + 3xy^6 + 4y^7 + \underline{3x^2y^5} +$
  $+ 3y^7 - 2x^3y^4 - 6xy^6 + 2xy^6 - \underline{6x^2y^5} + 5x^3y^4 - 9y^7 +$
  $+ 5y^7 - 3x^3y^4 + 7xy^6 + \underline{2x^2y^5}; = 7x^3y^4 + 3x^2y^5 + 2xy^6 + 3y^7$

En forma vertical:

$$\begin{array}{rcrcrcr} 7x^3y^4 & + & 4x^2y^5 & + & 3xy^6 & + & 4y^7 \\ -2x^3y^4 & + & 3x^2y^5 & - & 6xy^6 & + & 3y^7 \end{array}$$

$$\begin{array}{rrrr} 5x^3y^4 & -\ 6x^2y^5 & -\ 2xy^6 & -\ 9y^7 \\ -3x^3y^4 & +\ 2x^2y^5 & +\ 7xy^6 & +\ 5y^7 \\ \hline 7x^3y^4 & +\ 3x^2y^5 & +\ 2xy^6 & +\ 3y^7 \end{array}$$

- $\left(\frac{2}{3}a + \frac{4}{5}b - \frac{7}{2}c\right) + \left(\frac{7}{4}c - \frac{7}{10}b\right) + \left(\frac{5}{6}a + \frac{11}{8}c\right) + \left(\frac{11}{9}a + \frac{9}{20}b\right) = \frac{2}{3}a + \frac{4}{5}b - \frac{7}{2}c + \frac{7}{4}c - \frac{7}{10}b$

$+\frac{5}{6}a + \frac{11}{8}c + \frac{11}{9}a + \frac{9}{20}b; = \frac{49}{18}a + \frac{11}{20}b - \frac{3}{8}c$

En forma vertical:

$$\begin{array}{lll} \frac{2}{3}a & +\frac{4}{5}b & -\frac{7}{2}c \\ & -\frac{7}{10}b & +\frac{7}{4}c \\ \frac{5}{6}a & & +\frac{11}{8}c \\ \frac{11}{9}a & +\frac{9}{20}b & \\ \hline \frac{49}{18}a & +\frac{11}{20}b & -\frac{3}{8}c \end{array}$$

Práctica 3.9

Ejercicios para resolver:

I. Resolver cada ejercicio en forma horizontal y vertical:

1) $(4a^2b + 5ab^2 + 4a^2b^2 - 5ab) + (3ab^2 + 2ab) +$
$+ (-3a^2b^2 + 5a^2b) =$

2) $(3a^3b^2 + 5a^2b^3c + 8abc - 5ab^2c^2) + (-4abc +$
$+ 2ab^2c^2) + (5a^3b^2 - 7ab^2c^2 - 3a^2b^3c) =$

3) $(2xy^4 + 3x^3y^2 - 5x^2y^3 - 9x^4y) + (3x^2y^3 + 2x^3y^2 +$
$+ 6x^4y - 5xy^4) + (2x^2y^3 - 4x^3y^2) =$

4) $\left(3a^2 - 7a + 2\sqrt{a}\right) + \left(2a^2 - 5a - 4\sqrt{a}\right) + \left(9\sqrt{a} - a^2\right) +$
$+ \left(8a - 3\sqrt{a}\right) =$

5) $\left(5\sqrt{ab} - 7\sqrt{a^2 + b^2} + 3\sqrt[3]{a+b}\right) + \left(\sqrt{a^2+b^2} - 2\sqrt[3]{a+b}\right) +$
$+ \left(-4\sqrt[3]{a+b} + 5\sqrt{a+b}\right) + \left(6\sqrt{a^2+b^2} - 6\sqrt{a+b}\right) =$

6) $(7x^3y + 4x^2y^2 - 5xy^3) + (4x^2y^2 + 3xy^3) + (11xy^3 - 4x^3y) +$
$+ (9x^3y - 5) =$

7) $(3m^4n + 5mp + 4np) + (3np - 11m^4n) + (5mp - 7np) +$
$+ (2np - 4m^4n) =$

8) $\left(\frac{3}{4}a^2 + \frac{5}{7}b - \frac{2}{3}c\right) + \left(4b - \frac{7}{3}a^2\right) + \left(\frac{2}{3}b + \frac{3}{4}c\right) =$

9) $\left(\frac{2}{5}m + \frac{3}{4}mn - \frac{5}{3}n\right) + \left(\frac{1}{2}mn + \frac{3}{4}n\right) + \left(\frac{2}{5}n - \frac{1}{3}mn\right) =$

10) $\left(\frac{3}{2}x^2y - \frac{5}{8}xy\right) + \left(\frac{2}{3}xy - \frac{4}{5}xy^{2v}\right) + \left(\frac{3}{4}x^2y - \frac{1}{5}xy^2\right) =$

11) $\left(\frac{3}{5}a^2b^3 - \frac{5}{9}a^3b^3 + \frac{2}{5}a^4b^2\right) + \left(\frac{4}{9}a^3b^3 - \frac{2}{3}a^2b^3 - \frac{1}{4}a^4b^2\right) =$

12) $(0.3a^4 - 1.7b^3 + 2.8c^2) + (-4.1c^2 - 1.6a^4) + (2.3b^3 - 5.8a^4) =$

13) $(1.5mx^2 + 4.3n^2y) + (3mx^2 - 0.7n^2y + 3.2xy) +$
$+ (0.35xy - 1.27mx^2 - 2.34n^2y) =$

14) $\left(\frac{2}{3}a^4 + \frac{3}{4}a^3 - \frac{1}{2}a^2\right) + (1.2a^3 + 2.6a^2 - 1.5a^4) =$

15) $(3x^3y^2 - 5x^2y^3) + (1.3x^2y^3 - 2.7x^3y^2 + \left(\frac{2}{3}\right)x^3y^2 - \frac{5}{8}x^2y^3) =$

Sustracción

Es la adición del polinomio minuendo con el inverso aditivo o simétrico del polinomio sustraendo.

El inverso aditivo es el simétrico de cada término de los que forman al sustraendo.

Ejemplos:

- $(7a^2x + 3b^2y - 4c^2z) - (-3a^2x - 4b^2y + 3c^2z) = 7a^2x + 3b^2y - 4c^2z +$
  $3a^2x + 4b^2y - 3c^2z; = 10a^2x + 7b^2y - 7c^2z.$

Formando columnas de términos semejantes:

$$\begin{array}{r} +\,7a^2x + 3b^2y - 4c^2z \\ \underline{-\,(-\,3a^2x - 4b^2y + 3c^2z)} \\ 10a^2x + 7b^2y - 7c^2z \end{array}$$

- $(4ax^3y^2 - 3a^2x^2y^3 + 11a^2x^2y^2) - (2a^2x^2y^3 - 4ax^3y^2) =$
  $4ax^3y^2 - 3a^2x^2y^3 + 11a^2x^2y^2 - 2a^2x^2y^3 + 4ax^3y^2 =$
  $= -\,5a^2x^2y^3 + 11a^2x^2y^2.$

Formando columnas:

$$\begin{array}{r} 4ax^3y^2 - 3a^2x^2y^3 + 11a^2x^2y^2 \\ \underline{-\,(4ax^3y^2 + 2a^2x^2y^3)\quad\quad} \\ 8ax^3y^2 - 5a^2x^2y^3 + 11a^2x^2y^2 \end{array}$$

- $\left(\frac{3}{4}m^2n^3 - \frac{5}{8}mn^4\right) - \left(\frac{2}{3}mn^4 + \frac{3}{2}m^2n^3\right) = \frac{3}{4}m^2n^3 - \frac{5}{8}mn^4 -$

  $-\frac{2}{3}mn^4 - \frac{3}{2}m^2n^3; = -\,\frac{3}{4}m^2n^3 - \frac{31}{24}\,mn^4.$

Por columnas:

$$\begin{array}{r} \frac{3}{4}m^2n^3 - \frac{5}{8}mn^4 \\ -\left(+\frac{-3}{2}m^2n^3 + \frac{-2}{3}mn^4\right) \\ \hline \frac{3}{4}m^2n^3 - \frac{31}{24}mn^4 \end{array}$$

Práctica 3.10

Ejercicios para resolver:

1) $(3x^4y^5 - 2x^2y^4 + 3x^3y^2 + 8xy) - (5xy + 2x^2y^4 + 3x^3y^2 - 2x^4y^5) =$
2) $(5x^2y - 3xy + 17xy^2) - (-x^2y + 5xy - 3xy^2) =$
3) $(7m^3n - 2m^4n^2 + 8m^5n^3) - (-3m^5n^3 - 5m^4n^2 + 3m^3n) =$
4) $\left(\frac{5}{2}x + \frac{3}{5}y + \frac{9}{7}xy\right) - \left(-\frac{3}{5}x - \frac{2}{3}y + \frac{2}{7}xy\right) =$
5) $\left(\frac{4x}{3} + \frac{2xy}{7} - \frac{5y}{9}\right) - \left(-\frac{5y}{6} + \frac{2x}{5} - \frac{3xy}{14}\right) =$
6) $\left(\frac{2}{9}x^3y^2 - \frac{3}{7}x^2y^2 + \frac{5}{8}x^2y^3\right) - \left(\frac{4}{5}x^2y^2 - \frac{3}{7}x^2y^3 - \frac{5}{3}x^3y^2\right) =$
7) $(1.18x^3 - 2.06y^2) - (3.17x^3 - 1.02y^2) =$
8) $(5.03a^3b^2 - 3.1a^3b^3 + 1.16a^2b) - (0.71a^2b + 2.12a^3b^3 - 2.12a^3b^2) =$
9) $\left(\frac{3}{4}m^2 - \frac{2}{7}m\right) - (0.25m + 1.25m^2) =$
10) $\left(3.75m^3 + 2m^2 - \frac{5}{9}m\right) - \left(\frac{3}{5}m^3 + 1.17m^2 - 3m\right) =$
11) $(3\sqrt{ax} - 5\sqrt[3]{a} + 4\sqrt[3]{ax}) - (3\sqrt[3]{ax} - 5\sqrt{ax} + 2\sqrt[3]{a}) =$
12) $(3a^2b + 7ab^2) - (7a^2b + 4a^2b^2) =$
13) $(-2xy^4 + 5x^2y^3 - 3x^3y^2) - (5x^2y^3 - 3xy^4) =$
14) $(7ab^2c - 4a^2bc + 5abc^2) - (3a^2bc + 2a^2b^2 + 7a) =$
15) $(11xy^4 + 3xy) - (2x^2y^2 - 5xy^4 + 3x^2y - 5xy) =$

Multiplicación

Es una extensión del algoritmo establecido para el producto de un monomio por un polinomio. Consiste en multiplicar cada uno de los términos del polinomio multiplicador por cada uno de los términos del polinomio multiplicando. Por último, si es necesario, se realiza la reducción de términos semejantes; ésta puede efectuarse en forma horizontal o vertical, formando con los productos parciales columnas de los términos que sean semejantes, a fin de facilitar su reducción.

Ejemplos en forma horizontal:

- $(5a + 3b)(4a - 7b) = 20a^2 - 35ab + 12ab - 21b^2 =$

  $= 20a^2 - 23ab - 21b^2.$

- $(4x - 3)(5ax^2 - 3bx + 8) = 20ax^3 - 12bx^2 + 32x - 15ax^2 +$

  $+ 9bx - 24; = 20ax^3 - 12bx^2 + 32x - 15ax^2 + 9bx - 24.$

- $(5m^2 - 3mn + 2n^2)(7m^2 + 2mn - 5n^2) = 35m^4 + 10m^2n -$

  $- 25m^2n^2 - 21m^3n - 6m^2n^2 + 15mn^3 + 14m^2n^2 + 4\,mn^3 -$

  $- 10n^4; = 35m^4 - 11m^3n\ - 17m^2n^2 + 19mn^3 - 10\,n^4$

- $\left(\frac{3}{4}m - \frac{5}{8}n\right)\left(\frac{3}{5}m + \frac{2}{3}n\right) = \frac{9}{20}m^2 + \frac{6}{12}mn - \frac{15}{40}mn -$

  $-\frac{10}{24}n^2; = \frac{9}{20}m^2 + \frac{1}{8}mn - \frac{5}{12}n^2$

- $(1.3x - 2.5y)(0.3x - 1.2y) = 3.9x^2 - 1.56xy - 0.75xy + 3y^2 =$

  $= 3.9x^2 - 2.31xy + 3y^2$

Práctica 3.11

Ejercicios para resolver:

1) $(5a^2 + 3ab)(2a^2 - 7ab + 5b^2) =$

2) $(3x^3y^2 - 2x^2y^3)(7x^3y^2 + 2xy - 5x^2y^3) =$

3) $(5a^2b^4 + 3a^4b^2)(-6a^2b^4 + 4a^2b^2 - 7a^4b^2) =$

4) $(7x^3 + 4x^2y - 3y^3)(-2x^3 + 5x^2y - 7y^3) =$

5) $(5x^2 - 3x - 2)(6x^2 - 6x - 9) =$

6) $\left(\frac{3}{4}x - \frac{2}{3}y\right)\left(\frac{4}{5}x - \frac{5}{6}y\right) =$

7) $\left(\frac{5}{7}x - \frac{3}{4}y\right)\left(\frac{14}{9}x + \frac{16}{5}y\right) =$

8) $\left(\frac{16}{9}x^2 - \frac{4}{5}y\right)\left(\frac{3}{8}x^2 - \frac{5}{6}xy + \frac{3}{4}y\right) =$

9) $\left(\frac{2}{3}x^3 + \frac{3}{5}x^2\right)\left(\frac{4}{7}x^3 - \frac{2}{3}x^2 - \frac{5}{9}x\right) =$

10) $\left(\frac{3}{7}ax + \frac{4}{9}by + \frac{3}{5}cz\right)\left(\frac{4}{3}ax + \frac{7}{2}by - \frac{8}{3}cz\right) =$

11) $(0.3a - 1.4b)(1.7a - 2.3b) =$

12) $(1.16a + 1.06b)(2.7a - 4.1b) =$

13) $(0.7a^2b^3 - 0.2ab^2)(0.4a^2b^3 - 0.3ab^2 + 1.7ab) =$

14) $(1.8x^2y - 3.1xy + 2.6xy^2)(2.1x^2y - 4.7xy - 5.1xy^2) =$

15) $(0.5a + 0.3b + 0.2c)(0.3a + 0.8b - 0.7c + 0.2d + 0.7e) =$

En forma vertical, el proceso es como en los siguientes ejemplos.

Ejemplos:

•
$$\begin{array}{r} 3x - 7y \\ \times\ 2x - 3y \\ \hline 6x^2 - 14xy \qquad\qquad \\ \\ -9xy + 21y^2 \\ \hline 6x^2 - 23xy + 21y^2 \end{array}$$

- $$\begin{array}{r} 9a^2 - 6ab + b^2 \\ \times\ 3a - b \\ \hline 27a^3 - 18a^2b + 3ab^2 \\ - 9a^2b + 6ab^2 - b^3 \\ \hline 27a^3 - 27a^2b + 9ab^2 - b^3 \end{array}$$

- $$\begin{array}{r} 5ax^2 + 2by^2 - 3cz^3 \\ \times - 3ax^2 - 5by^2 + 2cz^3 \\ \hline - 15a^2x^4 - 6abx^2y^2 + 9acx^2z^3 \\ - 25abx^2y^2 - 10b^2y^4 + 15bcy^2z^3 \\ + 10acx^2z^3 + 4bcy^2z^3 - 6c^2z^6 \\ \hline -15a^2x^4 - 31abx^2y^2 + 19acx^2z^3 - 10b^2y^4 + 19bcy^2z^3 - 6c^2z^6 \end{array}$$

- $$\begin{array}{r} \frac{3}{4}a^3 + \frac{2}{5}a^2 - \frac{3}{2}a + \frac{2}{3} \\ \times -\frac{5}{7}a^2 - \frac{4}{3}a + \frac{1}{2} \\ \hline -\frac{15a^5}{28} - \frac{10}{35}a^4 + \frac{15}{14}a^3 - \frac{10}{21}a^2 \\ - \frac{12}{12}a^4 - \frac{8}{24}a^3 \quad \frac{12}{6}a^2 - \frac{8}{9}a \\ + \frac{3}{8}a^3 + \frac{2}{10}a^2 - \frac{3}{4}a + \frac{2}{6} \\ \hline -\frac{15}{28}a^3 - \frac{9a^4}{7} + \frac{187}{168}a^3 + \frac{181}{105}a^2 - \frac{59}{36}a + \frac{1}{3} \end{array}$$

Práctica 3.12

Ejercicios para resolver:

1) $$\begin{array}{r} 7x-3 \\ \times\ 4x+9 \\ \hline \end{array}$$

2) $$\begin{array}{r} 3x^2+2x-5 \\ \times\ -3x+8 \\ \hline \end{array}$$

3) $$\begin{array}{r} 6x^2y^3+2x^3y^2 \\ \times\ 2xy+3x \\ \hline \end{array}$$

4) $\begin{array}{r} 2x^3y - 5x^2y^2 + 3xy^3 \\ \times\, 5x^3y - 2x^2y^2 \\ \hline \end{array}$

5) $\begin{array}{r} 3a^2b^3 + 2a^3b^2 + 5a^2b^2 \\ \times - 2a + 5b - 4ab \\ \hline \end{array}$

6) $\begin{array}{r} 3x^2y^3 - 2xy - 5x^3y^2 \\ \times - 6xy^2 + 3x^2y - 2xy \\ \hline \end{array}$

7) $\begin{array}{r} \frac{3}{4}a + \frac{2}{3}b \\ \times - \frac{2}{5}a - \frac{3}{7}b \\ \hline \end{array}$

8) $\begin{array}{r} \frac{4}{3}x^2 + \frac{5}{2}x \\ \times\, \frac{4}{7}x + \frac{3}{4} \\ \hline \end{array}$

9) $\begin{array}{r} \frac{2}{3}x^2 - \frac{5}{7}x + \frac{3}{5} \\ \times \frac{4}{5}x^2 + \frac{2}{3}x - \frac{1}{2} \\ \hline \end{array}$

10) $\begin{array}{r} 5.3x^2 + 0.2x - 1.2 \\ 2.3x^2 - 1.5x - 0.1 \\ \hline \end{array}$

Potenciación

La potencia de un polinomio es el resultado de multiplicarlo un determinado número de veces por sí mismo. Se indica colocando al polinomio dentro de un paréntesis y fuera de éste, en la parte superior derecha, un número; la expresión colocada dentro del paréntesis se nombra *base* y el número *exponente*. Este último indica las veces que el polinomio base se ha de multiplicar por sí mismo.

exponente
↓

- $(3a + 4)^2 = (3a + 4)\,(3a + 4) =$

base 2 *veces*

$= 9a^2 + 12a + 12a + 16 =$

$= 9a^2 + 24a + 16.$

potencia

exponente

↓

- $(4x-3)^3 = (4x-3)(4x-3)(4x-3) =$

base *3 veces*

$= (16x^2 - 24x + 9)(4x-3) =$

$= 64x^3 - 144x^2 + 108x - 27.$

potencia

Se observa que este método resulta más laborioso a medida que aumenta el valor del exponente. Si a esto se agrega la dificultad particular que pueda presentar cada término, se tiene que aceptar que es poco práctico. Existen, sin embargo ciertas reglas que proporciona la *teoría de la potencia de un binomio*, cuya aplicación facilita considerablemente este desarrollo. Su análisis requiere un estudio especial.

Práctica 3.13

Ejercicios para resolver:

1) $(5a+2b)^2 =$

2) $(4x-7)^3 =$

3) $(3a-5b)^5 =$

4) $(3x^2-5x)^2 =$

5) $\left(\frac{4}{5}a - b\right)^2 =$

6) $\left(\frac{3x}{5} + \frac{2y}{7}\right)^3 =$

7) $(a+b)^4 =$

8) $(2x+1)^4 =$

9) $(3x-2)^5 =$

10) $(2x-5)^4 =$

11) $\left(\frac{4}{3}x^2 - 5\right)^4 =$

12) $\left(\frac{3a}{b} + \frac{5}{3}\right)^3 =$

División

El método es muy semejante al algoritmo que en aritmética se aplica para esta operación cuando el divisor está formado con dos o más cifras.

Ejemplo:

- $$\begin{array}{r|l} & 343 \\ \hline 23 & 7894 \\ & -69 \\ \hline & 099 \\ & -92 \\ \hline & 74 \\ & -69 \\ \hline & 5 \end{array}$$

Algoritmo para dividir dos polinomios:

a) Se ordenan respecto de una misma literal los polinomios dividendo y divisor.
b) Para obtener el primer término del cociente se dividen los primeros términos del dividendo y del divisor (marcados con arcos).
c) El cociente obtenido se multiplica por el divisor y su resultado se coloca ordenadamente bajo el dividendo. Se resta este producto, es decir, se le cambian los signos y se reducen términos semejantes con los del dividendo.
d) Al residuo se le agrega el siguiente término del dividendo, y a continuación se inicia un nuevo proceso similar al ya descrito. Esta repetición se verá limitada hasta que el primer término del residuo sea de menor grado que el primer término del divisor.

Ejemplos:

- $$\begin{array}{r|l} & 3x + 2 \\ \hline 2x - 5 & 6x^2 - 11x - 10 \\ & {}^{-}6x^2 \pm 15x \\ \hline & 0 \;\pm\; 4x - 10 \\ & 4x - 10 \\ \hline & 0 \quad\; 0 \end{array}$$

- $$\begin{array}{r|l}
 & 7x^2 - 1 \\ \hline
5x + 3 & 35x^3 + 21x^2 - 5x - 3 \\
 & \underline{\overset{-}{}35x^2 \mp 21x^2} \\
 & 0 \quad\ \ 0 \quad -5x - 3 \\
 & \qquad\qquad\ \ \underline{\overset{+}{-}5x \overset{+}{-} 3} \\
 & \qquad\qquad\ \ 0 \quad 0
\end{array}$$

- $$\begin{array}{r|l}
 & 4x^2 + 2xy + y^2 \\ \hline
2x - y & 8x^3 - y^3 \\
 & \underline{\overset{-}{8x^3} \overset{+}{-} 4x^2y} \\
 & 0 \ + 4x^2y - y^3 \\
 & \qquad \underline{\overset{-}{4x^2y} \overset{+}{-} 2\,xy^2} \\
 & \qquad 0 \quad + 2xy^2 - y^3 \\
 & \qquad\qquad \underline{\overset{-}{+} 2xy^2 \overset{+}{-} y^3} \\
 & \qquad\qquad 0 \qquad 0
\end{array}$$

- $$\begin{array}{r|l}
 & 3x^2 + 4 \\ \hline
5x^2 - 4 & 15a^4 + \ 8x^2 - 16 \\
 & \underline{\overset{-}{15x^4} \overset{+}{-} 12x^2} \\
 & 0 \ + 20x^2 - 16 \\
 & \qquad \underline{\overset{-}{20x^2} \overset{+}{-} 16} \\
 & \qquad 0 \quad\ 0
\end{array}$$

- $$\begin{array}{r|l}
 & 5x + 7 \\ \hline
2x^3 - 1 & 10x^4 + 14x^3 - 5x - 7 \\
 & \underline{\overset{-}{10x^4} \qquad\qquad \overset{+}{-} 5x\qquad} \\
 & 0 \ + 14x^3 \ \ 0 \ -7 \\
 & \qquad \underline{\overset{-}{14x^3} \qquad \overset{+}{-} 7} \\
 & \qquad 0 \qquad\quad 0
\end{array}$$

$$
\begin{array}{r|l}
 & 8x^4 + 1 \\
\hline
\bullet \quad 3x + 5 & 24x^5 + 40x^4 + 3x + 5 \\
 & \underline{-24x^5 - 40x^4} \\
 & 0 \quad 0 \quad 3x + 5 \\
 & \qquad\quad \underline{-3x - 5} \\
 & \qquad\quad 0 \quad 0
\end{array}
$$

$$
\begin{array}{r|l}
 & 4x^2 + 2xy + 5y^2 \\
\hline
\bullet \quad 3x - 5 & 12x^3 + 6x^2y + 15xy^2 - 20x^2 - 10xy - 25y^2 \\
 & \underline{-12x^3 \qquad\qquad\qquad \pm 20x^2} \\
 & 0 \quad + 6x^2y + 15xy^2 \quad 0 \quad - 10xy \\
 & \qquad \underline{-6x^2y \qquad\qquad\qquad \pm 10xy} \\
 & \qquad 0 \quad + 15xy^2 \qquad\qquad 0 \quad - 25y^2 \\
 & \qquad\quad \underline{-15xy^2 \qquad\qquad\qquad \pm 25y^2} \\
 & \qquad\quad 0 \qquad\qquad\qquad\qquad 0
\end{array}
$$

$$
\begin{array}{r|l}
 & x^3 - x^2 + x - 1 \\
\hline
\bullet \quad x + 1 & x^4 - 1 \\
 & \underline{-x^4 - x^3} \\
 & 0 - x^3 - 1 \\
 & \quad \underline{\pm x^3 \pm x^2} \\
 & \quad 0 \quad x^2 - 1 \\
 & \qquad \underline{-x^2 - x} \\
 & \qquad 0 - x - 1 \\
 & \qquad\quad \underline{\pm x \pm 1} \\
 & \qquad\quad 0 \quad 0
\end{array}
$$

Práctica 3.14

Ejercicios para resolver:

1) $(6x^2 + 19x + 15) \div (2x + 3) =$

2) $(20x^2 - 19x + 3) \div (4x - 3) =$

3) $(35x^3 + 10x^2 - 28x - 8) \div (7x + 2) =$

4) $(24x^5 - 40x^3 + 15x^2 - 25) \div (3x^2 - 5) =$

5) $(45x^6 - 28x^4 - 9x^2 - 56) \div (5x^2 - 7) =$

6) $(4x^3 + 13x + 33) \div (2x + 3) =$

7) $(12x^4 - 28x^3 + 9x^2 - 24x + 7) \div (3x - 7) =$

8) $(25x^4 + 5x^3 - 17x^2 + 3x) \div (5x - 1) =$

9) $(21x^5 - 7x^4 - 9x^3 + 3x^2 - 3x + 1) \div (3x - 7) =$

10) $(10x^6 - 35x^5 - 6x^4 + 21x^3 + 4x^2 - 14x) \div (2x - 7) =$

11) $(x^6 - 1) \div (x^2 - 1) =$

12) $(x^6 - 1) \div (x^4 + x^2 + 1) =$

13) $(27x^3 - 8) \div (9x^2 + 6x + 4) =$

14) $(512a^9 - 125b^3) \div (8a^3 - 5b) =$

15) $(729x^3y^6 + 64a^3b^3) \div (9xy^2 + 4ab) =$

16) $(x^5 - y^5) \div (x - y) =$

17) $(6x^3 - 21x^2 - 8x + 28) \div (3x^2 - 4) =$

18) $(x^5 - 6x^3 + 5x^2 + 9x - 15) \div (x^3 - 3x + 5) =$

19) $(35x^7 - 3x^5 - 2x^3 + 20x^2 + 4) \div (7x^5 - 2x^3 + 4) =$

20) $(15x^4 + 10x^6 - 25x^5 - 19x^4 - 21x^3 + 15x^2 + 9) \div (5x^3 - 3) =$

División sintética:

Es una forma simplificada de resolver la división entre dos polinomios; la única condición para realizarla es que el divisor sea de la forma $x + a$, en donde a es un número entero, positivo o negativo. Este proceso sólo emplea los coeficientes de la variable del polinomio dividendo y el término independiente a del divisor, lo cual facilita su mecanización rápida.

A continuación se detallan las etapas de este proceso, aplicándolas de inmediato a un ejemplo típico:

$$\text{Sea: } 3x^3 - 7x^2 - 27x + 12 \div x - 4$$

Se consideran solamente los coeficientes de la variable del polinomio dividendo y el término independiente del divisor:

$$3-7-27+12 \mid \div -4$$

El primer coeficiente del polinomio cociente es el coeficiente del primer término del dividendo:

$$\frac{3-7-27+12 \mid \div -4}{3}$$

El coeficiente del segundo término del cociente se forma multiplicando el primer coeficiente del cociente por el término independiente del divisor, y, cambiándole el signo, se coloca inmediatamente bajo el coeficiente del segundo término del dividendo y se suman algebraicamente. Este mecanismo se repite hasta agotar los números:

$$\begin{array}{cccc|l} 3 & -7 & -27 & +12 & \div -4 \\ & +12 & +20 & -28 & \\ \hline 3 & +5 & -7 & -16 & \end{array}$$

por

Finalmente se forma el resultado anexando la variable correspondiente a cada coeficiente, de tal modo que el grado del polinomio cociente sea una unidad menor que el grado del polinomio dividendo. Así se tendrá que el número restante corresponderá al residuo de la división.

$$3x^2+5x-7 \qquad \text{residuo} = -16$$

Ejemplos:

- $2x^3-9x^2+14x-5 \div x-3$

$$\begin{array}{cccc|l} 2 & -9 & +14 & -5 & :-3 \\ & +6 & -9 & +15 & \\ \hline 2 & -3 & +5 & +10 & \end{array}$$

$$\therefore\ 2x^2-3x+5;\ r=10$$

- $3x^4-x^3-12x^2+x-9 \div x-2$

$$\begin{array}{ccccc|l} 3 & -1 & -12 & 1 & -9 & \div -2 \\ & +6 & +10 & -4 & -6 & \\ \hline 3 & +5 & -2 & -3 & -15 & \end{array}$$

$$\therefore 3x^3 + 5x^2 - 2x - 3;\ r = -15$$

- $2x^5 - 15x^4 + 23x^3 - 34x^2 + 31x + 8 \div x - 6$

$$\begin{array}{cccccc|l}
2 & -15 & +23 & -34 & +31 & +8 & :-6 \\
 & +12 & -18 & +30 & -24 & +42 & \\
\hline
2 & -3 & +5 & -4 & +7 & +50 &
\end{array}$$

$$\therefore 2x^4 - 3x^3 + 5x^2 - 4x + 7;\ r = 50$$

Cuando el polinomio dividendo carece de uno o más de los términos intermedios, esos coeficientes serán cero.

- $3x^4 - 18x^3 - 5x + 30 \div x - 6$

$$\begin{array}{ccccc|l}
3 & -18 & 0 & -5 & 30 & \div -6 \\
 & +18 & 0 & 0 & -30 & \\
\hline
3 & 0 & 0 & -5 & 0 &
\end{array}$$

$$\therefore 3x^3 - 5;\ r = 0$$

- $x^4 + 2x^3 - 5x - 18 \div + 2$

$$\begin{array}{ccccc|l}
1 & +2 & 0 & -5 & -18 & \div 2 \\
 & -2 & 0 & 0 & +10 & \\
\hline
1 & 0 & 0 & -5 & -8 &
\end{array}$$

$$\therefore x^3 - 5;\ r = -8$$

- $x^2 - 4x - 77 \div x - 11$

$$\begin{array}{ccc|l}
1 & -4 & -77 & :-11 \\
 & +11 & +77 & \\
\hline
1 & 7 & 0 &
\end{array}$$

$$\therefore x + 7;\ r = 0$$

- $3x^2 - 41x + 176 \div x - 9$

$$\begin{array}{ccc|l}
3 & -41 & +176 & :-9 \\
 & +27 & -126 & \\
\hline
3 & -14 & +50 &
\end{array}$$

$$\therefore 3x - 14;\ r = 50$$

Práctica 3.15

Ejercicios para resolver:

1) $x^2 - 4x - 22 \div x - 9 =$
2) $x^2 - 9x + 25 \div x - 2 =$
3) $7x^2 - 53x + 19 \div x - 8 =$
4) $15x^2 - 159x - 10 \div x - 10 =$
5) $16x^2 - 87x - 15 \div x - 5 =$
6) $x^3 - 9x^2 + 14x - 6 \div x - 3 =$
7) $3x^3 - 20x^2 + 15x + 25 \div x - 5 =$
8) $5x^3 - 39x^2 + 50x - 6 \div x - 6 =$
9) $4x^3 - 36x^2 + 50x + 14 \div x - 7 =$
10) $7x^3 - 80x^2 + 156x \div x - 9 =$
11) $3x^4 - 22x^3 - 21x^2 + 47x - 56 \div x - 8 =$
12) $5x^4 - 48x^3 - 86x^2 + 93x + 66 \div x - 11 =$
13) $8x^4 - 117x^3 + 63x^2 + 102x - 56 \div x - 14 =$
14) $11x^4 - 134x^3 + 15x^2 + 101x + 34 \div x - 12 =$
15) $18x^4 - 264x^3 - 83x^2 - 96x - 35 \div x - 15 =$

PRODUCTOS NOTABLES

Reciben este nombre algunos productos en los cuales la misma estructura de sus binomios permite su solución mediante la aplicación de sencillos mecanismos.

Son productos notables los siguientes casos:

1. Binomio al cuadrado: $(a + b)^2$
2. Binomio al cubo: $(a + b)^3$
3. Binomios conjugados: $(a + b)(a - b)$
4. Binomios con un término común: $(a + b)(a + c)$

Binomio al cuadrado

Su resultado es un polinomio que, por su estructura, se nombra *trinomio cuadrado perfecto*. Se obtiene aplicando los siguientes cálculos:

Sea $(a + b)^2 = a^2 + ab + ab + b^2$

Es decir:

- Cuadrado del primer término.
- Doble producto del primer término por el segundo.
- Cuadrado del segundo término.

$(a + b)^2 = a^2 + 2ab + b^2$ Su diferencia: $(a - b)^2 = a^2 - 2ab + b^2$

Ejemplos:

- $(3x + 2y)^2 = (3x)^2 + 2(3x)(2y) + (2y)^2; = 9x^2 + 12xy + 4y^2$
- $(7a^2b - 5ab^2)^2 = (7a^2b)^2 + 2(7a^2b)(-5ab^2) + (-5ab^2)^2 =$

  $= 49a^4b^2 - 70a^3b^3 + 25a^2b^2$
- $$\left(\frac{3x^2}{2} + \frac{5xy}{4}\right)^2 = \left(\frac{3x^2}{2}\right)^2 + 2\left(\frac{3x^2}{2}\right)\left(\frac{5xy}{4}\right) + \left(\frac{5xy}{4}\right)^2 = \frac{9x^4}{4} +$$

  $$+ \frac{30x^3y}{8} + \frac{25x^2y^2}{16} = \frac{9x^4}{4} + \frac{15\,x^3y}{4} + \frac{25x^2y^2}{16}$$
- $$\left(\frac{8x^3y}{7} - \frac{9x^2y^4}{11}\right)^2 = \left(\frac{8x^3y}{7}\right)^2 + 2\left(\frac{8x^3y}{7}\right)\left(-\frac{9x^2y^4}{11}\right) +$$

  $$+ \left(-\frac{9x^2y^4}{11}\right)^2 = \frac{64x^6y^2}{49} - \frac{144x^5y^5}{777} + \frac{81x^4y^8}{121}$$

Práctica 3.16

Ejercicios para resolver:

1) $(x + y)^2 =$
2) $(m - n)^2 =$
3) $(2x + y)^2 =$
4) $(5a - b)^2 =$

5) $(m+7n)^2 =$

6) $(x-4z)^2 =$

7) $(7a+2b)^2 =$

8) $(4x-9y)^2 =$

9) $(8a+11b)^2 =$

10) $(7x-15y)^2 =$

11) $(3a^2+7b)^2 =$

12) $(8a^2x-5ax^3)^2 =$

13) $(9m^4n^3+6a^2m^2)^2 =$

14) $(5x^4y-7y^3z^2)^2 =$

15) $(8a^4b^5+2abc^4)^2 =$

16) $(9m^3n^4-11am^2)^2 =$

17) $(8x^4y^3+15y^2)^2 =$

18) $(17m^3-11m^2)^2 =$

19) $(16a^2b+5mx^3)^2 =$

20) $(19ax^5y-11a^3bx)^2 =$

21) $\left(\frac{3x}{4}-2\right)^2 =$

22) $\left(5a+\frac{4}{3}\right)^2 =$

23) $\left(\frac{7a}{5}+\frac{3}{4}\right)^2 =$

24) $\left(\frac{3a^2}{5}-\frac{2a}{3}\right)^2 =$

25) $\left(\frac{8xy}{9}+\frac{3yz}{5}\right)^2 =$

26) $\left(\frac{7x^3y}{9}-\frac{9xy^2}{7}\right)^2 =$

27) $\left(\frac{12xy^4}{11}+\frac{5x^3y}{9}\right)^2=$

28) $\left(\frac{9a^3bc}{7m}-\frac{8ab^2}{5m^2}\right)^2=$

29) $\left(\frac{11x^2y}{5a}+\frac{3ab}{7y}\right)^2=$

30) $\left(\frac{14m^2}{5x^3}-\frac{10x^2}{3m}\right)^2=$

31) $\left(\frac{4x^3y}{2a}+\frac{5x}{3y}\right)^2=$

32) $\left(\frac{11xy^3}{3a^2b}-\frac{3a^2b}{2xy^3}\right)^2=$

33) $\left(\frac{5a}{2b}+\frac{2b}{5a}\right)^2=$

34) $\left(\frac{9ax^3}{3yz^2}-\frac{7yz^2}{2ax^3}\right)^2=$

Binomio al cubo

Su resultado es un polinomio de cuatro términos estructurados de tal forma que se nombra *cuatrinomio cubo perfecto*. Se obtiene aplicando los siguientes cálculos:

$$(a+b)^3=(a+b)\ (a+b)\ (a\ ;+b)=a^3+3a^2b+3ab^2+b^3$$

- Cubo del primer término.
- Triple producto del cuadrado del primer término, por el segundo.
- Triple producto del primer término, por el cuadrado del segundo.
- Cubo del segundo término.

$$(a+b)^3=a^3+3a^2b+3ab^2+b^3$$

Su diferencia: $a^3-3a^2b+3ab^2-b^3$

Ejemplos:

- $(3x + 5y)^3 = (3x)^3 + 3\,(3x)^2\,(5y) + 3\,(3x)\,(5y)^2 + (5y)^3 =$
$= 27x^3 + 3\,(9x^2)\,(5y) + 3\,(3x)\,(25y^2) + 125y^3 =$
$= 27x^3 + 135x^2y + 225xy^2 + 125y^3$

- $(4x^2y - 7y^2)^3 = (4x^2y)^3 + 3\,(4x^2y)^2\,(-7y^2) +$
$+ 3\,(4x^2y)\,(-7y^2)^2 + (-7y^2)^3 ; = 64x^6y^3 +$
$+ 3\,(16x^4y^2)\,(-7y^2) + 3\,(4x^2y)\,(49y^4) - 343y^6 =$
$= 64x^6y^3 - 336x^4y^4 + 588x^2y^5 - 343y^6$

- $\left(\frac{3a}{5} - \frac{2b}{7}\right)^3 = \left(\frac{3a}{5}\right)^3 + 3\left(\frac{3a}{5}\right)^2\left(-\frac{2b}{7}\right) + 3\left(\frac{3a}{5}\right)\left(-\frac{2b}{7}\right)^2 +$
$\left(-\frac{2b}{7}\right)^3 = \frac{27a^3}{125} + 3\left(\frac{9a^2}{25}\right)\left(-\frac{2b}{7}\right) +$

$3\left(\frac{3a}{5}\right)\left(\frac{4b^2}{49}\right) - \frac{8b^3}{343} =$

$\frac{27a^3}{125} - \frac{54a^2b}{175} +$

$\frac{36ab^2}{245} - \frac{8b^3}{343}$

- $\left(\frac{7a^2b}{3x} - \frac{2a^3b^2}{5x^2y}\right)^3 = \left(\frac{7a^2b}{3x}\right)^3 + 3\left(\frac{7a^2b}{3x}\right)^2\left(-\frac{2a^3b^2}{5x^2y}\right) +$

$+ 3\left(\frac{7a^2b}{3x}\right)\left(-\frac{2a^3b^2}{5x^2y}\right)^2 + \left(-\frac{2a^3b^2}{5x^2y}\right)^3 =$

$= \frac{343a^6b^3}{27x^3} + 3\left(\frac{49a^4b^2}{9x^2}\right)\left(-\frac{2a^3b^2}{5x^2y}\right) +$

$+ 3\left(\frac{7a^2b}{3x}\right)\left(\frac{4a^6b^4}{25x^4y^2}\right) - \frac{8a^9b^6}{25x^4y^2}; = \frac{343a^6b^3}{27\,x^3} -$

$- \frac{294a^7b^4}{45x^4y} + \frac{84a^8b^5}{75x^5y^2} - \frac{8a^9b^6}{25x^4y^2} =$

$= \frac{343a^6b^3}{27x^3} - \frac{98a^7b^4}{15x^4y} + \frac{84a^8b^5}{75x^5y^2} - \frac{8a^9b^6}{125x^4y^2}$

Práctica 3.17

Ejercicios para resolver:

1) $(a+b)^3 =$

2) $(m-n)^3 =$

3) $(5x+y)^3 =$

4) $(a-7b)^3 =$

5) $(8x+3y)^3 =$

6) $(3m-8n)^3 =$

7) $(3a+11b)^3 =$

8) $(5x-8y)^3 =$

9) $(4m+7n)^3 =$

10) $(9y^2-5y)^3 =$

11) $(5y^3+3xy)^3 =$

12) $(7b^3-3b^2)^3 =$

13) $(5m^3+2m^2n)^3 =$

14) $(3mn-5m^2)^3 =$

15) $(6x^3y+5xy^2)^3 =$

16) $(7x^3+5xy^2)^3 =$

17) $(3x^2y^3-6x^5y)^3 =$

18) $(6m^3n^2-2mn^4)^3 =$

19) $\left(\frac{4x}{3}+2\right)^3 =$

20) $\left(\frac{3a^2}{5}-a\right)^3 =$

21) $\left(\frac{b^2}{3}+8\right)^3 =$

22) $\left(\frac{3b^2}{5}-\frac{b}{8}\right)^3 =$

23) $\left(\frac{12x}{7}+\frac{4}{5}\right)^3=$

24) $\left(\frac{3m^2}{7}-\frac{2m^3}{5}\right)^3=$

25) $\left(\frac{7a^2b}{9}+\frac{5ab^2}{7}\right)^3=$

26) $\left(\frac{8x^3y^2}{3a}+\frac{5a}{2x}\right)^3=$

27) $\left(\frac{7a^2}{3x}-\frac{9x}{14a}\right)^3=$

28) $\left(\frac{8x^2y}{3m^2}+\frac{9m^3}{4x^3}\right)^3=$

29) $\left(\frac{7b^3}{3a}-\frac{2a}{5b^3}\right)^3=$

30) $\left(\frac{3ab^3c}{8x^2y}+\frac{12xy^3}{5abc}\right)^3=$

Nota importante: Los casos anteriormente analizados, es decir, el *binomio al cuadrado* y el *binomio al cubo,* se localizan dentro del estudio del Teorema del Binomio (Binomio de Newton).

Binomios conjugados

Producto de la suma por la diferencia de dos términos

Así se nombra a dos binomios cuyos términos son respectivamente iguales pero que difieren en un signo. Su producto es una *diferencia de cuadrados.* Se obtiene al aplicar los siguientes cálculos:

Sean los binomios: $(a+b)\,(a-b)=a\cdot a+ab-ab-b\cdot b;\ =a^2-b^2$

- Cuadrado del primer término, menos…
- Cuadrado del segundo término.

Es decir: $(a+b)\,(a-b)=a^2-b^2$

Ejemplos:

- $(4a + 3)(4a - 3) = (4a)^2 - (\pm 3)^2; = 16a^2 - 9.$

- $(7a^2m - 4mx^3)(7a^2m + 4mx^3) = (7a^2m)^2 - (\pm 4mx^3);$
  $= 49a^4m^2 - 16m^2x^6.$

- $\left(\frac{5x^3y}{9} + \frac{8m^3n^2}{3}\right)\left(\frac{5x^3y}{9} - \frac{8m^3n^2}{3}\right) = \left(\frac{5x^3y}{9}\right)^2 - \left(\frac{8m^3n^2}{3}\right)^2;$
  $= \frac{25x^6y^3}{81} - \frac{64m^6n^4}{9}$

- $\left(\frac{11b^2c^4}{7\,a^3x} - \frac{15x^4y^3}{17m^3}\right)\left(\frac{11b^2c^4}{7a^3x} + \frac{15x^4y^3}{17m^3}\right) =$
  $= \left(\frac{11b^2c^4}{7\,a^3x}\right)^2 - \left(\frac{15x^4y^3}{17m^3}\right)^2; = \frac{121b^4c^8}{49a^6x^2} - \frac{225x^8y^6}{289m^6}$

Resolviendo directamente:

$(7a - 5m)(7a + 5m) = 49a^2 - 25m^2$

$(11m^3n^3 - 3a^3b^2)(11m^2n^3 + 3a^3b^2) = 121m^4n^6 - 9a^6b^2$

$\left(\frac{9x^3y^4}{8} + \frac{14a^5b}{3}\right)\left(\frac{9x^3y^4}{8} - \frac{14a^5b}{3}\right) = \frac{81x^6y^8}{64} - \frac{196a^{10}b^2}{9}$

$\left(\frac{1}{m^4} + \frac{3}{a^5}\right)\left(\frac{1}{m^4} - \frac{3}{a^5}\right) = \frac{1}{m^8} - \frac{9}{a^{10}}$

Práctica 3.18

Ejercicios para resolver:

1) $(15a - 8b)(15a + 8b) =$
2) $(18m + 11n)(18m - 11n) =$
3) $(21x^2 - 16y^3)(21x^2 + 16y^3) =$
4) $(9a^3b^4c + 5x^2)(9a^3b^4c - 5x^2) =$
5) $(8a^3b - 7ab^3)(8a^3b + 7ab^3) =$
6) $(25x^3y^4 + 16y^4z^3)(25x^3y^4 - 16y^4x^3) =$
7) $(.2a - 3)(.2a + 3) =$

8) $(1.3m^2 + 2.1n^2)\,(1.3m^2 - 2.1n^2) =$

9) $(.8x^3 - 2.5y^2z^3)\,(.8x^3 + 2.5y^2z^3) =$

10) $(1.9a^2b + 05y^4)\,(1.9a^2b - 0.5y^4) =$

11) $\left(a - \frac{2}{3}\right)\left(a + \frac{2}{3}\right) =$

12) $\left(\frac{a}{5} + 3\right)\left(\frac{a}{5} - 3\right) =$

13) $\left(\frac{3x}{4} - \frac{2}{3}\right)\left(\frac{3x}{4} + \frac{2}{3}\right) =$

14) $\left(\frac{7x^2}{2y} + \frac{4y}{5b}\right)\left(\frac{7x^2}{2y} - \frac{4\,y}{5b}\right) =$

15) $\left(\frac{14a^3b}{9x^2} - \frac{10ab^3}{7x^2y}\right)\left(\frac{14a^3b}{9x^2} + \frac{10ab^3}{7x^2y}\right) =$

16) $\left(\frac{18x^4y^3}{3a^2b} + \frac{5x^2y^4}{8ab^2}\right)\left(\frac{18x^4y^3}{3a^2b} - \frac{5x^2y^4}{8ab^2}\right) =$

17) $\left(\frac{12m^7n^5}{5ab} - \frac{6m^6n^4}{7a^2b^2}\right)\left(\frac{12m^7n^5}{5ab} + \frac{6m^6n^4}{7a^2b^2}\right) =$

18) $\left(\frac{9a^3}{21x^4} + \frac{7x^2}{15y^3}\right)\left(\frac{9a^3}{21x^4} - \frac{7x^2}{15y^3}\right) =$

19) $\left(\frac{3mn^3}{16a^3b^4} - \frac{7a^2b}{9m^4}\right)\left(\frac{3mn^3}{16a^3b^4} + \frac{7a^2b}{9m^4}\right) =$

20) $\left(\frac{11a^5}{27b^4} + \frac{3x^3}{26a^6}\right)\left(\frac{11a^5}{27b^4} - \frac{3x^3}{26a^6}\right) =$

Producto de dos binomios con un término común

Sus primeros términos son idénticos y los segundos son semejantes. A su producto se le llama *trinomio de segundo grado* y se obtiene aplicando los siguientes cálculos:

- Producto de los términos idénticos.
- Suma algebraica de los términos semejantes por el término idéntico.

- Producto algebraico de los términos semejantes.

Es decir: $(x + a)(x + b) = x^2 + (a + b)x + ab$.

Ejemplos:

Términos semejantes

- $(a + 7)(a - 3) = (a)(a) + (7 - 3)(a) + (7)(-3); = a^2 + 4a - 21$.

Términos idénticos — Binomios con un término común

Trinomio de segundo grado

- $(b - 3)(b - 9) = (b)^2 + (-3 - 9)(b) + (-3)(-9) =$
  $= b^2 - 12b + 27$.

- $(c - 10)(c + 4) = (c)^2 + (-10 + 4)(c) + (-10)(+4) =$
  $= c^2 - 6c - 40$.

- $\left(d - \frac{3}{4}\right)\left(d - \frac{1}{4}\right) = (d)^2 + \left(-\frac{3}{4} - \frac{1}{4}\right)(d) + \left(-\frac{3}{4}\right)\left(-\frac{1}{4}\right) =$
  $= d^2 - d + \frac{3}{16}$.

- $\left(3e - \frac{5}{8}\right)\left(3e + \frac{4}{5}\right) = (3e)^2 + \left(-\frac{5}{8} + \frac{4}{5}\right)(3e) + \left(-\frac{5}{8}\right)\left(+\frac{4}{5}\right) =$
  $= 9e^2 + \left(\frac{7}{40}\right)(3e) - \frac{20}{40} =$
  $= 9e^2 + \frac{21e}{40} - \frac{1}{2}$.

- $\left(4a^2b + \frac{8}{3}a\right)\left(4a^2b + \frac{3}{4}a\right) = (4a^2b)^2 + \left(\frac{8}{3}a + \frac{3}{4}a\right)(4a^2b) +$
  $+ \left(\frac{8}{3}a\right)\left(\frac{3}{4}a\right) = 16a^4b^2 + \left(\frac{41}{12}a\right)(4a^2b) + \frac{24}{12}a^2 =$
  $= 16a^4b^2 + \frac{41}{3}a^3b + 2a^2$.

Verificar los resultados:

- $(x-5)(x-9) = x^2 - 14x + 45$
- $(x-11)(x-14) = x^2 - 25x + 154$
- $(2x+7)(2x+5) = 4x^2 + 24x + 35$
- $(3x+9)(3x-2) = 9x^2 + 21x - 18$
- $(5x-8)(5x-11) = 25x^2 - 95x + 88$
- $\left(x^2 - \frac{3}{4}\right)\left(x^2 - \frac{1}{4}\right) = x^4 - x^2 + \frac{3}{16}$
- $\left(x^3y - \frac{2}{3}x\right)\left(x^3y - \frac{x}{3}\right) = x^6y^2 - x^4y + \frac{2x^2}{9}$
- $\left(7x^2y - \frac{3xy}{5}\right)\left(7x^2y - \frac{12xy}{5}\right) = 49x^4y - 21x^3y^2 + \frac{36x^2y^2}{25}$
- $\left(3ab + \frac{11x}{3}\right)\left(3ab - \frac{2x}{3}\right) = 9a^2b^2 + 9abx - \frac{22x^2}{9}$
- $\left(4mn^3 + \frac{7y^2}{2}\right)\left(4mn^3 - \frac{y^2}{2}\right) = 16m^2n^6 + 12mn^3y^2 - \frac{7y^4}{4}$

Práctica 3.19

Ejercicios para resolver:

1) $(a+11)(a+5) =$
2) $(b+12)(b-7) =$
3) $(c-14)(c+3) =$
4) $(d-19)(d-5) =$
5) $(m+18)(m+5) =$
6) $(n+17)(n-9) =$
7) $(v-23)(v+18) =$
8) $(x-12)(x-11) =$

9) $(2a + 9)(2a + 7) =$

10) $(3b + 11)(3b - 5) =$

11) $(4c - 11)(4c + 3) =$

12) $(5d - 9)(5d - 7) =$

13) $(6m + 11)(6m + 5) =$

14) $(7n + 12)(7n - 3) =$

15) $(8v - 9)(8v + 5) =$

16) $(9z - 4)(9z - 2) =$

17) $(3x + 4)(3x - 7) =$

18) $(2xy - 6)(2xy + 3) =$

19) $\left(5x^2y - \frac{3}{4}\right)\left(5x^2y + \frac{1}{2}\right) =$

20) $\left(3ab - \frac{2}{3}\right)\left(3ab + \frac{4}{3}\right) =$

21) $\left(4m + \frac{7}{2}\right)\left(4m - \frac{3}{2}\right) =$

22) $\left(3x^3 - \frac{4}{5}\right)\left(3x^3 - \frac{2}{5}\right) =$

23) $\left(7a^3b + \frac{4}{5}\right)\left(7a^3b - \frac{2}{5}\right) =$

24) $\left(3a^2 - \frac{2a}{3}\right)\left(3a^2 - \frac{4a}{3}\right) =$

25) $\left(5m - \frac{2x}{7}\right)\left(5m + \frac{3x}{7}\right) =$

26) $\left(7xy + \frac{4a}{5}\right)\left(7xy - \frac{3a}{5}\right) =$

27) $\left(\frac{a}{5} + \frac{b}{10}\right)\left(\frac{a}{5} - \frac{3b}{10}\right) =$

28) $\left(\frac{m}{7}-\frac{x}{5}\right)\left(\frac{m}{7}+\frac{x}{10}\right)=$

29) $\left(\frac{a\,b}{4}+\frac{bc}{7}\right)\left(\frac{a\,b}{4}-\frac{3bc}{2}\right)=$

30) $\left(\frac{x}{5}-\frac{y}{7}\right)\left(\frac{x}{5}+\frac{y}{2}\right)=$

31) $\left(\frac{2a}{5}+\frac{4b}{3}\right)\left(\frac{2a}{5}-\frac{5b}{6}\right)=$

32) $\left(\frac{7a}{3}+\frac{8m}{3}\right)\left(\frac{7a}{3}+\frac{2m}{9}\right)=$

33) $(2.5a+1.2)\ (2.5a-0.1)=$

34) $(7.3x-2.3)\ (7.3x-3.1)=$

35) $(6.2x^3-0.1x^2)\ (6.2x^3-0.01x^2)=$

36) $(3.2m^2+2.1b)\ (3.2m^2-1.6b)=$

Práctica 3.20

Ejercicios para resolver:

I. Identificar cada caso de producto notable y resolverlo aplicando los procedimientos correspondientes:

1) $(a-15)\ (a+11)=$

2) $(3x+14)^2=$

3) $\left(7m-\frac{2}{3}\right)\left(7m+\frac{2}{3}\right)=$

4) $(11a-4)^3=$

5) $(m+21)\ (m-5)=$

6) $(9m + 5n)^3 =$

7) $\left(2x - \frac{4}{3}\right)^3 =$

8) $(11x + 3y)^2 =$

9) $\left(\frac{8m^2}{5} - \frac{3n^3}{2}\right)\left(\frac{8m^2}{5} + \frac{3n^3}{2}\right) =$

10) $\left(a + \frac{5}{2}\right)^3 =$

11) $(2x - 7)(2x - 15) =$

12) $(8x - 3)^3 =$

13) $\left(7x + \frac{3}{4}\right)\left(7x - \frac{5}{4}\right) =$

14) $(8a^2 - 11b^2)(8a^2 + 11b^2) =$

15) $\left(5x - \frac{3}{4}\right)^2 =$

16) $(14x^2 + y^3)(14x^2 - y^3) =$

17) $\left(\frac{5x}{3} - \frac{3}{5}\right)^3 =$

18) $\left(4a - \frac{7}{2}\right)\left(4a + \frac{5}{2}\right) =$

19) $\left(\frac{7x}{3} + \frac{4y}{11}\right)\left(\frac{7x}{3} - \frac{4y}{11}\right) =$

20) $(9x - 11)^2 =$

Práctica 3.21

Ejercicios para resolver:

I. Identificar cada caso de producto notable y resolverlo aplicando los procedimientos correspondientes:

1) $\left(\frac{5m^2n^3}{3xy^2}+\frac{2x^4y^3}{7mn}\right)\left(\frac{5m^2n^3}{3xy^2}-\frac{2x^4y^3}{7mn}\right)=$

2) $(x-9)(x-21)=$

3) $(3a^2-5b^3)^2=$

4) $\left(\frac{6m^2}{5}+\frac{3}{7}\right)\left(\frac{6m^2}{5}+\frac{3}{4}\right)=$

5) $(3a+2b)(3a-2b)=$

6) $(5x+2y)^3=$

7) $\left(5x-\frac{3}{4}\right)^2=$

8) $\left(\frac{9x}{5}-\frac{4y^3}{3}\right)\left(\frac{9x}{5}+\frac{3y^3}{2}\right)=$

9) $\left(\frac{4a^2}{5}-\frac{3}{7}\right)^3=$

10) $\left(\frac{2m^2}{3x}+\frac{5x^3}{2y}\right)\left(\frac{2m^2}{3x}-\frac{5x^3}{2y}\right)=$

11) $\left(\frac{5m^2n}{2}-\frac{17n^3}{10}\right)^2=$

12) $\left(3a^2-\frac{4}{9}\right)\left(3a^2+\frac{5}{2}\right)=$

13) $\left(6m^2-\frac{3}{5}\right)\left(6m^2+\frac{3}{5}\right)=$

14) $(3x-2)^3=$

15) $(2x+7)(2x-5)=$

16) $\left(7m^2n^3+\frac{2xy}{7}\right)^3=$

17) $\left(\frac{4x^2}{3}+\frac{3x}{8}\right)^2=$

18) $\left(\frac{6y^3}{5}-\frac{4}{9}\right)^3=$

19) $(8x^2-7xy)\,(8x^2+7xy)=$

20) $\left(7x^2y-\frac{2}{5}b^3y\right)^2=$

Potencia de un binomio

Se identifica con la expresión $(a+b)^n$, en donde a representa al primer término, b al segundo, y n a un número entero positivo, como exponente del binomio. Cualesquiera de sus potencias se obtienen multiplicando el binomio por sí mismo las veces que indique el exponente n, es decir:

$$(a+b)^2 = (a+b)\,(a+b)$$
$$(a+b)^3 = (a+b)\,(a+b)\,(a+b)$$
$$(a+b)^4 = (a+b)\,(a+b)\,(a+b)\,(a+b)$$
$$(a+b)^5 = (a+b)\,(a+b)\,(a+b)\,(a+b)\,(a+b)$$

etc; en general:

$$(a+b)^n = \underbrace{(a+b)\,(a+b)\,(a+b)\,\ldots\,(a+b)}_{n \text{ veces}}.$$

Efectuando las operaciones indicadas se obtienen las siguientes potencias:

$$(a+b)^2 = a^2+2ab+b^2$$
$$(a+b)^3 = a^3+3a^2b+3ab^2+b^3$$
$$(a+b)^4 = a^4+4a^3b+6a^2b^2+4ab^3+b^4$$
$$(a+b)^5 = a^5+5a^4b+10a^3b^2+10a^2b^3+5ab^4+b^5$$

etc.; generalizando:

$$(a+b)^n = a^n+\frac{na^{n-1}b}{1}+\frac{n(n-1)a^{n-2}b^2}{1\cdot 2}+n(n-1)\,(n-2)\ldots$$

$$\ldots \frac{a^{n-3}b^3}{1 \cdot 2 \cdot 3} + \frac{n(n-1)(n-2)(n-3)\,a^{n-4}\,b^4}{1 \cdot 2 \cdot 3 \cdot 4} \ldots \text{ etcétera.}$$

Esta expresión representa en forma general el desarrollo de la potencia de un binomio elevado a cualquier potencia.

Al aplicar este desarrollo al cálculo de la potencia de un binomio, se obtiene la misma expresión que si se efectuaran todas las operaciones a las que obliga su algoritmo. Sin embargo, cualquiera de estos dos procedimientos representa gran laboriosidad y tiempo, lo que obliga a buscar un procedimiento práctico, accesible, mecanizable y eficaz. Su aplicación permitirá estructurar potencias de polinomios con sólo cumplir las condiciones generales que se pueden deducir de la observación directa de las potencias ya obtenidas. Así, se puede comprobar que:

- La potencia de un binomio es un polinomio formado por $n + 1$ términos.
- La potencia de un binomio es un polinomio de grado n, decreciente de n a cero, respecto del primer término del binomio, y creciente de cero a n, respecto del segundo término del binomio.
- El primer término de un polinomio potencia corresponde al primer término del binomio elevado al exponente n, y su último término al segundo término del binomio elevado al exponente n.
- Cada término del polinomio potencia es de grado n.
- El coeficiente de cada término del polinomio potencia se puede determinar utilizando los valores que aparecen en el triángulo del Blas Pascal, o bien, una regla que se deriva de la teoría desarrollada al respecto por Isaac Newton.

El *triángulo de Pascal* se construye con números; los lados iguales se forman con números uno, y cada una de las bases sucesivas, con números que resultan de sumar los dos consecutivos de la base inmediata anterior. Los coeficientes para los términos de los polinomios potencias se localizan en cada base, y el valor del exponente se identifica como el segundo número de dicha base.

	coeficientes para:
1	
1 + 1	
1 + 2 + 1	potencia 2
1 + 3 + 3 + 1	potencia 3
1 + 4 + 6 + 4 + 1	potencia 4
1 5 10 10 5 1	potencia 5
1 6 15 20 15 6 1	potencia 6
1 7 21 35 35 21 7 1	potencia 7
1 8 28 56 70 56 28 8 1	potencia 8
1 9 36 84 126 126 84 36 9 1	potencia 9

El procedimiento derivado de la teoría de Newton se aplica a partir del último término escrito y se enuncia en la siguiente forma: "El coeficiente del siguiente término se obtiene multiplicando su coeficiente por el exponente del primer término del binomio y dividido entre el número ordinal que corresponde al último término escrito".

Cualquiera de los procesos que se utilicen para determinar los coeficientes de los términos del polinomio potencia son independientes de la aplicación de las cuatro primeras condiciones establecidas para todos los casos.

Por ejemplo: para el binomio $(m + n)^7$:

- El triángulo de Pascal proporciona los valores 1, 7, 21, 35, 35, 21, 7 y 1. La estructuración de cada término del polinomio potencia completará el desarrollo siguiente:

$$(m + n)^7 = m^7 + 7m^6n + 21m^5n^2 + 35m^4n^3 + 35m^3n^4$$
$$+ 21m^2n^5 + 7mn^6 + n^7.$$

La fórmula de la teoría de Newton se aplica en la siguiente forma:

$$(m + n)^7 = \frac{m^7}{1} + \frac{(1 \times 7)}{1} m^6n + \frac{(7 \times 6)}{2} m^5n^2 + \frac{(21 \times 5)}{3} m^4n^3 + \frac{(35 \times 4)}{4} m^3n^4 +$$
$$+ \frac{(35 \times 3)}{5} m^2n^5 + \frac{(21 \times 2)}{6} mn^6 + \frac{(7 \times 1)}{7} n^7$$

por lo que el polinomio potencia es:

$$(m + n)^7 = m^7 + 7m^6n + 21m^5n^2 + 35m^4n^3 + 35m^3n^4 +$$
$$+ 21m^2n^5 + 7mn^6 + n^7.$$

Conviene recordar que los conceptos anteriores consideran términos, sin limitar su extensión. Al presentarse casos en las cuales éstos se forman de coeficiente, literal o literales, y éstas tal vez con exponentes, la aplicación de cualquier método no sufrirá cambio; simplemente el trabajo algebraico será más elaborado, tal y como se demuestra en los ejemplos siguientes:

- $(3a + 4)^4 = (3a)^4 + 4\,(3a)^3\,(4) + 6\,(3a)^2\,(4)^2 + 4\,(3a)\,(4)^3 + (4)^4$;
  $= 81a^4 + 4\,(27a^3)\,(4) + 6\,(9a^2)\,(16) +$
  $+ 4\,(3a)\,(64) + 256; = 81a^4 + 432a^3 + 864a^2 +$
  $+ 768a + 256.$

- $(4x - 5y)^5 = (4x)^5 + 5\,(4x)^4\,(-5y) + 10\,(4x)^3\,(-5y)^2 +$
  $+ 10\,(4x)^2\,(-5y)^3 + 5\,(4x)\,(-5y)^4 + (-5y)^5 =$
  $= 1\,024x^5 + 5\,(256x^4)\,(-5y) + 10\,(64x^3)\,(25y^2) +$
  $+ 10\,(16x^2)\,(-125y^3) + 5\,(4x)\,(625y^4) - 3\,125y^5 =$
  $= 1\,024x^5 - 6\,400x^4y + 16\,000x^3y^2 - 20\,000x^2y^3 +$
  $+ 12\,500xy^4 - 3\,125y^5.$

Importante. Obsérvese en el ejemplo anterior el comportamiento de los signos, principalmente del negativo, correspondiente al segundo término. Se puede generalizar en casos como éste que:

"Los signos del desarrollo de una potencia cuyo segundo término está precedido por un signo negativo, se van alternando dando al primer término el signo positivo; al segundo, el signo negativo, y así sucesivamente."

- $(2x^3 - y^2)^6 = (2x^3)^6 + 6\,(2x^3)^5\,(-y^2) + 15\,(2x^3)^4\,(-y^2)^2 +$
  $+ 20\,(2x^3)^3\,(-y^2)^3 + 15\,(2x^3)^2\,(-y^2)^4 +$
  $+ 6\,(2x^3)\,(-y^2)^5 + (-y^2)^6$
  $= 64x^{18} + 6\,(32x^{15})\,(-y^2) + 15\,(16x^{12})\,(+y^4) +$
  $+ 20\,(8x^9)\,(-y^6) + 15\,(4x^6)\,(y^8) + 6\,(2x^3)\,(-y^{10}) + y^{12}$
  $= 64x^{18} - 192x^{15}y^2 + 240x^{12}y^4 - 160x^9y^6 +$
  $+ 60x^6y^8 - 12x^3y^{10} + y^{12}.$

- $(7x^3y^2 + 10y^2z^3)^3 = (7x^3y^2)^3 + 3\,(7x^3y^2)^2\,(10y^2z^3) +$

$$+ 3\,(7x^3y^2)\,(10y^2z^3)^2 + (10y^2z^3)^3$$
$$= 343x^9y^6 + 3\,(49x^6y^4)\,(10y^2z^3)$$
$$+ 3\,(7x^3y^2)\,(100y^4z^3) + 1\,000y^6z^9$$
$$= 343x^9y^6 + 1\,470x^6y^6z^3 +$$
$$+ 2\,100x^3y^6z^6 + 1\,000y^6z^9.$$

Asimismo, en caso de que los términos se vean afectados por denominadores, el proceso general se aplicará sin sufrir alteraciones en su interpretación original.

- $$\left(\frac{a}{2}+\frac{3}{b}\right)^7=\left(\frac{a}{2}\right)^7+7\left(\frac{a}{2}\right)^6\left(\frac{3}{b}\right)+21\left(\frac{a}{2}\right)^5\left(\frac{3}{b}\right)^2+35\left(\frac{a}{2}\right)^4\left(\frac{3}{b}\right)^3+$$
$$+35\left(\frac{a}{2}\right)^3\left(\frac{3}{b}\right)^4+21\left(\frac{a}{2}\right)^2\left(\frac{3}{b}\right)^5+7\left(\frac{a}{2}\right)\left(\frac{3}{b}\right)^6+\left(\frac{3}{b}\right)^7=$$
$$=\frac{a^7}{128}+7\left(\frac{a^6}{64}\right)\left(\frac{3}{b}\right)+21\left(\frac{a^5}{32}\right)\left(\frac{9}{b^2}\right)+35\left(\frac{a^4}{16}\right)\left(\frac{27}{b^3}\right)+$$
$$+35\left(\frac{a^3}{8}\right)\left(\frac{81}{b^4}\right)+21\left(\frac{a^2}{4}\right)\left(\frac{243}{b^5}\right)+7\left(\frac{a}{2}\right)\left(\frac{729}{b^6}\right)+$$
$$+\frac{2\,187}{b^7}$$

- $$\left(\frac{3\,a^3}{2}-\frac{2}{3}\right)^5=\left(\frac{3\,a^3}{2}\right)^5+5\left(\frac{3\,a^3}{2}\right)^4\left(-\frac{2}{3}\right)+10\left(\frac{3\,a^3}{2}\right)^3\left(-\frac{2}{3}\right)^2+$$
$$+10\left(\frac{3\,a^3}{2}\right)^2\left(-\frac{2}{3}\right)^3+5\left(\frac{3\,a^3}{2}\right)\left(-\frac{2}{3}\right)^4+\left(-\frac{2}{3}\right)^5=$$
$$=\frac{243\,a^{15}}{32}+5\left(\frac{81\,a^{12}}{16}\right)\left(-\frac{2}{3}\right)+10\left(\frac{27\,a^9}{8}\right)\left(\frac{4}{9}\right)+$$
$$+10\left(\frac{9\,a^6}{4}\right)\left(-\frac{8}{27}\right)+5\left(\frac{3\,a^3}{2}\right)\left(\frac{16}{81}\right)-\frac{32}{243}=$$
$$=\frac{243\,a^{15}}{32}-\frac{135\,a^{12}}{8}+\frac{15\,a^9}{1}-\frac{20\,a^6}{3}+\frac{40\,a^3}{27}-\frac{32}{243}.$$

- $\left(\frac{4\,a^3b^4}{5}-\frac{10}{a^2b^5}\right)^3=\left(\frac{4a^3b^4}{5}\right)^3+3\left(\frac{4\,a^3b^4}{5}\right)^2\left(-\frac{10}{a^2b^5}\right)+$

$$+3\left(\frac{4\,a^3b^4}{5}\right)\left(-\frac{10}{a^2b^5}\right)^2+\left(-\frac{10}{a^2b^5}\right)^3=$$

$$=\frac{64\,a^9b^{12}}{125}-\frac{96\,a^4b^3}{5}+\frac{240}{a\,b^6}-\frac{1\,000}{a^6b^{15}}.$$

Práctica 3.22

Ejercicios para resolver:

1) $(x+2\,y)^6=$
2) $(a-m)^8=$
3) $(5\,x+7\,y)^5=$
4) $(3\,xy-4\,m)^4=$
5) $(m+n)^7=$
6) $\left(\frac{m}{4}-\frac{x}{5}\right)^4=$
7) $\left(\frac{a}{b}+\frac{2x}{3y}\right)^5=$
8) $(2\,x^2+3\,y^3)^3=$
9) $(7\,x^3y-2\,xy^2)^3=$
10) $(9\,m^3-4\,n^2)^5=$
11) $\left(\frac{3\,xy}{4}+\frac{2\,y^2}{5}\right)^4=$
12) $\left(\frac{2ab}{3}+\frac{3\,a^3b^2}{2}\right)^6=$
13) $\left(\frac{6\,m^2n^3}{5\,xy}-\frac{4\,xy^2}{3\,m^2n^2}\right)^3=$
14) $\left(\frac{4ab^2}{3c}+\frac{2\,c^3d}{a\,b}\right)^4=$
15) $\left(\frac{5m^2n^3}{2\,x}-\frac{3x^2}{5m^3n^2}\right)^5=$

FACTORIZACIÓN

Es la operación matemática que permite descomponer un número o expresión algebraica en dos o más factores.

Factorización de un número

Para factorizar un número se utilizan sus divisores primos, los que al multiplicarse entre sí en forma combinada producen el número propuesto.

Ejemplos:

- De 24 se pueden obtener los siguientes factores:

24 x 1; 12 x 2; 8 x 3; 6 x 4. Esto significa que 24 es divisible entre 1, 2, 3, 4, 6, 8, 12 y 24. Estos números son sus divisores.

- De 40 se pueden obtener los siguientes factores:

40 x 1; 20 x 2; 10 x 4; 8 x 5. Los divisores de 40 son: 1, 2, 4, 5, 8, 10, 20, 40.

Factorización de un monomio

Para factorizar un monomio se tendrán que efectuar combinaciones similares, sólo que considerando también las literales.
Ejemplos:

- De $6a^2b$ se pueden obtener los siguientes factores:

$6a^2b \cdot 1$; $6a^2 \cdot b$; $6a \cdot ab$; $6 \cdot a^2b$;
$3a^2b \cdot 2$; $3a^2 \cdot b$; $3a \cdot ab$; $3 \cdot a^2b$, entre otros.

- De $12m^2n^3$ se pueden obtener los siguientes factores:

$12m^2n^3 \cdot 1$; $12m^2n^2 \cdot n$; $12m^2n \cdot n^2$;
$12m^2 \cdot n^3$; $12m \cdot mn^3$; $12 \cdot m^2n^3$, entre otros.

Factorización de un polinomio

Para factorizar polinomios, se les clasifica de acuerdo con ciertas condiciones estructurales para cada caso. A continuación se analiza cada uno.

Por factor común

Es una expresión que no tiene un número específico de términos; su característica principal es que acepta un máximo común divisor diferente de uno. Este corresponde al factor común. Posteriormente se divide la expresión original entre el factor común, colocando su resultado dentro de un paréntesis y a la derecha del factor común.

Ejemplos:

- $12a^2 + 16ab = 4a\ (3a + 4b)$.
- $8a^2b^2 + 16ab^2 = 8ab^2\ (a + 2)$.
- $10a^3b + 14a^3c = 2a^3\ (5b + 7c)$.
- $15am + 6bm = 3m\ (5a + 2b)$.
- $33a^3bm - 44ab^2m + 55am = 11\ am\ (3a^2b - 4b^2 + 5)$.

En algunos casos, el cálculo del coeficiente del factor común presenta ciertas dificultades, las cuales quedan plenamente salvadas si se recurre a los factores primos de los coeficientes de los términos que formen la expresión, y, partir de ellos, se encuentra su máximo común divisor.

Ejemplos:

- $135x^3y^2 - 105x^2y^3 - 90x^3y^3 = 15x^2y^2\ (9x - 7y - 6xy)$

  $135 = 3^3 \times 5$

  $105 = 3 \times 5 \times 7\ \}$ m. c. d. $= 3 \times 5 = 15$.

  $90 = 2 \times 3^2 \times 5$

- $120a^2b^5c + 144ab^4c^2 - 192a^2b^6c^2 = 24ab^4\ (5abc + 6c^2 - 8ab^2c^2)$

  $120 = 2^3 \times 3 \times 5$

  $144 = 2^4 \times 3^2\ \}$ m. c. d. $= 2^3 \times 3 = 24$.

  $192 = 2^6 \times 3$

Práctica 3. 23

Ejercicios para resolver:

1) $20a^2bx - 12a^2bxy^2 =$
2) $6a^2x^3y^3 - 21b^2x^2y^4 =$
3) $35m^5n^2x + 20m^3n^5y + 25m^5n^3xy =$
4) $24b^2c^7d^8 + 42b^3c^6d - 30b^5c^4dx =$
5) $-56a^3x^5 + 40a^2x^7 - 16a^2x^5 =$
6) $132a^3b^5 - 165a^5b^4 + 231a^3b^4 =$
7) $192x^5y^3 - 288x^6y^4 + 160x^5y^5 =$

8) $455a^6b^4 - 650a^7b^2 =$

9) $225x^3y^6 - 405x^4y^5 + 135x^3y^5 =$

10) $126a^2m^4n^5x + 198a^3m^4n^5x - 72a^4m^4n^5x =$

11) $270ax^3 - 189a^3x + 135a^2x^2 =$

12) $288am^2 + 432bm^2 - 252cm^2 =$

13) $9a^5b^3 - 7a^6b^2 + 4a^4b =$

14) $-3ax^2y^3 + 2bxy^4 + 3xy^3 =$

15) $3a^2bc^2 + 2ab^2c^2 - 5abc^4 =$

16) $18m^3 - 15m^2 =$

17) $12a^3 + 8a^2b =$

18) $35x^2y - 40xy^2 =$

19) $56x^3y^2 + 49x^2y^3 =$

20) $42a^2b^2 - 24a^3b =$

21) $40x^3y^3 + 24x^2y^3 =$

22) $33m^2n^2 - 121mn^3 =$

23) $70a^4b^2 + 50a^3b^2 =$

24) $30x^4y^2 - 75x^3y^3 =$

25) $36m^3n^3 + 24m^2n^4 - 60m^2n^3 =$

De una diferencia de cuadrados

Es una expresión algebraica formada solamente por dos términos, separados entre sí por si el signo *menos* y con la única condición de que pueda obtenerse la raíz cuadrada de cada término. Su factorización la forman dos binomios conjugados, cuyos términos corresponden a las raíces de los términos que forman la diferencia de cuadrados.

Ejemplos:

- $x^2 - z^2 = \sqrt{x^2} - \sqrt{z^2}; = (x + z)(x - z).$
- $16m^4 - 1 = \sqrt{16m^4} - \sqrt{1}; = (4m^2 - 1)(4m^2 + 1).$
- $25m^8 - 121y^{10} = (5m^4 - 11y^5)(5m^4 + 11y^5).$

- $\frac{144a^4b^8}{25x^6} - \frac{81y^8}{100x^{10}} = \left(\frac{12a^2b^4}{5x^3} + \frac{9y^4}{10x^5}\right)\left(\frac{12a^2b^4}{5x^3} - \frac{9x^4}{10x^5}\right)$

Práctica 3.24

Ejercicios para resolver:

1) $64a^4 - 9m^6 =$
2) $36m^2 - 81x^4 =$
3) $121a^2 - 144m^4 =$
4) $16m^6n^2 - 169x^4y^6 =$
5) $196x^6y^4 - 25a^2 =$
6) $225b^6 - 64m^8 =$
7) $256a^2 - 1 =$
8) $9x^4 - 289y^6 =$
9) $324m^8n^4 - 25y^{10} =$
10) $361a^2b^{12} - 49y^8 =$
11) $4m^6 - 729y^{10}z^8 =$
12) $\frac{9x^2}{4} - \frac{16y^4}{25} =$
13) $\frac{441\,m^2}{529} - \frac{625\,y^4}{484} =$
14) $\frac{169\,y^4}{225} - \frac{256}{289} =$
15) $400 - \frac{9y^6}{529} =$

De un trinomio cuadrado perfecto

De los tres términos ordenados que lo forman, el primero y el tercero deben aceptar la raíz cuadrada y, además, el doble producto de esas raíces debe ser igual al segundo término. Su factorización se expresa como un binomio al cuadrado, cuyos términos son las raíces de los términos primero y tercero, y separados por el signo del segundo término.
Ejemplos:

- $a^2 \quad + \quad 2ab \quad + \quad b^2 = (a+b)^2$ o $(a+b)\,(a+b)$

$$\begin{array}{ccc} a^2 & 2ab & b^2 \\ \downarrow & \uparrow & \downarrow \\ \sqrt{} & \text{por } 2 & \sqrt{} \\ \downarrow & & \downarrow \\ a & \rightarrow (ab) \leftarrow & b \end{array}$$

- $4a^2 \quad - \quad 12a \quad + \quad 9 = (2a-3)^2 \text{ o } (2a-3)(2a-3)$

  $\downarrow \qquad \uparrow \qquad \downarrow$

  $2a \rightarrow 2\,(6a) \leftarrow 3$

- $9b^2 \quad - \quad 9b \quad + \quad \frac{9}{4} = \left(3\,b\,\frac{3}{2}\right)^2 \text{ o } \left(b - \frac{3}{2}\right)\left(3b - \frac{3}{2}\right)$

  $\downarrow \qquad \uparrow \qquad \downarrow$

  $3b \rightarrow 2\left(\frac{9b}{2}\right) \leftarrow \frac{3}{2}$

- $\frac{9\,a^2}{4} \quad + \quad 2a \quad + \quad \frac{4}{9} = \left(\frac{3a}{2} + \frac{2}{3}\right)^2 \text{ o } \left(\frac{3a}{2} + \frac{2}{3}\right)\left(\frac{3a}{2} + \frac{2}{3}\right)$

  $\downarrow \qquad \downarrow \qquad \uparrow$

  $\frac{3a}{2} \rightarrow 2\left(\frac{6a}{6}\right) \leftarrow \frac{2}{3}$

Práctica 3. 25

Ejercicios para resolver:

1) $16a^2 + 40ab + 25b^2 =$
2) $9a^2b^2 - 12ab^3 + 4b^4 =$
3) $49a^4 - 56a^2c + 16c^2 =$
4) $64m^6n^2 + 48m^4n^3 + 9m^2n^4 =$
5) $36x^4y^8 + 84x^3y^6 + 49x^2y^4 =$
6) $121x^4 - 66x^2y + 9y^2 =$
7) $49a^2b^2 - \frac{56ab^2c}{5} + \frac{16b^2c^2}{25} =$
8) $\frac{9a^4}{25b^2} + \frac{4a^5}{5b^3} + \frac{4a^6}{9b^4} =$
9) $\frac{4x^6y^2}{25b^2c^2} - \frac{8x^3y^3}{5bc^4} + \frac{4y^4}{c^6} =$
10) $\frac{49a^4b^4}{25c^2} + \frac{7a^2b^5}{5c^2} + \frac{4b^6}{16c^2} =$
11) $\frac{9a^2}{4b^2} - \frac{15a}{4} + \frac{25b^2}{16} =$

12) $\frac{49x^2}{25}+\frac{56y}{15}+\frac{16y^2}{9x^2}=$

13) $\frac{64a^2b^2}{25}-\frac{8b^2}{3}+\frac{25\,b^2}{36a^2}=$

14) $\frac{16a^2}{9}+\frac{20a}{9\,b}+\frac{25}{36\,b^2}=$

15) $4a^2+12a+9=$

16) $25b^2-70b+49=$

17) $16x^2+24xy+9y^2=$

18) $36m^2-60mn+25n^2=$

19) $9a^2-48ab+64b^2=$

20) $49x^2-126xy+81y^2=$

21) $100m^2+60mn+9n^2=$

22) $21a^2-44ab+4b^2=$

23) $4x^2+20xy+25y^2=$

24) $49m^2-154mn+121n^2=$

25) $a^4+2a^2b+b^2=$

26) $m^2-2mn^2+n^4=$

27) $x^4+2x^2y^2+y^4=$

28) $4a^6+12a^3b^2+9b^4=$

29) $25m^4-70m^2n^3+49n^6=$

30) $64x^6+48x^3y^2+9\,y^4=$

Completar un trinomio cuadrado perfecto

Es una operación algebraica indispensable en algunos procesos. Se proponen dos términos de un trinomio cuadrado perfecto y el tercero se debe determinar. Recuérdese que para formar este trinomio a partir de un binomio al cuadrado, se aplican reglas que se deducen durante el desarrollo del tema y que se enuncian en la siguiente forma:

a) Cuadrado del primer término.
b) Doble producto de los términos del binomio.
c) Cuadrado del segundo término.

Si el segundo término del trinomio faltara, para determinarlo bastaría con hallar el "doble producto de las raíces del primero y tercer términos", y su signo tendría que definirse previamente.

Ejemplos:

- $9x^2 \pm \underbrace{24xy} + 16y^2$

  $\downarrow \qquad\qquad \downarrow$

  $\sqrt{\ } \qquad \uparrow \qquad \sqrt{\ }$

  " al doble "

  $3x \rightarrow 12xy \leftarrow 4y$

- $25m^4 \pm \underbrace{30m^2n} + 9n^2$

  $\downarrow \qquad\qquad \downarrow$

  $\sqrt{\ } \qquad \uparrow \qquad \sqrt{\ }$

  " al doble "

  $5m^2 \rightarrow 15m^2n \leftarrow 3n$

- $\frac{4a^2}{9} \pm \frac{16ab}{15} + \frac{16b^2}{25}$

  $\downarrow \qquad\qquad \downarrow$

  $\sqrt{\ } \qquad \uparrow \qquad \sqrt{\ }$

  " al doble "

  $\frac{2a}{3} \rightarrow \underbrace{\frac{8ab}{15}} \leftarrow \frac{4b}{5}$

  27

- $\frac{36x^2}{49} \pm \underbrace{\frac{108xy}{56}} + \frac{81y^2}{64}$

  $\downarrow \qquad\qquad \downarrow$

  $\sqrt{\ } \qquad \uparrow \qquad \sqrt{\ }$

  " al doble "

  $\frac{6x}{7} \rightarrow \frac{54\,xy}{56} \leftarrow \frac{9y}{8}$

En cambio, si el primero o tercer términos faltan, éstos se determinan por un proceso similar, que consiste en "dividir el segundo término de la proposición entre el doble de la raíz del tercer término (o del primer término, según sea el caso), y elevar al cuadrado el resultado obtenido, por lo que siempre será positivo.

Ejemplos:

- $25x^2 + 60\,x + \boxed{36}$

  $\downarrow$

  $\sqrt{}$

  $\|$

  $5x$, al doble $10x$

  $$\frac{60x}{10x} = (6)^2 = 36$$

- $\boxed{16y^2} + 56y + 49$

  $\downarrow$

  $\sqrt{}$

  $\|$

  7

  al doble = 14

  $$\frac{56y}{14} = (4\,y)^2 = 16y^2$$

- $\dfrac{9a^2}{25} - \dfrac{21ab}{10} + \boxed{\dfrac{49b^2}{16}}$

  $\downarrow$

  $\sqrt{}$

  $\|$

  $\dfrac{3a}{5}$ al doble = $\dfrac{6a}{5}$

  $$-\frac{21ab}{10} \div \frac{6a}{5} = \left(-\frac{7b}{4}\right)^2 = \frac{49\,b^2}{16}$$

- $\boxed{\dfrac{9x^2}{25}} - \dfrac{12xy}{35} + \dfrac{4y^2}{49}$

  $\downarrow$

  $\sqrt{}$

  $\|$

  $\dfrac{2y}{7}$

  al doble = $\dfrac{4y}{7}$

  $$\frac{12xy}{35} \div \frac{4y}{7} = \left(-\frac{3\,x}{5}\right)^2 = \frac{9\,x^2}{25}$$

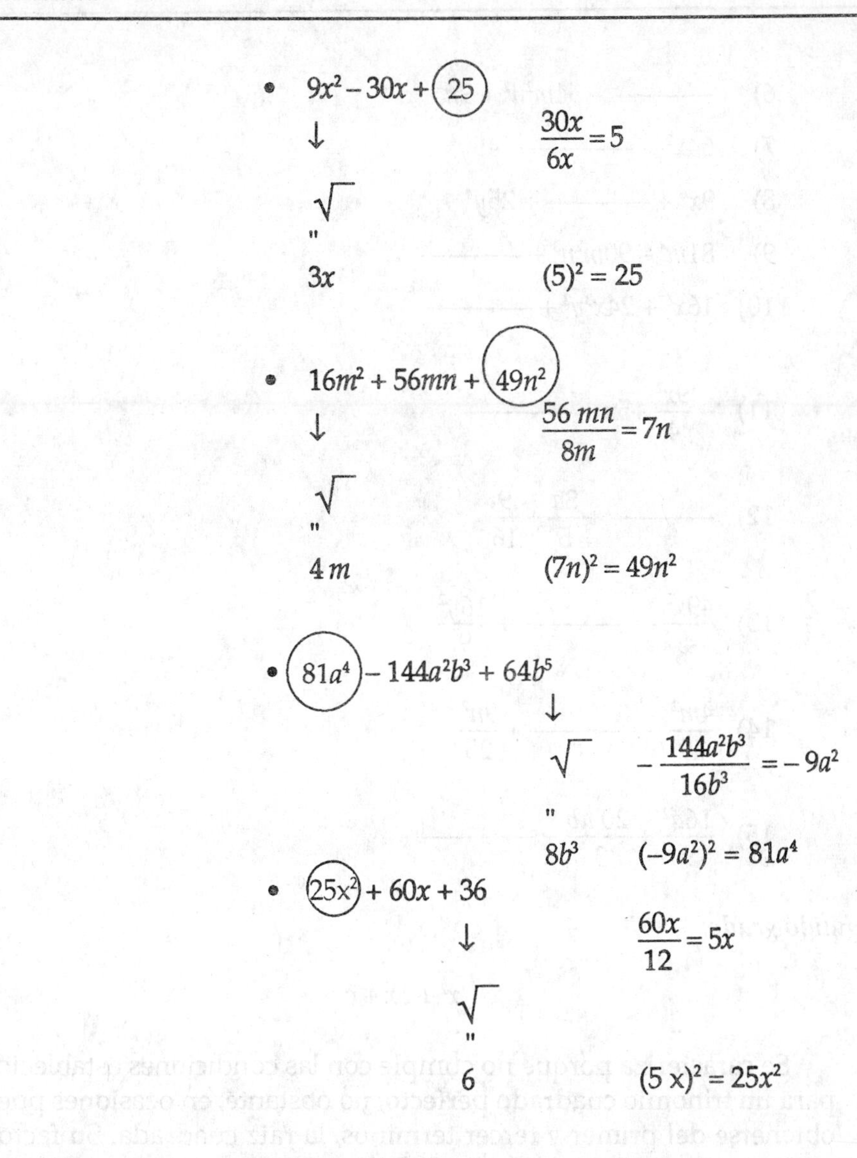

Práctica 3.26

Ejercicios para resolver:

I. Hallar el término que complete el trinomio cuadrado perfecto:

1) $9a^2 + \_\_\_\_\_\_ + 25$

2) $4x^2 - \_\_\_\_\_\_ + 49y^2$

3) $16x^2 + 72xy + \_\_\_\_\_\_$

4) $25m^2 + 110\,m + \_\_\_\_\_\_$

5) $\_\_\_\_\_\_ - 126a + 81$

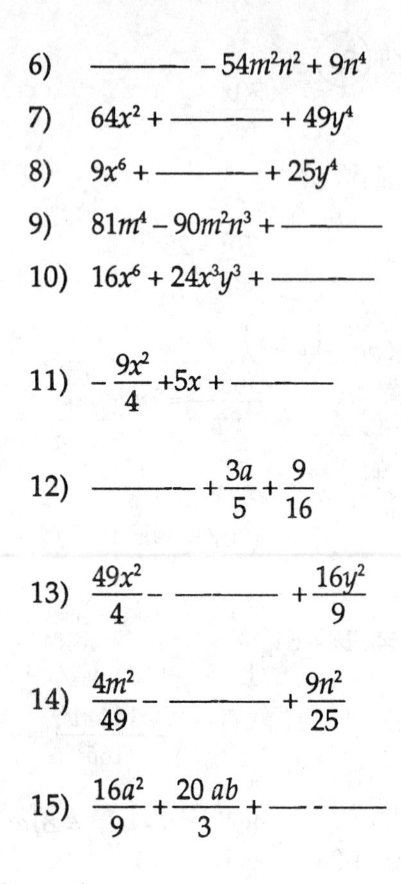

6) $\_\_\_\_\_\_ - 54m^2n^2 + 9n^4$

7) $64x^2 + \_\_\_\_\_\_ + 49y^4$

8) $9x^6 + \_\_\_\_\_\_ + 25y^4$

9) $81m^4 - 90m^2n^3 + \_\_\_\_\_\_$

10) $16x^6 + 24x^3y^3 + \_\_\_\_\_\_$

11) $-\frac{9x^2}{4} + 5x + \_\_\_\_\_\_$

12) $\_\_\_\_\_\_ + \frac{3a}{5} + \frac{9}{16}$

13) $\frac{49x^2}{4} - \_\_\_\_\_\_ + \frac{16y^2}{9}$

14) $\frac{4m^2}{49} - \_\_\_\_\_\_ + \frac{9n^2}{25}$

15) $\frac{16a^2}{9} + \frac{20\,ab}{3} + \_\_\_\_\_\_$

De un trinomio de segundo grado:

$$x^2 + bx + c$$

Se caracteriza porque no cumple con las condiciones establecidas para un trinomio cuadrado perfecto; no obstante, en ocasiones puede obtenerse del primer y tercer términos, la raíz cuadrada. Su factorización corresponde al producto de dos binomios con un término común y otro semejante, de modo que la raíz del primer término corresponda al término común y un par de factores del tercer término, a los coeficientes de los términos semejantes, tales que la suma algebraica multiplicada por el término común, dé por resultado el segundo término del trinomio y el producto del tercer término.

Una forma práctica de rectificar los signos de los términos semejantes consiste en escribir en el mayor de ellos el signo del segundo término del trinomio, y en el menor, el producto de los signos del segundo y tercer términos del trinomio.

Ejemplos:

- $x^2 + 19x + 60 = (x + 15)(x + 4)$

$\downarrow$ $\quad + 15; + 4$

$\sqrt{x^2} = x \quad (+15 +4) = +19$

$(+15)\ (+4) = 60$

- $x^2 - 13x + 30 = (x - 10)\ (x - 3)$

$\downarrow$ $\quad -10; -3$

$\sqrt{x^2} = x- \quad -10 - 3 = -13$

$(-10)\ (-3) = +30$

- $4x^2 + 16x + 15 = (2x + 5)\ (2x + 3)$

$\downarrow$ $\quad +5 + 3 = +8$

$\sqrt{4x^2} = 2x \quad (+5)\ (+3) = +15$

$(+5 +3)\ (2x) = 16x$

- $25x^2 + 10x - 3 = (5x + 3)\ (5x - 1)$

$\downarrow$ $\quad +3 - 1 = +2$

$\sqrt{25x^2} = 5x \quad (+3)\ (-1) = -3$

$(+3 -1)\ (5x) = 10x$

Eventualmente el tercer término ofrece dificultad para determinar la pareja de factores que satisface la proposición. Se recomienda hallar sus factores primos y combinarlos hasta definir los factores necesarios.

Ejemplos:

- $x^2 + 6x - 135 = (x + 15)\ (x - 9)$

$135 = 3 \cdot 3 \cdot 3 \cdot 5$

$-9 + 15 = +6$

$(-9)\ (+15) = -135$

- $x^2 + 9x - 360 = (x + 24)\ (x - 15)$

$360 = 2 \cdot 2 \cdot 2 \cdot 3 \cdot 3 \cdot 5$

$+24 \quad -15 = +9$

$(+24)\ (-15) = -360$

Práctica 3.27

Ejercicios para resolver;

1)	$x^2+4x-45=$	16)	$x^2+14x+48=$
2)	$x^2+10x-75=$	17)	$x^2-5x-36=$
3)	$x+3x-4=$	18)	$x^2-20x+36=$
4)	$x^2-18x+77=$	19)	$x^2+7x-30=$
5)	$x^2-24x+128=$	20)	$x^2+21x+108=$
6)	$x^2-28x+147=$	21)	$x^2-11x-42=$
7)	$x^2-x-420=$	22)	$x^2-24x+135=$
8)	$x^2-30x-175=$	23)	$x^2+8x-128=$
9)	$x^2-18x-280=0$	24)	$a^2+23a+90=$
10)	$x^2-30x-675=$	25)	$b^2-15b-100=$
11)	$9x^2+21x+10=$	26)	$d^2-27d+72=$
12)	$16x^2+12x-10=$	27)	$m^2+15m-250=$
13)	$25x^2+35x+7=$	28)	$a^2+27a+180=$
14)	$4x^2+4x-35=$	29)	$b^2-30b+216=$
15)	$9x^2-9x-4=$	30)	$m^2-9m-360=$

Factorización por asociación

También se le llama *por agrupación* o *continua.* Se presenta cuando la expresión está formada por cuatro términos, los cuales aceptan factor común solamente agrupados en pares de términos. Este resultado parcial presenta ahora, como factor común, un binomio, que al volver a factorizarse conduce al resultado definitivo.

Ejemplos:

- $ax+ay+bx+by=a\,(x+y)+b\,(x+y)=$
  $=(x+y)\,(a+b).$

- $3ax-3ay+bx-by=3a\,(x-y)+b\,(x-y)=$
  $=(x-y)\,(3a+b).$

- $3xy+5y-12x-20=y\,(3x+5)-4\,(3x+5)=$
  $=(3x+5)\,(y-4).$

- $10mn - 15m - 18n + 27 = 5m(2n-3) - 9(2n-3) =$
  $= (5m-9)(2n-3).$
- $15ab + 40a - 42b - 112 = 5a(3b+8) - 14(3b+8) =$
  $= (3b+8)(5a-14).$

Práctica 3.28

Ejercicios para resolver:

1) $cm + dm + cn + dn =$
2) $ar + 2br + as + 2bs =$
3) $2am - 4bm - 5a + 10b =$
4) $6xy + 9x - 2y - 3 =$
5) $12 + 10xy - 8x - 15y =$
6) $12ab + 14 - 8a - 21b =$
7) $20mn + 30 - 25n - 24m =$
8) $12 - 15x - 28a + 35ax =$
9) $x + xy - 5 - 5y =$
10) $4x - 27y + 6xy - 18 =$
11) $25x - 55 + 77y + 35xy =$
12) $6mn - 7n - 35 + 30m =$
13) $15x + 40x^2y - 16xy - 6 =$
14) $9ab - 10a - 15 + 6a^2b =$
15) $35mn^2 + 6 - 30n - 7mn =$
16) $am + an + bm + bn =$
17) $am + an - bm - bn =$
18) $6ax + 3ay + 2bx + by =$
19) $am - an + bm - bn =$
20) $mx + 4my + 3nx + 12ny =$
21) $am - an - bm + bn =$
22) $15am + 12an + 10bm + 8bn =$
23) $14ax - 21ay - 6bx + 9by =$
24) $8ax - 10ay + 28bx - 35by =$
25) $6ax - 8bx - 15ay + 20by =$

Factorización de un trinomio general

Conviene nombrar en esta forma a un trinomio de la forma:

$$ax^2 + bx + c,$$

en donde tanto el primero como el tercer términos, por lo general, no tienen raíz cuadrada, es decir, a y c son números irracionales. Su factorización corresponde al producto de dos binomios con dos términos semejantes. El método para llegar a éstos consiste en transformar el trinomio en tetranomio y luego resolverlo por asociación. Para ello el segundo término del trinomio se descompone en dos términos semejantes, cuyos coeficientes se hallan del siguiente modo:

a) Se multiplican los coeficientes del primero y tercer términos del trinomio.
b) El número obtenido se factoriza, aplicando para estos factores el criterio de los signos, que se empleó en el trinomio de segundo grado, de modo que la suma algebraica de ellos sea igual al coeficiente del segundo término del trinomio.
El tetranomio formado se resuelve como un caso de asociación:

Ejemplo:

- $6x^2 + 11x + 3 =$

$(6)\ (3) = 18$
$18 = (9)\ (2)$
$6x^2 + 9x + 2x + 3.$

Comprobando:

a) $9x + 2 = 11x$ (segundo término)
b) $(9)\ (2) = 18$

En la expresión así formada se tienen ahora cuatro términos y su factorización corresponde al caso de asociación.

$$6x^2 + 9x + 2x + 3$$

$$2x\ (3x + 1) + 3\ (3x + 1)$$
$$\therefore\ 6x^2 + 11x + 3 = (3 + 1)\ (2x + 3)$$

Ejemplos:

- $8x^2 + 10x - 3$ $\qquad (8)\ (-3) = 24$
$8x^2 + 12x - 2x - 3$ $\qquad 24 = (12)\ (-2)$

$4x\ (2x + 3) -1\ (2x + 3)$
$\therefore\ 8x^2 + 10x - 3 = (2x + 3)\ (4x - 1)$

- $12x^2 + 11x - 15$ $\qquad (12)\ (15) = 180$
$180 = (+\ 20)\ (-\ 9)$

$12x^2 + 20x - 9x - 15$

$3x\,(4x - 3) + 5\,(4x - 3)$

$\therefore\ 12x^2 + 11x^2 - 15 = (4\,x - 3)\,(3x + 5)$

- $7x^2 + 26x - 8$ $\qquad (7)\,(-8) = -56$

  $7x^2 + 28x - 2x - 8$ $\qquad -56 = (28)\,(-2)$

  $7x\,(x + 4) - 2\,(x + 4)$

  $\therefore\ 7x^2 + 26x - 8 = (x + 4)\,(7x - 2)$

- $5x^2 - 13x + 6$ $\qquad (5)\,(6) = 30$

  $5x^2 - 10x - 3x + 6$ $\qquad 30 = (-10)\,(-3)$

  $5x\,(x - 2) - 3\,(x - 2)$

  $\therefore\ 5x^2 - 13\,x + 6 = (x - 2)\,(5x - 3)$

Práctica 3.29

Ejercicios para resolver:

1) $2x^2 + 11x + 15 =$
2) $3x^2 + 11x - 4 =$
3) $2x^2 + 5x - 3 =$
4) $6x^2 - 5x - 4 =$
5) $3x^2 - 14x + 8 =$
6) $12x^2 - 7x - 12 =$
7) $5x^2 + 3x - 2 =$
8) $4x^2 + 11x + 6 =$
9) $4x^2 - 21x + 20 =$
10) $9x^2 + 38x + 8 =$
11) $16x^2 - 21x + 5 =$
12) $20x^2 + 7x - 3 =$
13) $16x^2 - 22x - 3 =$
14) $15x^2 - 44x + 21 =$
15) $12x^2 + 29x + 15 =$
16) $2x^2 + 11x + 12 =$
17) $3x^2 - 32x + 45 =$
18) $2x^2 - 11x - 40 =$
19) $6x^2 + x - 15 =$
20) $6x^2 - 7x - 20 =$
21) $6x^2 - 23x + 21 =$
22) $6x^2 + 31x + 40 =$
23) $6x^2 - 31x + 35 =$
24) $10x^2 + 41x + 21 =$
25) $12x^2 - 47x + 45 =$
26) $6x^2 - 29x + 35 =$
27) $20x^2 - 16x + 3 =$
28) $10x^2 + 51x + 27 =$

29) $16x^2 - 74x + 63 =$ 30) $12x^2 + 13x - 14 =$

De la suma o diferencia de cubos

Es la expresión formada por dos términos, de los cuales se pueda obtener raíz cúbica, y separados entre sí por un signo positivo o negativo. Su factorización corresponde al producto de un binomio por un trinomio, los cuales se forman de la siguiente manera:

a) Se calcula la raíz cúbica de cada término de la expresión original y se forma el binomio.
b) A partir de este binomio, se formará el trinomio aplicando las reglas siguientes:

Cuadrado del primer término; producto del primero por el segundo, con signo contrario; cuadrado del segundo término.

Ejemplos:

- $a^3 + m^3 = (a + m)(a^2 - am + m^2).$

$\downarrow \quad \downarrow$

$\sqrt[3]{\ } \quad \sqrt[3]{\ }$

$\downarrow \quad \downarrow$

$a \quad m$

- $x^3 - y^3 = (x - y)(x^2 + xy + y^2).$
- $8x^3 - 27x^6 = (2x - 3x^2)(4x^2 + 6x^3 + 9x^4).$
- $216m^{12} + 27a^3b^9 = (6m^4 + 3ab^2)(36m^8 - 36ab^2m^4 + 9a^2b^4).$
- $\frac{1}{125m^6} + \frac{729}{343x^{15}} = \left(\frac{1}{5m^2} + \frac{9}{7x^5}\right)\left(\frac{1}{2\,m^2} - \frac{9}{35m^2x^5} + \frac{81}{49x^{10}}\right)$

Práctica 3.30

Ejercicios para resolver:

1) $1 - x^3 =$ 3) $64a^3 + 125m^9 =$

2) $8x^6 - 27 =$ 4) $216\,m^{15} + 1 =$

5) $343a^{12} - b^3 =$

6) $z^3 - 729m^9 =$

7) $512a^6b^3 + 27a^3 =$

8) $8x^{18}y^{21} + 125z^{12} =$

9) $1 - \frac{8}{125}a^3 =$

10) $\frac{1\,331}{125} - 343\,a^{18}b^9 =$

11) $512 + \frac{1}{8\,a^3} =$

12) $\frac{1}{729m^6} + m^3 =$

13) $8m^{15} - \frac{1}{125y^6} =$

14) $27m^6 - \frac{8x^3}{y^9} =$

15) $\frac{343}{1\,331} - 64m^{12} =$

Práctica 3.31

Ejercicios para resolver:

I Analizar cuidadosamente cada expresión propuesta, identificar a qué caso de factorización corresponde y resolverla:

1) $25a^2 + 30a + 9 =$

2) $ax + 5bx + 3ay + 15by =$

3) $5am^5 + 4am^4 - 7m^2 =$

4) $3x^2 - 22x - 45 =$

5) $x^2 - 15x + 44 =$

6) $4x^2 + 25x - 21 =$

7) $144a^2 - 225\,b^4 =$

8) $12ab^2c - 8ab + 9bc - 6 =$

9) $343a^6 + 27b^9 =$

10) $x^2 + 3x - 270 =$

11) $8x^2 + 2x - 15 =$

12) $729a^6 - 1 =$

13) $16x^2 + 8x - 3 =$

14) $15x^4y^2 - 33x^3y^3 + 27x^2y^4 =$

15) $8m^6 - \frac{512n^{12}}{27} =$

16) $49a^2b^4 - 42a^4b^2 + 9a^6 =$

17) $\frac{1331m^9}{8} + \frac{125a^3}{64b^6} =$

18) $289a^6b^2 - 169m^6n^{12} =$

19) $6y - 7x + 14xy - 3 =$

20) $7x^2 - 19x - 6 =$

21) $\frac{9a^4}{25}+\frac{4a^3b}{5}+\frac{4a^2b^2}{9}=$

22) $20x-63y+28xy-45=$

23) $144a^3b^4-240a^4b^2+336a^3b^2=$

24) $9x^2+9x-40=$

25) $\frac{4}{9}-\frac{81b^4}{100}=$

26) $8x^6-27m^{15}=$

27) $x^2+3x-108=$

28) $121x^2-44x+4=$

29) $144b^4c^3+108\,a^4bc^2=$

30) $35x^2-24x-35=$

31) $1000y^{12}+27z^{15}=$

32) $21x^2+13x-20=$

33) $y^2+16y+48=$

34) $12ax-9ay-8bx+6by=$

35) $81a^2+144\,ab+64b^2=$

36) $54m^4n^7-108m^2n^4=$

37) $6ab-9ay-8bx+12xy=$

38) $49m^8-256n^4=$

39) $z^2-17z+70=$

40) $10x^2-11x-35=$

Combinación de algunos casos

En la práctica es común que se presenten combinaciones de algunos de los casos anteriores. En tales casos conviene agrupar y ordenar los términos que definan alguna factorización. El uso de corchetes y paréntesis aplicados en forma adecuada, facilita mucho los mecanismos. El factor común es un caso que adquiere importancia especial por su frecuente uso.

Ejemplos:

- $2a+1-c^2+a^2=$

  Ordenando y agrupando: $(a^2+2a+1)-c^2$

  trinomio cuadrado perfecto

  Factorizando: $(a+1)^2-c^2=$

  diferencia de cuadrados

  $=[\,(a+1)-c]\,[\,(a+1)\,]+c]$

  $=(a-c+1)\,(a+c+1)$

- $27a^3 - 12a =$

  factor común $= 3a\,(9a^2 - 4)$

  diferencia de cuadrados $= 3a\,(3a - 2)\,(3a + 2)$

- $a^2 + b^2 - x^2 + 2ab =$

  Agrupando ordenadamente:

  $= a^2 + 2ab + b^2 - x^2; = (a + b)^2 - x^2 =$

  $= [\,(a + b) - x]\,[\,(a + b) + x]$

  $= (a + b - x)\,(a + b + x)$

Práctica 3.32

Ejercicios para resolver:

1) $12a + 9 + 4a^2 - b^2 =$
2) $25 - b^2 - a^2 - 2ab =$
3) $x^2 - a^2 + 2xy - b^2 - 2ab + y^2 =$
4) $9x^2 + 1 - x^2 - 6a =$
5) $4a - y^2 + 4 - 4x^2 + a^2 - 4xy =$
6) $3a^3 - 3a =$
7) $4bx^3 + 8bx^2y + 4bxy^2 =$
8) $8m^2x^2 - 8m^2x - 6m^2 =$
9) $30bx^2 - 27ax^2 + 45abx^2 - 18x^2 =$
10) $56x^4y - 189xy =$

Cocientes notables

Simplificación de fracciones formadas por polinomios

Se da este nombre a una división entre polinomios que, colocados en forma de fracción algebraica, se factorizan según el caso; por último, se llega al resultado simplificando la nueva expresión.

Ejemplos:

- $\dfrac{4ax + 4x}{a^2 - 1} = \dfrac{4x\,(a + 1)}{(a + 1)\,(a - 1)} = \dfrac{4x}{a - 1}.$

- $\dfrac{9a^2 + 6a + 1}{3a^2 + 7a + 2} = \dfrac{(3a + 1)^2}{(3a + 1)\,(a + 2)} = \dfrac{3a + 1}{a + 2}.$

- $\dfrac{8ab - 4b + 6a - 3}{8a^3 - 1} = \dfrac{(4b + 3)\,(2a - 1)}{(2a - 1)\,(4a^2 + 2a + 1)} = \dfrac{4b + 3}{4a^2 + 2a + 1}.$

- $\dfrac{x^2 - 2x - 15}{2ax + 6a} = \dfrac{(x + 3)\,(x - 5)}{2a\,(x + 3)} = \dfrac{x - 5}{2a}.$

- $\dfrac{12x^3 - 3x}{20x^4 - 20x^3 + 5x^2} = \dfrac{3x\,(4x^2 - 1)}{5x^2\,(4x^2 - 4x + 1)} =$

  $= \dfrac{3x\,(2x - 1)\,(2x + 1)}{5x^2\,(2x - 1)\,(2x - 1)} = \dfrac{3\,(2x + 1)}{5x\,(2x - 1)}.$

- $\dfrac{32abx^2 + 32abx - 24ab}{8bx^2 + 28bx + 24b} = \dfrac{8ab(4x^2 + 4x - 3)}{4b\,(2x^2 + 7x + 6)} =$

  2

  $= \dfrac{8ab\,(3x + 3)\,(2x - 1)}{4\,b(2x + 3)\,(x + 2)} =$

  $= \dfrac{2a\,(2x - 1)}{x + 2}.$

Práctica 3.33

Ejercicios para resolver:

I. Factorizar y simplificar las siguientes expresiones:

1) $\dfrac{4a + 12}{3a^2 + 9a} =$

2) $\dfrac{5mx^2 - 10mxy}{10m^2x - 20m^2y} =$

3) $\dfrac{4x + 9}{16x^2 - 81} =$

4) $\dfrac{25x^2 - 9}{25x^2 + 30x + 9} =$

5) $\dfrac{5x + xy - 3y - 15}{4x^2y^2 + 20x^2y} =$

6) $\dfrac{x^3 - 1}{3ax^2 + 3ax + 3a} =$

7) $\dfrac{10b + 6ab - 12a - 20}{9a^2 + 30a + 25} =$

8) $\dfrac{8x^2 - 14x + 3}{6x^2 - 11x + 3} =$

9) $\dfrac{9a^2b^2 - 24ab + 16}{27a^3b^3 - 64} =$

10) $\dfrac{16a^2 + 40ab + 25b^2}{48a^3 - 75ab^2} =$

11) $\dfrac{a^2 - 30a + 189}{a^2 - 81} =$

12) $\dfrac{108m^5n^2 - 72\, m^2n^4}{18m^2n^2} =$

13) $\dfrac{15ab + 20ay - 9bx - 12xy}{20a^2 - 12ax} =$

14) $\dfrac{10x^2 - 31x + 24}{25x^2 - 80x + 64} =$

15) $\dfrac{343x^6 + 125y^3}{14x^4 + 10x^2y} =$

16) $\dfrac{9x^2 - 1}{27x^3 + 1} =$

17) $\dfrac{2x^2 + 15x - 27}{x^2 + 4x - 45} =$

18) $\dfrac{6x^3y - 15x^2y}{8x^3 - 125} =$

19) $\dfrac{14x^2 + 29x - 15}{4x^2 + 20x + 25} =$

20) $\dfrac{x^2 - 19x + 60}{x^2 + 15x - 76} =$

21) $\dfrac{48x^2y^2 + 36x^2y - 16xy^2 - 12xy}{32xy^2 - 18x} =$

22) $\dfrac{36x^3y^2 - 24x^2y - 32x}{36x^2y^2 - 64} =$

23) $\dfrac{125x^4 - 343x}{25x^4 + 35x^3 + 49x^2} =$

24) $\dfrac{45m^3 - 90m^2 - 80m}{90m^3 - 40m} =$

25) $\dfrac{8x^3 - 8}{4a^2x^2 + 8ax - 4a^2x - 8a} =$

26) $\dfrac{8b^3x^2 - 2b^3x - 6b^3}{32b^2x^2 + 8b^2x - 12b^2} =$

27) $\dfrac{484x^3 - 36x}{77x^4 - 98x^3 + 21x^2} =$

28) $\dfrac{18x^3y + 33x^2y - 105xy}{324x^3y + 216x^2y - 45xy} =$

29) $\dfrac{108x^6 + 500}{72x^7y - 120x^5y + 200x^3y} =$

30) $\dfrac{135abx^2 - 306abx + 135}{15b^3x^2 - 9\,b^3xy + 15b^3x^2y - 9b^3x} =$

4. Exponentes y radicales

Los exponentes y sus operaciones: Definición. Clases de exponentes. Sus operaciones con exponentes de la misma base. Operaciones con exponentes fraccionarios.

Los radicales y sus operaciones: Definición. Simplificación de radicales. Introducción de un coeficiente factor dentro del radical. Operaciones con radicales del mismo índice. Operaciones con radicales de diferente índice. Racionalización de fracciones.

Los creadores de la matemática

Sabías que...

La escuela de Alejandría y sus seguidores

Alejandro Magno hijo y sucesor de Filipo, rey de Macedonia, al frente de un poderoso ejército, conquistó, casi en su totalidad, al mundo conocido en el año 331 a.C. Cuando entró a Egipto decidió fundar una ciudad cuyas características fueran únicas, para lo cual tuvo que seleccionar personalmente el lugar donde quedaría enclavada. En una confluencia de caminos cercana a la desembocadura del río Nilo, con planos que también había supervisado, decidió construirla. La llamó Alejandría en honor de su fundador y creador. Al transcurrir un breve periodo de tiempo se convirtió en el centro de la sabiduría y la cultura al atraer a los sabios más destacados de la época. En el año 323 a.C. Alejandro Magno falleció, lo que provocó un gran desconcierto en todo el imperio macedónico. Esta inestabilidad política se resolvió al quedar dividido el territorio en tres países distintos; el que corresponde a Egipto le fue otorgado a Tolomeo I, quien impresionado por el valor de la cultura griega manifestada en Alejandría, decidió que ésta fuese la capital. Uno de sus grandes anhelos fue construir un lugar cultural de convivencia en el cual habitaran personas dedicadas al estudio del conocimiento, la investigación y al arte en sus diferentes manifestaciones, como lo habían formado en sus diferentes épocas Tales de Mileto, primero, y Pitágoras de Samos, después, con el culto a las Musas, lugares a los que se conoció como "Museos". Alrededor del año 300 a.C., aproximadamente, Tolomeo I fundó el Museo Alejandrino, que contaba con salas de lectura, laboratorios, una biblioteca pública, un acervo de unos seiscientos mil papiros y documentos que contenían todos los conocimientos de la época; no faltaron lugares de descanso y jardines. En el Museo estudiarían y difundirían sus conocimientos todos los intelectuales, artistas y genios de la época.

Euclides

Fue el fundador de la escuela de matemáticas de la Universidad de Alejandría. Aunque se tiene muy poca información sobre su vida personal, se presume que su formación científica la adquirió en la Academia de Platón. En cambio, sobre su obra la información es muy abundante. La que se considera su obra magna por el número de publicaciones, es sin lugar a dudas, *Los elementos*, misma que escribió en 13 volúmenes. Esta es una recopilación sistemática, ordenada y clasificada de todos los conocimientos matemáticos importantes en una sucesión lógica de 465 proposiciones con axiomas, postulados y definiciones. Sus otras obras son: *Los datos*, *La división de figuras*, *Los fenómenos* y *La óptica*. También se le atribuyen obras como *Catóptrica*, *Introducción armoniosa* y un fragmento de *Lo ligero y lo pesado*, pero se duda de su autenticidad.

Arquímedes

Arquímedes de Siracusa (287–212 a.C.) nació en la ciudad de Siracusa. Hijo de un astrónomo, estuvo estudiando en Egipto en la Universidad de Alejandría; ahí tuvo como maestros a seguidores de Euclides, entre los que se contaba a Canón de Samos, ilustre matemático, y a Eratóstenes, matemático talentoso que fungía como bibliotecario de la Universidad. A ellos informaba de sus descubrimientos e investigaciones matemáticas.

Participó activamente en la defensa de su ciudad natal al inventar máquinas bélicas que frenaban la toma de la ciudad. Después de tres años de sitio, el general romano aprovechó un descuido durante las celebraciones de la diosa Diana y asaltó a la ciudad saqueándola y destrozándola; en ese sitio Arquímedes fue arteramente asesinado. Por sus trabajos en geometría plana y del espacio, en aritmética, mecánica, hidrostática y astronomía se le considera un gran impulsor de la matemática.

Algunos aseguran que Arquímedes pidió que en su tumba fuese grabada una esfera inscrita en un cilindro, como constancia de sus descubrimientos en geometría, con lo cual se identificó su tumba.

Apolonio

Apolonio de Perga (262-200 a.C.) viajó en su juventud a Alejandría, para estudiar con los sucesores de Euclides. Posteriormente se trasladó a Pérgamo, en donde se había fundado una Universidad y una biblioteca con las características de la de Alejandría. Su grandiosidad se debió a su obra titulada *Secciones cónicas*, obra dividida en ocho libros, en los cuales desarrolla un amplio estudio sobre esas curvas. Otras de sus obras fueron *Las secciones determinadas, Contactos, Inclinaciones* y *Lugares planos*.

Hiparco

Hiparco de Nicea (180–125 a.C.) fue considerado por los griegos de su época como el padre de la Astronomía. Estudió en la Universidad de Alejandría de 161 al 126 a.C. Según Teon es autor de un tratado de las cuerdas en el círculo. Como astrónomo se le atribuye la precisión de los equinoccios, la determinación de la inclinación de la elíptica, las mediciones de los paralajes y las irregularidades en los movimientos de la Luna. En el mundo de los matemáticos es considerado como el padre de la nueva rama de la matemática conocida como Trigonometría.

Tolomeo

Claudio Tolomeo (sin ningún nexo con la dinastía de los Tolomeo) fue miembro de la Universidad de Alejandría desde el año 165 hasta el 160. Fue autor de una grandiosa obra de astronomía titulada *Almagesto*, en la que se expone el método empleado para la elaboración de las tablas trigonométricas. Determinó para π un valor de 3.141666... En el cálculo de las cuerdas utilizaba la geometría en una proporción, a la que se conoce como Teorema de Tolomeo.

Diofanto

Se considera que Diofanto de Alejandría vivió a mediados del siglo III. d. C. De sus obras conocidas la de mayor contenido es *La aritmética*, que se conforma de 13 volúmenes, de los cuales son ampliamente conocidos los primeros seis. El tema central es la resolución de problemas que corresponde a ecuaciones determinadas del tipo $ax=b$ o $ax^2=b$ (con solución positiva). En los siguientes volúmenes contiene ecuaciones indeterminadas llamadas diofánticas en la teoría de los números. Sus métodos son muy rebuscados.

Según información de la antología griega existe un epigrama que, escrito en un lenguaje propio del álgebra, muestra la edad de su muerte. Dice así: "Transeúnte, esta es la tumba de Diofanto: es él quien con esta sorprendente distribución te dice el número de años que vivió: Su juventud ocupó la sexta parte; después durante la doceava parte su mejilla se cubrió con el primer bozo. Pasó aún una séptima parte de su vida antes de tomar esposa y, cinco años después, tuvo un precioso niño que una vez alcanzada la edad de su padre, pereció de una muerte desgraciada. Su padre tuvo que sobrevivirle, llorándole durante cuatro años. De todo esto se deduce su edad". (Pierre Dredón y Jean Itard, *Mathématiques et mathematiciens*, París, Magnard, 1959, pp. 117–118.)

Pappus

A Pappus de Alejandría se le ubica al final del siglo III y principios del IV d.C. Elaboró una reseña de los conocimientos matemáticos de su época, así como de sus autores en una obra titulada *Colección matemática* que se conforma de ocho libros. Fue uno de los testigos más confiables de los que se tiene noticia; entre sus obras se encuentran trabajos complementarios de famosos creadores y de otros menos conocidos. Con Pappus se puede asegurar que se llega al final del progreso y brillo de las matemáticas griegas.

EXPONENTES Y SUS OPERACIONES

Se llama *exponente* a la expresión matemática que se coloca en la parte superior derecha de otra expresión matemática que toma el nombre de *base*. Se utiliza para indicar las veces que esa base se ha de multiplicar por sí misma; el resultado que se obtiene mediante esa operación se llama *potencia*.

Puesto que el exponente es una expresión matemática, toma diversas formas que permiten la clasificación siguiente:

- Exponente entero: 4, 3, 8, –6, –4, –2,...
- Exponente racional {fraccionario: $\frac{3}{4}, \frac{2}{7}, \frac{5}{9}, -\frac{3}{5}, -\frac{2}{7}, -\frac{1}{2}, \ldots$
  decimal: 0.3, 1.23, 2.08, –3.02, –2.17, –0.058,...
- Exponente expresión Monomio: $a, x, n, \ldots$
  Polinomio: $2n-1, 4x-y, 3a^2+2a+1, \ldots$

Operaciones con exponentes

Son aquellas que para su resolución aplican ciertos procedimientos a sus exponentes. Recuérdese que en el producto y en el cociente se emplean bases iguales.

Producto

"Se escribe la base, afectada de un exponente igual a la suma algebraica de los exponentes de las bases que se están multiplicando." Es decir:

$$[a^m a^n = a^{m+n}]$$

Ejemplos:

- $m^2 . m^5 . m^{-3} = m^{2+5-3}; = m^4$
- $(2x)^5 . (2x)^{-3} = (2x)^{5-3}; = (2x)^2; = 4x^2$
- $(-3a)^2 (-3a) (-3a)^{-1} = (-3a)^{2+1-1}; = (-3a)^2 = 9a^2$
- $(m+2n)^4 (m+2n)^{-1} (m+2n)^{-2} = (m+2n)^{4-1-2}; = m+2n$
- $a^{-3} . a^3 = a^{-3+3}; = a^{\circ}; = 1$
- $(7m)^2 . (7m)^{-2} = (7m)^{2-2} (7m)^{\circ}; = 1$
- $(4x+3)^{-3} (4x+3)^5 (4x+3)^{-2} = (4x+3)^{-3+5-2}; = (4x+3)^{\circ}; = 1$
- $b^{-2} . b = b^{-2+1}; = b^{-1}; = \frac{1}{b}$
- $(5x)^3 . (5x)^{-5} = (5x)^{3-5}; = (5x)^{-2}; = \frac{1}{(5x)^2}; = \frac{1}{25x^2}$

Observación. Como en su oportunidad quedó demostrado:
- "Todo número elevado al exponente cero es igual a la unidad."
- "Todo número elevado a un exponente negativo es igual a su recíproco afectado del mismo exponente, pero positivo."

Su aplicación evita que en un resultado aparezcan exponentes cero o negativos.

Práctica 4.1

Ejercicios para resolver:

1) $x^2 \cdot x \cdot x^3 =$

2) $x^{-3} \cdot x^2 \cdot x^4 =$

3) $x^{5} \cdot x^{4} =$

4) $m^{2} \cdot m^{\frac{2}{3}} =$

5) $m^{\frac{4}{9}} \cdot m^{\frac{2}{3}} =$

6) $m^{\frac{3}{-4}} \cdot m^{3} =$

7) $s^{-\frac{1}{2}} \cdot s^{-\frac{2}{3}} =$

8) $x^{5} \cdot x^{3} =$

9) $(2x)^{3} \cdot (2x)^{2} =$

10) $(3x)^{2} \cdot (3x)^{3} =$

11) $a^{-\frac{2}{3}} \cdot a =$

12) $a^{\frac{4}{5}} \cdot a =$

13) $c^{-\frac{2}{3}} \cdot c^{2} =$

14) $x^{\frac{3}{5}} \cdot x^{\frac{2}{3}} =$

15) $y^{\frac{4}{3}} \cdot y^{-\frac{1}{3}} =$

16) $b^{-\frac{2}{3}} \cdot b^{-\frac{3}{2}} =$

17) $(3y)^{-\frac{1}{2}} \cdot (3y)^{-\frac{2}{3}} =$

18) $(4a + 3)^{2} \cdot (4a + 3)^{-\frac{3}{2}}$

19) $(2a + 1)^{\frac{5}{4}} \cdot (2a + 1)^{\frac{1}{4}} =$

20) $(3x - 1)^{-\frac{2}{3}} \cdot (3x - 1)^{2} =$

21) $x^{a} \cdot x =$

22) $y^{2} \cdot y^{b} =$

23) $(3x)^{2b}\, (3x)^{a}\, (3x)^{5} =$

24) $a^{x} \cdot a^{2x} \cdot a^{x-1} =$

25) $a^{2n-1}\, a^{5-2n}\, a^{n+2} =$

26) $a^{2x+3} a^{3X-5}\, a^{5-8x}\, a^{4x} =$

27) $m^{\frac{2}{3}} \cdot m^{2a} =$

28) $x^{\frac{5a}{3}}\, x^{\frac{3a}{2}}$

29) $b^{\frac{3x+1}{2}}\, b^{\frac{3x-2}{3}}\, b^{2} =$

30) $m^{\frac{3a}{5}}\, m^{1-a}\, m^{\frac{5}{4}} =$

31) $2^{\frac{3}{4}} \cdot 2^{\frac{1}{4}} \cdot 2^{2}$

32) $3^{\frac{3}{8}} \cdot 3^{-\frac{1}{2}} \cdot 3^{-\frac{1}{8}}$

33) $5^{-4} – 5^{\frac{5}{2}} \cdot 5^{\frac{3}{4}}$

Cociente

"Se repite la base afectada de un exponente igual a la resta algebraica del exponente del dividendo menos el exponente del divisor." Es decir:

$$a^{m} : a^{n} = a^{m-n}$$

Nota: Recordar que en la práctica, esta operación consiste en cambiar el signo de los términos que forman el sustraendo, para después efectuar una suma algebraica. La sencillez de esta forma facilita este tipo de operación.

Ejemplos:

- $a^2 : a = a^{2-1}; = a$
- $m^3 : m^5 = m^{3-5}\, m^{-2}; = \dfrac{1}{m^2}$
- $x^{-3} : x^5 = x^{-3-5}; = x^{-8}; = \dfrac{1}{x^8}$
- $y^2 : y^{-2} = y^{2-(-2)}; = y^{2+2}; = y^4$
- $b^{-3} : b^{-2} = b^{-3-(-2)}; = b^{-3+2}; = b^{-1}; = \dfrac{1}{b}$
- $x^{-2} : x^{-3} = x^{-2+3}; = x$
- $a^{\frac{1}{2}} : a^{\frac{2}{5}} = a^{\frac{1}{2}-\frac{2}{5}}, = a^{\frac{1}{10}}$
- $m^{x+2} : m^{3x-1} = m^{x+2-(3x-1)}; = m^{x+2-3x+1}; = m^{3-2x}$
- $(3xy)^{2n-3} : (3xy)^{5-3n} = (3xy)^{(2n-3)-(5-3n)}; = (3xy)^{5n-8}$

Práctica 4.2

Ejercicios para resolver:

1) $m^4 : m^2 =$
2) $a^5 : a^{\frac{2}{3}} =$
3) $b^2 : b^3 =$
4) $x^2 : x^{\frac{5}{2}} =$
5) $y^3 : y^{-2} =$
6) $m^3 : m^4 =$
7) $z^{-\frac{2}{3}} : z^{-\frac{1}{3}} =$
8) $c^{-\frac{3}{4}} : c^{-\frac{1}{2}} =$
9) $d^{-\frac{3}{2}} : d^{-\frac{3}{4}} =$
10) $m^{-\frac{5}{3}} : m^{\frac{5}{2}} =$
11) $x^{\frac{2}{3}} : x^{\frac{1}{2}} =$
12) $y^{\frac{5}{4}} : y^{\frac{5}{3}} =$

13) $a^{\frac{5}{2}} : a^{\frac{1}{2}} =$

14) $b^{-\frac{3}{4}} : b =$

15) $x^3 : x^{\frac{3}{4}} =$

16) $m^2 : m^{\frac{5}{2}} =$

17) $x^m : x^2 =$

18) $a^{2n} : a^n =$

19) $y^{3x-1} : y^{x-2} =$

20) $m^{3a+2} : m^{2a+3} =$

21) $(3x)^{2n-1} : (3x)^{n+4} =$

22) $(2a + b)^{x+3} : (2a+b)^{3x-1} =$

23) $a^2 b^n : a^{-\frac{3}{4}} b^2 =$

24) $x^{-2} y^3 z^{-3} : x y^2 z^2 =$

25) $m^2 n^{x-3} : m^n x^2 =$

26) $a^{-1} b^{-3} c^2 : a^{-2} b^{-5} c^2 =$

27) $x^n y^m z^a : x^{2n} y^{z^{3a}} =$

28) $x^{-5} y^2 z^{-2a} : x^n y^m z^{-2a} =$

29) $a^3 b^{3x+4} : a^3 b^{3x+1} =$

30) $m^{-1} n^{-x} y^{-2} : m^2 n^x y^{-2} =$

31) $5^2 : 5 =$

32) $7^5 : 7^7 =$

33) $2^5 : 2^{-2} =$

34) $3^{-3} : 3^{-7} =$

35) $11^{-3} : 11^{-2} =$

Potencia

Teóricamente, la potencia de una expresión algebraica se obtiene multiplicándola por sí misma las veces que el exponente indica. Es decir:

$$[(a^m)^n = a^{m.n}]$$

Ejemplos:

- $(4ab^2)^2 = (4cb^a)(4ab^2) = 16a^2b^4$
- $(-7m^2n^3x)^3 = (-7m^2n^3x)(-7m^2n^3x)(-7m^2n^3x) =$
  $= -343\ m^6m^9x^3$

De estas aplicaciones se deduce la siguiente regla: "La potencia de un monomio se obtiene hallando la potencia del coeficiente y multiplicando el exponente de la potencia por los exponentes de cada una de las literales''.

Ejemplos:

- $(2x^3y^{\frac{2}{3}}z^{\frac{1}{2}})^2 = 2^2x^{3(2)}y^{\frac{2}{3}(2)}z^{-\frac{1}{2}(2)} = 4x^6y^{\frac{4}{3}}z^{-1} = \frac{4x^6y^{\frac{3}{4}}}{z}$

- $(3a^3b^xy^{2x})^{3n} = 3^{3n}a^{3(3n)}b^{x(3n)}y^{2x(3n)} = 3^{3n}a^{9n}b^{3nx}y^{6nx}$

- $(-5a^{-2}b^3c^{-3a})^{-2} = -5^{-2}a^{(-2)(-2)}b^{3(-2)}c^{(-3a)(-2)} =$

  $= \frac{+a^4c^{6a}}{-5^2b^6} = \frac{+a^4c^{6a}}{25b^6}$

- $(4x^{-\frac{1}{4}}y^3z^{-\frac{n}{2}})^{-\frac{4}{3}} = 4^{-\frac{4}{3}}x^{\left(-\frac{3}{4}\right)\left(-\frac{4}{3}\right)}y^{3\left(-\frac{4}{3}\right)}z^{\left(-\frac{n}{2}\right)\left(-\frac{4}{3}\right)} = \frac{xz^{\frac{2n}{3}}}{4}$

- $(81)^{\frac{1}{4}} = (3^4)^{\frac{1}{4}}; = 3^{\frac{4}{4}}; = 3$

- $(32)^{\frac{3}{5}} = (2^5)^{\frac{3}{5}}; = 2^{15/5}; = 2^3; = 8$

- $(216)^{2/3} = (2^3 \cdot 3^3)^{2/3}; = 2^{c/3}3^{c/3}; = 2^2 \cdot 3^2; = 36$

Práctica 4.3

Ejercicios para resolver:

1) $(4a^3b^2)^3 =$
2) $(3m^2b^4)^2 =$
3) $(-2m^3n^4)^2 =$
4) $(-5a^2b^3)^3 =$
5) $(x^{1/2}y^2)^2 =$
6) $(x^{\frac{1}{3}}y^{\frac{4}{3}})^3$
7) $(m^{-\frac{3}{4}}n^{\frac{1}{2}})^{-2} =$
8) $(a^{-\frac{1}{2}}b^{\frac{5}{2}}c^{-\frac{3}{4}})^4 =$
9) $(a^{-2x}b^{-3}y^{-1})^{-2} =$
10) $(m^{-3a}n^{-\frac{5a}{2}})^{-3} =$
11) $(x^{2b}y^{5b})^{\frac{2}{b}} =$
12) $(x^{-\frac{3a}{2}}y^{\frac{3a}{4}})^{\frac{2}{3}}$

13) $(a^{2n-1}b^{3-2n})^2 =$

14) $(a^{n-2}b^{n+1}c^{2-n})^{\frac{2}{n}} =$

15) $(x^2y^n)^{2x-1} =$

16) $(x^{\frac{2}{n}})^{3n}$

17) $(x^{\frac{n}{3}}y^{2n})^{\frac{2}{n}}$

18) $(x^{2n}b^{-\frac{3}{4}})^{-\frac{n}{2}} =$

19) $(a^{3n-1})^{\frac{2}{n}} =$

20) $(m^{x+1})^{x-1} =$

Radicación

Se refiere a la radicación de un monomio. Se calcula la raíz del coeficiente y se divide el exponente de cada literal entre el índice del radical.

Existirán casos en los cuales esa pequeña división no sea exacta; en ese caso se dejará indicado formándose un exponente fraccionario. Es decir:

$$\sqrt[n]{a^m} = a^{m/n}$$

Ejemplos:

- $\sqrt{x^3} = x^{3/2}$
- $\sqrt[3]{4} = 4^{1/3}$
- $\sqrt{3a} = (3a)^{1/2}$
- $\sqrt{25a^4b^6c^3} = \sqrt{25}a^{\frac{4}{2}}b^{\frac{6}{2}}c^{\frac{3}{2}}; = 5a^2b^3c^{\frac{3}{2}}$
- $\sqrt[3]{64m^6y^9} = \sqrt[3]{64}\,m^{\frac{6}{3}}y^{\frac{9}{3}}; = 4m^2y^3$
- $\sqrt[3]{3a^3b^4c^8} = 3^{\frac{1}{2}}a^{\frac{3}{2}}b^{\frac{4}{2}}c^{\frac{8}{2}}; = 3^{\frac{1}{2}}a^{\frac{3}{2}}b^2c^4$
- $\sqrt[3]{a^nb^{2n+1}c^{3n}} = a^{\frac{n}{3}}b^{\frac{2n+1}{3}}c^{\frac{3n}{3}}; = a^{\frac{n}{3}}b^{\frac{2n+1}{3}}c^n$
- $\sqrt[x+1]{m^yn^xz^{x+1}} = m^{\frac{y}{x+1}}n^{\frac{x}{x+1}}z^{\frac{x+1}{x+1}}$

Práctica 4.4

Ejercicios para resolver:

1) $\sqrt{m^4n^8} =$

2) $\sqrt[3]{a^3b^9} =$

3) $\sqrt{x^2y^{10}} =$

4) $\sqrt[3]{m^{12}n^{15}} =$

5) $\sqrt{a^n} =$

6) $\sqrt[3]{b^x} =$

7) $\sqrt[2n]{x^2} =$

8) $\sqrt[3x]{m^3} =$

9) $\sqrt[x]{m^{2x}} =$

10) $\sqrt[2n]{a^{4n}} =$

11) $\sqrt{a^{x-1}} =$

12) $\sqrt[3]{m^{2a+1}} =$

13) $\sqrt[x-1]{a^2} =$

14) $\sqrt[n+2]{x^3} =$

15) $\sqrt{a^{\frac{2}{3}}} =$

16) $\sqrt[3]{m^{\frac{3}{4}}} =$

RADICALES Y SUS OPERACIONES

Valores con radical

Radical es toda operación indicada por una raíz. La expresión matemática colocada dentro del radical se nombra *subradical*.

Son racionales cuando su raíz es exacta.

Ejemplos:

- $\sqrt{25} = 5$
- $\sqrt[3]{8m^3} = 2m$
- $\sqrt{a^4b^8} = a^2b^4$
- $\sqrt[4]{16a^{12}} = 2a^3$

Son irracionales cuando sus raíces no son exactas y deben conservar el radical.

Ejemplos:

- $\sqrt{17}$

- $\sqrt{5a^5}$

- $\sqrt[3]{4m^2}$

- $\sqrt[4]{8m^2n^9}$

El estudio de las operaciones irracionales con radical permite conocer las transformaciones y aplicaciones que es posible lograr utilizando los radicales de estos valores.

Simplificación de radicales

Consiste en transformar el radical propuesto en otro equivalente formado por un coeficiente factor que tiene raíz exacta y otro factor que, por ser irracional, se conserva dentro del radical. Sea simplificar: $\sqrt{a^3} = a^{\frac{3}{2}} = a^{\frac{2}{2}} \cdot a^{\frac{1}{2}} = a\sqrt{a}$, ahora simplificar: $\sqrt{343a^5b^3} =$

- Transformar el coeficiente a su forma exponencial, a través de sus factores primos:

$$= \sqrt{7^3a^5b^3} = 7^{\frac{3}{2}} \cdot a^{\frac{5}{2}} . b^{\frac{3}{2}} = 7^{\frac{9}{2} \cdot \frac{1}{2}} a^{\frac{4}{2} \cdot \frac{1}{2}} b^{\frac{2}{2} \cdot \frac{1}{2}}$$

- Formar dos factores en el subradical:
    - En el primero deberán aparecer factores y literales afectados de exponentes que sean divisibles entre el índice de la raíz, pero los mayores posibles a partir de los exponentes originales:

$$7 \cdot a^2 \cdot b \sqrt{7 \cdot ab}$$

Ejemplos:

- $\sqrt[3]{108a^4b} = \sqrt[3]{3^3 \cdot 2^2a^5b} = \sqrt[3]{(3^3a^3)\,(2^2ab)} = 3a\sqrt[3]{4\,ab}$

- $\sqrt[4]{128a^6b^9} = \sqrt[4]{2^7a^6b^9} = \sqrt[4]{(2^4a^4b^8)\,(2^3a^2b)} = 2\,ab^2\sqrt[4]{8a^2b}$

- $\sqrt[5]{486x^7y^{14}z} = \sqrt[5]{3^5.2x^7y^{14}z} = \sqrt[5]{(3^5x^5y^{10})} = (2x^2y^4z) =$

  $= 3xy^2\sqrt[5]{2x^2y^4z}$

- $\sqrt{\dfrac{36a^5}{20b^3}} = \sqrt{\dfrac{2^2 . 3^2\, a^5}{2^2 . 5\, b^3}} = \sqrt{\dfrac{(3^2\, a^4)\,(a)}{b^2\,(5\, b)}} = \dfrac{3\,a^2}{b}\sqrt{\dfrac{a}{5\,b}}$

- $\sqrt[3]{28\,000} = \sqrt[3]{2^5\cdot5^3\cdot7} = \sqrt[3]{(2^3\cdot5^3)\,(2^2\cdot7)} = 2 . 5\sqrt[3]{28} = 10\sqrt[3]{28}$

Práctica 4.5

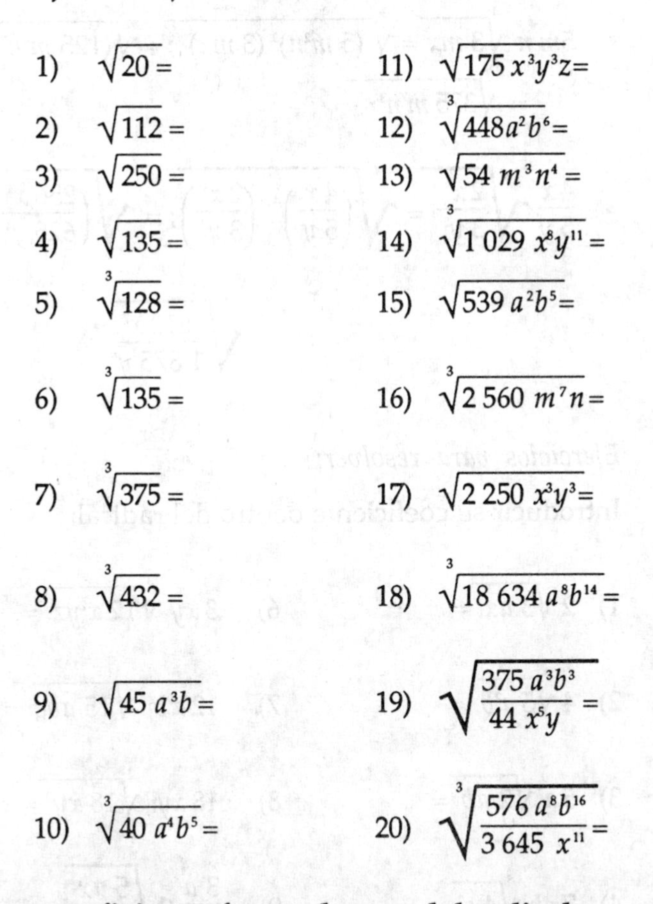

Ejercicios para resolver:

1) $\sqrt{20} =$

2) $\sqrt{112} =$

3) $\sqrt{250} =$

4) $\sqrt{135} =$

5) $\sqrt[3]{128} =$

6) $\sqrt[3]{135} =$

7) $\sqrt[3]{375} =$

8) $\sqrt[3]{432} =$

9) $\sqrt{45\, a^3b} =$

10) $\sqrt[3]{40\, a^4b^5} =$

11) $\sqrt{175\, x^3y^3z} =$

12) $\sqrt[3]{448a^2b^6} =$

13) $\sqrt{54\, m^3n^4} =$

14) $\sqrt[3]{1\,029\, x^8y^{11}} =$

15) $\sqrt{539\, a^2b^5} =$

16) $\sqrt[3]{2\,560\, m^7n} =$

17) $\sqrt{2\,250\, x^3y^3} =$

18) $\sqrt[3]{18\,634\, a^8b^{14}} =$

19) $\sqrt{\dfrac{375\, a^3b^3}{44\, x^5y}} =$

20) $\sqrt[3]{\dfrac{576\, a^8b^{16}}{3\,645\, x^{11}}} =$

Introducción de un coeficiente factor dentro del radical

Es la operación inversa a la simplificación de un radical. Su proceso de resolución, por lo tanto, también será el inverso: se introduce el coeficiente al subradical, elevándolo a una potencia con exponente igual al índice del radical. Se calcula su potencia y se multiplica por el subradical ya existente. El producto será el nuevo valor subradical. Es decir:

$$a\sqrt{a} = \sqrt{a^2 . a}; = \sqrt{a^3}$$

Ejemplos:

Introducir el coeficiente factor del radical dentro del radical:

- $4a\sqrt{5\,ab} = \sqrt{(4a)^2\,(5\,ab)}; = \sqrt{(16\,a^2)\,(5\,ab)}; = \sqrt{80\,a^3b}$
- $5m^2n\sqrt[3]{3\,mx} = \sqrt[3]{(5\,m^2n)^3\,(3\,mx)}\;; = \sqrt[3]{(125\,m^6n^3)\,(3\,mx)} =$
  $= \sqrt[3]{375\,m^7n^3x}$
- $\dfrac{4x}{5y}\sqrt[4]{\dfrac{2x^3}{3y^2}} = \sqrt[4]{\left(\dfrac{4x}{5y}\right)^4\left(\dfrac{2x^3}{3y^2}\right)}; = \sqrt[4]{\left(\dfrac{256\,x^4}{625\,y^4}\right)\left(\dfrac{2x^3}{3y^2}\right)}$

$$= \sqrt[4]{\frac{512\,x^7}{1\,875\,y^6}}$$

Práctica 4.6

Ejercicios para resolver:

Introducir su coeficiente dentro del radical:

1) $2\sqrt{3\,ax} =$

2) $4\sqrt[3]{5\,a^2b} =$

3) $5a\sqrt{2\,ab} =$

4) $7\,ab\sqrt[3]{4\,a^2} =$

5) $18a^3b^2\sqrt{5\,ab} =$

6) $3\,xy\sqrt[3]{12\,x^2yz} =$

7) $12\,a^2b^4\sqrt{15\,abc} =$

8) $18\,xy^2\sqrt[3]{18\,xy^3} =$

9) $\dfrac{3\,a}{b}\sqrt{\dfrac{5\,ax}{3\,by}} =$

10) $\dfrac{7\,mn}{5\,bx}\sqrt[3]{\dfrac{5\,am^2}{11\,b^2x}} =$

Producto de radicales

Se presentan dos posibilidades: cuando los radicales propuestos son del mismo índice o cuando son de índices diferentes.

Producto de radicales con el mismo índice
Cuando son del mismo índice, se efectúa la operación algebraica indicada y el resultado se escribe en un radical afectado del mismo índice, debidamente simplificado.

Ejemplos:

- $\sqrt{3a}\,\sqrt{5b} = \sqrt{(3a)(5b)} = \sqrt{15ab}$
- $\sqrt[3]{4a^2b}\,\sqrt[3]{7ab^2c} = \sqrt[3]{(4a^2b)(7ab^2c)} = \sqrt[3]{28a^3b^3c}$
- $\sqrt[4]{3xy}\,\sqrt[4]{2x^2y}\,\sqrt[4]{5x^2y^2}\,\sqrt[4]{7xy^2} = \sqrt[4]{210x^6y^6}$
- $\sqrt{\frac{5a^2b}{3x}}\sqrt{\frac{2a}{3b}}\sqrt{\frac{7xy}{4b^2}}\sqrt{\frac{3ab}{5b}} = \sqrt{\frac{210a^4b^2xy}{180b^4x}} = \sqrt{\frac{7a^4y}{6b^2}}$

Práctica 4.7
Ejercicios para resolver:

1) $\sqrt{15}.\sqrt{8} =$

2) $\sqrt{30}\,\sqrt{10} =$

3) $\sqrt{80}\,\sqrt{70}\,\sqrt{10} =$

4) $\sqrt{30a}\,\sqrt{2b} =$

5) $\sqrt{50m}\,\sqrt{25m} =$

6) $\sqrt{3ax}\,\sqrt{5amx} =$

7) $\sqrt[3]{7a^2x^2y}\,\sqrt[3]{15x^2y^2z} =$

8) $\sqrt[4]{2am^2}\,\sqrt[4]{6a^2b^2}\,\sqrt[4]{12a^3b^2m^2} =$

9) $\sqrt[5]{11a^3y^4}\,\sqrt[5]{12a^4b^3x}\,\sqrt[5]{16ay^4} =$

10) $\sqrt[3]{45a^2}\,\sqrt[3]{90a^2m} =$

11) $\sqrt[3]{80m^2n^2}\,\sqrt[3]{24n^2}\,\sqrt[3]{4m\,n} =$

12) $\sqrt[3]{54x^2}\,\sqrt[3]{40xy^2}\,\sqrt[3]{250xyz^2} =$

13) $\sqrt[4]{324a^3b^2}\,\sqrt[4]{320b^3c^3}\,\sqrt[4]{216a^3bc^3} =$

14) $\sqrt[3]{192m^4x^3}\,\sqrt[3]{1125m^2x^4}\,\sqrt[3]{800a^3m^2x} =$

15) $\sqrt{\dfrac{3a^2}{5b}} \cdot \sqrt{\dfrac{7ax}{10b}} =$

16) $\sqrt[3]{\dfrac{7a^2b}{15x^2}} \cdot \sqrt[3]{\dfrac{49ab^2}{25x^2y}} =$

17) $\sqrt[4]{\dfrac{8x^2y^3}{25m^3n^2}} \cdot \sqrt[4]{\dfrac{8x^2y^3}{9m^3n^2}} \cdot \sqrt[4]{\dfrac{32x^3y}{27m^2n}} =$

18) $\sqrt{\dfrac{4x^3y^4}{9a^3b^2}} \cdot \sqrt{\dfrac{64a^4b^2}{81x^2y^3}} =$

19) $\sqrt[3]{\dfrac{3xy^4}{5a^2b}} \cdot \sqrt[3]{\dfrac{21m^2n}{25x^4y}} \cdot \sqrt[3]{\dfrac{75x^2y}{16a^2b}} =$

20) $\sqrt[4]{\dfrac{8a^2b^3}{3x^3y}}\,\sqrt[4]{\dfrac{6x^2y}{25a^2b}}\,\sqrt[4]{\dfrac{9a^3b^2}{32xy}} =$

Producto de radicales con diferente índice

Cuando los factores son radicales con índices diferentes es necesario efectuar determinados cambios, con el fin de transformarlos a radicales de índices iguales. Para esto, a cada subradical se le da la forma de exponente fraccionario y se realizan las operaciones necesarias, con el propósito de que esos exponentes se transformen en sus equivalentes, pero del mismo denominador.

Posteriormente se regresa de la forma subradical con exponente fraccionario a la forma radical, y se efectúan las operaciones que correspondan. En este caso, se acostumbra presentar el resultado simplificado.

Observar los ejemplos siguientes:

- $\sqrt{a}\cdot\sqrt[3]{a^2} = a^{\frac{1}{2}}\cdot a^{\frac{2}{3}} = a^{\frac{3}{6}}\cdot a^{\frac{4}{6}} = a^{\frac{7}{6}} = \sqrt[6]{a^7} = a\sqrt[6]{a}$
- $\sqrt[3]{a}\cdot\sqrt{a} = a^{\frac{1}{3}}\cdot a^{\frac{1}{2}} = a^{\frac{2}{6}}\cdot a^{\frac{3}{6}} = a^{\frac{5}{6}} = \sqrt[6]{a^5}$
- $\sqrt[4]{m}\cdot\sqrt[3]{m^2}\cdot\sqrt{m} = m^{\frac{1}{2}}\cdot m^{\frac{2}{3}}\cdot m^{\frac{1}{2}}$

Para simplificar, se puede resolver la operación indicada, es decir:

$$\frac{1}{4}+\frac{2}{3}+\frac{1}{2} = \frac{3+8+6}{12} = \frac{17}{12} = 1+\frac{5}{12}$$

$$\therefore = m^{\frac{17}{12}} = m^1\cdot m^{\frac{5}{12}} = m\sqrt[12]{m^5}$$

- $\sqrt[3]{4a}\cdot\sqrt{ab} = (4a)^{\frac{1}{3}}\cdot(ab)^{\frac{1}{2}} = (4a)^{\frac{2}{6}}\cdot(ab)^{\frac{3}{6}} = \sqrt[6]{(4a)^2}\cdot\sqrt[6]{(ab)^3} =$

$$= \sqrt[6]{16a^2}\sqrt[6]{a^3b^3} = \sqrt[6]{16a^5b^3}$$

- $\sqrt{3ax^2}\cdot\sqrt[4]{2a^2mx^3} = (3ax^2)^{\frac{1}{2}}(2a^2mx^3)^{\frac{1}{4}} = (3x^2)^{\frac{2}{4}}\cdot(2a^2mx^3)^{\frac{1}{4}} =$

$$= \sqrt[4]{(3ax^2)^2}\cdot\sqrt[4]{2a^2mx^3} = \sqrt[4]{9a^2x^4}\sqrt[4]{2a^2mx^3} =$$

$$= \sqrt[4]{18a^4mx^7} = ax\sqrt[4]{18mx^3}$$

- $\sqrt{2a^2b}\cdot\sqrt[4]{3bx^3}\cdot\sqrt[3]{4ax^2} = (2a^2b)^{\frac{1}{2}}(3bx^3)^{\frac{1}{4}}(4ax^2)^{\frac{1}{3}} =$

$$= (2a^2b)^{\frac{6}{12}}(3bx^3)^{\frac{3}{12}}(4ax^2)^{\frac{4}{12}} =$$

$$= \sqrt[12]{(2a^2b)^6}\sqrt[12]{(3bx^3)^3}\sqrt[12]{(4ax^2)^4} =$$

$$= \sqrt[12]{64a^{12}b^6}\sqrt[12]{27b^3x^9}\sqrt[12]{256a^4x^8} =$$

$$= \sqrt[12]{442\,368\,a^{16}b^9x^{17}} = 2ax\sqrt{108a^4b^9x^5}$$

En la práctica, este proceso se aplica debidamente simplificado, aplicándolo a los radicales en la forma en que están propuestos, esto es:

a) Se determina el mínimo común múltiplo de los índices de los radicales propuestos:

- $\sqrt[3]{9m^2} \cdot \sqrt{18m} \cdot \sqrt[6]{10m^5}$ m.c.m. de 3, 2 y 6 = 6

Los coeficientes se descomponen en factores primos:

$9 = 3^2$
$18 = 2{\cdot}3^2$
$10 = 2{\cdot}5$

b) Se divide el nuevo índice de los radicales (en este caso 6), entre el índice de cada radical; su resultado corresponderá al exponente del subradical en cuestión:

$$\sqrt[6]{(3^2m^2)^2} \cdot \sqrt[6]{(2.3^2m)^3} \cdot \sqrt[6]{(2.5m^5)} =$$

c) Se resuelven las potencias, se efectúa el producto y finalmente se busca la simplificación:

$= \sqrt[6]{3^4m^4}\ \sqrt[6]{2^3.3^6m^3} \cdot \sqrt[6]{2.5\ m^5} =$

$= \sqrt[6]{2^4 \cdot 3^{10} \cdot 5m^{12}} = 3m^2\ \sqrt[6]{2^4 \cdot 3^4 \cdot 5} =$

$= 3m^2 \cdot \sqrt[6]{6\,480}$

Ejemplos:

- $\sqrt{18} \cdot \sqrt[3]{9} = \sqrt[6]{(2{\cdot}3^2)^3} \cdot \sqrt[6]{(3^2)^2} = \sqrt[6]{2^3{\cdot}3^6} \cdot \sqrt[6]{3^4}$

m.c.m. = 6 $= \sqrt[6]{2^3 \cdot 3^{10}}$

$18 = 2{\cdot}3^2$ $= 3\sqrt[6]{2^3 \cdot 3^4}$

$9 = 3^2 \qquad = 3\sqrt[6]{648}$

- $\sqrt[3]{ab^2} \cdot \sqrt{3b} = \sqrt[6]{(ab^2)^2} \cdot \sqrt[6]{(3b)^3} = \sqrt[6]{a^2b^4} \cdot \sqrt[6]{3^3b^3} =$

m.c.m. $= 6 \qquad = \sqrt[6]{3^3a^2b^7} =$

$= b\sqrt[6]{3^3a^2b} =$

$= b\sqrt[6]{27a^2b}$

Práctica 4.8

Ejercicios para resolver:

1) $\sqrt[3]{12} \cdot \sqrt{10} =$

2) $\sqrt{45} \cdot \sqrt[3]{54} =$

3) $\sqrt[3]{40}\,\sqrt{8} =$

4) $\sqrt[4]{48}\,\sqrt{54} =$

5) $\sqrt[4]{500}\,\sqrt{50} =$

6) $\sqrt[3]{a^2}\,\sqrt{ab} =$

7) $\sqrt[3]{m^2}\,\sqrt{m}\,\sqrt[6]{m^5} =$

8) $\sqrt[6]{a^4b}\sqrt{ab^2}\,\sqrt[3]{a^2b^2} =$

9) $\sqrt[3]{x^2y^2}\,\sqrt[4]{x^3y} =$

10) $\sqrt[3]{a^2b}\,\sqrt[4]{b^3c^2}\,\sqrt[6]{a^5b^4}\,\sqrt{abc} =$

11) $\sqrt{3a} \cdot \sqrt[3]{18a^2b^2} =$

12) $\sqrt[3]{24a^2x}\,\sqrt{2ax} =$

13) $\sqrt{10ax}\,\sqrt[4]{25a^3m} =$

14) $\sqrt[5]{80a^3b^4}\,\sqrt{2ab} =$

15) $\sqrt[4]{50a^2x^3}\sqrt{10ax} =$

16) $\sqrt[4]{15a^3m^2}\,\sqrt{375am} =$

17) $\sqrt[4]{36a^3}\,\sqrt{72b}\,\sqrt[3]{54a^2b^2} =$

18) $\sqrt[4]{4a}\,\sqrt[12]{144a^{11}b^7}\,\sqrt[6]{4a^5b^4} =$

19) $\sqrt{\dfrac{3x}{2a}}\,\sqrt[3]{\dfrac{4a}{9b}} =$

20) $\sqrt[3]{\dfrac{5a^2b}{4xy^2}}\,\sqrt[6]{\dfrac{32x^5y^5}{75a^4b^3}}\,\sqrt{\dfrac{10ab}{xy}} =$

Potencia de un radical

Es una operación que combina un radical afectado de un exponente. Se resuelve transformando el radical a la forma de exponentes fraccionarios; a esta última se aplica el exponente propuesto originalmente. El resultado final se expresará nuevamente en la forma de radical, debidamente simplificado.

Ejemplos:

- $\left(\sqrt{x}\right)^3 = \left(x^{\frac{1}{2}}\right)^3; = x^{\frac{3}{2}}; = \sqrt{x^3}; = x\sqrt{x}$

- $\left(\sqrt{2x^3}\right)^2 = [(2x^3)^{\frac{1}{2}}]^2; = 2x^3$

- $\left(\sqrt{ab}\right)^3 = [(ab)^{\frac{1}{2}}]^3; = (ab)^{\frac{3}{2}}; = \sqrt{ab^3}; = ab\sqrt{ab}$

- $\left(\sqrt{3ax^3}\right)^3 = [(3ax^3)^{\frac{1}{2}}]^3; = (3ax^3)^{\frac{3}{2}}; = (3a)^{\frac{3}{2}}x^{\frac{3}{2}}; = \sqrt{(3a)^3x^9} =$

  $= 3ax^4\sqrt{3ax}$

- $\left(\sqrt[3]{2x^2y}\right)^2 = [(2x^2y)^{\frac{1}{3}}]^2; = \sqrt[3]{(2x^2y)^2}; = \sqrt[3]{4x^4y^2}; = x\sqrt[3]{4xy^2}$

Una forma práctica de resolver esta operación consiste en aplicar al subradical el exponente de la potencia y finalmente simplificarlo.

Ejemplos:

- $\left(\sqrt[3]{ab^2}\right)^2 = \sqrt[3]{(ab^2)^2}; = \sqrt[3]{a^2b^4}; = b\sqrt[3]{a^2b}$

- $\left(\sqrt[3]{4a^3b^2}\right)^4 = \sqrt[3]{(2a^3b^2)^4}; = \sqrt[3]{(2^8a^{12}b^8)}; = 2^2a^4b^2\sqrt[3]{(2^2b^2)}$

- $\left(\sqrt[4]{25x^3y^2}\right)^3 = \sqrt[4]{(5^2x^3y^2)^3} = \sqrt[4]{(5^6x^9y^6)} = 5x^2y\sqrt[4]{5^2xy^2}$

  $= 5x^2y\sqrt[4]{25xy^2}$

Práctica 4.9

Ejercicios para resolver:

1) $\left(\sqrt[3]{a}\right)^4 =$

2) $\left(\sqrt{ax}\right)^3 =$

3) $\left(\sqrt[3]{5x}\right)^2 =$

4) $\left(\sqrt[4]{3m^3n}\right)^3 =$

5) $\left(\sqrt{9ab^2}\right)^4 =$

6) $\left(\sqrt[3]{8m^2n}\right)^4 =$

7) $\left(\sqrt[5]{3mn^2}\right)^2 =$

8) $\left(\sqrt[4]{7a^2b^3}\right)^5 =$

9) $\left(\sqrt{8x^4y^3z^2}\right)^3 =$

10) $\left(\sqrt{2axy^3}\right)^3 =$

Cociente de radicales

Se proponen en forma horizontal o vertical, como fracción algebraica. Cuando ambos radicales tienen el mismo índice, se efectúa la operación en forma ordinaria. El resultado será otro radical del mismo índice.

Ejemplos:

Radicales del mismo índice:

- $\sqrt{15m^3} : \sqrt{5m} = \sqrt{3m^2}; = m\sqrt{3}$

- $\sqrt{320x^4y^5} : \sqrt{5x^2y^3} = \sqrt{64x^2y^2}; = 8xy$

- $\sqrt{49x^7y^3} : \sqrt{196x^2y^8} = \dfrac{\sqrt{49x^7y^3}}{\sqrt{196x^2y^8}}; = \sqrt{\dfrac{49x^7y^3}{196x^2y^8}} = \sqrt{\dfrac{x^5}{4y^5}} =$

$$= \sqrt{\frac{x^4 \cdot x}{4y^4 \cdot y}}\ ; = \frac{x^2}{2y^2}\sqrt{\frac{x}{y}}$$

- $\sqrt[3]{625m^8n^5} : \sqrt[3]{5m^4n^5x^4} = \sqrt[3]{\dfrac{125m^4}{x^4}}; = \dfrac{5m}{x}\sqrt[3]{\dfrac{m}{x}}$

Si los índices de los radicales son diferentes, se igualan por el método aplicado en el caso similar del producto y después se continúa con su proceso natural.

Ejemplos:

Radicales de índices diferentes:

- $\sqrt[2]{ab} : \sqrt[3]{b^2x} =$

$$= \sqrt[6]{(ab)^3} : \sqrt[6]{(b^2x)^2} = \sqrt[6]{\frac{a^3b^3}{b^4x^2}} = \sqrt[6]{\frac{a^3}{bx^2}};$$

- $\sqrt{5ab^2} : \sqrt[4]{3a^2b} =$

$$= \sqrt[4]{(5ab^2)^2} : \sqrt[4]{3a^2b} = \sqrt[4]{\frac{25a^2b^4}{3a^2b}}; = \sqrt[4]{\frac{25b^3}{3}}$$

- $\sqrt[6]{15a^3b^5} : \sqrt{3\,abc} =$

$$= \sqrt[6]{15a^3b^5} : \sqrt[6]{(3abc)^3}; = \sqrt[6]{\frac{15a^3b^5}{27a^3b^3c^3}}; = \sqrt[6]{\frac{5b^2}{9c^3}}$$

- $\sqrt[3]{10a^2b} : \sqrt[9]{4a^5b^8c^7} =$

$$= \sqrt[9]{(10a^2b)^3} : \sqrt[9]{4a^5b^8c^7} =$$

$$= \sqrt[9]{\frac{1\,000\,a^6b^3}{4a^5b^8c^7}}; = \sqrt[9]{\frac{250a}{b^5c^7}}$$

- $\sqrt[4]{3a^4b^5} : \sqrt[3]{9a^2b^7} =$

$$= \sqrt[12]{(3a^4b^5)^3} : \sqrt[12]{(9a^2b^7)^4} =$$

$$= \sqrt[12]{\frac{27a^{12}b^{15}}{6\,561a^8b^{28}}} = \frac{1}{b}\sqrt[12]{\frac{a^4}{243\,b}}$$

Práctica 4.10

Ejercicios para resolver:

I. Cociente de radicales del mismo índice:

1) $\sqrt{50a^3} : \sqrt{5a} =$

2) $\sqrt[3]{300a^2m^3} : \sqrt[3]{20a\,m^2} =$

3) $\sqrt[4]{243x^5y^2} : \sqrt[4]{162x^3y^2} =$

4) $\sqrt[5]{320m^5n^4} : \sqrt[5]{512m^2n^3} =$

5) $\sqrt[4]{125x^5y^7} : \sqrt[4]{500x^7y^2} =$

6) $\sqrt[3]{54m^8n^2} : \sqrt[3]{216m^2n^5} =$

7) $\sqrt{1\,080a^7n} : \sqrt{6an^5} =$

8) $\sqrt[3]{3\,125x^{12}y^4} : \sqrt[3]{5x^4y} =$

9) $\sqrt[4]{729m^4n^3} : \sqrt[4]{3mn^8} =$

10) $\sqrt{36a^2b^5} : \sqrt{288a^7b^2} =$

II. Cociente de radicales de índice diferente:

1) $\sqrt[3]{a^2} : \sqrt{a} =$

2) $\sqrt{2a} : \sqrt[4]{4a} =$

3) $\sqrt[6]{32a} : \sqrt[3]{4a} =$

4) $\sqrt{5x} : \sqrt[6]{25x^2} =$

5) $\sqrt{3ax} : \sqrt[8]{27a^2x^3} =$

6) $\sqrt[9]{256m^5n^8} : \sqrt[3]{4m^2n^2} =$

7) $\sqrt[3]{8m^2n} : \sqrt{4m\,n} =$

8) $\sqrt[4]{6m^2n^2} : \sqrt[3]{3m^2nx} =$

9) $\sqrt[4]{8a^2m^2x} : \sqrt[6]{4a^5m^2y^2} =$

10) $\sqrt[6]{6a^4b^5c^3} : \sqrt{18a^5b^2c^7} =$

11) $\sqrt[3]{5a^2b^2} : \sqrt[12]{75a^5b^2c^4} =$

12) $\sqrt[4]{8a^3bx} : \sqrt[16]{512a^7b^9x^{15}} =$

Raíz de un radical

Es un radical en el cual su subradical es otro radical. Existen casos en los cuales el subradical del segundo radical es a la vez otro radical, y así sucesivamente.

La solución puede llevarse a través de los exponentes fraccionarios; sin embargo, la práctica recomienda un método más cómodo que consiste en multiplicar los índices de los radicales que aparezcan aplicados al subradical único y expresar el resultado como un solo radical afectado de ese producto obtenido.

Simbólicamente puede expresarse:

$$\sqrt[a]{\sqrt[b]{x}} = \sqrt[ab]{x}$$

y en general:

$$\sqrt[a]{\sqrt[b]{\sqrt[c]{x}}} = \sqrt[abc]{x}.$$

El resultado se presentará debidamente simplificado.

Ejemplos:

- $\sqrt{\sqrt[3]{ax}} = \sqrt[2\cdot 3]{ax}; = \sqrt[6]{ax}$
- $\sqrt{\sqrt[3]{\sqrt{25a}}} = \sqrt[2\cdot 3\cdot 2]{25a}; = \sqrt[12]{25a}$
- $\sqrt[4]{\sqrt[3]{4mx}} = \sqrt[4\cdot 3]{4mx}; = \sqrt[12]{4mx}$

Práctica 4.11

Ejercicios para resolver:

1) $\sqrt{\sqrt[4]{3x^2}} =$

2) $\sqrt{\sqrt{4xy}} =$

3) $\sqrt{\sqrt[3]{15\,a^3b^2}} =$

4) $\sqrt[3]{\sqrt{512a^8}} =$

5) $\sqrt{\sqrt[3]{729a^{14}}} =$

6) $\sqrt[3]{\sqrt{256m^9n^8z^7}} =$

7) $\sqrt[3]{\sqrt[3]{42m^9n^{18}}} =$

8) $\sqrt[4]{\sqrt[3]{4\,096\,m^{10}n^{18}}} =$

9) $\sqrt[5]{\sqrt[3]{32\,768\,x^{20}y^{18}}} =$

10) $\sqrt{\sqrt{\sqrt{1\,521a^9m^{10}n^{12}}}} =$

11) $\sqrt[3]{\sqrt{\sqrt{89m^4n^5}}} =$

12) $\sqrt[3]{\sqrt[3]{\sqrt{n^{20}x^{30}y^{37}}}} =$

Racionalización de radicales

Es la operación matemática que convierte en racional un radical irracional que se localiza en el denominador de una fracción. En los ejemplos siguientes se observa que todos los factores son radicales irracionales, pero que el producto efectuado forma un radical racional, porque el resultado es una raíz exacta:

- $\sqrt{a} \cdot \sqrt{a} = \sqrt[2]{a^2}\,; = a$
- $\sqrt[3]{a} \cdot \sqrt[3]{a^2} = \sqrt[3]{a^3}\,; = a$
- $\sqrt[3]{a^2} \cdot \sqrt[3]{a} = \sqrt[3]{a^3}\,; = a$
- $\sqrt[4]{a} \cdot \sqrt[4]{a^3} = \sqrt[4]{a^4}\,; = a$
- $\sqrt[4]{a^2} \cdot \sqrt[4]{a^2} = \sqrt[4]{a^4}\,; = a$
- $\sqrt[4]{a^3} \cdot \sqrt[4]{a} = \sqrt[4]{a^4}\,; = a$

También se observa que los factores están propuestos de tal forma que sus ''factores formen un valor en el subradical producto que tenga un exponente divisible entre su índice''. De esta forma siempre será posible transformar un radical irracional en otro racional.

Ejemplos:

- $\sqrt{3} \cdot \sqrt{3} = \sqrt{3^2} = \sqrt{9} = 3$
- $\sqrt{2a} \cdot \sqrt{2a} = \sqrt{4a^2} = 2a$
- $\sqrt[3]{5b^2} \cdot \sqrt[3]{5^2 b} = \sqrt[3]{5^3 b^3} = 5b$
- $\sqrt[4]{7ab^2c^3} \cdot \sqrt[4]{7^3a^3b^2c} = \sqrt[4]{7^4a^4b^4c^4} = 7abc$
- $\sqrt[5]{10a^4b^5c^2} \cdot \sqrt[5]{10^4ab^2c^3} = \sqrt[5]{10^5a^5b^5c^5} = 10abc$

Para racionalizar un radical situado en el denominador de una fracción, se tendrá que multiplicar el numerador y el denominador de la fracción por el radical que corresponda, y resolver las operaciones indicadas.

Ejemplos:

- $\dfrac{a}{\sqrt{b}} = \dfrac{a}{\sqrt{b}} \cdot \dfrac{\sqrt{b}}{\sqrt{b}} = \dfrac{a\sqrt{b}}{\sqrt{b^2}}; = \dfrac{a\sqrt{b}}{b}$

- $\dfrac{a}{\sqrt[3]{b}} = \dfrac{a}{\sqrt[3]{b}} \cdot \dfrac{\sqrt[3]{b^2}}{\sqrt[3]{b^2}}; = \dfrac{a\sqrt[3]{b^2}}{\sqrt[3]{b^3}}; = \dfrac{a\sqrt[3]{b}}{b}$

- $\dfrac{x}{\sqrt[3]{y^2}} = \dfrac{x}{\sqrt[3]{y^2}} \cdot \dfrac{\sqrt[3]{y}}{\sqrt[3]{y}}; = \dfrac{x\sqrt[2]{y}}{x\sqrt[3]{y}}; = \dfrac{x\sqrt[3]{y}}{y}$

- $\dfrac{b}{\sqrt[5]{b^2}} = \dfrac{b}{\sqrt[5]{b^2}} \cdot \dfrac{\sqrt[5]{b^3}}{\sqrt[5]{b^3}}; = \dfrac{b\sqrt[5]{b^3}}{\sqrt[5]{b^5}}; = \dfrac{b\sqrt[5]{b^3}}{b}; = \sqrt[5]{b^3}$

- $\dfrac{3a}{\sqrt{2b}} = \dfrac{3a}{\sqrt{2b}} \cdot \dfrac{3a\sqrt{2b}}{\sqrt{4b^2}}; = \dfrac{3a\sqrt{2b}}{\sqrt{2b}}$

- $\dfrac{15\,ab^2}{\sqrt[3]{5b}} = \dfrac{15\,ab^2}{\sqrt{5b}} \cdot \dfrac{\sqrt[3]{5^2b^2}}{\sqrt[3]{5^2b^2}}; = \dfrac{15\,ab^2\sqrt[3]{5^2b^2}}{\sqrt[3]{5^3b^3}}; = \dfrac{15ab^2\sqrt[3]{(5b)^2}}{5\,b}$

$$= 3\,ab\sqrt[3]{25b^2} \qquad 1$$

- $\dfrac{m}{\sqrt{m+x}} = \dfrac{m}{\sqrt{m+x}} \cdot \dfrac{\sqrt{m+x}}{\sqrt{m+k}}; = \dfrac{m\sqrt{m+x}}{\sqrt{m+x}}$

- $\dfrac{a+b}{\sqrt[3]{a+b}} = \dfrac{a+b}{\sqrt[3]{a+b}} = \dfrac{\sqrt[3]{(a+b)^2}}{\sqrt[3]{(a+b)^2}}); = \dfrac{(a+b)\sqrt[3]{(a+b)^2}}{\sqrt{(a+b)^3}}; = \dfrac{(a+b)\sqrt[3]{(a+b)^2}}{a+b}$

=

$$= \sqrt[3]{a^2 + 2ab + b^2}$$

Cuando el radical se encuentra formando parte de un binomio se multiplica toda la fracción por el conjugado que corresponda, sin recurrir a los exponentes fraccionarios, y se continúa el proceso.

Ejemplos:

- $\dfrac{5x}{3-\sqrt{x}} = \dfrac{5x}{3-\sqrt{x}} \cdot \dfrac{3+\sqrt{x}}{3+\sqrt{x}} = \dfrac{5x\,(3+\sqrt{x})}{9-x}$

- $\dfrac{8\,ab}{\sqrt{3\,a}+b} = \dfrac{8\,ab}{\sqrt{3\,a}+b} \cdot \dfrac{\sqrt{3\,a}-b}{\sqrt{3a}-b}; = \dfrac{8\,ab\ (\sqrt{3a}-b)}{3a-b^2}$

- $\dfrac{5\,m-3}{\sqrt{4a}-\sqrt{3\,m}} = \dfrac{5\,m-3}{\sqrt{4a}-\sqrt{3\,m}} \cdot \dfrac{\sqrt{4a}+\sqrt{3\,m}}{\sqrt{4a}+\sqrt{3\,m}} =$

  $= \dfrac{(5m-3)\,(\sqrt{4a}+\sqrt{3m})}{(4a-3m)}$

- $\dfrac{7xy-5a}{\sqrt{7xy}+\sqrt{5a}} = \dfrac{7xy-5a}{\sqrt{7xy}+\sqrt{5a}} \cdot \dfrac{\sqrt{7xy}-\sqrt{5a}}{\sqrt{7xy}-\sqrt{5a}} =$

  $= \dfrac{(7\,xy-5a)\,(\sqrt{7\,xy}-\sqrt{5\,a})}{7\,xy-5a}; = \sqrt{7xy}-\sqrt{5a}$

- $\dfrac{4ab-3x}{\sqrt{4\,ab}-\sqrt{3x}} = \dfrac{4ab-3x}{\sqrt{4ab}-\sqrt{3x}} \cdot \dfrac{\sqrt{4\,ab}+\sqrt{3x}}{\sqrt{4\,ab}+\sqrt{3x}} =$

  $= \dfrac{(4\,ab-3x)\,(\sqrt{4\,ab}+\sqrt{3x})}{4\,ab-3x}; = \sqrt{4\,ab}+\sqrt{3x}$

- $\dfrac{3\sqrt{5}}{8-\sqrt{3}} = \dfrac{3\sqrt{5}}{8-\sqrt{3}} \cdot \dfrac{(8+\sqrt{3})}{(8+\sqrt{3})};\cdot \dfrac{24\sqrt{5}+3\sqrt{15}}{(8)^2-(\sqrt{3})^2}; = \dfrac{24\sqrt{5}+3\sqrt{15}}{64-3}; =$

  $= \dfrac{24\sqrt{5}+3\sqrt{15}}{61}$

- $\dfrac{2\sqrt{3}-5\sqrt{2}}{3\sqrt{2}+\sqrt{3}} = \dfrac{2\sqrt{3}-5\sqrt{2}}{3\sqrt{2}+\sqrt{3}} \cdot \dfrac{3\sqrt{2}-\sqrt{3}}{3\sqrt{2}-\sqrt{3}};$

  $= \dfrac{6\sqrt{6}-2\sqrt{9}-15\sqrt{4}+5\sqrt{6}}{(3\sqrt{2})^2-(\sqrt{3})^2} =$

  $= \dfrac{11\sqrt{6}-2(3)-15(2)}{(9.2)-(3)}; = \dfrac{11\sqrt{6}-6-30}{18-3} = \dfrac{11\sqrt{6}-36}{15}$

Práctica 4.12

Ejercicios para resolver:

1) $\dfrac{m}{\sqrt{x}} =$

2) $\dfrac{ab}{\sqrt{b}} =$

3) $\dfrac{xy^2}{\sqrt{xy}} =$

4) $\dfrac{3\,xy^3}{8\sqrt{x}} =$

5) $\dfrac{5\,m^2n}{a\sqrt{m}} =$

6) $\dfrac{a+b}{\sqrt{x}} =$

7) $\dfrac{a-b}{\sqrt{a}} =$

8) $\dfrac{7x-y}{7\sqrt{y}} =$

9) $\dfrac{x}{\sqrt[3]{y}} =$

10) $\dfrac{m^2}{\sqrt[3]{2y}} =$

11) $\dfrac{ab}{2\sqrt[3]{a^2}} =$

12) $\dfrac{3\,m}{4\sqrt{5m}} =$

13) $\dfrac{b^2}{\sqrt[4]{m}} =$

14) $\dfrac{mx}{\sqrt[3]{x^2}} =$

15) $\dfrac{ax}{\sqrt[4]{a^3}} =$

16) $\dfrac{xy}{\sqrt[5]{ax^2}} =$

17) $\dfrac{5\,a^2b^3}{\sqrt[6]{a}} =$

18) $\dfrac{3a-b}{\sqrt[5]{a^3}} =$

19) $\dfrac{4m-3x}{\sqrt[5]{m^2}} =$

20) $\dfrac{3ab-x}{\sqrt[6]{ax^2}} =$

21) $\dfrac{4x}{3+\sqrt{x}} =$

22) $\dfrac{8\,xy}{4-\sqrt{ab}} =$

23) $\dfrac{3a-b}{5+\sqrt{xy}} =$

24) $\dfrac{m-x}{\sqrt{x+m}} =$

25) $\dfrac{5x-y}{\sqrt{5x-y^2}}=$

26) $\dfrac{3\,m^2}{\sqrt{5x}-\sqrt{a}}=$

27) $\dfrac{6\,xy^2}{\sqrt{3\,a}+\sqrt{2b}}=$

28) $\dfrac{3x+4}{\sqrt{3x}+2}=$

29) $\dfrac{2m-5n}{\sqrt{2\,m}-\sqrt{5n}}=$

30) $\dfrac{7x^2y-3xy^2}{\sqrt{7x^2y}-\sqrt{3xy^2}}=$

31) $\dfrac{5}{2-\sqrt{3}}=$

32) $\dfrac{9}{\sqrt{5}+4}=$

33) $\dfrac{\sqrt{3}}{2\sqrt{3}-5}=$

34) $\dfrac{2\sqrt{7}}{3+2\sqrt{7}}=$

35) $\dfrac{4-\sqrt{3}}{\sqrt{3}-5}=$

36) $\dfrac{\sqrt{7}+8}{3\sqrt{7}-5}=$

37) $\dfrac{\sqrt{5}}{\sqrt{3}+\sqrt{2}}=$

38) $\dfrac{2\sqrt{5}+3\sqrt{3}}{\sqrt{3}+\sqrt{5}}=$

Reducción de radicales semejantes

Dos o más radicales son semejantes cuando su índice y subradical son idénticos; además, sus coeficientes también deben ser términos semejantes.

Son radicales semejantes:

- $3\sqrt{7};\ 4\sqrt{7};-2\sqrt{7};\ -11\sqrt{7};\frac{3}{4}\ \sqrt{7};\ldots$
- $8\sqrt[3]{3a^2}\ ;-3\sqrt[3]{3a^2};-\frac{2}{3}\sqrt[3]{3a^2};5\sqrt[3]{3a^2};\ \frac{2}{9}\sqrt[3]{3a^2};\ldots$
- $3\,a\sqrt[4]{7\,ax};-\ \frac{5a}{2}\ \sqrt[4]{7\,ax};\ -\ 2a\sqrt[4]{7ax};a\sqrt[4]{7ax};\ldots$
- $3\,x\sqrt{a-x};\ \frac{2\,x}{5}\ \sqrt{a-x}\ ;-\ \frac{3\,x}{7}\ \sqrt{a-x};\ 8\ x\sqrt{a-x};\ldots$

A partir de la expresión propuesta se clasifican los radicales semejantes, simplificando previamente los radicales que así lo ameriten, y se hace una reducción natural.

Ejemplos:

- $\sqrt{5}+3\sqrt{5}-\sqrt{180}+\sqrt{320}=\sqrt{5}+3\sqrt{5}-6\sqrt{5}+8\sqrt{5};=6\sqrt{5}$

- $\sqrt{32a}+\sqrt{50a}-\sqrt{8a}=4\sqrt{2a}+5\sqrt{2a}-2\sqrt{2a};=7\sqrt{2a}$

- $\sqrt[3]{40}+5\sqrt[3]{3}-\sqrt[3]{320}+\sqrt[3]{81}-\sqrt[3]{5}=2\sqrt[3]{5}+5\sqrt[3]{3}-4\sqrt[3]{5}+$

  $+3\sqrt[3]{3}-\sqrt[3]{5};=-3\sqrt[3]{5}+8\sqrt[3]{3}$

- $3a\sqrt{2b}+\sqrt{2a^2b}+\sqrt{32a^2b}-2a\sqrt{2b}=3a\sqrt{2b}+a\sqrt{2b}+$

  $+4a\sqrt{2b}-2a\sqrt{2b};=6a\sqrt{2b}$

- $\sqrt{72abx^2y^6}-\sqrt[3]{8ab^3y^3}-\sqrt{98a^3bx^2}+\sqrt{27a^1x^3}=6xy^3\sqrt{2ab}-$

  $-2by\sqrt[3]{a}-7ax\sqrt{2ab}+3ax\sqrt[3]{a}=\sqrt{2ab(6xy^3-7ax)}+$

  $+\sqrt[3]{a}\,(3ax-2by)$

- $\frac{3}{4}\sqrt[3]{24ax^3}-\frac{x}{2}\sqrt[3]{375a}+\frac{3x}{8}\sqrt[3]{1\,029a}+\sqrt[3]{3ax^3}=$

  $=\frac{3x}{2}\sqrt[3]{3a}-\frac{5x}{2}\sqrt[3]{3a}+\frac{21x}{8}\sqrt[3]{3a}+x\sqrt[3]{3a}=\frac{21x}{8}\sqrt[3]{3a}$

Práctica 4.13

Ejercicios para resolver:

1) $\sqrt{18}+\sqrt{32}+\sqrt{8}=$

2) $\sqrt{12}-\sqrt{48}+\sqrt{192}-\sqrt{75}=$

3) $\sqrt{63}+\sqrt{44}-\sqrt{99}+\sqrt{175}-\sqrt{28}=$

4) $\sqrt[3]{54}+\sqrt[3]{250}-\sqrt[3]{16}+\sqrt[3]{128}=$

5) $\sqrt[4]{32} + \sqrt[4]{162} - \sqrt[4]{2} =$

6) $\sqrt[3]{4} + \sqrt[3]{54} + \sqrt[3]{2} + \sqrt[3]{108} =$

7) $\sqrt{12} + \sqrt{50} + \sqrt{18} - \sqrt{8} + \sqrt{27} =$

8) $\sqrt{18a} + \sqrt[3]{128a} - \sqrt{50a} - \sqrt[3]{54a} + \sqrt{128a} =$

9) $\sqrt[3]{270a} + \sqrt{160a} - \sqrt[3]{1\ 250a} + \sqrt{640a} =$

10) $\sqrt[3]{135ab} + \sqrt[3]{40ab} - \sqrt[3]{320ab} + \sqrt[3]{5ab} =$

11) $\sqrt{192xy} + \sqrt[3]{192xy} + \sqrt{27xy} - \sqrt[3]{24xy} =$

12) $\sqrt{75ax^2} - \sqrt{3ay^3} =$

13) $\sqrt{18a^2x^3} - \sqrt{8x^3} =$

14) $\sqrt{80x^3y} + \sqrt{45xy^3} - \sqrt{245x^3y^3} =$

15) $\sqrt[3]{32a^3m^4} - \sqrt[3]{500b^3m^7} =$

16) $\sqrt[3]{135a^5m} + \sqrt[3]{40a^2b^3m} + \sqrt[3]{625a^2m^4} =$

17) $\sqrt{252x^5y^7} - \sqrt{567x^7y^5} + \sqrt{448x^9y} =$

18) $\sqrt[3]{250a^7b^5} - \sqrt[3]{54a^{13}b^8} - \sqrt[3]{1\ 024a^7b^{11}} =$

19) $\sqrt{12ax^3} + \sqrt{18ax^2y^2} - \sqrt{27b^2x^3} =$

20) $\frac{3}{4}\sqrt{12a^3} - \frac{5a}{2}\sqrt{27a} - \frac{20}{3}\sqrt{3a^3} =$

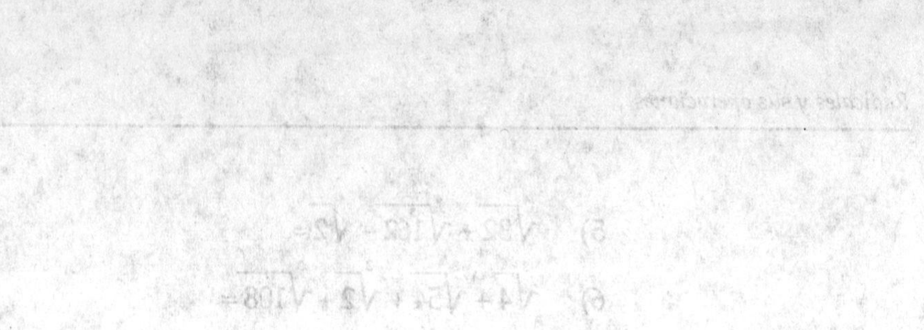

5. Fracciones algebraicas

Máximo común divisor: De dos o más monomios. De dos o más polinomios.

Mínimo común múltiplo: De dos o más monomios. De dos o más polinomios.

Operaciones con fracciones algebraicas: Simplificaciones de las fracciones algebraicas con monomios y con polinomios. Adición. Sustracción. Multiplicación. División.

Los creadores de la matemática

Sabías que...

En la antigua China

De las obras atribuidas a Confucio conocidas como los *Cinco Cánones,* la identificada como *I Qing* (*Libro de las Permutaciones*) se considera como el documento más antiguo por su estructura original. Contiene información matemática acerca del famoso Pa Kua, que se traduce como "ocho trigramas" (indican las direcciones celestes contadas a partir del norte en sentido contrario a las manecillas del reloj), formado por permutaciones de segmentos de rectas dispuestas en forma de círculo. Además de las permutaciones, el *I Qing* contiene cuadrados mágicos, de los cuales el Lo Shu es el reconocido como más antiguo. En un principio los chinos utilizaron dos sistemas de numeración: el multiplicativo por grupos de base 10 y el parecido al posicional de la misma base con el cual podían representar cualquier número por grande que sea. De los clásicos el más antiguo es el Zhou–bei–Qing, cuyo origen es desconocido. Según la interpretación que se tiene, las palabras Zhou–bei parecen referirse al gnomon (reloj del sol horizontal), en astronomía, y Suang–Qing como "aritmética clásica". Se redactó en forma de diálogos que tratan cálculos astronómicos, propiedades del triángulo rectángulo; asimismo contiene una ilustración de un cuadrado que presenta el Teorema de Pitágoras. También se encuentran aplicaciones de las fracciones.

El clásico más importante es el Zhui–Zhang–Suang–Shu, traducido como "El arte matemático en nueve secciones", del que se desconoce también su origen y autor. Sin lugar a dudas fue el que más difusión tuvo en China. Su contenido agrupaba casi 250 problemas que versaban sobre: agricultura, agrimensura, cálculo de longitudes y superficies, solución de ecuaciones y propiedades de los triángulos rectángulos, del rectángulo y del trapecio. Exponía métodos de matrices en la resolución de sistemas simultáneos de ecuaciones lineales de dos y tres ecuaciones. Utilizaban positivos y negativos tanto en sus problemas como en el ábaco.

Debido a un edicto del Emperador en el año 213 a. C., en el que se ordenaba quemar todos los libros existentes, no se conocen documentos originales, pero los sabios escribieron comentarios sobre los clásicos conocidos, añadiendo siempre un poco. Así: Liu Hui, comentarista de las "secciones" en el siglo III d. C., encontró una aproximación de $\pi = 3.14159$, y a finales del siglo IV Qu Chong Shih y su hijo consiguieron una aproximación de $\pi = 3.1415927$.

Zhou Jijie (1280–1303) fue el último de los matemáticos destacados del periodo Song. Se dedicó a la enseñanza durante 20 años; en su principal obra conocida en español como *Espejos preciosos de los cuatro elementos*, se marca un impulso importantísimo en el álgebra china, en donde además de las ecuaciones lineales simultáneas también resuelve ecuaciones elevadas a potencias hasta la decimocuarta. Asimismo, se encontró un diagrama del triángulo aritmético (adjudicado a Pascal) en el que los coeficientes de un binomio están dispuestos hasta la octava potencia.

Como puede deducirse, no es posible pensar que la matemática china no tuviera una participación activa en el mundo de esta ciencia.

MÁXIMO COMÚN DIVISOR

Máximo común divisor de dos o más monomios

El máximo común divisor (**m. c. d.**) de dos o más expresiones algebraicas es aquel que actúa como el mayor divisor posible de las expresiones propuestas.

Para su formación se sustituyen los coeficientes por sus correspondientes factores primos, a continuación se eligen exclusivamente aquellos factores y literales que son comunes a todas y cada una de las expresiones propuestas, y de éstos, sólo los de menor exponente.

Ejemplos:

- $56\,a^4b^3c^2$ y $140\,a^3b^5c$

$56\,a^4b^3c^2 = 2^2 \cdot 7^2\,a^4b^3c^2$ m. c. d. $= 2^2 . 7\,a^3b^3c$

$140\,a^3b^5c = 2^2 \cdot 5 \cdot 7\,a^3b^5c$ $= 28\,a^3b^3c$

- $108\ m^3n^4$; $54\ a^3m^4n^5$ y $81\ am^5n^3$

  $108\ m^3n^4 = 2^2 \cdot 3^3\ m^3n^4$

  $54\ a^3m^4n^5 = 2 \cdot 3^3\ a^3m^4n^5$ m. c. d. $= 3^3\ m^3n^3$ $\therefore$ m. c. d. $= 27\ m^3n^3$

  $81\ am^5n^3 = 3^4\ am^5n^3$

  $375\ x^3yz^2$; $750\ ax^2y^4z^3$; $250\ bx^4y^3z^4$ y $500\ b^2xy^2z$

  $375\ x^3yz^2 = 3 \cdot 5^3\ x^3yz^2$

  $750\ ax^2y^4z^3 = 2 \cdot 3 \cdot 5^3\ ax^2y^4z^3$ m. c. d. $= 5^3\ xyz$

  $250\ bx^4y^3z^4 = 2 \cdot 5^3\ bx^4y^3z^4$ $\therefore$ m. c. d. $= 125\ xyz$.

  $500\ b^2xy^2z = 2^2 \cdot 5^3\ b^2xy^2z$

Máximo común divisor de polinomios

Cuando las expresiones propuestas son polinomios, primero se factoriza y después se aplica el mismo método.

Ejemplos:

- $x^2 - 4x - 21$ y $5x^2 + 15\ x$

  $x^2 - 4x - 21 = (x+3)\ (x-7)$ m. c. d. $= x + 3$

  $5x^2 + 15x = 5x\ (x+3)$

- $6x^2 + 7x - 3$; $9x^2 - 1$ y $9x^2 - 6x + 1$

  $6x^2 + 7x - 3 = (2x+3)\ (3x-1)$

  $9x^2 - 1 = (3x+1)\ (3x-1)$ m. c. d. $= 3x - 1$

  $9x^2 - 6x + 1 = (3x-1)^2$

- $a^3 - b^3$ y $3ax - 2b + 2a - 3bx$

  $a^3 - b^3 = (a-b)\ (a^2 + ab + b^2)$ m. c. d. $= (a - b)$

  $3ax - 2b + 2a - 3bx = (a-b)\ (3x+2)$

- $24\ ax^2 + 44ax + 16a$ y $6x^2 + 2x$

  $24ax^2 + 44ax + 16a = 4a(3x+1)\ (2x+3)$ m.c.d. $= 2(3x+1)$

  $6x^2 + 2x = 2x\ (3x+1)$

Asimismo, en caso de que las expresiones propuestas sean distintamente monomios y polinomios, el cálculo se efectuará en forma similar.

Ejemplos:

- $6a^2x^2$ y $6a^2x^2 - 15a^2x$

$$6a^2x^2 = (3a^2x)(2x) \qquad \text{m. c. d.} = 3a^2x$$
$$6a^2x^2 - 15a^2x = (3a^2x)(2x - 5)$$

- $35bc^2m$; $14bc^2 - 21bc^2m$ y $14abc^2 - 21b^2c^2 + 35bc^2$

$$35bc^2m = 7bc^2 \cdot 5m$$
$$14bc^2 - 21bc^2m = 7bc^2(2 - 3m) \qquad \text{m. c. d.} = 7\,bc^2$$
$$14abc^2 - 21b^2c^2 + 35bc^2 = 7bc^2(2a - 3b + 5)$$

Práctica 5.1

Ejercicios para resolver

Calcular el máximo común divisor de cada grupo de expresiones:

I. Monomios

1) $24x^2y^5$; $48a^3bx$; $120ab^4y =$
2) $12abx^2y$; $8a^2b^3x^2y$; $20mx^3y =$
3) $63a^3b^3$; $99a^4b^4$; $108a^5b^5 =$
4) $40m^6n^3x$; $24m^2n^7x$; $48m^2n^3x^2$; $72m^4n^6x^5 =$
5) $54a^2x^6y^6z^3$ $90a^3x^5y^5z^5$; $126\,a^4x^4y^4z^6 =$
6) $135a^6b^5$; $216a^5b^6$; $243a^4b^7 =$
7) $504a^2m^7nx^3$; $720m^7n^5x^3$; $10\,800\,m^4n^6x^5 =$
8) $625a^3b^4$; $3\,125a^2b^5$; $1\,875ab^3 =$
9) $1\,400a^3m^3$; $3\,080m^4$; $1\,960m^5 =$
10) $3\,168a^6b^2$; $3\,744a^5b^4$; $4\,896a^6b^3$; $5\,472a^7b^5 =$

II. Polinomios

1) $6x^3y - 27x^2y; 4ab^2x - 18ab^2 =$

2) $9x^2 - 25; 12x^2y - 20xy; 9x^2 - 30x + 25 =$

3) $x^2 + 8x + 15; x^2 - 9; 5x^2y + 15\,xy; x^2 + 6x + 9 =$

4) $a^2 - 9b^2; a^2 - 6ab + 9b^2; 4a^3b^3 - 12a^2b^4;$

$am - 3bm + an - 3bn =$

5) $28a^2b - 7ab; 4a^2 + 11a - 3; 16a^2 - 1;$

$12ax - 4ay - 3x + y =$

6) $3x^2 - 7x - 6; x^3 - 27; 4x^3 - 36x; =$

7) $27a^3 + 1; 12a^2 - 5a - 3; 36a^4b - 4a^2b =$

8) $10x^4 + 4x^3 - 6x^2; 100x^3y - 36xy;$

$75x^2y^2 - 90xy^2 + 27y^2 =$

9) $21a^2 + ab - 2b^2; 245a^3b - 140a^2b^2 + 20ab^2;$

$196a^3b - 16ab^3 =$

10) $192x^3 - 81; 16x^2 - 24x + 9; 32x^4y - 18x^2y;$

$24x^3 + 30x^2 - 36x =$

III. Polinomios y monomios

1) $4x^4y - 4x^3y^4; 8x^5y =$

2) $3xy; 2x^2y - 5xy^2 =$

3) $a^3b^2 - 2a^2b^3 + ab^4; 4a^3b^2 =$

4) $16a; 8a^2 - 8b^2 =$

5) $11a^2bx^2 - 22a^2bx - 33a^2b; 7a^2b =$

MÍNIMO COMÚN MÚLTIPLO

Mínimo común múltiplo de dos o más monomios

El mínimo común múltiplo (**m. c. m.**) de dos o más expresiones algebraicas es aquel que simultáneamente es múltiplo de todas y cada una de las propuestas, pero que además es la menor posible.

Para su formación se aplica un método similar al recomendado para el cálculo del máximo común divisor, sólo que ahora, después de hallar los factores primos de los coeficientes, se utilizan TODOS los factores obtenidos incluyendo las literales, y de los repetidos se eligen los de mayor exponente.

- $44a^3bc^2$ y $11a^2b^3$

$44a^3bc^2 = 2^2 \cdot 11a^3bc^2$ m. c. m. $= 44a^3b^3c^2$

$11a^2b^3 = 11a^2b^3$

- $216x^3y^4z^5$; $54ax^4y^2$ y $108a^4y^2$

$216x^3y^4z^5 = 2^3 \cdot 3^3x^3y^4z^5$

$54ax^4y^2 = 2 \cdot 3^3ax^4y^2$ m. c. m. $= 2^3 \cdot 3^3a^4x^4y^4z^5$

$108a^4y^2 = 2^2 \cdot 3^3a^4y^2$ $\therefore$ $= 216\,a^4x^4y^4z^5$

- $125m^5n^2$; $25mx^2$; $250x^3y^4$ y $50m^2nx$

$125m^5n^2 = 5^3m^5n^2$

$25mx^2 = 5^2mx^2$

$250x^3y^4 = 2 \cdot 5^3x^3y^4$ m. c. m. $= 2 \cdot 5^3m^5n^2x^3y^4$

$50m^2nx = 2 \cdot 5^2m^2nx$ $= 250m^5n^2x^3y^4$

Mínimo común múltiplo de polinomios

Cuando las expresiones propuestas son polinomios, se procede a factorizarlas para posteriormente escoger los factores adecuados.

Ejemplos:

- $x^2 - 9$ y $3ax - 9a$

$x^2 - 9 = (x + 3)(x - 3)$ m. c. m. $= 3a(x + 3)(x - 3)$

$3ax - 9a = 3a(x - 3)$

- $4x^2 - 25$; $8abx + 20ab$ y $4x^2 + 20x + 25$

$4x^2 - 25 = (2x + 5)(2x - 5)$

$8abx + 20ab = 4ab\,(2x + 5)$ m. c. m. $= 4ab\,(2x + 5)^2$

$4x^2 + 20x + 25 = (2x + 5)^2$ $(2x - 5)$

- $3a^2 - 2a - 8; 7a^2 - 28; 42a^2 + 56a$ y $a^3 - 8$

$3a^2 - 2a - 8 = (3a + 4)(a - 2)$

$7a^2 - 28 = 7(a - 2)(a + 2)$

$42a^2 + 56a = 14a(3a + 4)$

$a^3 - 8 = (a - 2)(a^2 + 2a + 4)$

m. c. m. $= 14a(3a + 4)(a - 2)(a + 2)(a^2 + 2a + 4)$

Práctica 5.2

Ejercicios para resolver:

Calcular el mínimo común múltiplo en cada grupo de expresiones:

I. Monomios

1) $36m^5n^4x; 72m^3x^2; 144x^3n^3 =$
2) $720x^3y^4; 360y^2z^3; 60x^2y^2z^2; 180x^5 =$
3) $288a^2c; 72b^2c^4; 18a^4b^3; 36b^2c =$
4) $170a^5b^2; 340b^4c^5; 68a^2c^2b^5 =$
5) $8m^3n^4; 24a^2b^3m^2; 32b^2mn^4 =$
6) $15x^5yz^4; 30y^4; 40z^3 =$
7) $25a^2b; 75xy^3; 50b^2x^4\ 100a^3y =$
8) $23p^2q^3r^4; 5r^3; 10q^2r^2 =$
9) $45m^5n; 90an^2; 135bm^2n^3 =$
10) $18xy^4; 54x^2z^5; 27y^2z^3 =$
11) $72a^7bc^5; 24b^2c^4; 36ab^5; 48a^2b^4 =$
12) $35a^2b^3; 70b^4c^2; 105x^5; 140 =$

II. Polinomios

1) $25x^2 + 10x + 1; 5x + 1 =$
2) $9x^2 - 12x + 4; 36x^2 - 4; 9x^2 - 3x - 2 =$
3) $4x^2 + 5x - 6; 3ax^2 - 12a; x^2 + 4x + 4; 24a^2x - 18a^2 =$
4) $x^3 - 8y^3; 5x^3y + 10x^2y^2 + 20xy^3; x^2 - 4xy + 4y^2; x^2 - 3xy + 2y^2 =$

5) $27a^3 - 64;\ 45a^3b + 60a^2b + 80ab;\ 45a^3 - 60a^2;\ 9a^2b^2 - 24ab^2 + 16b^2 =$

6) $64x^2 - 25;\ 8x^2 + 19x - 15;\ 5x^2 + 13x - 6 =$

7) $27x^2 - 125;\ 9x^2 - 30x + 25;\ 6x^2 - x - 15;\ 27ax^3 + 45ax^2 + 75ax =$

8) $m^4 - 25;\ 3am^2x - 15ax;\ 3am^4x - 30\ am^2x + 75ax;\ 27a^2x =$

9) $36x^2 - 24x - 5;\ 144x^3 + 48x^2 + 4x;\ 216x^3 + 1 =$

10) $25x^2 - 9;\ 10x^2 + 9x - 9;\ 4x^2 + 12x + 9;\ 20x^2y - 12xy =$

11) $45x^3y + 21x^2y;\ 675x^2y^2 - 147y^2;\ 15x^2 + 68x - 35 =$

12) $343x^3 - 27;\ 98x^4 - 84x^3 + 18x^2;\ 21x^2 + 19x - 12;\ 12x^2y^2 + 16xy^2 =$

OPERACIONES CON FRACCIONES ALGEBRAICAS

Son las mismas que se efectúan con las fracciones comunes, a saber: simplificación, adición, resta, producto, potencia, cociente y raíz. Considerando que los elementos de estas fracciones son expresiones monomias y polinomias, es necesario hacer una adaptación de los métodos que la aritmética ocupa para resolver operaciones con números racionales.

Simplificación

Es la operación que tiene por objeto transformar la fracción propuesta en otra que le sea equivalente, es decir, que su valor original no se altere.

La forma de efectuarla consiste en factorizar tanto el numerador como el denominador y realizar las simplificaciones que se presenten. De ser necesario, se puede recurrir a los factores primos del coeficiente.

Ejemplos:

- $\dfrac{45a^2b^3c}{20ab^4d} = \dfrac{3^2 \,.\, 5a^2b^3c}{2^2 \,.\, 5ab^4d} = \dfrac{3^2ac}{2^2bd} = \dfrac{9ac}{4bd}$

- $\dfrac{15a^2 - 5a}{25a} = \dfrac{5a(3a - 1)}{5^2a} = \dfrac{3a - 1}{5}$

- $\dfrac{8a + 1}{64a^2 - 1} = \dfrac{8a + 1}{(8a + 1)\,(8a - 1)} = \dfrac{1}{8a - 1}$

- $$\frac{25x^2 + 20xy + 4y^2}{25x^2 - 4y^2} = \frac{(5x + 2y)(5x + 2y)}{(5x + 2y)(5x - 2y)} = \frac{5x + 2y}{5x - 2y}$$

- $$\frac{6x^2 - 4x - 5}{8x^3 - 1} = \frac{(3x + 5)(2x - 1)}{(2x - 1)(4x^2 + 2x + 1)} = \frac{3x + 5}{4x^2 + 2x + 1}$$

- $$\frac{16x^2 + 8x - 35}{48x^3 + 168x^2 + 147x} = \frac{(4x + 7)(4x - 5)}{3x(16x^2 + 56x + 49)} =$$

$$= \frac{(4x + 7)(4x - 5)}{3x(4x + 7)(4x + 7)} = \frac{4x - 5}{3x(4x + 7)}$$

- $$\frac{225a^4b + 360a^3b^2 + 144a^2b^3}{75a^2b - 48b^3} = \frac{9a^2b(25a^2 + 40ab + 16b^2)}{3b(25a^2 - 16b^2)} =$$

$$= \frac{\overset{3}{9}(5a + 4b)^2}{\underset{3}{3b(5a + 4b)(5a - 4b)}} = \frac{3(5a + 4b)}{b(5a - 4b)}$$

- $$\frac{48a^3b^2}{16a^7 - 16a^3b^2} = \frac{48a^3b^2}{16a^3(a^4 - b^2)} = \frac{3b^2}{a^4 - b^2}$$

Práctica 5.3

Ejercicios para resolver:

1) $\dfrac{85m^2n^4}{45m^2n^2} =$

2) $\dfrac{64a^4b^7c^2}{48a^3bc^4} =$

3) $\dfrac{72xy^4}{64x^4y^3z^2} =$

4) $\dfrac{96x^4y^9z^2}{36xy^5z^6} =$

5) $\dfrac{54a^4b^2c^5m^2}{45a^2m^4} =$

6) $\dfrac{108m^8n^5}{81am^2n^3} =$

7) $\dfrac{144m^5n^4z^5}{108m^2n^5} =$

8) $\dfrac{225x^5y}{75x^3y^4} =$

9) $\dfrac{432m^4n^3z^5}{72m^5x^2} =$

10) $\dfrac{216a^4b^5}{36a^7bc^2} =$

11) $\dfrac{729x^2y^5}{81m^2y^5} =$

12) $\dfrac{1\,080a^2b^3}{540a^2b^3c} =$

13) $\dfrac{512mx^4}{1\,024mx^3}=$

14) $\dfrac{275m^2x^4y^5}{825m^2x^4y^5}=$

15) $\dfrac{49x^3y^2z^4}{147x^3y^2z^2}=$

16) $\dfrac{2ax + 10a}{8a^3}=$

17) $\dfrac{16ax^4 + 80x^4}{32ax^5}=$

18) $\dfrac{81m^3x^4 - 54m^3x^3}{81m^5x^4}=$

19) $\dfrac{x^2 + 9x + 20}{x^2 + 8x + 16}=$

20) $\dfrac{4x^2 - 8x - 21}{4x^2 + 12x + 9}=$

21) $\dfrac{4x^2 - 25x - 21}{16x^2 + 24x + 9}=$

22) $\dfrac{5x^2 - 18x - 35}{25x^2 + 70x + 49}=$

23) $\dfrac{3x^2 + 11a - 28}{x^3 + 64}=$

24) $\dfrac{x^3 + 125}{x^2 - 5x + 25}=$

25) $\dfrac{12a^2 + 5a - 15}{27a^3 + 125}=$

26) $\dfrac{x^3 + 1}{3x^4 - 3x^3 + 3x^2}=$

27) $\dfrac{8x^3 - 1}{28x^5 + 14x^4 + 7x^3}=$

28) $\dfrac{15x^2y + 10xy}{27x^3 + 8}=$

29) $\dfrac{16x^2 - 9}{64x^3 - 27}=$

30) $\dfrac{4x^4 + 8x^3 - 60x^2}{12x^2 + 60x}=$

31) $\dfrac{100ax^4 - 36ax^2}{40a^5x^3 + 176a^5x^2 - 120a^5x}=$

32) $\dfrac{48x^3y^2 - 56x^2y^2 - 40xy^2}{48x^3 - 12x}=$

33) $\dfrac{27x^4 + 54x^3 - 81x^2}{36x^3y + 126x^2y + 54xy}=$

34) $\dfrac{16x^4y - 48x^3y - 160x^2y}{4x^2y^2 - 20xy^2}=$

35) $\dfrac{4ax^3 - 100ax}{12x^3 + 120x^2 + 300x}=$

36) $\dfrac{6x^3y + 21x^2y}{4x^2 + 28x + 49}=$

37) $\dfrac{4x^3y + 32x^2y + 60xy}{x^2 + 8x + 15}=$

38) $\dfrac{60x^3y + 25x^2y - 15xy}{40x^3y - 330x^2y - 270xy}=$

Adición

En su solución se presentan dos posibilidades: que las fracciones propuestas tengan el mismo denominador, o bien que sus denominadores sean diferentes.

En el primer caso bastará que con los numeradores se efectúen las operaciones indicadas y repetir el denominador.

Ejemplos:

- $$\frac{5a^2}{2b^3}+\frac{3a^2}{2b^3}-\frac{15a^2}{2b^3}=\frac{5a^2+3a^2-15a^2}{2b^3}=-\frac{7a^2}{2b^3}$$

- $$\frac{7a-b}{3xy}+\frac{4a-5b}{3xy}-\frac{2a-3b}{3xy}=$$

$$=\frac{(7a+b)+(4a-5b)-(2a-3b)}{3xy}=$$

$$=\frac{7a+b+4a-5b-2a+3b}{3xy}=\frac{9a-b}{3xy}$$

- $$\frac{3a}{x^3}+\frac{7b}{x^3}-\frac{4m-3n}{x^3}=\frac{3a+7b-(4m-3n)}{x^3}=$$

$$=\frac{3a+7b-4m+3n}{x^3}$$

Cuando los denominadores son diferentes, se calcula un denominador común, el cual corresponde al *mínimo común múltiplo* de los denominadores parciales. Posteriormente las fracciones propuestas se transforman en sus equivalentes con un denominador común, para lo cual se divide el m. c. m. entre el denominador y el resultado se multiplica por su correspondiente numerador. Este mecanismo se repite para cada una de las fracciones. Finalmente se efectúan las reducciones y simplificaciones que se presenten.

Ejemplos:

- $$\frac{4a}{3b}+\frac{5b}{6a}=\frac{2a(4a)+b(5b)}{6ab}=\frac{8a^2+5b^2}{6ab}$$

(m.c.m.)

- $$\frac{3a-1}{5b}-\frac{4-5a}{10b^2}=\frac{2b(3a-1)-(4-5a)}{10b^2}=$$

$$=\frac{6ab-2b-4+5a}{10b^2}=\frac{5a+6ab-2b-4}{10b^2}$$

Si en el denominador se presenta alguna expresión polinomia se deberá factorizar, y a partir de los factores obtenidos, formar el *m. c. m.* para proseguir con el mismo método.

Ejemplos:

- $\frac{5a}{x+4}+\frac{3a}{x-4}-\frac{2a}{x+4}=$

$$=\frac{5a(x-4)+3a\,(x+4)-2a\,(x-4)}{(x+4)\,(x-4)}=$$

$$=\frac{5ax-20a+3ax+12a-2ax+8a}{(x+4)\,(x-4)}=$$

$$=\frac{6ax}{(x+4)\,(x-4)}$$

- $\frac{a}{a^2+2ab+b^2}+\frac{3a}{a^2-b^2}=\frac{a(a-b)+3a\,(a+b)}{(a+b)^2\,(a-b)}=$

$(a+b)^2 \quad (a+b)\,(a-b)$

$$=\frac{a^2-ab+3a^2+3ab}{(a+b)^2\,(a-b)}=\frac{4a^2+2ab}{(a+b)^2\,(a-b)}$$

- $\frac{5x+3}{3x^2-9x-4}-\frac{4x-7}{x-4}=\frac{(5x+3)-(4x-7)\,(3x+1)}{(3x+1)\,(x-4)}=$

$(3x+1)\,(x-4)$

$$=\frac{5x+3-12x^2+17x+7}{(3x+1)\,(x-4)}=$$

$$=\frac{-12x^2+22x+10}{(3x+1)\,(x-4)}$$

- $\frac{3x+1}{2x-6}+\frac{4x}{x^2-6x+9}-\frac{x+9}{x^2-9}=$

$2\,(x-3) \quad (x-3)^2 \quad (x+3)\,(x-3)$

$$=\frac{(3x+1)\,(x^2-9)+8x\,(x+3)-(x+9)\,(x-3)}{2\,(x-3)^2\,(x+3)}=$$

$$= \frac{3x^3 + 8x^2 - 9x + 18}{2(x-3)^2\,(x+3)}$$

Sustracción

Es una operación similar a la anterior, sólo que formada por dos fracciones: el minuendo y el sustraendo. El signo de la operación afecta directamente al sustraendo cambiando su propio signo.

En la práctica se procede en esta forma y se aplica el mismo método recomendado para la adición.

Ejemplos:

- $\dfrac{4a^2b}{x+1} - \left(-\dfrac{3a^2b}{x+1}\right); = \dfrac{4a^2b}{x+1} + \dfrac{3a^2b}{x+1}; = \dfrac{7a^2b}{x+1}$

- $\dfrac{4m-n}{m+n} - \left(+\dfrac{m-4n}{m-n}\right) = \dfrac{4m-n}{m+n} - \dfrac{m-4n}{m-n} =$

$$= \frac{(4m-n)\,(m-n) - (m-4n)\,(m+n)}{(m+n)\,(m-n)} =$$

$$= \frac{3m^2 - 2mn + 5n^2}{(m+n)\,(m-n)}$$

- $\dfrac{5x-3}{6x^2+5x-2} - \left(-\dfrac{3x+1}{x+2}\right) = \dfrac{5x-3}{(3x-1)\,(x+2)} + \dfrac{3x+1}{x+2} =$

$(3x-1)\,(x+2)$

$$= \frac{5x - 3 + (3x+1)\,(3x-1)}{(3x-1)\,(x+2)} =$$

$$= \frac{5x - 3 + 9x^2 - 1}{(3x-1)\,(x+2)}; = \frac{9x^2 + 5x - 4}{(3x-1)\,(x+2)}$$

Práctica 5.4

Ejercicios para resolver:

1) $\dfrac{5x}{a} + \dfrac{7x}{a} - \dfrac{11x}{a} =$

2) $\dfrac{3ab}{4x} - \left(-\dfrac{8ab}{4x}\right) =$

3) $\dfrac{3m^2y}{ax} - \dfrac{8m^2y}{ax} - \dfrac{7m^2y}{ax} =$

4) $\dfrac{11x^4y^3}{3a^2z} - \left(+\dfrac{14x^4y^3}{3a^2z}\right) =$

5) $\dfrac{3a-5}{4b^2c} - \dfrac{2a+3}{4b^2c} + \dfrac{7a}{4b^2c} - \dfrac{5}{4b^2c} =$

6) $\dfrac{4x-2}{5x^2y} - \left(-\dfrac{3x+4}{5x^2y}\right) =$

7) $\dfrac{4a-1}{15} - \dfrac{2a+3}{30} + \dfrac{a}{20} =$

8) $-\dfrac{3a+2b}{3a} - \left(-\dfrac{7a+5b}{9a^2}\right) =$

9) $\dfrac{3a-2}{15x} - \left(+\dfrac{2a}{x^3}\right) =$

10) $\dfrac{5m}{7a} - \dfrac{3m}{14b} - \dfrac{8m}{2a^2} =$

11) $-\dfrac{8x+3}{5x+3} - \left(+\dfrac{3x-2}{5x+3}\right) =$

12) $\dfrac{3x}{28a} + \dfrac{5a}{14x} + \dfrac{4x}{42a^2} - \dfrac{3a}{7x^2} =$

13) $\dfrac{4x-3}{18x^3} - \left(-\dfrac{4x-9}{6x^2}\right) =$

14) $\dfrac{2a-x}{36ax} + \dfrac{x+1}{12x^3} - \dfrac{2x-a}{9a^2} =$

15) $\dfrac{3x}{a+b} + \dfrac{5x}{a+b} - \dfrac{18x}{a+b} =$

16) $\dfrac{7x^2}{(x+1)} - \left(-\dfrac{3x^2}{(x+1)^2}\right) =$

17) $\dfrac{2a+1}{x-y} - \dfrac{3a-4}{x-y} + \dfrac{a+7}{x-y} =$

18) $\dfrac{4a^2-3a}{a+b} - \left(+\dfrac{a}{b}\right) =$

19) $\dfrac{3a}{x+4} - \dfrac{a}{x} + \dfrac{5a}{x+4} =$

20) $\dfrac{x-1}{x^2-1} - \left(-\dfrac{1}{x-1}\right) =$

21) $\dfrac{2x}{x+2y} - \dfrac{3x}{x-2y} + \dfrac{7x+1}{x^2-4y^2} =$

22) $\dfrac{2a-5}{a^2+2a+1} - \left(+\dfrac{a^2-1}{a}\right) =$

23) $\dfrac{x+1}{m+n} + \dfrac{x-7}{m-n} - \dfrac{3x-2}{m^2-n^2}) =$

24) $\dfrac{3x-4}{x^2+5x+4} - \left(-\dfrac{x-1}{x+1}\right) =$

25) $\dfrac{2x+4}{3} + \dfrac{x+7}{x-y} - \dfrac{5x+1}{x+y} =$

26) $\dfrac{2x}{x-1} - \left(+\dfrac{x+1}{2x^2-5x+3}\right) =$

27) $\dfrac{a+b}{a-b} - \dfrac{3a-b}{a+b} - \dfrac{5a-2b}{a} =$

28) $\dfrac{3a-m^2}{a+m} - \left(-\dfrac{4m}{3a}\right) =$

29) $\dfrac{2a}{a^2-1} - \dfrac{5a+3}{a^2+2a+1} =$

30) $\dfrac{x-1}{4x^2+4x-3} - \left(+\dfrac{x+3}{2x+3}\right) =$

31) $\dfrac{x+1}{x^2+5x+6} + \dfrac{2x-3}{x+2} =$

32) $\dfrac{2x-3}{x^2-5x-14} - \left(-\dfrac{3x-1}{x^2-49}\right) =$

33) $\dfrac{3x+2}{6x^2+5x-6} + \dfrac{6x-1}{2x^2-x-6} =$

34) $\dfrac{4x+3}{3x^2-7x+2} - \left(+\dfrac{x-3}{x^2+5x+6}\right) =$

35) $\dfrac{5a}{3a-3b} - \dfrac{3b}{9a-9b} + \dfrac{8a}{6a+6b} =$

36) $\dfrac{3a+1}{9a+9b} - \left(\dfrac{7a-1}{2a-2b}\right) =$

37) $\dfrac{8-m}{2m-2n} - \dfrac{m+4}{14m+14n} - \dfrac{2m-3}{7m-7n} =$

Multiplicación

Los numeradores y denominadores se multiplican entre sí; posteriormente se simplifican. Si aparecen expresiones polinomias, se procede previamente a su factorización de modo que, al indicar la operación, se facilite y propicie la simplificación.

Ejemplos:

- $\dfrac{15ax5}{7by^4} \cdot \dfrac{6m^2n}{7x^2} \cdot \dfrac{35y^5}{27m^3n^2} = \dfrac{15 \cdot 6 \cdot 35am^2nx^5y^5}{7 \cdot 7 \cdot 27bm^3n^2x^2y^4} = \dfrac{50ax^3y}{21bmn}$

- $\dfrac{x^2-1}{x+2} \cdot \dfrac{3x+6}{x^2+2x+1} = \dfrac{(x+1)(x-1)\,3(x+2)}{(x+2)(x+1)(x+1)}; = \dfrac{3(x-1)}{x+1}$

Práctica 5.5

Ejercicios para resolver:

1) $\dfrac{3x}{5y^2} \cdot \dfrac{4xy}{7} =$

2) $\dfrac{6ab}{5x} \cdot \dfrac{7xy}{9a^2b} =$

3) $\dfrac{4am^4}{9xy^3} \cdot \dfrac{6x^2y}{5a^2m} =$

4) $\dfrac{6a^3b^4}{11m^4} \cdot \dfrac{33x^5y^4}{25b^2} \cdot \dfrac{5m^2}{18a^2x^5} =$

5) $\dfrac{5am^2x^5}{18b^4} \cdot \dfrac{17a^2b^3}{6m^3} \cdot \dfrac{9am^4}{15a^4x^2} =$

6) $\dfrac{26a^2b^3}{9x^4y} \cdot \dfrac{3m^5x^2}{8a^4y^4} \cdot \dfrac{16x^4y^5}{13a^5b^2} =$

7) $\dfrac{36ax^4}{25b^5} \cdot \dfrac{35m^4y^5}{14n^2x^5} \cdot \dfrac{27b^4n^5}{18y^2} =$

8) $\dfrac{49x^5y}{343m^4} \cdot \dfrac{28m^4n^5}{a^4} \cdot \dfrac{7a^4}{n^4} =$

9) $\dfrac{21m^4n^2}{13y^3} \cdot \dfrac{26a^2b}{35m^5} \cdot \dfrac{15y^4}{4n^3x} =$

10) $\dfrac{16xz^3}{9a^2} \cdot \dfrac{18a^4b^3}{z^4} \cdot \dfrac{3y^2}{2x^2} =$

11) $\dfrac{x^2 - 2x - 15}{4} \cdot \dfrac{2x^2}{x + 3} =$

12) $\dfrac{x^2 + 6x + 9}{x^2 + 5x + 6} \cdot \dfrac{x^2 - 4}{3x - 6} =$

13) $\dfrac{2x^2 + 7x + 3}{x^2 - 8x + 15} \cdot \dfrac{x^2 - 10x + 25}{2x + 1} =$

14) $\frac{x^2+5x+4}{x^2-1} \cdot \frac{3x-1}{2x^2+8x} =$

15) $\frac{9x^2-1}{2x-3} \cdot \frac{2x^2+5x-12}{3x^2+13x+4} =$

16) $\frac{2x^2-13x+15}{2x} \cdot \frac{4x^2-20x+100}{x^3-125} =$

17) $\frac{3x^2+10x+3}{x^4+3x} \cdot \frac{x^3+3x^2}{6x^2-x-1} =$

18) $\frac{2x^2+5x-12}{3x^2+3x} \cdot \frac{3x^2+21x}{x^2+11x+28} =$

19) $\frac{6x^2+7x-3}{3x^3+6x^2+12x} \cdot \frac{x^2+2x+4}{2x+3} =$

20) $\frac{16x^2+24x+9}{8x^2+16x} \cdot \frac{x^2+7x+10}{16x^2-9} =$

División

El mecanismo para su solución es bastante similar al empleado en el producto, pues basta invertir la fracción divisor y efectuar el producto indicado. Las observaciones que se hicieron para el caso de expresiones polinomias también aquí se aplican en su totalidad.

Ejemplos:

- $\frac{7am^3}{2xy^4} : \frac{14a^3m^2}{3xy^2} = \frac{7am^3}{2xy^4} \cdot \frac{3xy^2}{14a^3m^2}; = \frac{21am^3xy^2}{28a^3m^2xy^4}; = \frac{3m}{4a^2y^2}$
- $\frac{18x^2y^4}{5ab^4} : \frac{9x^3y}{25ab^5} = \frac{18x^2y^4}{5ab^4} \cdot \frac{25ab^5}{9x^3y}; = \frac{(18)\,(25)ab^5x^2y^4}{(5)\,(9)ab^4x^3y}; = \frac{10by^3}{x}$
- $\frac{3x+12}{x^2+6x+5} : \frac{x^2-16}{x+1} = \frac{3(x+4)}{(x+5)\,(x+1)} \cdot \frac{x+1}{(x+4)\,(x-4)} =$

  $= \frac{3}{(x+5)\,(x-4)}; = \frac{3}{x^2+x-20}$
- $\frac{2x^2+7x-4}{x+4} : \frac{2x^2-5x-3}{2x^2-6x} =$

  $= \frac{(2x-1)\,(x+4)}{(x+4)} \cdot \frac{2x(x-3)}{(2x+1)\,(x-3)} = \frac{4x^2-2x}{2x+1}$

Práctica 5.6

Ejercicios para resolver:

1) $\frac{4x}{5y} : \frac{16x^2}{15y^3} =$

2) $\frac{14xy^3}{9a^4} : \frac{28x^5}{3b} =$

3) $\frac{25a^5x^4}{16m^2} : \frac{15xy^4}{28am^2} =$

4) $\frac{7m^4n^3}{26a^2y^2} : \frac{21m^4x}{39y^4z} =$

5) $\frac{45ax^4}{26m^4} : \frac{9x^3y^4}{52m^2} =$

6) $\frac{18am^2x^3}{25b^4y^3} : \frac{27m^3x^2}{35a^2b^4} =$

7) $\frac{3x^3y^4}{7a^4b} : \frac{9x^4y^2z}{14a^3b^5m} =$

8) $\frac{24m^3n^2z}{11a^4b} : \frac{6m^7n^2}{77ab^5c^2} =$

9) $\frac{14m^8n^7}{39xy^5} : \frac{84n^7}{13x^4y^2} =$

10) $\frac{8a^4b^5}{31x^4y^5} : \frac{64ab^7c^4}{93x^7y^4} =$

11) $\frac{4a^2 + 7a - 2}{x + 3} : \frac{a^2 - 4}{4x + 12} =$

12) $\frac{25x^2 - 9}{m + 4} : \frac{15x^2 + 9x}{m^2 + 8x + 16} =$

13) $\frac{49a^2 - 1}{x + 7} : \frac{49a^2 + 14a + 1}{2ax + 14a} =$

14) $\dfrac{3m^2-48}{x-2y}:\dfrac{6m^2-96}{7x-14y}=$

15) $\dfrac{4x^2+8x-21}{2x+5}:\dfrac{4x^2+28x+49}{4x^2-25}=$

16) $\dfrac{x^2-6x-27}{12x-4}:\dfrac{2x^3-36x^2+162x}{9x^2-1}=$

17) $\dfrac{3x^2-4x+15}{2x^2-18}:\dfrac{5x^2-15x}{x^2-4x+3}=$

18) $\dfrac{2x^2-5x-12}{6x^2-9x}:\dfrac{2x^2-5x-12}{x^2-x-12}=$

19) $\dfrac{10x^2-7x-12}{9x^2-4y^2}:\dfrac{5x^2+9x+4}{3x^2-xy-2y^2}=$

20) $\dfrac{15x^2+17x-4}{x^2+12x+35}:\dfrac{5x^2+4x-1}{x^2+8x+7}=$

21) $\dfrac{x^3-y^3}{2x+3}:\dfrac{x^2+xy+y^2}{4x^2-9}=$

22) $\dfrac{x^2+7x+12}{x^3+64}:\dfrac{x+4}{2x^2-8x+32}=$

23) $\dfrac{8x^3-125}{12x+3}:\dfrac{8x^2-22x+5}{96x^2-6}=$

24) $\dfrac{9x^3-9}{8x^2+12x-8}:\dfrac{3x^2+3x+3}{2x^3+16}=$

6. Ecuaciones con una variable

Ecuaciones de primer grado: Igualdad y sus propiedades. Ecuación como una forma de igualdad. Ecuaciones numéricas. Ecuaciones literales. Despeje de elementos de las fórmulas de geometría, física, etc. Representación gráfica de la función de una ecuación de primer grado. Resolución de problemas.

Ecuaciones de segundo grado: Tipos de ecuaciones de segundo grado o cuadráticas. Métodos para su solución aplicando la factorización. Deducción de la fórmula general y su aplicación para resolver ecuaciones cuadráticas. Naturaleza de las raíces. Propiedades de las raíces. Representación gráfica de la función de una ecuación de segundo grado. Resolución de problemas.

Los creadores de la matemática

Sabías que...

En la antigua India

Ante la falta de manuscritos o alguna clase de documentos referentes a las antiguas culturas de la India, parece inevitable aceptar las informaciones de los estudiosos de estas civilizaciones. Desde la antigüedad hasta el siglo IV a.C. la India fue invadida por diferentes pueblos. Durante el siglo III d.C. reinó la dinastía Gupta, pero a partir del siglo V hasta principios del siglo XV tuvo una ocupación extranjera. Tomando como referencia la caída del Imperio Romano en el año 476 d. C., podemos ubicar también en ese periodo el nacimiento de uno de los dos Āryabhata, autor de una obra matemática, aunque se tiene conocimiento de algunos textos cuyo origen quizá sea anterior a la era cristiana.

Por necesidades propias de su religión, para la construcción de templos y de altares los hindúes desarrollaron conocimientos matemáticos que se encuentran en los Sulvasūtras (*Sulva*: cuerdas utilizadas para efectuar mediciones, y *Sūtra*: conjunto de reglas). Totalmente escrita en verso, se tienen tres versiones de esta obra, de las cuales la más conocida es la de *Apastamba*, en la cual se presentan construcciones de ángulos rectos con cuerdas que forman tripletes pitagóricos. Dan gran importancia a las construcciones geométricas en las que se relaciona constantemente el teorema de Pitágoras; en algunas construcciones de altares llegan a utilizar en forma muy rudimentaria la cuadratura del círculo.

Alrededor del año 400 de la era cristiana aparecen en sánscrito los *Siddhāntas* cuyo tema fundamental es la astronomía. Existen cinco versiones, de las cuales la única que parece estar completa es la del *Surya Siddhānta*, que se traduce como *Sistema del Sol*; en ésta se desarrollan cuestiones astronómicas, en especial griegos mezclados con antiguas creencias hindúes. En el aspecto matemático se manejan conceptos trigonométricos, en los cuales se encuentran diferentes puntos de vista comparados con la trigonometría de Tolomeo.

Es posible que la primera obra que trata temas exclusivos de matemáticas escrita en el año de 499 sea la llamada Ārybhatiya; no obstante, considera en su espacio a la Astronomía. Está dividida en cuatro capítulos: "Armonía celeste", "Elementos del cálculo", "Del tiempo y su medición" y "Las esferas". En su contenido matemático contiene reglas para calcular raíces cuadradas y cúbicas: se ha demostrado que muchas de sus fórmulas de geometría son falsas y algunas verdaderas.

Brahmagupta se considera como el más grande matemático que tuvo la India en el siglo VII. Hacia el año 628 escribió una obra de astronomía titulada *Brahmasphutasiddhanta* o *Sistema revisado de Brahma*, preparada en 21 capítulos, de los cuales algunos contienen temas matemáticos. El contenido matemático de sus obras fue muy diferente al de su predecesor. Manejó un álgebra a base de abreviaturas y encontró la solución a la ecuación de Diofanto $ax + by = c$.

Bhaskara fue el más famoso y talentoso de todos los matemáticos de la India, pues superó con sus trabajos a todos sus predecesores, proporcionando los conocimientos omitidos en los trabajos anteriores. El principal lo llamó Lilavatti en honor a su hija; otro lo llamó Vijaganita. En sus dos obras se encuentran los temas más manejados por los hindúes: ecuaciones lineales y cuadráticas, determinadas e indeterminadas, las medidas, las progresiones aritméticas y geométricas, los números irracionales, las triadas pitagóricas y problemas geométricos y algebraicos.

ECUACIONES DE PRIMER GRADO

La igualdad

Dentro de la relación de *equivalencia*, las igualdades presentan el caso más objetivo, pues cumplen con los caracteres de *identidad, reflexividad* y *transitividad*.

Cuando se tienen dos conjuntos formados por el mismo número de elementos, se obtiene una relación de igualdad:

Si A = B,

$$A = \{x/x \in A; x/x \in B\}$$
$$B = \{x/x \in B; x/x \in A\}$$

Para indicar la relación entre los dos conjuntos se emplea el signo *igual* para separar los valores que forman el primero y el segundo miembros:

Primer miembro = segundo miembro.

En toda igualdad, por su axioma fundamental que dice: "Si con valores iguales se verifican operaciones iguales", se deduce:

- Si a los dos miembros de una igualdad se les suma o resta un mismo valor, se obtiene otra igualdad.
- Si a los dos miembros de una igualdad se les multiplica o divide por un mismo número diferente de cero, se obtiene otra igualdad.
- Si a los dos miembros de una igualdad se les eleva a una misma potencia o se les extrae una misma raíz, se obtiene otra igualdad.
- Dos o más igualdades pueden sumarse o restarse miembro a miembro y se obtiene otra igualdad.
- En toda igualdad, todo valor puede sustituirse por su igual.

Considerar que en el conjunto de las expresiones algebraicas las igualdades formadas por ellas forman una *relación de equivalencia* perfectamente definida en ese conjunto. En toda igualdad formada por expresiones algebraicas se presentan dos situaciones:

1. Que la igualdad se cumpla para cualquier conjunto de valores dados a las variables, en cuyo caso recibe el nombre de *identidad*.
2. Que la igualdad se cumpla únicamente para determinado grupo de valores asignados a las incógnitas, en cuyo caso recibe el nombre de *ecuación*.

La ecuación y su resolución

Por pertenecer a las igualdades, como ya se anotó, se componen de primero y segundo miembros. La ecuación es *numérica* cuando la variable representa a un valor numérico. Es ecuación *literal* cuando, además de la variable, existen otros valores que están representados por literales para indicar datos conocidos.

Grado de una ecuación

La ecuación con una variable determina su grado por el mayor exponente de cualquiera de sus términos.

Resolver una ecuación es obtener la raíz o valor con el cual se verifica la igualdad. La resolución consiste en aplicar los caracteres y axiomas de las igualdades que en forma simplificada dan lugar a la "transposición de términos," siempre con el propósito de obtener ecuaciones equivalentes. Se recomienda el siguiente proceso:

a) Resolver, por separado, las operaciones indicadas en cada miembro (si las hay).

b) Agrupar en un miembro todos los términos que contienen incógnitas y en el otro aquellos que no la contienen, aplicando los axiomas de las igualdades por el principio de transposición de términos: "Todo valor escrito en su miembro contrario deberá ser el inverso aditivo, inverso multiplicativo, etc.".

c) Reducir términos semejantes en cada miembro.

d) Despejar la incógnita, aplicando el *inverso multiplicativo* al coeficiente de la incógnita.

e) Se comprueba el valor de la incógnita investigando si la ecuación puede convertirse en identidad al sustituirse el valor calculado para la incógnita en la ecuación propuesta.

Ejemplos:

Resolver la ecuación numérica:

- $3x + 4 - 7x - 9 - 5 = 2x - 3x + 9 - 3$

Escribiendo los inversos aditivos de los términos con incógnita en el primer miembro y los numéricos en el segundo miembro se forma la ecuación equivalente:

$$3x - 7x - 2x - 8x = 9 - 3 - 4 - 3 + 5$$

Reduciendo términos semejantes en cada miembro se obtiene:

$$2x = -2$$

Aplicando el inverso multiplicativo al coeficiente de la incógnita (despejando):

$$x = \frac{-2}{2}$$
$$x = -1$$

Para comprobar el resultado, se sustituye el valor calculado para la incógnita en la ecuación propuesta. Es decir:

$$3(-1) + 4 - 7(-1) + 9 - 5 = 2(-1) - 8(-1) + 9 - 3$$
$$-3 + 4 + 7 + 9 - 5 = -2 + 8 + 9 - 3$$
$$12 \equiv 12$$

Al formarse una identidad, el valor calculado para la incógnita es correcto.

• $5(x + 3) - 2(4x - 9) = 15 - (3x + 6) + 3(x - 3)$

En cada miembro se suprimen los paréntesis efectuando las multiplicaciones indicadas:

$$5x + 15 - 8x + 18 = 15 - 3x - 6 + 3x - 9$$
$$5x - 8x + 3x - 3x = 15 - 6 - 9 - 15 - 18$$
$$-3x = -33$$
$$x = -\frac{-33}{-3}$$
$$x = 11$$

Comprobación:

$$5[(11) + 3] - 2[4(11) - 9] = 15 - [3(11) + 6] + 3[(11) - 3]$$

Se suprimen los paréntesis redondos y se resuelven las operaciones indicadas dentro de los paréntesis rectangulares:

$$5[14] - 2[35] = 15 - [39] + 3[8]$$

Se suprimen los paréntesis rectangulares efectuando las multiplicaciones:

$$70 - 70 = 15 - 39 + 24$$
$$0 \equiv 0$$

La identidad formada comprueba que el resultado es correcto.

• $(x - 4)(x - 7) + 5x - 3 = (x + 7)(x - 3) - 4x + 15$

Se resuelven los productos indicados en cada miembro:

$$x^2-3x-28+5x-3=x^2+4x-21-4x+15$$
$$x^2-x^2-3x-4x+5x+4x=-21+15+28+3$$
$$2x=25$$
$$x=\frac{25}{2}$$

Comprobación:

$$\left(\frac{25}{2}\right)+4\left(\frac{25}{2}\right)-7+5\left(\frac{25}{2}\right)-3=\left(\frac{25}{2}\right)+7\left(\frac{25}{2}\right)-3-$$

$$-4\left(\frac{25}{2}\right)+15=\frac{33}{2}\,\frac{11}{2}+5\frac{25}{2}-3=\frac{39}{2}\,\frac{19}{2}-$$

$$-4\left(\frac{25}{2}\right)+15$$

$$\frac{601}{4}\equiv\frac{601}{4}$$

El valor $x=\frac{25}{2}$ es correcto.

- $\frac{3x}{7}-\frac{4x}{9}=\frac{2x}{21}-\frac{2}{3}$

Se multiplican los dos miembros de la igualdad por el máximo común denominador y se simplifican los términos:

$$63\left(\frac{3x}{7}-\frac{4x}{9}\right)=\left(\frac{2x}{21}-\frac{2}{3}\right)63$$
$$27x-28x=6x-42$$
$$27x-28x-6x=-42$$
$$-7x=-42$$
$$x=+6$$

Comprobación:

$$\frac{3(6)}{7}-\frac{\overset{2}{4(6)}}{\underset{3}{9}}=\frac{\overset{2}{2(8)}}{\underset{7}{21}}-\frac{2}{3}$$

$$\frac{18}{7}-\frac{8}{3}=\frac{4}{7}-\frac{2}{3}$$
$$-\frac{2}{21}\equiv-\frac{2}{21}$$

- $\frac{5}{7x}+\frac{2}{3}-\frac{4}{3x}=\frac{3}{2}-\frac{3}{x}+\frac{5}{14}$

Se multiplica la ecuación por el máximo común denominador y se simplifica cada término:

$$42x\left(\frac{5}{7x}+\frac{2}{3}-\frac{4}{3x}\right)=\left(\frac{3}{2}-\frac{3}{x}+\frac{5}{14}\right)42x$$
$$30+28x-56=63x-126-15x$$
$$28x-63x-15x=-126+56-30$$
$$-50x=-100$$
$$x=2$$

Comprobación:

$$\frac{5}{7(2)}+\frac{2}{3}-\frac{4}{3\,(2)}=\frac{3}{2}-\frac{3}{(2)}+\frac{5}{14}$$
$$\frac{5}{14}+\frac{2}{3}-\frac{4}{6}=\frac{3}{2}-\frac{3}{2}+\frac{5}{14}$$
$$\frac{5}{14}\equiv\frac{5}{14}$$

- $\frac{3-x}{4}+\frac{5-3x}{6}-\frac{4x-2}{3}=4-\frac{5x+1}{2}$

Se multiplica por el máximo común denominador y se simplifica:

$$12\left(\frac{3-x}{4}+\frac{5-3x}{6}-\frac{4x-2}{3}\right)=\left(4-\frac{5x+1}{2}\right)12$$
$$3(3-x)+2\,(5-3x)-4(4x-2)=48-6\,(5x+1)$$
$$9-3\,x+10-6x-16x+8=48-30x-6$$
$$-3x-6x-16x+30x=48-6-9-10-8$$

$$5x = 15$$

$$x = 3$$

Comprobación:

$$\frac{3-(3)}{4} + \frac{5-3(3)}{6} - \frac{4(3)-2}{3} = 4 - \frac{5(3)+1}{2}$$

$$-\frac{2}{3} - \frac{10}{3} = 4-8$$

$$-4 \equiv -4$$

- $$\frac{11}{x+7} - \frac{4}{2x-1} = \frac{15}{2x^2+13x-7}$$

Se factoriza y calcula el máximo común denominador:

$$(x+7)(2x-1)\left[\frac{11}{x+7} - \frac{4}{2x-1}\right] = \left[\frac{15}{(x+7)(2x-1)}\right](x+7)(2x-1)$$

$$11(2x-1) - 4(x+7) = 15$$

$$22x - 11 - 4x + 28 = 15$$

$$18x = 54$$

$$x = 3$$

Comprobación:

$$\frac{11}{3+7} - \frac{4}{2(3)-1} = \frac{15}{2(3)^2 + 13(3) - 7}$$

$$\frac{11}{10} - \frac{4}{5} = \frac{15}{50}$$

$$\frac{3}{10} \equiv \frac{3}{10}$$

Práctica 6.1

Ejercicios para resolver:

(Resolver en hojas por separado).

I. Calcular el valor de la incógnita y comprobar:

1) $4x + 17 - 8x + 15x = 3 - 5x + 19x$

2) $7x - 3 + 5x - 9x = -15 + 4x - 8 + 3x$

3) $11x - 9 + 14x - 16 = 21x + 13 - 9x + 14$

4) $5x - 4 + 14x - 19 = 18x + 7x - 16 + 23$

5) $14x - 19x - 21 - 4x = 17x - 15 - 5x - 51$

6) $4(3x + 10) - 5(7x + 3) = -13 - 3(4x + 9)$

7) $3(3 - x) + 2(5 - 3x) - 4(4x - 2) = 48 - 3(8x + 3)$

8) $5x - 3[-2(x + 2)] = 5[-5(2x - 7) - 3(x + 8)] + 19$

9) $4 - \{-3x + 2[7x - 3(x - 7)] + 4[-5(3x - 1)]\} -$

$- 8(x + 3) = 12$

10) $-5\{3x - 2[4x - 3(2x - 7) + 4(-3x + 4) - 8x]\} -$

$- 9x + 3 - 15x = 37$

11) $-7\{5x - 4(2x + 8) - 3[5x - 3(4x + 3)] - 3x +$

$+ 5(7x + 9)\} - 4x + 3 = 0$

12) $3x(5x + 3) - 4x(2x - 8) - 3 = x(7x - 9) - 5(x - 3)$

13) $4x(2x - 5) + 5x(2x + 3) = 6 - 8x(-2x + 7) + 2(x^2 + 15)$

14) $11x(x - 14) + 7(2x^2 - 5x + 9) - 2 = 8x(3x - 5) -$

$- x(3 - 2x - x^2)$

15) $3(5x^2 - 3x - 8) + 14x(x - 3) - (5 - x^2) =$

$= (4 - x)(4 + x) + x^2$

16) $(x + 3)(x + 5) + 3(x^2 - 9) = (2x + 3)^2 - 5(8x + 9)$

17) $(x + 3)(2x - 4) - (5x - 1)(x - 3) = 7x(x - 5) -$

$- 3(4 - 3x + 5x^2) + 5x^2$

18) $-3(2x + 1)(x - 4) + 2(x + 5)^2 - 4x(x - 3) =$

$= 1 + 4x(3 - 2x)$

19) $-2(5x - 3)(2x + 1) + 4x(3x - 5) = -6(-3x^2 +$

$+ 5x - 3) + 3(2x + 5)(2x - 5)$

20) $4(x + 7)(3x + 1) - 2(3x + 1)^2 = 2(3x - 4)(3x + 4) +$

$+ 3x(4x + 3)$

21) $5(3x^2 - 9) - 2(4x + 3)(x - 2) = (3x + 4)(2x) +$
$+ (5x - 1)x - (12 + 4x^2)$

22) $2x(x^2 - 4) + 5x(x^2 - 3x) = 3x^3 + 2x(2x^2 + 3x - 5) +$
$+ (3 - 2x)(2 + 3x)$

23) $(x + 3)(x + 1)(x - 1) = 2x(x + 3)^2 - x^3 - (3x + 1)^2$

24) $(2x + 3)(x - 1)(3x) + 3x(x^2 + 3x) = x(3x + 5)^2 -$
$- 2x(3x - 4)(3x + 4) + 33$

25) $(x + 5)(2x + 3)(x + 4) + x(2x^2 - 7x) - 25x =$
$= (2x + 3)^2(x - 3) - 7x(2x - 7)$

26) $\frac{5x}{2} + \frac{4x}{5} = 9 + \frac{3x}{10}$

27) $\frac{8x}{3} - \frac{5x}{9} = \frac{14x}{6} - \frac{2x}{9}$

28) $\frac{7x}{4} - \frac{11x}{12} = \frac{5x}{8} + \frac{7x}{32} - \frac{2x}{3}$

29) $\frac{8x}{15} - \frac{9x}{5} + \frac{11x}{10} = -\frac{5x}{6} + \frac{2x}{5} + \frac{4x}{15}$

30) $\frac{6x}{7} + \frac{9x}{14} - \frac{x}{2} = \frac{5x}{3} + \frac{5x}{6} + \frac{3}{2}$

31) $\frac{3x}{14} + \frac{5x}{7} = \frac{2x}{21} - \frac{4}{3}$

32) $\frac{2x}{3} + \frac{4}{7} = \frac{5x}{7} - \frac{5}{3}$

33) $\frac{x}{5} + \frac{x}{8} - \frac{15}{4} = \frac{7}{20} - \frac{x}{10}$

34) $\frac{5x}{8} + \frac{4x}{3} - \frac{5}{12} = 3x - \frac{5x}{6}$

35) $\frac{3x}{5}+\frac{4x}{9}=\frac{3}{5}+\frac{x}{15}$

36) $\frac{4}{3}\left(\frac{x}{2}+\frac{2x}{3}+\frac{1}{2}\right)=\frac{3x}{2}+\frac{5}{6}$

37) $\frac{2}{3}\left(\frac{x}{4}+\frac{2x}{3}\right)-\frac{3}{4}\left(\frac{4x}{2}+\frac{x}{3}-\frac{2x}{3}\right)=\frac{5x}{3}+\frac{11}{9}$

38) $\frac{5}{x}+\frac{3}{2x}=4-\frac{3}{2x}$

39) $\frac{5}{4x}-\frac{2}{7x}=\frac{3}{x}+\frac{19}{28}$

40) $\frac{7}{2x}-\frac{3}{5x}+\frac{3}{4}=\frac{2}{3x}+\frac{157}{120}$

41) $\frac{4}{5x}-\frac{3}{7x}-\frac{1}{10}=\frac{3}{4x}+\frac{5}{56}$

42) $\frac{2}{3x}-\frac{5}{4x}+\frac{9}{5x}=\frac{3}{4}-\frac{4}{3x}-\frac{6}{5x}$

43) $\frac{9}{2x}+\frac{3}{4x}+\frac{2}{3}-\frac{8}{3x}=-\frac{1}{x}-\frac{8}{3x}-\frac{1}{4x}$

44) $\frac{5}{2x}=\frac{8}{3x}+\frac{1}{3}$

45) $\frac{3}{2x}+\frac{3}{4}=\frac{1}{x}+\frac{5}{2x}$

46) $\frac{7}{3x}+\frac{4}{9}+\frac{2}{5x}=\frac{7}{6x}$

47) $\frac{5}{3x}+\frac{2}{x}=\frac{15}{2x}+\frac{3}{4}$

48) $\frac{3}{x}+\frac{5}{2x}=\frac{4}{3}+\frac{1}{x}$

49) $\frac{x-5}{3}+\frac{x+3}{2}=\frac{4}{3}+\frac{x-1}{6}$

50) $\frac{x+5}{4} - \frac{x-7}{3} = \frac{5x}{6} + \frac{9}{4} - \frac{3x-2}{4}$

51) $\frac{5x-3}{2} - \frac{3x+2}{4} - \frac{1}{2} = \frac{4x-3}{3} + \frac{4x+1}{3}$

52) $\frac{2\,(x-3)}{3} - \frac{5\,(x+2)}{2} = \frac{4\,(2x-5)}{9} + \frac{7x+1}{9} - \frac{2x-1}{6}$

53) $x-1 + \frac{x+2}{2} - \frac{x-3}{3} = 15$

54) $\frac{2x-1}{3} - \frac{5x+3}{2} - \frac{8x-5}{4} = \frac{x}{3} + 10$

55) $\frac{4}{3x-1} - \frac{7}{2x-1} = \frac{8}{6x^2-5x+1}$

56) $\frac{3}{2x+3} + \frac{4}{2x^2+x-3} = \frac{3}{x-1}$

57) $\frac{4}{3x-1} - \frac{8}{x+2} = \frac{14}{6x^2+5x-2}$

58) $\frac{15}{x+3} + \frac{12}{x-3} = \frac{18}{x^2-9}$

Ecuaciones literales

Son ecuaciones que contienen además de la variable considerada como incógnita, otras llamadas literales. También pueden definirse simplemente como ecuaciones que contienen literales, una de las cuales funcionará como incógnita, como sucede con las fórmulas de geometría, física, química, etcétera.

Resolver una ecuación literal consiste en despejar la literal elegida como incógnita, aplicando los mismos recursos matemáticos que se aplicaron en la resolución de las ecuaciones numéricas, que pueden sintetizarse así:

- Efectuar las operaciones algebraicas que en cada miembro aparecen en la ecuación propuesta (si las hay).
- Agrupar los términos que contienen la incógnita a despejar en uno de los miembros y los que no la contienen en el otro.
- Reducir términos semejantes en cada miembro.
- Despeje de la incógnita.

- El resultado obtenido es una expresión algebraica en la que no aparece la incógnita despejada.

Nota. Cuando en una ecuación literal aparece alguna de las literales x, y ó z, ésta se considera como la incógnita, a menos que alguna otra se señale como tal.

Ejemplos:

- $4x - a + 5(2a - 3x) = a - 3$

Suprimiendo paréntesis:

$4x - a + 10a - 15x = a - 3$

agrupando incógnitas en un miembro:

$4x - 15x = a - 10a + a - 3$

reduciendo términos semejantes:

$-11x = -8a - 3$

despejando la incógnita y multiplicando por (-1):

$$x = \frac{8a + 3}{11}$$

- $\dfrac{3x}{2} - \dfrac{4a}{3} + \dfrac{5x - 2a}{6} = 3a$

Multiplicando por el máximo común denominador.

$$6\left(\frac{3x}{2} - \frac{4a}{3} + \frac{5x - 2a}{6}\right) = (3a)(6)$$

$$9x - 8a + 5x - 2a = 18a$$

$$14x = 18a + 8a + 2a$$

$$14x = 28a$$

$$x = \frac{28a}{14}$$

$$x = 2a$$

- $(a + x)^2 - (x - a)(x + a) = 0$

Desarrollando productos notables

$$a^2 + 2ax + x^2 - x^2 + a^2 = 0$$

$$2ax = -2a^2$$

$$x = -\frac{2a^2}{2a}$$

$$x = -a$$

Ejemplos de despejes de variables cuando son componentes de fórmulas:

En cada una de las siguientes fórmulas despejar la variable que se pide:

Fórmula: $A = \dfrac{(B + b)\,h}{2}$

Despejar la variable h

$$2A = (B + b)\,h$$

$$\frac{2A}{B + b} = h$$

$$\therefore h = \frac{2A}{B + b}$$

Despejar la variable B

$$2A = (B + b)\,h$$

$$\frac{2A}{h} = B + b$$

$$\frac{2A}{h} - b = B$$

$$\therefore B = \frac{2A}{h} - b$$

Fórmula: $i = c \cdot r \cdot t \cdot$

Despejar la variable c

$$\frac{i}{r} = C \cdot t$$

$$\frac{i}{r \cdot t} = c$$

$$\therefore c = \frac{i}{r \cdot t}$$

Fórmula: $V = \dfrac{4\pi r^3}{3}$

Despejando la variable r

$$3V = 4\pi r^3$$

$$\frac{3V}{4\pi} = r^3$$

$$\sqrt[3]{\frac{3V}{4\pi}} = r$$

Fórmula: $V_f = V_0 + at$.

Despejar V_0

$$V_0 + at = V_f$$

$$V_0 = V_f - at.$$

Despejar t

$$V_0 + at = V_f$$

$$at = V_f - V_0$$

$$t = \frac{V_f - V_0}{a}$$

Práctica 6.2

Ejercicios para resolver:

(Resuelva en hojas por separado).

I. Despejar las variables x, y, z:

1) $2y - 5a = 7y + 20a$

2) $3z - az = 2ab$

3) $5\,(x + 3a) = 8\,(2x - 5a)$

4) $3\,(x - 4b) + 8\,(2x - b) = 4\,(3x - 2b)$

5) $2a - [3x - 5a + 3\,(5x - 11a)\,] = 7\,(2a - x)$

6) $3 - \{2x - [5x - (3x - 9b) + 11b]\,\} = 4b - 7x$

7) $\frac{4x}{3} - \frac{a}{5} - \frac{3a + 7x}{15} = \frac{2a}{3}$

8) $\frac{3x - 2b}{4} = \frac{7x + b}{8} - \frac{3b - 5x}{2}$

9) $\frac{a-3x}{9}-\frac{2x-3a}{3}=\frac{4a-3x}{6}$

10) $(x+3a)(x+5a)=(x-a)^2$

Práctica 6.3

Ejercicios para resolver:

(Resuelve en hojas por separado).

II. Despejar las variables componentes que se señalan en cada fórmula:

1) $a^2+b^2=c^2$ Despejar: *c*; despejar *b*

2) $i=c\cdot r\cdot t$ Despejar *t*

3) $V=\frac{4\pi r^3}{3}$ Despejar *r*

4) $S_i=180°(n-2)$ Despejar *n*

5) $i=\frac{180°(n-2)}{n}$ Despejar *n*

6) $S=\frac{b^2\tan A}{2}$ Despejar *b*

7) $A=\pi(R^2-r^2)$ Despejar *R*; despejar *r*

8) $\frac{a}{\text{sen A}}=\frac{b}{\text{sen B}}$ Despejar *b*; despejar *sen B*

9) $\cos A=\frac{b^2+c^2-a^2}{2bc}$ Despejar *a*

10) $\tan\theta=\frac{m_2-m_1}{1+m_2m_1}$ Despejar m_2

Representación gráfica de una ecuación de primer grado

Una ecuación con estas características recibe el nombre de *ecuación indeterminada de primer grado.* Sus dos variables admiten un número de valores numéricos que, formando pares ordenados, la satisfacen como una igualdad.

Para obtener su gráfica es necesario recordar los conceptos de "Relaciones de aplicación o función" establecidos en el primer capítulo, donde se afirma: "Si la función o aplicación se establece entre conjuntos de números se le llama: función numérica".

Para lograr mayor objetividad, se propone la siguiente ecuación indeterminada:

$$4x + y = 9$$

Su transformación a una función numérica se obtiene como sigue:

Si $f(x) = y$,

$$\text{entonces } y = 9 - 4x$$

En este caso, x es la variable independiente a la cual se le asignan valores numéricos que permitan una tabulación adecuada; y es la variable dependiente que toma sus valores al efectuar la operación indicada: $9 - 4x$.

Los valores asignados a la variable independiente corresponden al *dominio* y los obtenidos para la variable dependiente forman el *codominio*; los cuales pueden agruparse en un cuadro de valores numéricos de la función. Como las variables son x y y, las columnas del cuadro corresponderán a los pares ordenados de sus valores.

A cada par ordenado (x, y) le corresponde un punto que se localiza en un sistema de ejes coordenados, en donde el valor de x es el de la abscisa y el de y es el de la ordenada.

El conjunto de todos los puntos (representados por los pares ordenados del cuadro) determinan la posición de una recta; al ser trazada, ésta muestra la "gráfica" de la función que representa a la ecuación de primer grado con dos variables.

Para el ejemplo propuesto de la ecuación indeterminada $4x + y = 9$ se procede como se indica a continuación:

a) Se transforma la ecuación en $y = f(x)$:

$$y = 9 - 4x$$

b) Se tabula $y = f(x)$:

x	4	3	2	1
$y = f(x)$	−7	−3	1	5

es decir,
A (4, – 7)
B (3, – 3)
C (2, 1)
D (1, 5)

c) Se localizan los pares de valores calculados en un sistema cartesiano de *ejes rectangulares*.

d) Se unen los puntos con un trazo continuo.

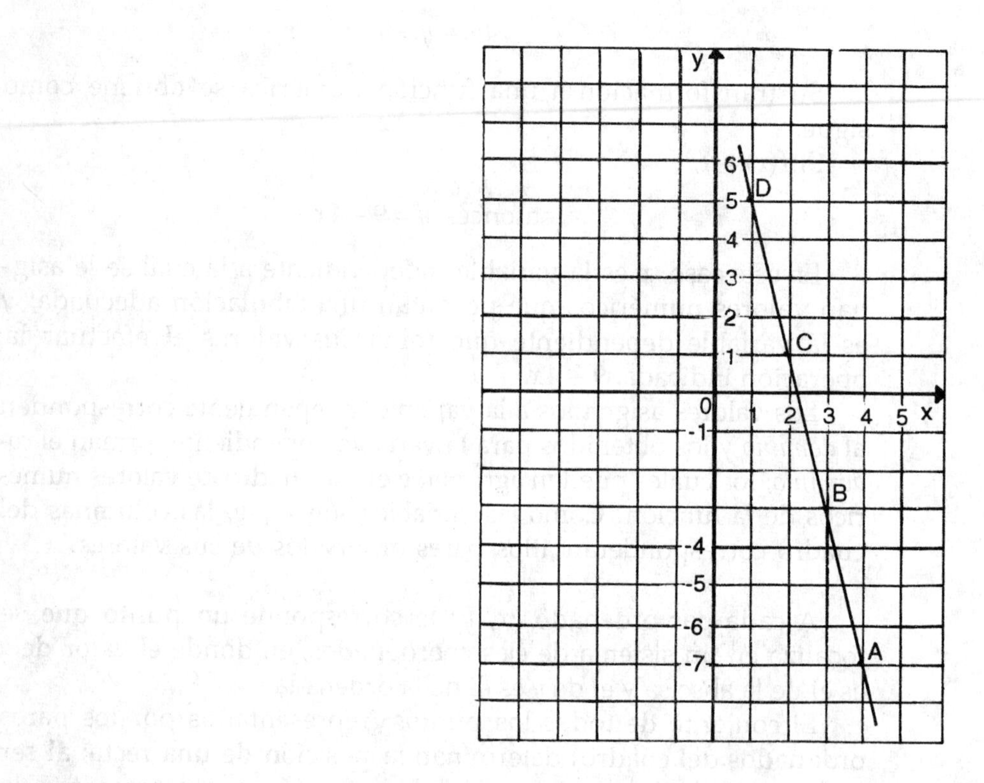

Nota. Por una de las propiedades de toda recta, la gráfica puede trazarse en forma ilimitada hacia ambos extremos.

Otro ejemplo:

- Trazar la gráfica de la ecuación:

$$2x - 3y = 11$$

a) Tomar $x = f(y)$:

$$x = \frac{11 + 3y}{2}$$

b) Tabulación:

$x = f(y)$	-2	1	4	$\frac{11}{2}$
y	-5	-3	-1	0

es decir:

A $(-2, -5)$
B $(1, -3)$
C $(4, -1)$
D $\left(\frac{11}{2}, 0\right)$

c) Localizar los pares de valores en un sistema cartesiano de ejes rectangulares.

d) Unir los puntos con un trazo continuo.

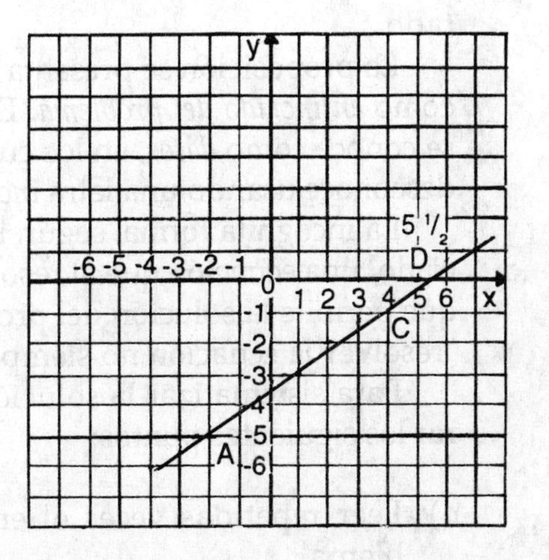

Nota. Observar que los valores propuestos para la variable independiente, no obstante ser arbitrarios, son tales que permiten obtener valores sencillos para la variable dependiente.

Práctica 6.4

Ejercicios para resolver:

I. Trazar la gráfica que representa la función de las siguientes ecuaciones indeterminadas:

1. $x - y - 6 = 0$
2. $x + y - 8 = 0$
3. $3x + y - 5 = 0$
4. $8x - y - 7 = 0$
5. $x - 5y - 20 = 0$
6. $x + 9y - 27 = 0$
7. $4x - 3y + 12 = 0$
8. $7x + 4y + 20 = 0$
9. $2x + 5y - 15 = 0$
10. $3x - 11y - 22 = 0$
11. $\frac{5x}{2} - \frac{2y}{3} - 8 = 0$
12. $\frac{2x}{7} + \frac{y}{14} - \frac{5}{14} = 0$

Resolución de problemas con ecuaciones de primer grado

Un problema es una proposición, en este caso de tipo matemático, que contiene información con base en datos para obtener un resultado.

La proposición se presenta en una redacción a la que se le conoce como *enunciado del problema.* En ella se presenta la información que se conoce como *datos*, en los cuales se hace participar al valor que se desconoce usando una letra *incógnita.*

La incógnita forma, según indicaciones consideradas en el enunciado, una ecuación que al resolverse proporciona un valor numérico que permite la solución del problema, aunque no debe olvidarse que "resolver la ecuación no siempre será resolver el problema".

Para sistematizar la solución de un problema se deben considerar los siguientes puntos:

a) Leer repetidas veces el enunciado hasta comprender el problema.
b) Analizar los datos que contiene el enunciado para determinar si son suficientes para la solución del problema.
c) Usar una incógnita que represente al valor desconocido.
d) Formar una ecuación de acuerdo con el enunciado del problema.

e) Resolver la ecuación para determinar el valor numérico de la incógnita y usarlo para los resultados del problema.

A continuación se presentan algunos problemas resueltos:

1. ¿Cuál es el número cuyo tercio sumado con su doble y aumentado en 8 es igual a 29?

Datos	*Ecuación*	*Resultado*
El número = x	$\frac{x}{3}+2x+8=29$	El número = 9
Suma = 17	$x+6x+24=87$	
	$7x=87-24$	
	$x=\frac{63}{7}$	
	$x=9$	

2. La suma de tres números enteros consecutivos es 213, ¿cuáles son dichos números?

Datos	*Ecuación*	*Resultados*
Primer número = x	$x+(x+1)+(x+2)=213$	Primer número = 70
Su consecutivo = $x+1$	$x+x+1+x+2=213$	Su consecutivo = 71
Su otro consecutivo = $x+2$	$3x=213-3$	Su otro consecutivo = 72
Suma = 213	$3x=210$	
	$x=70$	

3. Los ángulos interiores de un triángulo suman 180°, ¿cuáles son las medidas de cada uno, sabiendo que el ángulo B es 18° mayor que el ángulo A y el ángulo C es 6° menor que el doble del ángulo A?

Datos	*Ecuación*
$A=x$	$x+x+18+2x-6=180°$
$B=x+18°$	$4x+12=180°$
$C=2x-6°$	$4x=180°-12$
Suma = 180°	$4x=168°$
	$x=42°$

Resultados	*Comprobación*
$A = 42°$	$A + B + C = 180°$
$B = 42° + 18° = 60°$	$42° + 60° + 78° = 180°$
$C = 2(42°) - 6° = 78°$	$180° \equiv 180°$

4. ¿Cuáles son las dimensiones de los lados de un terreno que tiene la forma de un triángulo escaleno, si su perímetro es de 115 m. El lado *b* es el triple de la longitud del lado *a* y el lado *c* es 7 m mayor que el doble del lado *a*?

Datos	*Ecuación*	*Resultados*
$a = x$	$x + 3x + 2x + 7 = 115$	$a = 18\,m$
$b = 3x$	$6x = 115 - 7$	$b = 3(18) = 54\,m$
$c = 2x + 17$	$6x = 108$	$c = 2(18) + 7 = 54\,m$
$P = 115\,m$	$x = 18$	

Fórmula	*Comprobación*
$a + b + c = P$	$18 + 54 + 43 = P$
	$115 \equiv 115$

5. La distancia entre las ciudades de México y Morelia por carretera es de aproximadamente 320 km (vía corta). Si a las 10 hr simultáneamente salen los automóviles A y B, el A desde la Ciudad de México a 75 kph y el B desde Morelia a 85 kph, ¿a qué hora se cruzan y qué distancia han recorrido cada uno al cruzarse?

Datos	*Ecuación*	*Resultados*
A = 75 kph	$75x + 85x = 320$	Tiempo recorrido
B = 85 kph	$160x = 320$	= 2 hr
	$x = 2$	Tiempo de cruce = 12 hr
	Substitución	
	$75(2) = 150$	Automóvil A recorrió =
		=150 km
	$85(2) = 170$	Automóvil B recorrió =
		= 170 km

Práctica 6.5

Ejercicios para resolver:

(Resuelva en hojas por separado).

I Resolver los proolemas y comparar el resultado:

1) La suma del doble de un número entero aumentada en seis unidades es 40, ¿cuáles son los números?
2) La suma del triple de un número entero con su doble y aumentada en cinco unidades dan un total de 60, ¿cuál es el número?
3) La mitad de un número entero sumada con su tercera y su cuarta partes y disminuido en seis unidades es igual a 20, ¿cuál es el número?
4) La tercera parte de un número entero, disminuido en cinco unidades y sumado con su doble es igual a 25, ¿cuál es el número?
5) ¿Cuál es el número entero cuya séptima parte sumada con el doble del número y disminuida en tres unidades es igual al triple del mismo número disminuido en su mitad?
6) La suma de dos números enteros consecutivos es 323, ¿cuáles son los números?
7) La suma de tres números enteros consecutivos es 624, ¿cuáles son los números?
8) La suma de dos números enteros consecutivos es igual a 1 020 disminuido de una unidad, ¿cuáles son los números?
9) La suma de tres números enteros consecutivos es igual a 1 000 sumado con 17 unidades, ¿cuáles son los números?
10) La suma de cuatro números enteros consecutivos es igual a 1 110 disminuido en cuatro unidades, ¿cuáles son los números?
11) En un triángulo ABC, su ángulo B es el triple del ángulo A y el C es 5°, mayor que el doble del ángulo A, ¿cuántos grados mide cada ángulo?
12) El perímetro de un triángulo escaleno es de 185 m, ¿cuánto miden cada uno de los lados a, b, c, si el lado b es el triple del lado a y el c es 10 m mayor que el lado b?
13) El perímetro de un triángulo isósceles es de 65 m. Si cada uno de los lados iguales mide 5 m menos que el doble de lo que mide el lado diferente, ¿cuánto miden cada uno de sus tres lados?
14) La cerca o barda de un terreno con forma de un rectángulo mide 94 m. Si el largo es 4 m menor que el doble del ancho, ¿cuánto miden el largo y el ancho?

15) Calcular las dimensiones de una hoja de lámina con forma de trapecio isósceles y una superficie con área de 222 cm, sabiendo que la base menor es 4 m mayor que su altura y la base mayor es 3 m menor que el doble de su altura.
16) Entre las ciudades de México y Acapulco hay una distancia aproximada de 450 km por carretera, y si dos automóviles salen simultáneamente a las 18 hr de cada ciudad, uno desde México a 85 kph y el otro desde Acapulco 65 kph, ¿a qué hora se cruzan y qué distancia ha recorrido cada uno hasta el momento de cruzarse?
17) Un ciclista parte hacia Cuernavaca a 20 kph en promedio. Noventa minutos más tarde, otro ciclista sale para alcanzarlo a 30 kph, ¿qué tiempo tardará el segundo ciclista en alcanzar al primero?
18) Al pasar por una caseta de cobros a 80 kph un automovilista no se detiene a pagar, por lo que las autoridades después de una hora envían una patrulla a 120 kph para interceptarlo, ¿a qué distancia de la caseta la dan alcance?
19) Una herencia es repartida entre tres hermanos. Al primero le correspondió la tercera parte, al segundo la cuarta parte más $ 5 000 000.00, y al tercero se le dieron $ 7 000 000.00, ¿de cuánto fue la herencia?
20) Una persona distribuye su sueldo mensual de la siguiente manera: la mitad la dedica a alimentación y pago de habitación, la cuarta parte a vestido, la sexta a diversiones y ahorra $ 30 000.00 .¿De cuánto es su sueldo mensual?

ECUACIONES DE SEGUNDO GRADO

Recibe este nombre toda ecuación con una variable de grado máximo *dos*. Resueltas las operaciones indicadas, ordenada y simplificada, toma la forma general:

$$Ax^2 + Bx + C = 0$$

También se les llama ecuaciones *cuadráticas*. Cuando carece del término de primer grado, se nombra *ecuación cuadrática pura*. Si el término que falta es el independiente, se dice entonces *ecuación cuadrática mixta*, siendo en ambos casos ecuaciones incompletas.

Su solución está representada por dos valores o raíces para la incógnita, los cuales deberán satisfacer la ecuación originalmente propuesta. Son varios los métodos que se aplican para tal fin:

- Por factorización;
- Completando un trinomio cuadrado perfecto;
- Aplicando la fórmula general.

En cualquiera de los casos, se partirá de la forma general de la ecuación.

Método de factorización

1) Factorizar convenientemente la ecuación propuesta.
2) Despejar la incógnita en cada factor así formado.
3) Los valores obtenidos de esta forma corresponden a la incógnita, y se les señala generalmente con los subíndices 1 y 2. Es decir: x_1, x_2

Los casos de factorización que se pueden presentar son:

- factor común
- diferencia de cuadrados
- trinomio cuadrado perfecto
- trinomio de segundo grado de la forma: $x^2 + bx + c$
- trinomio de segundo grado de la forma: $ax^2 + bx + c$

Ejemplos de ecuaciones de segundo grado y su resolución por factorización:

Ecuación cuadrática mixta

- $7x^2 + 5x = 0$

Factorizando:

$x\,(7x + 5) = 0$

despejando x como factor común:

$x_1 = 0$

despejando x del otro factor:

$7x + 5 = 0$

$x_2 = -\dfrac{5}{7}$

Ecuación completa

- $9x^2 + 30x + 25 = 0$

Factorizando:

$(3x + 5)\,(3x + 5) = 0$

despejando x del primer factor:

$3x + 5 = 0$

$x_1 = -\dfrac{5}{3}$

despejando x del segundo factor:

$3x + 5 = 0$

$x_2 = -\dfrac{5}{3}$

Ecuación cuadrática pura

$$\bullet\ 16x^2 - 81 = 0$$

$$(4x - 9)(4x + 9) = 0$$

$$4x - 9 = 0$$

$$x_1 = \frac{9}{4}$$

$$4x + 9 = 0$$

$$x_2 = -\frac{9}{4}$$

Ecuación completa

$$\bullet\ x^2 - 5x - 24 = 0$$

$$(x + 3)(x - 8) = 0$$

$$x + 3 = 0$$

$$x_1 = -3$$

$$x - 8 = 0$$

$$x_2 = 8$$

Ecuación completa

$$\bullet\ 2x^2 + 7x - 15 = 0$$

$$(2x - 3)(x + 5) = 0$$

$$2x - 3 = 0$$

$$x_1 = \frac{3}{2}$$

$$x + 5 = 0$$

$$x_2 = -5$$

Práctica 6.6

Ejercicios para resolver:

I. Aplicando el método de factorización:

1) $3x^2 + 15x = 0$
2) $2x^2 + 6x = 0$
3) $12x^2 - 6x = 0$
4) $28x^2 - 12x = 0$
5) $6x^2 - 42x = 0$
6) $9x^2 - 1 = 0$
7) $4x^2 - 9 = 0$
8) $25x^2 - 1 = 0$
9) $16x^2 - 9 = 0$
10) $49x^2 - 4 = 0$
11) $x^2 + 6x + 9 = 0$
12) $x^2 - 14x + 49 = 0$

13) $4x^2 - 20x + 25 = 0$

14) $25x^2 + 30x + 9 = 0$

15) $49x^2 - 14x + 1 = 0$

16) $x^2 + 5x + 6 = 0$

17) $4x^2 - 4x - 3 = 0$

18) $9x^2 - 9x - 4 = 0$

19) $25x^2 - 5x - 6 = 0$

20) $9x^2 + 12x - 45 = 0$

21) $2x^2 + 3x - 2 = 0$

22) $6x^2 + x - 2 = 0$

23) $3x^2 + 20x - 7 = 0$

24) $8x^2 - 26x + 15 = 0$

25) $15x^2 + 29x - 14 = 0$

Método de factorización completando un trinomio cuadrado perfecto

Para transformar una expresión cuadrática cualquiera en un trinomio cuadrado perfecto se recomienda lo siguiente:

1. La ecuación se divide entre el coeficiente y el término de segundo grado y se simplifica. Al mismo tiempo se transpone al segundo miembro, el término independiente.
2. En el primer miembro se completa el trinomio cuadrado perfecto. Al segundo miembro se le agrega el término que corresponda al primer miembro.
3. Se factoriza el primer miembro y en el segundo se efectúan las operaciones indicadas.
4. Se aplica la raíz cuadrada a ambos miembros.
5. Se despeja la incógnita.
6. Se efectúan las operaciones finales considerando la naturaleza positiva y negativa de la raíz del segundo miembro, así aparecen las dos raíces o valores de la incógnita.

Observe los siguientes ejemplos resueltos:

Ejemplos:

- $8x^2 - 2x - 3 = 0$

1. Dividiendo entre 8 toda la ecuación:

$$\frac{8x^2}{8} - \frac{2x}{8} - \frac{3}{8} = \frac{0}{8};$$

simplificando y agrupando incógnitas en el primer miembro y transponiendo el término independiente en el segundo miembro:

$$x^2 - \frac{2x}{8} = \frac{3}{8}$$

2. En el primer miembro se completa el trinomio cuadrado perfecto. En este caso se divide el término de primer grado entre el doble de la raíz cuadrada del término de segundo grado, y su resultado se eleva al cuadrado, para agregarlo a la ecuación como tercer término del trinomio y desde luego también en el segundo miembro:

$$x^2 - \frac{2x}{8} + \ldots = \frac{3}{8} + \ldots$$

Operación auxiliar:

$$\frac{2x}{8} = \frac{x}{4}$$

a) $\frac{x}{4}$ es el término de primer grado

b) $2x$ es el doble de la raíz cuadrada del término de segundo grado porque $\sqrt{x^2} = x$

c) Dividiéndose se obtiene

$$\frac{x}{4} \div 2x = \frac{x}{8x} = \frac{1}{8}$$

d) Elevando al cuadrado el resultado

$$\left(\frac{1}{8}\right)^2 = \frac{1}{64}$$

$\frac{1}{64}$ es el término que completa el trinomio cuadrado perfecto. La ecuación transformada es: $x^2 - \frac{2x}{8} + \frac{1}{64} = \frac{3}{8} + \frac{1}{64}$

3. Factorizando el trinomio cuadrado perfecto que se formó en el primer miembro y efectuando operaciones en el segundo miembro:

$$\left(x - \frac{1}{8}\right)^2 = \frac{25}{64}$$

4. Extrayendo la raíz cuadrada a ambos miembros:

$$\sqrt{\left(x-\frac{1}{8}\right)^2}=\sqrt{\frac{25}{64}}$$

$$x-\frac{1}{8}=\pm\frac{5}{8}$$

5. Despejando la incógnita:

$$x=\frac{1}{8}\pm\frac{5}{8}$$

6. Efectuando operaciones:

$$x_1=\frac{1}{8}+\frac{5}{8};\quad x_1=\frac{3}{4}$$
$$x_2=\frac{1}{8}-\frac{5}{8};\quad x_2=-\frac{1}{2}$$

Otro ejemplo:

- $12x^2+16x-3=0$

1. Dividiendo entre 12 y simplificando:

$$\frac{12x^2}{12}+\frac{16x}{12}-\frac{3}{12}=0;\ x^2+\frac{4x}{3}=\frac{1}{4}$$

2. Completando el trinomio cuadrado perfecto:

$$x^2+\frac{4x}{3}+\frac{4}{9}=\frac{1}{4}+\frac{4}{9}$$

Operación auxiliar: $\sqrt{x^2}=x$. Su doble es $2x$.

Dividiendo el término de primer grado entre $2x$

$$\frac{4x}{3}:\frac{2x}{1}=\frac{4x}{6x}=\left(\frac{2}{3}\right)^2$$

Ecuación transformada:

$$x^2 + \frac{4x}{3} + \left(\frac{2}{3}\right)^2 = \frac{1}{4} + \left(\frac{2}{3}\right)^2$$

3. Factorizando el primer miembro y efectuando reducciones en el segundo miembro:

$$\left(x + \frac{2}{3}\right)^2 = \frac{25}{36}$$

4. Extrayendo la raíz cuadrada:

$$\sqrt{\left(x + \frac{2}{3}\right)^2} = \sqrt{\frac{25}{36}} \;;\; x + \frac{2}{3} = \pm\frac{5}{6}$$

5. Despejando la incógnita:

$$x = -\frac{2}{3} \pm \frac{5}{6}$$

6. Efectuando operaciones:

$$x_1 = -\frac{2}{3} + \frac{5}{6};\quad x_1 = \frac{1}{6}$$

$$x_2 = -\frac{2}{3} - \frac{5}{6};\quad x_2 = -\frac{3}{2}$$

Práctica 6.7

Ejercicios para resolver:

I. Resuelva las ecuaciones cuadráticas por factorización completando el trinomio cuadrado perfecto:

1) $2x^2 + x - 15 = 0$

2) $3x^2 - 13x + 4 = 0$

3) $2x^2 + x - 3 = 0$

4) $3x^2 - 5x - 12 = 0$

5) $6x^2 - x - 2 = 0$

6) $5x^2 + 38x - 63 = 0$

7) $10x^2 + 29x - 21 = 0$

8) $12x^2 - 19x + 4 = 0$

9) $5x^2+13x-6=0$

10) $8x^2+10x-3=0$

11) $6x^2-5x-21=0$

12) $18x^2-9x-2=0$

13) $20x^2+7x-3=0$

14) $12x^2-23x+10=0$

15) $10x^2+31x+15=0$

16) $8x^2-26x+15=0$

17) $12x^2=50x+48$

18) $6x^2-3=-17x$

19) $69x=-72-15x^2$

20) $15=6x^2-19x$

Deducción de la fórmula general y su aplicación a la resolución de ecuaciones de segundo grado

La fórmula que se aplica se deduce de la aplicación del método de factorización de completar un trinomio cuadrado perfecto a la forma general de representar la ecuación completa de segundo grado:

Sea la ecuación $ax^2+bx+c=0$.

1. Dividiendo entre el coeficiente a y simplificando:

$$\frac{ax^2}{a}+\frac{bx}{a}+\frac{c}{a}=0;$$

$$x^2+\frac{b}{a}x=\frac{c}{a}$$

2. Completando el trinomio cuadrado perfecto:

Operación auxiliar

$$\frac{bx}{a}:2x=\frac{bx}{2ax}=\frac{b}{2a}$$

$$\left(\frac{b}{2a}\right)^2=\frac{b^2}{4a^2}$$

$$x^2+\frac{b}{a}x+\frac{b^2}{4a^2}=\frac{c}{a}+\frac{b^2}{4a^2}$$

3. Factorizando el primer miembro y efectuando la reducción del segundo:

$$\left(x + \frac{b}{2a}\right)^2 = \frac{b^2 + 4ac}{4a^2}$$

$$\frac{c}{a} + \frac{b^2}{4a^2} = \frac{4ac + b^2}{4a^2}$$

Operación auxiliar.

4. Extrayendo la raíz cuadrada:

$$\sqrt{\left(x + \frac{b}{2a}\right)^2} = \sqrt{\frac{b^2 + 4ac}{4a^2}}$$

$$x + \frac{b}{2a} = \frac{\pm\sqrt{b^2 + 4ac}}{2a}$$

5. Despejando la incógnita:

$$x = -\frac{b}{2a} \pm \frac{\sqrt{b^2 - 4ac}}{2a}$$

$$x = \frac{-b \pm \sqrt{b^2 - 4ac}}{2a}$$

que es la fórmula general.

6. Los valores de las raíces de la ecuación son:

$$x_1 = \frac{-b + \sqrt{b^2 - 4ac}}{2a}$$

$$x_2 = \frac{-b - \sqrt{b^2 - 4ac}}{2a}$$

La fórmula se puede aplicar a cualquier ecuación cuadrática, completa o incompleta, con sólo identificar los valores de las literales en la siguiente forma:

a es el coeficiente del término de segundo grado;
b es el coeficiente del término de primer grado, y
c es el término independiente.

Asimismo, cuando se trata de una ecuación incompleta, los valores de b o de c se consideran iguales a cero, y así deberán sustituirse en la fórmula general.

Ejemplos:

• $4x^2 + 12x + 9 = 0 \therefore a = 4, b = 12, c = 9$

Fórmula: $x = \frac{-b \pm \sqrt{b^2 - 4ac}}{2a}$

Sustituyendo:

$$x = \frac{-(12) \pm \sqrt{(12)^2 - 4(4)(9)}}{2(4)}$$

$$x = \frac{-12 \pm \sqrt{144 - 144}}{8}$$

$$x = \frac{-12 \pm 0}{8}$$

$$\therefore x_1 = \frac{-12}{8}; \; x_1 = -\frac{3}{2}$$

$$y x_2 = \frac{-12}{8}; \; x_2 = -\frac{3}{2}$$

$$\therefore x_1 = x_2.$$

• $x^2 - 2x - 15 = 0 \therefore a - 1, b = -2, c = -15$

Fórmula: $x = \frac{-b \pm \sqrt{b^2 - 4ac}}{2a}$

Sustituyendo:

$$x = \frac{-(-2) \pm \sqrt{(-2)^2 - 4(1)(-15)}}{2(1)}$$

$$x = \frac{2 \pm \sqrt{64}}{2}$$

$$x = \frac{2 \pm 8}{2}$$

$$\therefore x_1 = \frac{2 \pm 8}{2};\ x_1 = 5$$

$$x_2 = \frac{2 - 8}{2};\ x_2 = -3$$

- $4x^2 - 15x = 0 \therefore a = 4,\ b = -15,\ c = 0$

Fórmula: $x = \dfrac{-b \pm \sqrt{b^2 - 4ac}}{2a}$

Sustituyendo:

$$x = \frac{-(-15) \pm \sqrt{(-15)^2 - 4(4)(0)}}{2(4)}$$

$$x = \frac{15 \pm \sqrt{225}}{8}$$

$$x = \frac{15 \pm 15}{8}$$

$$\therefore x_1 = \frac{15 \pm 15}{8};\quad x_1 = \frac{15}{4}$$

$$x_2 = \frac{15 - 15}{8};\quad x_2 = 0$$

- $9x^2 - 25 = 0 \therefore a = 9,\ b = 0,\ c = -25$

Fórmula: $x = \dfrac{-b \pm \sqrt{b^2 - 4ac}}{2a}$

Sustituyendo:

$$x = \frac{-(0) \pm \sqrt{(0)^2 - 4(9)(-25)}}{2(18)}$$

$$x = \frac{\pm 900}{36}$$

$$x = \frac{\pm 30}{36}$$

$$\therefore x_1 = \frac{5}{6};\; x_2 = -\frac{5}{6}$$

- $8x^2 - 26x + 15 = 0 \therefore a = 8,\ b = -26,\ c = +15$

Fórmula: $\quad x = \dfrac{-b \pm \sqrt{b^2 - 4ac}}{2a}$

Sustituyendo:

$$x = \frac{-(-26) \pm \sqrt{(-26)^2 - 4\,(8)\,(15)}}{2\,(16)}$$

$$x = \frac{26 \pm \sqrt{196}}{32}$$

$$x = \frac{26 \pm 14}{32}$$

$$\therefore x_1 = \frac{26 + 14}{32};\; x_1 = \frac{5}{4}$$

$$x_2 = \frac{26 - 14}{32};\; x_2 = \frac{3}{8}$$

Práctica 6.8

Ejercicios para resolver:

I. Aplicando la fórmula general, resolver las ecuaciones:

1) $8x^2 + 8x + 2 = 0$

2) $9x^2 + 48x + 64 = 0$

3) $16x^2 - 56x + 49 = 0$

4) $25x^2 + 30x + 9 = 0$

5) $49x^2 + 70x + 25 = 0$

6) $4x^2 + 8x - 3 = 0$

7) $25x^2 - 55x + 28 = 0$

8) $9x^2 - 9x - 10 = 0$

9) $64x^2 - 64x + 7 = 0$

10) $9x^2 - 18x - 7 = 0$

11) $10x^2 + 7x - 12 = 0$

12) $12x^2 + 5x - 12 = 0$

13) $28x^2 - 15x + 2 = 0$

14) $6x^2 - 31x + 35 = 0$

15) $8x^2 + 43x + 15 = 0$

16) $4x^2 - 25 = 0$

17) $9x^2 - 16 = 0$

18) $25x^2 - 1 = 0$

19) $4x^2 - 9 = 0$

20) $49x^2 - 16 = 0$

21) $12x^2 + 9x = 0$

22) $6x^2 + 2x = 0$

23) $5x^2 - 35x = 0$

24) $8x^2 + 12x = 0$

25) $15x^2 - 9x = 0$

Naturaleza de las raíces

En la fórmula general, el subradical $b^2 - 4ac$ recibe el nombre de *discriminante,* porque su valor determina la naturaleza de las raíces de la ecuación, de acuerdo con el siguiente criterio:

1. Cuando el discriminante arroja un número racional y positivo que acepta la raíz cuadrada exacta, las raíces de la ecuación resultan reales, racionales y diferentes.

Ejemplo:

- $2x^2 - 5x - 3 = 0$

  $a = 2, b = 5, c = -3$

  $\therefore\ b^2 - 4ac = 49$

  (valor racional positivo que acepta la raíz cuadrada).

Las raíces que se obtienen son:

$$x_1 = -\frac{1}{2};\ \ x_2 = 3,$$

cuyos valores, efectivamente son: reales, racionales y diferentes (R. R. D.).

2. Si el discriminante arroja un número racional positivo que no acepte la raíz cuadrada exacta, las raíces de la ecuación de segundo grado son reales, irracionales y diferentes.

Ejemplo:

- $3x^2 + 5x - 7 = 0$
  $a = 3, b = 5, c = -7$
  $\therefore b^2 - 4ac = 109$
  (número racional positivo que no acepta la raíz cuadrada exacta).

Las raíces que se obtienen son:

$$x_1 = -2.573...$$
$$x_2 = 0.906...,$$

cuyos valores efectivamente se clasifican como reales, irracionales y diferentes (R. I. D.).

3. Otra posibilidad presenta el valor del discriminante igual a cero. En este caso, las raíces que se obtienen para la ecuación de segundo grado serán reales e iguales. Esta posibilidad solamente se presenta cuando la ecuación de segundo grado es un trinomio cuadrado perfecto.

Ejemplo:

- $4x^2 - 20x + 25 = 0$
  $a = 4, b = -20, c = 25$
  $\therefore b^2 - 4ac = 0$

Las raíces que se obtienen son:

$$x_1 = \frac{5}{2};\ x_2 = \frac{5}{2}$$

valores reales e iguales (R. I.).

4. El último caso se presenta cuando el discriminante es un número negativo. Las raíces que se obtienen para la ecuación de segundo grado son complejas o imaginarias. Debe recordarse que la raíz cuadrada de un número negativo pertenece al conjunto de los números complejos o imaginarios.

Ejemplo:

- $x^2 + 3x + 7 = 0$
  $a = 1, b = 3, c = 7$
  $\therefore b^2 - 4ac = -19$ (número negativo cuya raíz cuadrada no existe en los números reales).

Por lo tanto, las raíces de esta ecuación de segundo grado sólo pueden obtenerse en los números imaginarios.

Práctica 6.9

Ejercicios para resolver:

I. Sin resolver la ecuación, determinar la naturaleza de sus raíces analizando en cada caso su discriminante:

1) $2x^2 + 5x - 3 = 0$
2) $4x^2 - 3x - 7 = 0$
3) $6x^2 - 3x + 5 = 0$
4) $4x^2 - 28x + 49 = 0$
5) $4x^2 + 4x - 3 = 0$
6) $36x^2 - 60x + 25 = 0$
7) $8x^2 + 5x + 1 = 0$
8) $4x^2 - 7x = 0$
9) $81x^2 - 25 = 0$
10) $2x^2 - 7x + 1 = 0$
11) $2x^2 + 7x + 3 = 0$
12) $64x^2 + 48x + 9 = 0$
13) $5x^2 - 3x = 0$
14) $3x^2 + 2x + 7 = 0$
15) $49x^2 + 42x + 9 = 0$
16) $9x^2 + 6x + 1 = 0$
17) $121x^2 - 144 = 0$
18) $3x^2 - 5x - 12 = 0$
19) $5x^2 + 8x - 3 = 0$
20) $7x^2 + 4x = 0$
21) $4x^2 + 3x + 1 = 0$
22) $3x^2 - 6x^2 + 2 = 0$
23) $25x^2 - 10x - 3 = 0$
24) $x^2 - 7x + 4 = 0$
25) $5x^2 - 7x = 0$

Propiedades de las raíces

A partir de la fórmula general para resolver la ecuación de segundo grado se obtiene:

$$x_1 = \frac{-b + \sqrt{b^2 - 4ac}}{2a} \text{ y } x_2 = \frac{-b - \sqrt{b^2 - 4ac}}{2a},$$

sumando miembro a miembro estas igualdades:

$$x_1 + x_2 = \frac{-b + \sqrt{b^2 - 4ac} - b - \sqrt{b^2 - 4ac}}{2a}$$

$$x_1 + x_2 = -\frac{b}{a} \qquad \text{[A]}$$

multiplicando miembro a miembro las mismas igualdades:

$$x_1 \cdot x_2 = \left(-\frac{b}{2a} + \frac{\sqrt{b^2 - 4ac}}{2a}\right)\left(-\frac{b}{2a} - \frac{\sqrt{b^2 - 4ac}}{2a}\right)$$

$$x_1 \cdot x_2 = \frac{b^2}{4a^2} - \frac{b^2 - 4ac}{4a^2}$$

$$x_1 \cdot x_2 = \frac{b^2 - b^2 + 4ac}{4a^2}$$

$$\therefore x_1 \cdot x_2 = \frac{c}{a} \qquad \text{[B]}$$

Considerando que la ecuación de segundo grado en su forma general se expresa:

$$ax^2 + bx + c = 0,$$

siempre es posible lograr que el coeficiente del término de segundo grado sea igual a uno, con sólo dividir toda la ecuación entre el coeficiente de ese término, es decir:

$$\frac{ax^2}{a} + \frac{bx}{a} + \frac{c}{a} = 0$$

$$\therefore \; x^2 + \frac{b}{a}x + \frac{c}{a} = 0$$

Observar que la igualdad [A] equivale al coeficiente del término de primer grado, con signo contrario, y que la igualdad [B] equivale al valor del tercer término.

De lo anterior se derivan dos propiedades de las raíces, que se expresan en la forma siguiente:

- *"La suma de las raíces de una ecuación de segundo grado equivale al cociente del coeficiente del término de primer grado entre el coeficiente del término de segundo grado, con signo contrario."*

- *"El producto de las raíces de una ecuación de segundo grado es igual al cociente del término independiente entre el coeficiente del término de segundo grado."*

La aplicación inmediata más importante de estas propiedades es la construcción de una ecuación de segundo grado, cuando se conocen las raíces de la misma, tal como se ilustra en los siguientes ejemplos:

- Construir la ecuación de segundo grado cuyas raíces son:

$x_1 = -3 \qquad x_2 = 2$

$x_1 + x_2 = -\frac{b}{a} \qquad x_1 \cdot x_2 = \frac{c}{a}$

$-3 + 2 = -\frac{b}{a} \qquad (-3)(2) = \frac{c}{a}$

$\therefore \frac{b}{a} = 1 \qquad \therefore \frac{c}{a} = -6$

Sustituyendo en la ecuación:

$$x^2 + \frac{b}{a}x + \frac{c}{a} = 0$$

$$x^2 + x - 6 = 0$$

Comprobando por factorización:

$$(x + 3)(x - 2) = 0$$

$$\therefore x_1 = -3 \; ; \; x_2 = 2$$

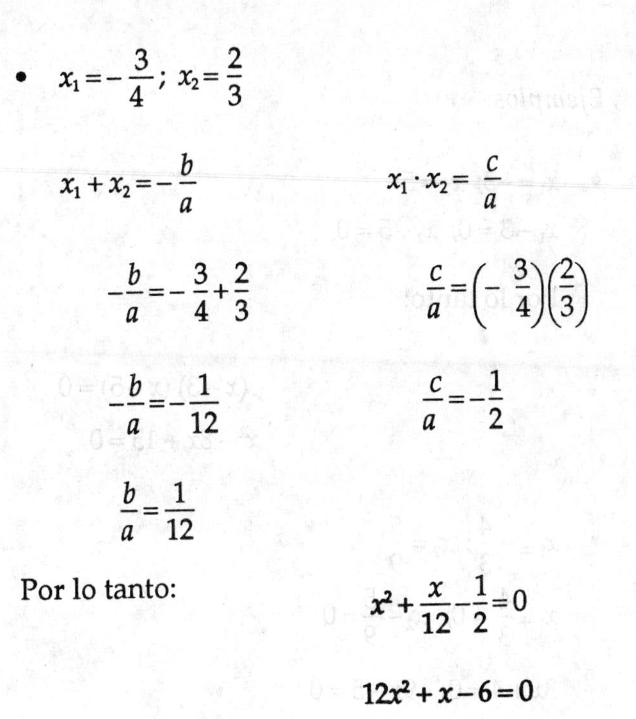

- $x_1 = -\dfrac{3}{4};\ x_2 = \dfrac{2}{3}$

$$x_1 + x_2 = -\frac{b}{a} \qquad\qquad x_1 \cdot x_2 = \frac{c}{a}$$

$$-\frac{b}{a} = -\frac{3}{4} + \frac{2}{3} \qquad\qquad \frac{c}{a} = \left(-\frac{3}{4}\right)\left(\frac{2}{3}\right)$$

$$-\frac{b}{a} = -\frac{1}{12} \qquad\qquad \frac{c}{a} = -\frac{1}{2}$$

$$\frac{b}{a} = \frac{1}{12}$$

Por lo tanto:

$$x^2 + \frac{x}{12} - \frac{1}{2} = 0$$

$$\mathbf{12x^2 + x - 6 = 0}$$

Práctica 6.10

Ejercicios para resolver:

I. Construir las ecuaciones de segundo grado, conociendo los valores de sus raíces:

1) $x_1 = 3;\ x_2 = 5$

2) $x_1 = -3;\ x_2 = -4$

3) $x_1 = -5;\ x_2 = 2$

4) $x_1 = 7;\ x_2 = -3$

5) $x_1 = \dfrac{3}{4};\ x_2 = 2$

6) $x_1 = -\dfrac{8}{7};\ x_2 = -3$

7) $x_1 = -\dfrac{5}{8};\ x_2 = -\dfrac{3}{5}$

8) $x_1 = -\dfrac{2}{3};\ x_2 = \dfrac{1}{5}$

9) $x_1 = -\dfrac{3}{7};\ x_2 = -\dfrac{15}{4}$

10) $x_1 = \dfrac{5}{9};\ x_2 = -\dfrac{4}{3}$

Nota. Para la construcción de una ecuación de segundo grado, conocidos los valores de sus raíces, puede aprovecharse el producto de dos binomios con un término común, considerando esto como el proceso inverso de uno de los casos de solución de ésta, por el método de factorización.

Ejemplos:

- $x_1 = -3;\ x_2 = 5$

  $x_1 - 3 = 0;\ x_2 - 5 = 0$

  Por lo tanto:

$$(x-3)\,(x-5) = 0$$

$$x^2 - 8x + 15 = 0$$

- $x_1 = -\dfrac{4}{3};\ x_2 = \dfrac{5}{9}$

  $x_1 + \dfrac{4}{3} = 0;\ x_2 - \dfrac{5}{9} = 0$

  $3x + 4 = 0;\quad 9x - 5 = 0$

  La ecuación se eleva al cuadrado para suprimir así al radical:

$$\left(\sqrt{x+1}\,\right)^2 = (2x-4)^2$$

$$x + 1 = 4x^2 - 16x + 16$$

Por lo tanto:

$$(3x + 4)\,(9x - 5) = 0$$

$$27x^2 + 21x - 20 = 0$$

Frecuentemente estas ecuaciones no se presentan en su forma general, para su solución se aplica cualquiera de los métodos analizados; aparecen con algunas operaciones indicadas, las cuales habrá que resolver para llegar a la forma general: $ax^2 + bx + c = 0$.

Ejemplos:

- Con productos notables:

$$(3x + 5)\,(x - 3) = (x + 3)\,(x - 3)$$

$$3x^2 - 4x - 15 = x^2 - 9$$

$$2x^2 - 4x - 6 = 0$$
$$x^2 - 2x - 3 = 0$$
$$(x - 3)(x + 2) = 0$$
$$x_1 = 3 \qquad x_2 = -2$$

- Con fracciones algebraicas:

$$\frac{x + 3}{x} - \frac{4x}{x + 3} = 0$$

Multiplicando la ecuación por su m.c.m., simplificando y reduciendo términos semejantes, se obtiene:

$$3x^2 - 6x - 9 = 0$$

Dividiendo la ecuación entre 3:

$$x^2 - 2x - 3 = 0$$
$$\therefore x_1 = 3 \qquad x_2 = -1$$

- Con uno o más radicales:

$$\sqrt{x + 1} + 3 = 2x - 1$$

Aplicando la transposición de términos, se agrupan en un miembro los términos que no están afectados por el radical y se reducen términos semejantes:

$$\sqrt{x + 1} = 2x - 4$$

Por transposición se agrupan todos los términos en un sólo miembro, se reducen términos semejantes y se igualan a cero. Queda así definida una ecuación de segundo grado, la cual se resuelve por alguno de los métodos conocidos.

$$4x^2 - 17x + 15 = 0$$
$$(4x - 5)(x - 3) = 0$$
$$\therefore x_1 = \frac{5}{4} \qquad x_2 = 3$$

Si en la ecuación aparecieran dos o más radicales, se repetirá este proceso las veces que sea necesario hasta eliminarlos.

Práctica 6.11

Ejercicios para resolver:

I. Resolver las ecuaciones de segundo grado:

1) $(x+5)^2 = 3x(x+5)$

2) $(4x+3)(2x-5)+7x = 3(4x^2-3x-2)$

3) $(3x+5)(2x-7)+5x(x+3) = (2x-5)^2$

4) $(3-x)(3+x)-3x^2+2x = (x-7)(x-2)+3x$

5) $(x+5)^2+(4x-1)(4x+1) = x(x^2+3x-8)+4x$

6) $\dfrac{x+4}{x}+\dfrac{3x-1}{x+3}=3$

7) $\dfrac{2x+5}{3x}+\dfrac{4}{x+3}=5$

8) $\dfrac{4x-1}{3-x}-\dfrac{5-3x}{2+x}=3$

9) $\dfrac{x+5}{2x}-\dfrac{3x-1}{3x}=\dfrac{4}{x^2}$

10) $\dfrac{3x-4}{x-2}+\dfrac{2x-1}{x+2}=\dfrac{8x}{x^2-4}+\dfrac{3}{4}$

11) $\sqrt{2x-1}+3x = 2(2x-11)$

12) $\sqrt{x+4}-8 = 3x$

13) $\sqrt{5x-4} = \sqrt{9x-2}$

14) $2\sqrt{x-1}+\sqrt{2x-1} = \sqrt{10x-1}$

15) $\sqrt{2x-3}+2 = \sqrt{4x+1}$

Representación gráfica de una ecuación de segundo grado

La ecuación tratada está afectada solamente por una incógnita; para trazar su gráfica es necesario que aparezcan dos variables, una de las cuales deberá actuar como función de la otra. La semejanza con el caso similar de la ecuación de primer grado es evidente, por lo cual se ilustra el método común, a través de un ejemplo:

$$x^2 + 7x + 12 = 0$$

1. Se toma la ecuación propuesta en función de la variable y:

$$y = f(x) \qquad \therefore \qquad y = x^2 + 7x + 12$$

2. Se forma una tabulación, considerando para la variable independiente valores pequeños, de preferencia simétricos. Recuérdese que, para cada valor dado a la variable independiente, se calculará uno para la variable dependiente.

x	−4	−3	−2	−1	0	1	2	3	4	5
$y = x^2 + 7x + 12$	0	0	2	6	12	20	30	42	56	72

3. Se ordenan estos pares ordenados de números reales y se presentan en forma de coordenadas cartesianas. Posteriormente se localizan en el plano de ejes rectangulares y los puntos se unen con un trazo continuo.

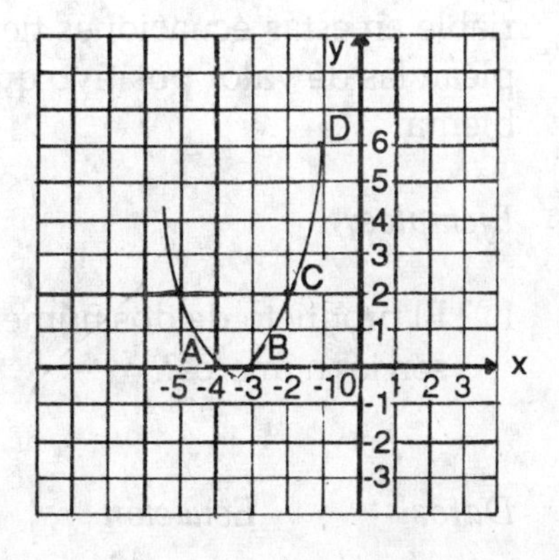

Al resolver algebraicamente la ecuación, se obtiene:

$$x_1 = -4\,;\, x_2 = -3$$

En la gráfica se observa que esos valores corresponden a las intersecciones de ésta con el eje de las abscisas. De acuerdo con lo anterior, se deberán proponer valores para la variable independiente, de tal modo que los valores que se obtengan para la variable dependiente no resulten inadecuados para el tamaño de la hoja.

Práctica 6.12

Ejercicios para resolver:

I. Trazar la gráfica que corresponde a cada ecuación de segundo grado.

1) $5x^2 + 3x = 0$ 4) $x^2 + 2x - 3 = 0$

2) $x^2 + 12x + 9 = 0$ 5) $2x^2 + 11x - 21 = 0$

3) $x^2 - 16 = 0$ 6) $3x^2 + x - 10 = 0$

Problemas que se resuelven con ecuaciones cuadráticas o de segundo grado

Tomando como antecedente los problemas que se resuelven con ecuaciones de primer grado, los procedimientos se hacen extensivos a los problemas en los que es necesario formar una ecuación de segundo grado para obtener su solución. Desde luego que el valor de la variable en estas ecuaciones tiene dos raíces, de las cuales sólo se emplean las de valor positivo que cumplan con las condiciones del problema.

Ejemplos:

1. El producto de dos números enteros consecutivos es 240, ¿cuáles son los números?

Datos *Ecuación* *Resultados*

$a \cdot b = 240$

$x(x + 1) = 240$

$a = x$ $x^2 + x = 240$ $a = 15$

$b = x + 1$	$x^2 + x - 240 = 0$	$b = 15 + 1 = 16$
	$(x + 16)(x - 15) = 0$	
	$x + 16 = \dfrac{0}{x - 15}$; $x - 15 = \dfrac{0}{x + 16}$	
	$x + 16 = 0$; $x - 15 = 0$	*Comprobación*
	$x = -16$; $x = 15$	$a \cdot b = 240$
	Usando el positivo: $x = 15$	$(15)(16) = 240$
		$240 \equiv 240$

2. Calcular el largo y el ancho de un rectángulo que mide en su superficie 360 m^2 sabiendo que el largo es 6 m mayor que el doble de ancho.

Datos	*Ecuación*	*Resultados*
$a \cdot b = 360\ m^2$	$x(2x + 6) = 360$	
	$2x^2 + 6x - 360 = 0$	$a = 12$
$a = x$	$\therefore x^2 + 3x = 180 = 0$	$b = 2(12) + 6 = 30$
$b = 2x + 6$	$(x + 15)(x - 12) = 0$	
	Despejando:	
	$x + 15 = 0; x - 12 = 0$	*Comprobación*
	$\therefore x = -15; x = 12$	$a \cdot b = 360$
	Usando el positivo: $x = 12$	$(12)(30) = 360$
		$360 \equiv 360$

3. La suma de las superficies de dos cuadrados es de 125 m^2. Si el lado de uno de los cuadrados es el doble del otro, ¿cuál es la longitud de los lados de cada uno de los cuadrados?

Datos	*Ecuación*	*Resultados*
$a^2 + b^2 = 125$	$x^2 + 4x^2 = 125$	$a = 5$
	$5x^2 = 125$	$b = 2(5) = 10$
$a = x$	$x^2 = 25$	
$b = 2x$	$\therefore x = \sqrt{25}$	*Comprobación*
	$x_1 = +5$	$5^2 + 10^2 = 125$
		$25 + 100 = 125$
		$125 \equiv 125$

4. Calcular la velocidad y el tiempo que se emplea en recorrer una distancia de 120 km, si el tiempo es 3 hr mayor que el promedio de la velocidad por hora, ($v \cdot t = d$).

Datos	*Ecuación*	*Resultados*
$v = x$	$x\,(x + 8) = 120$	$v = 9.5$ kph
$t = x + 3$	$x^2 + 8x - 120 = 0$	$t = 12.5$ hr
$d = 120$ km	$x = \dfrac{-3 \pm \sqrt{3^2 - 4\,(1)\,(-120)}}{2(1)}$	

$$x = \frac{-3 \pm \sqrt{9 + 480}}{2}$$

$$x = \frac{-3 \pm \sqrt{489}}{2}$$

$$x = \frac{-3 \pm 22 \cdot .11}{2}$$

$$x_1 = \frac{-3 + 22{\cdot}11}{2} = \frac{19 \cdot 11}{2} = 9.5$$

5. ¿Qué tiempo emplea un cuerpo en caer libremente sin correr 750 m? $\left(e = \dfrac{gt^2}{2}\right)$

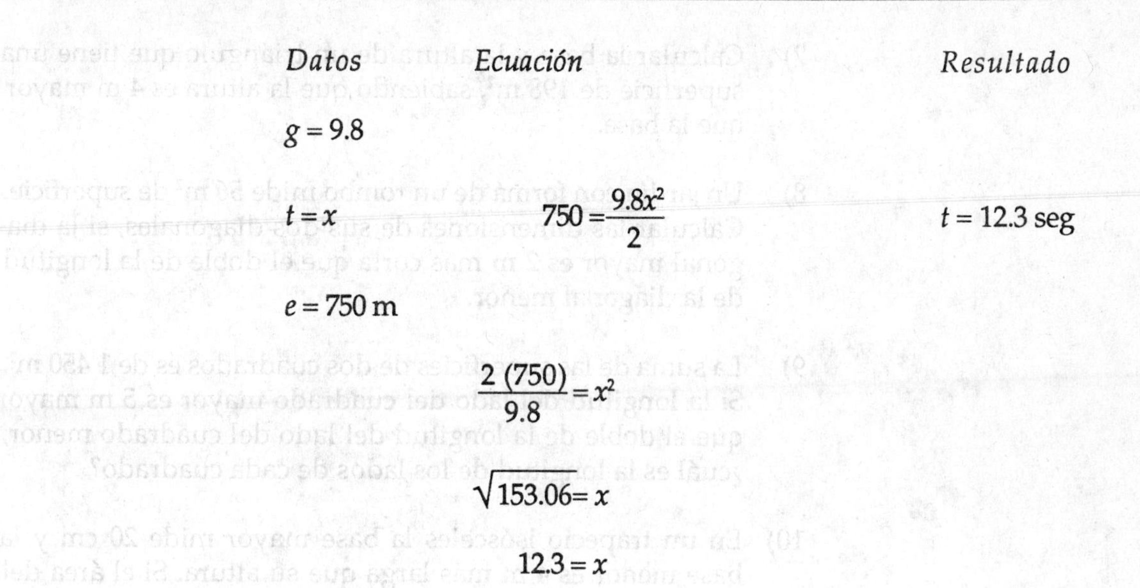

Datos	*Ecuación*	*Resultado*
$g = 9.8$		
$t = x$	$750 = \dfrac{9.8x^2}{2}$	$t = 12.3$ seg
$e = 750$ m		
	$\dfrac{2\,(750)}{9.8} = x^2$	
	$\sqrt{153.06} = x$	
	$12.3 = x$	

Práctica 6.13

Ejercicios para resolver:

I. Formar la ecuación de segundo grado que resuelva los siguientes problemas y dar su solución.

1) El producto de dos números enteros consecutivos es 552, ¿cuáles son esos números?

2) El producto de dos números enteros es 330, ¿cuáles son los números si uno es siete unidades mayor que el otro?

3) La suma de los cuadrados de dos números enteros consecutivos es 685, ¿cuáles son esos números?

4) La suma de los cuadrados de tres números es 189, ¿cuáles son esos números, si el segundo es tres unidades mayor que el primero y el tercero es el doble del primero?

5) El área de un terreno rectangular es 180 m^2. ¿Cuáles son sus dimensiones si el largo es dos metros mayor que el doble del ancho?

6) Calcular el largo y el ancho de un terreno que tiene una superficie de 570 m^2, sabiendo que el ancho es 4 metros menor que la mitad del largo.

7) Calcular la base y la altura de un triángulo que tiene una superficie de 198 m^2, sabiendo que la altura es 4 m mayor que la base.

8) Un jardín con forma de un rombo mide 56 m^2 de superficie. Calcular las dimensiones de sus dos diagonales, si la diagonal mayor es 2 m más corta que el doble de la longitud de la diagonal menor.

9) La suma de las superficies de dos cuadrados es de 1 450 m^2. Si la longitud del lado del cuadrado mayor es 5 m mayor que el doble de la longitud del lado del cuadrado menor, ¿cuál es la longitud de los lados de cada cuadrado?

10) En un trapecio isósceles la base mayor mide 20 cm y la base menor es 4 m más larga que su altura. Si el área del trapecio es de 128 cm^2, ¿cuáles son las dimensiones de la figura?

$$\left(A = \frac{(B + b)h}{2}\right)$$

11) Calcular la velocidad y el tiempo que se emplea en recorrer una distancia de 80 km, si el tiempo es cinco horas mayor que el promedio de velocidad por hora ($d = v \cdot t$).

12) Calcular la velocidad y el tiempo que se emplean en recorrer una distancia de 120 km, si el tiempo es 8 hr menor que el promedio de la velocidad por hora ($d = v \cdot t$).

13) ¿Qué tiempo emplea un cuerpo en caída libre si recorre 1250 m? $\left(e = \dfrac{gt^2}{2}\right)$.

14) ¿Qué tiempo emplea un cuerpo en caída libre si recorre 250 m? $\left(e = \dfrac{gt^2}{2}\right)$.

15) En un triángulo rectángulo uno de los catetos mide 3 cm más que el otro, y 10 cm menos que la hipotenusa. Aplicando la fórmula del teorema de Pitágoras, calcular las longitudes de los dos catetos y la hipotenusa ($a^2 + b^2 = c^2$).

7. Sistemas simultáneos de ecuaciones

Sistemas simultáneos de ecuaciones con dos variables: Método algebraico por reducción y eliminación: Por suma o resta de las ecuaciones. Por sustitución. Por igualación.

Método gráfico.
Método de determinantes: Concepto de un determinante. Procedimiento para resolver un determinante de segundo grado. Su aplicación a la resolución de sistemas simultáneos de dos ecuaciones.

Sistemas simultáneos de ecuaciones con tres variables: Método algebraico por reducción y eliminación: Por suma o resta de las ecuaciones. Por sustitución. Por igualación.
Método de determinantes: Procedimiento para resolver un determinante de tercer grado. Regla de Sarrus. Su aplicación a la resolución de un sistema simultáneo de tres ecuaciones.

Los creadores de la matemática

Sabías que...

En la antigua Arabia

Durante siglos los árabes dominaron grandes extensiones territoriales, lo que les dio la oportunidad de comparar su incipiente cultura y en ocasiones constatar que era inferior a la de los pueblos conquistados. Esta situación propició que desarrollaran el conocimiento y la cultura. Así, en los inicios del siglo VIII, bajo el patrocinio de los califas, llevaron a Bagdad sabios que hacían traducciones de las grandes obras griegas y de la India; esto ha sido posible saberlo por los hallazgos de versiones en árabe de los *Siddhantas* y *Tetrabiblos* de Tolomeo, de los *Elementos* de Euclides, sin dejar de citar el *Almagesto.* Las obras griegas eran adquiridas por medio de un tratado entre Arabia y el Imperio Bizantino. Durante el califato de al–Mamun se fundó la Casa de la Sabiduría, en donde se encontraba, entre otros sabios de la época, el astrónomo y matemático al–Jwarizmi. De Abu Abd Allah Muhammad ibn Musa al–Jwarizmi, conocido como al–Jwarizmi por ser originario de Jwarizm (actualmente ciudad Jiva integrada a la República Socialista de

Uzbekistán), no se tiene información de su vida personal; lo único que se sabe es que trabajó en la biblioteca de al–Mamun. Su fama se debe a sus dos obras: la primera, titulada en latín *De número Indorum*, presenta diversas reglas para el cálculo numérico, basadas en los algoritmos hindúes, aunque se ha concebido la paternidad al autor árabe, de quien se tomó su nombre denominándosele "algoritmo". Su segunda obra es la más importante y se llama *Hisab al-yabr wa`lmuqqabala*, que se interpreta como *Ciencia de la transposición y de la reducción*, en donde el término "al–yabr" se transformó en "álgebra", que significa "Ciencia de las ecuaciones". En los primeros seis capítulos desarrolla los seis tipos de ecuaciones con su teoría; en la segunda parte se ocupa de las operaciones con expresiones algebraicas y de las demostraciones geométricas y problemas de aplicación.

Umar Jayyam, poeta y algebrista iraní, fue reformador del antiguo calendario persa; en el campo de las matemáticas escribió un tratado en donde presenta la resolución de ecuaciones de tercer grado, teniendo el mérito de obtener un método general de tipo geométrico basado en las secciones cónicas. Con estos trabajos supera los trabajos de al–Jwarizmi. Afirmó haber obtenido reglas generales para expresar potencias enteras de un binomio. También escribió una obra dedicada a analizar la obra cumbre de Euclides, que tituló *Comentarios sobre las dificultades de los postulados de los Elementos de Euclides*. Con su muerte en el año 1122 se inicia una decadencia cultural, y por consecuencia también de la matemática, coincidiendo con el surgimiento de conflictos religiosos y políticos.

SISTEMAS SIMULTÁNEOS DE ECUACIONES CON DOS VARIABLES

Se nombra así al conjunto de dos o más ecuaciones formadas con las mismas incógnitas.

Las incógnitas pueden ser de primero o segundo grado. En estas condiciones se pueden clasificar en: Sistemas de primero o segundo grado con dos, tres, cuatro, etc., variables. Su solución determina el valor de cada una de las incógnitas. Para determinar esos valores pueden aplicarse alguno de los siguientes métodos:

Método algebraico de reducción y eliminación

Método por suma o resta

Consiste en eliminar una de las incógnitas mediante la adición o sustracción de igualdades. Para esto es necesario que los términos de la literal sean iguales; es decir, que tengan el mismo coeficiente. Se presentan tres posibilidades:

a) Que en el sistema propuesto aparezcan, cumpliendo con las condiciones establecidas, dos términos simétricos. En este caso se eliminará ésta mediante la adición de las dos ecuaciones.

Ejemplo:

- $4x - 3y = -1$ [1]
  $x + 3y = 11$ [2]

Sumando miembro a miembro:

$$5x = 10$$
$$\therefore x = \frac{10}{5}$$
$$x = 2$$

Para calcular el valor de la otra incógnita se sustituye el valor obtenido en cualquiera de las ecuaciones originales y se resuelve.

Sustituyendo en [1]:

$$4(2) - 3y = -1$$
$$8 - 3y = -1$$
$$-3y = -9$$
$$y = \frac{-9}{-3}$$
$$y = 3$$

b) Otra posibilidad es que el sistema propuesto presente dos términos idénticos. Basta entonces con multiplicar una de las ecuaciones por *menos uno* (–1), lo cual significa que se efectuó la sustracción. A continuación se aplica el método recomendado en el caso anterior.

Ejemplo:

- $5x + 7y = 39$ [1]
  $5x - 4y = 17$ [2]

Multiplicando la ecuación [2] *por menos uno*:

$$-5x + 4y = -17$$

Sumando miembro a miembro:

$$\begin{array}{rcll} 5x+7y & = & 39 & [1] \\ \underline{-5x+4y} & \underline{=} & \underline{-17} & [2] \\ +11y & = & 22 & \\ y & = & 2 & \end{array}$$

Sustituyendo en la ecuación [2]:

$$\begin{array}{rcl} 5x-4\,(2) & = & 17 \\ 5x-8 & = & 17 \\ 5x & = & 25 \\ x & = & 5 \end{array}$$

c) Si el sistema está formado por términos con coeficientes diferentes, para aplicar el método de reducción por "suma o resta" es necesario igualar los coeficientes de las variables por eliminar, para lo cual es necesario multiplicar la primera ecuación por el coeficiente de dicha incógnita en la segunda y viceversa.

Ejemplos:

- $7x+4y=-26$ [1] Multiplicando [1] por 3: $21x+12y=-78$

  $2x-3y=25$ [2] Multiplicando [2] por 4: $\underline{8x-12y=20}$

  Sumando miembro a miembro $29x=-58$

  $x=-2$

  Sustituyendo en la ecuación [1]:

$$\begin{array}{rcl} 7(-2)+4y & = & -26 \\ 4y & = & -26+14 \\ 4y & = & -12 \\ y & = & -3 \end{array}$$

- $4x-7y=12$ [1]
  $3x-5y=-9$ [2]

Igualando coeficientes de x:

$$3(4x-7y=12)$$
$$4\,(3x-5y=-9)$$
$$12x-21y=36 \qquad [1']$$
$$12x-20y=-36 \qquad [2']$$

Reduciendo [1'] y [2']:

$$y = -72$$

Sustituyendo en [2]:

$$3x - 5(-72) = -9$$
$$x = -123$$

- $\dfrac{5x}{3} + \dfrac{7y}{2} = 9$ [1]

  $4x - 5y = -32$ [2]

Igualando los coeficientes de y:

$$5\left(\frac{5x}{3} + \frac{7y}{2} = 9\right)$$
$$\frac{7}{2}\,(4x - 5y = -32)$$

haciendo operaciones y reduciendo:

$$x = -3$$

Sustituyendo en [2]:

$$4(-3) - 5y = -32$$
$$y = 4$$

- $\dfrac{5x}{2} - \dfrac{4y}{3} = -\dfrac{26}{3}$ [1]

  $\dfrac{x}{3} - \dfrac{5y}{6} = -\dfrac{1}{2}$ [2]

igualando coeficientes de x:

$$\frac{1}{3}\left(\frac{5x}{2} - \frac{4y}{3} = -\frac{26}{3}\right)$$

$$\frac{5}{2}\left(\frac{x}{3} - \frac{5y}{6} = -\frac{1}{2}\right)$$

efectuando operaciones y reduciendo:

$$y = -1$$

Sustituyendo con [2]:

$$\frac{x}{3} - \frac{5(-1)}{6} = -\frac{1}{2}$$
$$x = -4$$

Práctica 7.1

Ejercicios para resolver:

I. Por suma o resta resolver los siguientes sistemas.

1)	$3x + 5y = -12$	[1]	9)	$7x - 9y = -55$	[1]
	$7x - 5y = 22$	[2]		$8x + 3y = -23$	[2]
2)	$6x - 5y = -43$	[1]	10)	$6x - 3y = -27$	[1]
	$x - 5y = -28$	[2]		$2x - 3y = -23$	[2]
3)	$7x + 3y = -26$	[1]	11)	$2x + 3y = 0$	[1]
	$4x - y = -4$	[2]		$4x + 5y = -2$	[2]
4)	$9x - y = 102$	[1]	12)	$7x - 4y = 4$	[1]
	$x + y = 8$	[2]		$6x - 5y = 43$	[2]
5)	$2x - 11y = -19$	[1]	13)	$9x - 11y = 4$	[1]
	$4x + 3y = -37$	[2]		$-5x + 3y = -9$	[2]
6)	$11x - 9y = -8$	[1]	14)	$\frac{2x}{3} - 5y = -\frac{40}{3}$	[1]
	$11x - 7y = -5$	[2]		$3x - \frac{9y}{2} = 6$	[2]
7)	$5x - 4y = 0.$	[1]	15)	$\frac{4x}{3} + \frac{7y}{4} = -\frac{23}{4}$	[1]
	$3x - 2y = 4$	[2]		$2x + \frac{3y}{2} = -\frac{15}{2}$	[2]
8)	$9x - 15y = -81$	[1]	16)	$\frac{5x}{4} - \frac{3y}{2} = \frac{16}{3}$	[1]
	$7x - 3y = -63$	[2]		$\frac{2x}{5} + \frac{4y}{3} = -\frac{56}{15}$	[2]

Método de igualación

Consiste en despejar de cada ecuación la misma incógnita e igualar, posteriormente, los dos miembros. Al efectuar esta etapa, se elimina la incógnita despejada originalmente. Se continúa con un proceso similar a los empleados.

Ejemplos:

- $3x + 5y = 34$ [1]

  $7x - 2y = 11$ [2]

Despejando en [1]:

$$x = \frac{34 - 5y}{3}$$

Despejando en [2]:

$$x = \frac{11 + 2y}{7}$$

Igualando las dos expresiones miembro a miembro:

$$\begin{aligned} x &= x \\ \frac{34 - 5y}{3} &= \frac{11 + 2y}{7} \\ 7(34 - 5y) &= 3(11 + 2y) \\ 238 - 35y &= 33 + 6y \\ -41y &= -205 \\ y &= 5 \end{aligned}$$

Sustituyendo en [2]:

$$\begin{aligned} 7x - 2(5) &= 11 \\ 7x &= 21 \\ x &= 3 \end{aligned}$$

- $\frac{3x}{4} + 7y = -17$ [1]

  $\frac{5x}{2} - y = -8$ [2]

Despejando y en ambas ecuaciones:

$$y = \frac{-68 - 3x}{28} \quad [1']$$

$$y = \frac{5x+16}{2} \qquad [2']$$

Igualando [1' y [2'] y efectuando operaciones:

$$\begin{aligned} \frac{-68-3x}{28} &= \frac{5x+16}{2} \\ 2(-68-3x) &= 28(5x+16) \\ x &= -4 \end{aligned}$$

Substituyendo en [2]:

$$\begin{aligned} \frac{5(-4)}{2} - y &= -8 \\ y &= -2 \end{aligned}$$

- $\frac{4x}{5} - 7y = 14 \qquad [1]$

  $3x - \frac{5y}{3} = 8 \qquad [2]$

Despejando x en ambas ecuaciones

$$x = \frac{70+35y}{4} \qquad [1']$$

$$x = \frac{24+5y}{9} \qquad [2']$$

Igualando [1'] y [2'] y efectuando operaciones:

$$\frac{70+35y}{4} = \frac{24+5y}{9}$$

$$9(70+35y) = 4(24+5y)$$

$$y = -\frac{534}{295}$$

Sustituyendo en [2]:

$$\frac{4x}{5} - 7\left(\frac{534}{295}\right) = 14$$

$$x = \frac{98}{59}$$

- $\frac{7x}{2}-\frac{4y}{3}=\frac{95}{6}$ [1]

  $\frac{5x}{4}+\frac{3y}{2}=-\frac{9}{4}$ [2]

Despejando x en ambas ecuaciones:

$x=\frac{95+8y}{21}$ [1']

$x=\frac{-9-6y}{5}$ [2']

Igualando [1'] y [2'] y efectuando operaciones:

$$\frac{95+8y}{21}=\frac{-9-6y}{5}$$
$$5(95+8y)=21(-9-6y)$$
$$y=-4$$

Substituyendo en [2]:

$$\frac{5x}{4}+\frac{3(-4)}{2}=-\frac{9}{4}$$
$$x=3$$

Práctica 7.2

Ejercicios para resolver

I. Aplicando la igualación de ecuaciones, resolver los siguientes sistemas.

1) $x+3y=17$ [1]
$x-2y=-3$ [2]

2) $4x+y=19$ [1]
$-3x+y=-2$ [2]

3) $-x+4y=-10$ [1]
$-x-3y=-3$ [2]

4) $3x-4y=51$ [1]
$2x+3y=0$ [2]

5) $-5x - 2y = 23$ [1]
$2x + 3y = -18$ [2]

6) $4x + 2y = \frac{7}{3}$ [1]
$5x + 3y = \frac{19}{6}$ [2]

7) $3x - 2y = \frac{24}{5}$ [1]
$2x + 3y = \frac{49}{5}$ [2]

8) $-5x - 3y = 11$ [1]
$4x + 5y = -14$ [2]

9) $\frac{3x}{2} + 7y = 15$ [1]
$\frac{4x}{3} - 5y = -\frac{61}{3}$ [2]

10) $\frac{5x}{3} - 4y = \frac{29}{2}$ [1]
$2x + \frac{3y}{2} = -\frac{3}{2}$ [2]

11) $\frac{7x}{3} + \frac{5y}{3} = \frac{145}{12}$ [1]
$\frac{2x}{3} + \frac{3y}{2} = \frac{1}{3}$ [2]

12) $\frac{5x}{3} - \frac{8y}{5} = \frac{37}{6}$ [1]
$\frac{7x}{5} - \frac{5y}{3} = \frac{67}{12}$ [2]

Método de sustitución

En una de las ecuaciones, se despeja una de las incógnitas y el valor obtenido se sustituye en la otra ecuación.

Ejemplos:

- $2x - 5y = -16$ [1]

$6x - 7y = -32$ [2]

Despejando en [1]:

$$x = \frac{5y - 16}{2}$$

Sustituyendo en [2]:

$$\begin{aligned} 6\,\frac{(5y-16)}{2} - 7y &= -32 \\ 15y - 48 - 7y &= -32 \\ 8y &= 16 \\ y &= 2 \end{aligned}$$

Sustituyendo en [1]:

$$\begin{aligned} 2x - 5\,(2) &= -16 \\ x &= -3 \end{aligned}$$

- $\frac{7x}{5} - 3y = 0$ [1]

  $\frac{4x}{3} - 8y = -36$ [2]

Despejando en [1]:

$y = \frac{7x}{15}$ [1']

Substituyendo en [2]:

$$\frac{4x}{3} - 8\left(\frac{7x}{15}\right) = -36$$

Efectuando operaciones:

$$x = 15$$

Substituyendo en [1]:

$$\begin{aligned} 7\left(\frac{15}{5}\right) - 3y &= 0 \\ y &= 7 \end{aligned}$$

- $$\frac{6x}{5}+5y=-\frac{77}{10} \qquad [1]$$
  $$4x+\frac{7y}{4}=\frac{93}{8} \qquad [2]$$

Despejando en [1]:

$$y=-\frac{12x-77}{50} \qquad [1']$$

Substituyendo en [2]:

$$4x+7\,\frac{\left(\frac{-12x-77}{50}\right)}{4}=\frac{93}{8}$$

Efectuando operaciones:

$$x=4$$

Substituyendo en [1]:

$$\frac{6(4)}{5}+5y=-\frac{77}{10}$$
$$y=-\frac{5}{2}$$

- $$\frac{7x}{2}-\frac{4y}{3}=\frac{17}{4} \qquad [1]$$
  $$\frac{8x}{5}+\frac{5y}{2}=\frac{171}{40} \qquad [2]$$

Despejando en [2]:

$$y=\frac{171-64x}{100} \qquad [2']$$

Substituyendo en [1]:

$$\frac{7x}{2}-\frac{4\left(\frac{171-64x}{100}\right)}{3}=\frac{17}{4}$$

Efectuando operaciones:

$$x=\frac{3}{2}$$

Substituyendo en [2]:

$$\frac{8\left(\frac{3}{2}\right)}{5}+\frac{5y}{2}=\frac{171}{40}$$

$$y=\frac{3}{4}$$

Práctica 7.3

Ejercicios para resolver:

I. Por substitución resolver los siguientes sistemas.

1) $x+3y=14$ [1]
$-2x+y=-14$ [2]

2) $-x-4y=17$ [1]
$3x+y=-14$ [2]

3) $2x+5y=-21$ [1]
$x+3y=-14$ [2]

4) $3x-2y=18$ [1]
$2x-y=19$ [2]

5) $-5x+y=22$ [1]
$-2x-3y=-15$ [2]

6) $-x+5y=-24$ [1]
$2x-4y=-6$ [2]

7) $5x-3y=1$ [1]
$2x-7y=-41$ [2]

8) $7x+11y=56$ [1]
$9x+5y=-8$ [2]

9) $\frac{8x}{3}-2y=3$ [1]
$3x-\frac{5y}{2}=\frac{7}{2}$ [2]

10) $\frac{2x}{3}+\frac{5y}{2}=-\frac{11}{6}$ [1]
$\frac{5x}{4}+\frac{3x}{2}=-\frac{1}{4}$ [2]

Método gráfico

Por el método ya estudiado en capítulos anteriores, se traza la gráfica de la función de cada ecuación y se toman las coordenadas del punto de intersección, las cuales representan el resultado del sistema.

Ejemplos:

- $2x+y=8$ [1]
  $x-3y=-3$ [2]

De [1]: $y = f(x)$
$y = 8 - 2x$

De [2]: $x = f(y)$
$x = 3y - 3$

x	0	2	3	4
y	8	4	2	0
	A	B	C	D

x	–3	0	3	6
y	0	1	2	3
P	Q	R	S	

$x = 3$
$y = 2$

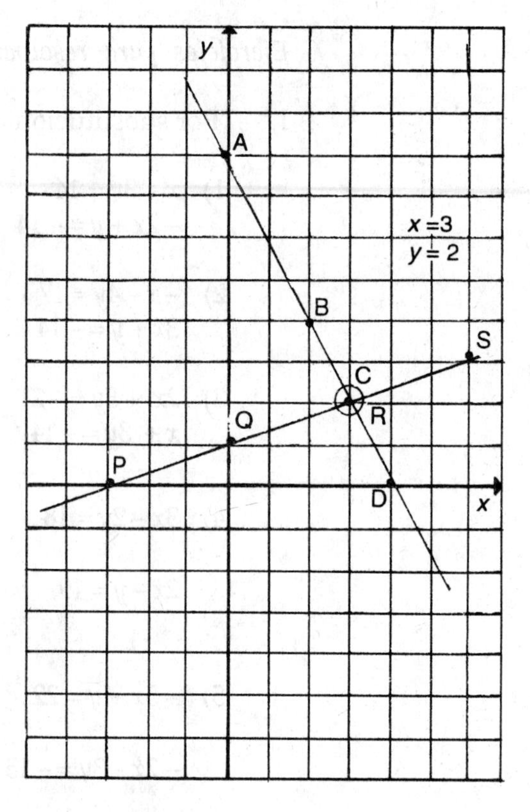

- $2x - 2y = -6$ [1]
  $2x + 3y = -16$ [2]

De [1]: $x = f(y)$

$x = \dfrac{-6+2y}{2}$

$x = -3 + y$

De [2]: $x = f(y)$

$x = \dfrac{-16-3y}{2}$

x	–7	–5	–3	–1
y	-4	–2	0	2
	A	B	C	D

x	1	–.5	–2	–8
y	–6	–5	–4	0
	P	Q	R	S

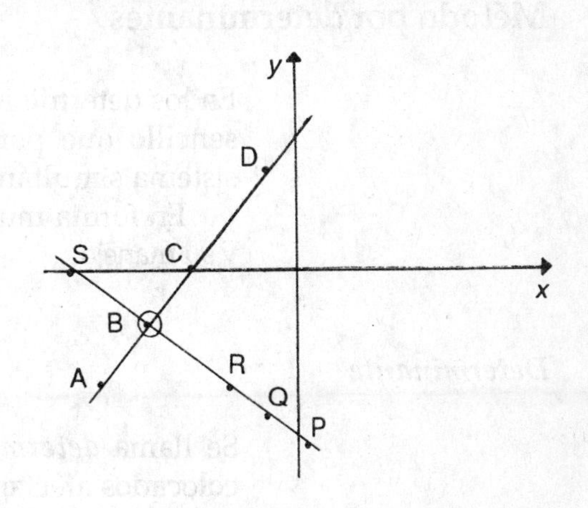

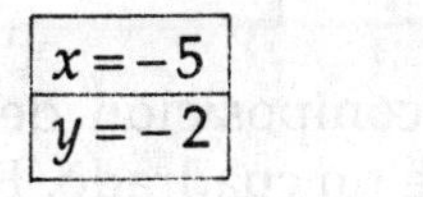

Práctica 7.4

Ejercicios para resolver:

I. Obtener gráficamente el valor de las variables siguiendo el procedimiento mostrado en los ejemplos.

1) $2x + y = 9$ [1]
$x + y = 7$ [2]

2) $3x - 2y = -12$ [1]
$x + 3y = 7$ [2]

3) $3x - 2y = -7$ [1]
$2x + y = -14$ [2]

4) $5x + 2y = 1$ [1]
$-3x - 4y = 19$ [2]

5) $x - 5y = 19$ [1]
$2x + 7y = -13$ [2]

6) $7x + 2y = -33$ [1]
$8x - y = -41$ [2]

7) $3x - 5y = 15$ [1]
$x + y = 5$ [2]

8) $4x + 3y = -12$ [1]
$2x + 5y = -20$ [2]

9) $3x - 5y = -23$ [1]
$7x - 3y = -19$ [2]

10) $x - 7y = -18$ [1]
$7x + y = 24$ [2]

Método por determinantes

En los determinantes se ha encontrado un procedimiento práctico y sencillo que permite obtener los valores de las variables de un sistema simultáneo de ecuaciones lineales.

En forma muy sencilla se muestra la definición de determinante y su manejo.

Determinante

Se llama *determinante* a una composición de números que son colocados afectando la forma de un cuadrado. Es de segundo orden cuando se forma con dos números por cada lado, y de tercer grado cuando son tres números por cada lado. En cualquier caso, se resuelve multiplicando en diagonal los números del determinante y de izquierda a derecha. Se llama diagonal principal a la descendente y secundaria a la ascendente. Al producto de toda diagonal secundaria se le cambia el signo.

Un determinante de segundo orden se aplica a un sistema de dos ecuaciones; uno de tercer orden corresponderá a un sistema de tres ecuaciones.

El determinante de un sistema es el formado exclusivamente con los coeficientes de las variables colocados ordenadamente en renglón y en columna. Simbólicamente se representa con la letra griega delta (Δ).

Sea por ejemplo el sistema:

$$a_1x + b_1y = c_1 \quad [1]$$
$$a_2x + b_2y = c_2 \quad [2]$$

Su determinante será:

$$\Delta = \begin{vmatrix} a_1 & b_1 \\ a_2 & b_2 \end{vmatrix}$$

El determinante de cualquier variable se forma sustituyendo en el determinante del sistema la columna que corresponde a sus coeficientes, por la columna de los términos independientes colocados originalmente en el segundo miembro. Para representar simbólicamente a cada uno de ellos se emplea la letra delta (Δ) afectada de un subíndice igual a la variable en cuestión: Δx, Δy, Δz, ... etc.

De acuerdo con lo anterior, se tiene que:

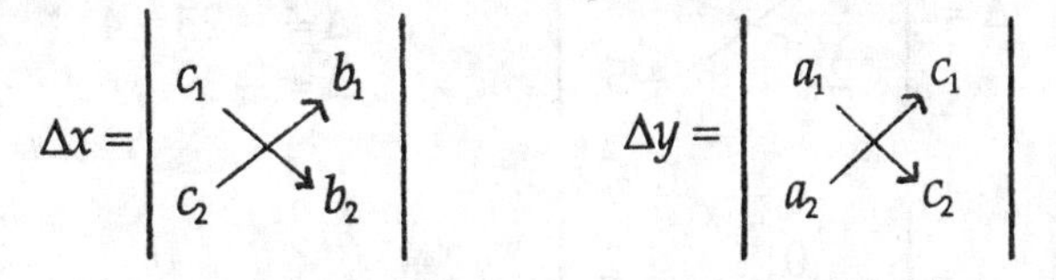

Ya calculados los determinantes, para el cálculo de las variables basta aplicar las siguientes fórmulas:

$$x = \frac{\Delta x}{\Delta} \quad y = \frac{\Delta y}{\Delta}$$

Ejemplos:

- $5x - 4y = -7$ [1]

  $2x + 7y = 23$ [2]

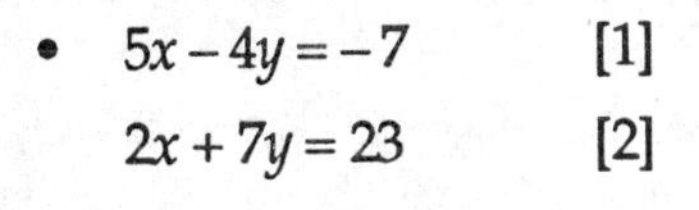

$\therefore \Delta = 35 + 8$

$\Delta = 43$

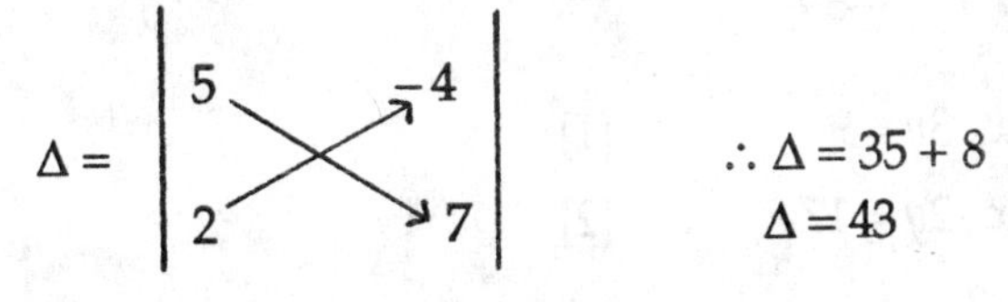

$\therefore \Delta x = -49 + 104$

$\Delta x = 43$

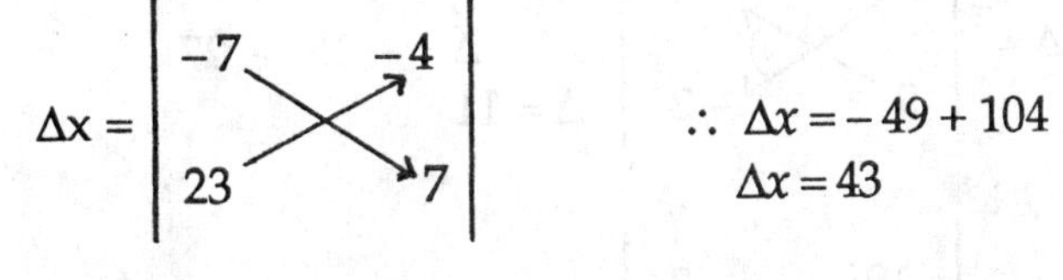

$\therefore \Delta y = 115 + 14$

$\Delta y = 129$

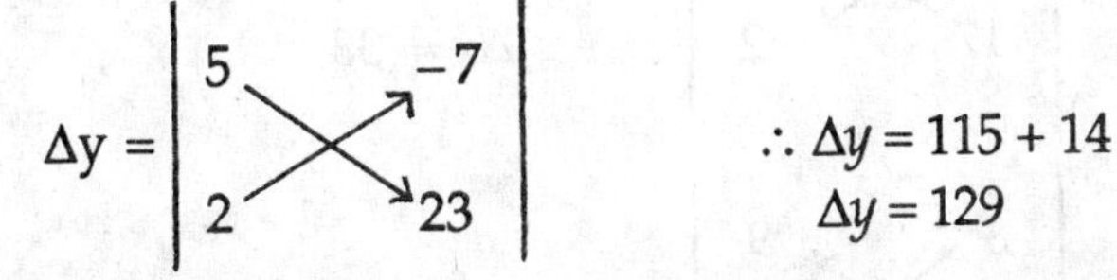

$$x = \frac{\Delta x}{\Delta} \qquad x = \frac{43}{43} \qquad x = 1$$

$$y = \frac{\Delta y}{\Delta} \qquad y = \frac{129}{43} \qquad y = 3$$

- $7x + 2y = 0$ [1]

  $2x - 2y = -39$ [2]

$$\Delta = \begin{vmatrix} 7 & 2 \\ 2 & -5 \end{vmatrix} \qquad \begin{aligned} \Delta &= -35-4 \\ \Delta &= -39 \end{aligned}$$

$$\Delta x = \begin{vmatrix} 0 & 2 \\ -39 & -5 \end{vmatrix} \quad \Delta x = 78$$

$$\Delta y = \begin{vmatrix} 7 & 0 \\ 2 & -39 \end{vmatrix} \quad \Delta y = -273$$

$$x = \frac{\Delta x}{\Delta}\ x = \frac{78}{-39} \quad x = -2$$

$$y = \frac{\Delta y}{y}\ y = \frac{-273}{-39} \quad y = 7$$

- $8x - 3y = 9$ [1]

  $9x - 2y = 17$ [2]

$$\Delta = \begin{vmatrix} 8 & -3 \\ 9 & -2 \end{vmatrix} \qquad \begin{aligned} \Delta &= -16 + 27 \\ \Delta &= 11 \end{aligned}$$

$$\Delta x = \begin{vmatrix} 19 & -3 \\ 17 & -2 \end{vmatrix} \qquad \begin{aligned} \Delta x &= -18 + 51 \\ \Delta x &= 33 \end{aligned}$$

$$\Delta y = \begin{vmatrix} 8 & 9 \\ 9 & 17 \end{vmatrix} \qquad \begin{aligned} \Delta y &= 136 - 81 \\ \Delta y &= 55 \end{aligned}$$

$$x = \frac{\Delta x}{x}\ x = \frac{33}{11} \quad x = 3$$

$$y = \frac{\Delta y}{y}\ y = \frac{55}{11} \quad x = 5$$

Práctica 7.5

Ejercicios para resolver:

I. Aplicando el método de los determinantes resolver los siguientes ejercicios.

1) $4x + 3y = 17$ [1]
$2x - 5y = -11$ [2]

2) $7x - 4y = 23$ [1]
$9x - 3y = 21$ [2]

3) $5x - 11y = 146$ [1]
$2x - 4y = 54$ [2]

4) $4x - 9y = 17$ [1]
$9x + 8y = 103$ [2]

5) $11x - 4y = 56$ [1]
$9x + 3y = 27$ [2]

6) $14x - 9y = 222$ [1]
$7x + 8y = 36$ [2]

7) $5x + 8y = -41$ [1]
$9x + 11y = -50$ [2]

8) $3x - 14y = -127$ [1]
$12x - 7y = -116$ [2]

9) $13x - 9y = -25$ [1]
$2x + 7y = -29$ [2]

10) $11x + 3y = 97$ [1]
$7x - 9y = 29$ [2]

SISTEMAS SIMULTÁNEOS DE TRES ECUACIONES

Método algebraico de reducción y eliminación

Un sistema de tres ecuaciones lineales con tres variables puede resolverse por cualquiera de los métodos algebraicos de reducción aplicados a los sistemas de dos ecuaciones simultáneas si se hacen las variaciones necesarias al caso.

Sea el sistema:

$$2x + 3y - 5z = 7 \quad [1]$$
$$x - 2y + 3z = 2 \quad [2]$$
$$3x - y + 2z = 9 \quad [3]$$

Por suma o resta

Para resolverlo por el método de reducción por suma o resta el procedimiento es el siguiente:

Haciendo la eliminación de z en [1] y [2]

a) Se igualan los valores absolutos de z multiplicando el coeficiente 3 del término 3z por la ecuación [1] y el coeficiente 5 del término 5z por la ecuación [2]:

b) Se hace la reducción sumando [1'] y [2']

$$6x + 9y - 15z = 21 \quad [1']$$
$$\underline{5x - 10y + 15z = 10} \quad [2']$$
$$11x - y = 31 \quad [A]$$

c) En forma análoga se hace la eliminación de z en [1] y [3] multiplicando los valores absolutos de los términos de z:

$$4x + 6y - 10z = 14 \quad [1']$$
$$\underline{15x - 5y + 10z = 45} \quad [3']$$
$$19x + y = 59 \quad [B]$$

d) El nuevo sistema equivalente lo forman [A] y [B], que se resuelve eliminando a *y* por su reducción:

$$11x - y = 31 \quad [A]$$
$$\underline{19x + y = 59} \quad [B]$$
$$30x = 90$$

e) Resolviendo la ecuación anterior se obtiene el valor de la primera variable x:

$$30x = 90$$
$$x = \frac{90}{30}$$
$$x = 3$$

f) Sustituyendo el valor obtenido, para x en una de las ecuaciones [A] o [B] se conoce el valor de la segunda variable y:

$$\begin{aligned} 11(3) - y &= 31 \quad [A] \\ 33 - 31 &= y \\ 2 &= y; \; y = 2 \end{aligned}$$

g) Sustituyendo los valores obtenidos para x y para y en una de las ecuaciones [1], [2] o [3] se encuentra el valor de la tercera variable z:

$$\begin{aligned} 2(3) + 3(2) - 5z &= 7 \quad [1] \\ 6 + 6 - 5z &= 7 \\ 12 - 7 &= 5z \\ \frac{5}{5} &= z \\ 1 &= z; \quad z = 1 \end{aligned}$$

Los valores numéricos de las variables son:

$$x = 3 \quad y = 2 \quad z = 1$$

Comprobación

En [1]

$$\begin{aligned} 2(3) + 3(2) - 5(1) &= 7 \\ 6 + 6 - 5 &= 7 \\ 7 &\equiv 7 \end{aligned}$$

En [2]

$$\begin{aligned} (3) - 2(2) + 3(1) &= 2 \\ 3 - 4 + 3 &= 2 \\ 2 &\equiv 2 \end{aligned}$$

En [3]

$$\begin{aligned} 3(3) - (2) + 2(1) &= 9 \\ 9 - 2 + 2 &= 9 \\ 9 &\equiv 9 \end{aligned}$$

Ejemplos:

- $2x - y + 3z = -1$ [1]
  $x + 5y - 2z = -1$ [2]
  $3x + 4y - z = 4$ [3]

Igualando los valores absolutos de x en [1] y [2] y restando [2] de [1]:

$$
\begin{array}{rl}
2x - y + 3z = -1 & [1] \\
\underline{2x \mp 10y \pm 4z = \pm 2} & [2'] \\
-11y + 7z = 1 & [A]
\end{array}
$$

Igualando los valores absolutos de x en [2] y [3] y restando [3] de [2]:

$$
\begin{array}{rl}
3x + 15y - 6z = -3 & \\
\underline{3x \mp 4y \pm z = 4} & \\
11y - 5z = -7 & [B]
\end{array}
$$

El nuevo sistema equivalente está formado por [A] y [B]. Resolviendo por reducción, en este caso se elimina la y:

$$
\begin{array}{rcll}
-11y + 7z & = & 1 & [A] \\
\underline{11y - 5y} & = & \underline{-7} & [B] \\
2z & = & -6 & \\
z & = & -3 &
\end{array}
$$

Sustituyendo en [B]:

$$
\begin{array}{rcl}
11y - 5(-3) & = & -7 \\
11y + 15 & = & -7 \\
11y & = & -22 \\
y & = & -2
\end{array}
$$

Sustituyendo en [2]:

$$
\begin{array}{rcl}
x + 5(-2) - 2(-3) & = & -1 \\
x - 10 + 6 & = & -1 \\
x & = & 3
\end{array}
$$

Los valores numéricos de las variables son:

$$x = 3 \quad y = -2 \quad z = -3$$

- $$
\begin{array}{ll}
4x - 3y + 2z = -27 & [1] \\
3x - 4y - 5z = 7 & [2] \\
2x + 5y + 7z = -24 & [3]
\end{array}
$$

Eliminando la x por reducción en el sistema formado por [1] y [2]:

$$
\begin{array}{ll}
12x - 9y + 6z = -81 & [1'] \\
\underline{-12x + 16y + 20z = -28} & [2'] \\
7y + 26z = -109 & [A]
\end{array}
$$

Eliminando la x por reducción en el sistema formado por [1] y [3]:

$$\begin{array}{ll} 4x - 3 = y + 2z = -27 & [1] \\ \underline{4x + 10y + 14z = \pm 48} & [3'] \\ +13y + 12 = -21 \quad [B] & \end{array}$$

Eliminando y por reducción en el sistema formado por [A] y [B]:

$$\begin{array}{rcl} 91y + 3\,38z & = & -1\,417 \\ \underline{91y + 84z} & = & \underline{\pm 14\,7} \\ 2\,54z & = & -1\,270 \\ z & = & -5 \end{array}$$

Sustituyendo en [B]:

$$\begin{array}{rcl} 13y + 12\,(-5) & = & -21 \\ y & = & 3 \end{array}$$

Sustituyendo en [3]:

$$\begin{array}{rcl} 2x + 5\,(3) + 7\,(-5) & = & -24 \\ x & = & -2 \end{array}$$

Los valores numéricos de las variables son:

$$x = -2 \quad y = 3 \quad z = -5.$$

Al aplicar el método de reducción por suma o resta se debe tomar en cuenta:

1. La eliminación de las incógnitas se hace indistintamente sin seguir un orden alfabético.
2. Cuando se hace la reducción por resta, la ecuación sustraendo se multiplica por (–1).

Práctica 7.6

Ejercicios para resolver:

I. Resuelva aplicando el método de reducción por suma o resta

1) $x + 3y - 2z = 15$ [1]
$2x - 2y + 3z = 18$ [2]
$3x + 4y + z = 48$ [3]

2) $2x - 2y + 4z = -14$ [1]
$x + y - 5z = 0$ [2]
$-4x + 5y + 3z = 19$ [3]

3)
$$x + 2y + 4z = 11 \quad [1]$$
$$-3x + 4y + z = 11 \quad [2]$$
$$-2x + 6y - 3z = -10 \quad [3]$$

4)
$$-2x + 3y - 4z = -4 \quad [1]$$
$$-4x - 6y - 8z = 0 \quad [2]$$
$$+6x - 9y + 12z = 12 \quad [3]$$

5)
$$2x + y - 3z = 6 \quad [1]$$
$$4x + 5y + z = 4 \quad [2]$$
$$x - 3y - 2z = -3 \quad [3]$$

6)
$$3x + 4y - z = -1 \quad [1]$$
$$x + 5y + 3z = 6 \quad [2]$$
$$2x - y - 6z = -13 \quad [3]$$

7)
$$x - 2y + 3z = -9 \quad [1]$$
$$3x + 5y + 5z = 7 \quad [2]$$
$$2x - y + 2z = 0 \quad [3]$$

8)
$$5x + y - 2z = 1 \quad [1]$$
$$7x + 2y - z = -1 \quad [2]$$
$$3x - 5y - 7z = -10 \quad [3]$$

9)
$$4x - y - 3z = -1 \quad [1]$$
$$x - 7y + 2z = 13 \quad [2]$$
$$2x + 3y - 5z = -7 \quad [3]$$

10)
$$5x + 4y - 7z = 28 \quad [1]$$
$$3x + 2y + z = -2 \quad [2]$$
$$x - 5y + 3z = 17 \quad [3]$$

Por sustitución

Aplicando el método de reducción por sustitución se procede en la siguiente forma:

a) Se despeja una de las incógnitas de cualquiera de las ecuaciones que forman el sistema.
b) Se sustituye el valor despejado en las otras dos ecuaciones.
c) Al efectuar las sustituciones se forma un sistema de dos ecuaciones que se resuelve para obtener los valores numéricos de dos de las variables.
d) Los valores numéricos obtenidos se sustituyen en una de las tres ecuaciones del sistema propuesto para obtener una ecuación con una incógnita que se resuelve para conocer el valor de la tercera variable.

Ejemplos:

$$x - y + 2z = 13 \quad [1]$$
$$2x + y - z = 5 \quad [2]$$
$$4x + 3y + 2z = 20 \quad [3]$$

Despejando de [1] la incógnita x:

$$x = y - 2z + 13$$

Sustituyendo el valor de x en [2]:

$$2(y-2z+13)+y-z=5$$
$$2y-4z+26+y-z=5$$
$$3y-5z=-21 \qquad [A]$$

Sustituyendo el valor de x en [3]:

$$4(y-2z+13)+3y+2z=20$$
$$4y-8z+52+3y+2z=20$$
$$7y-6z=-32 \qquad [B]$$

Resolviendo el sistema formado por [A] y [B]:

$$3y-5z=-21 \qquad [A]$$
$$7y-6z=-32 \qquad [B]$$

Despejando de [A] la incógnita y:

$$y=\frac{5z-21}{3}$$

Sustituyendo el valor de y en [B]:

$$7\left(\frac{5z-21}{3}\right)-6z=-32$$

$$35z-147-18z = -96$$
$$17z = 51$$
$$z = 3$$

Sustituyendo el valor de z en [A]:

$$3y-5(3) = -21$$
$$3y = -21+15$$
$$3y = -6$$
$$y = -2$$

Sustituyendo los valores numéricos de y y de z en [1]:

$$x-(-2)+2(3) = 13$$
$$x+2+6 = 13$$

$$x = 13 - 8$$
$$x = 5$$

Comprobación:

En [1]

$$(5) - (-2) + 2(3) = 13$$
$$5 + 2 + 6 = 13$$
$$13 \equiv 13$$

En [2]

$$2(5) + (-2) - 3 = 5$$
$$10 - 2 - 3 = 5$$
$$5 \equiv 5$$

- $4x - y + 2z = 11$ [1]
  $3x - 5y - z = -2$ [2]
  $x - 2y - 3z = 1$ [3]

Despejando en [1]:

$y = 4x + 2z - 11$ [1']

Sustituyendo [1'] en [2']:

$3x - 5\,(4x + 5y - 11) - z = -2$
$17x + 11z - 57 = 0$ [A]

Sustituyendo [1'] en [3]:

$x - 2(4x + 2z - 11) - 3z = 1$
$x + z - 3 = 0$ [B]

Resolviendo el sistema formado por las ecuaciones [A] y [B], también por el método de sustitución:

Despejando en [B]:

$x = 3 - z$ [B']

Sustituyendo en [A]:

$$17(3 - z) + 11z = 57$$
$$z = -1$$

Sustituyendo en [B]:

$x + (-1) = 3$ $\quad x = 4$

Sustituyendo en [3]:

$$4 - 2y - 3(-1) = 1$$
$$y = 3$$

- $5x + 2y + 3z = -5$ [1]
  $3x + 6y + 2z = 11$ [2]
  $4x - 3y - 4z = -5$ [3]

Despejando en [1]:

$$y = \frac{-5x - 3z - 5}{2} \quad [1']$$

Sustituyendo en [2]:

$$3x + 6\left(\frac{-5x - 3z - 5}{2}\right) + 2z = 11$$
$$12x + 7z = -26 \quad [A]$$

Sustituyendo en [3]:

$$4x - 3\,\frac{(-5x - 3z - 5)}{2} - 4z = -5$$
$$23x + z = -25 \quad [B]$$

Despejando [B]:

$$2x = -25 - 23x \quad [B']$$

Sustituyendo en [A]:

$$12x + 7(-25 - 23) = -26$$
$$x = -1$$

Sustituyendo en [B]:

$$23(-1) + z = -25$$
$$z = -2$$

Sustituyendo en [1]:

$$5(-1) + 2y + 3(-2) = -5$$
$$y = 3$$

Práctica 7.7

Ejercicios para resolver:

I Resolver aplicando el método de reducción por sustitución.

1)
$x + 2y + 3z = -4$ [1]
$2x - 3y + 2z = 17$ [2]
$3x + y - z = 13$ [3]

5)
$2x + 3y - z = -1$ [1]
$5x - y - 3z = 5$ [2]
$4x + 2y - 3z = 0$ [3]

2)
$x + 2y - 4z = -15$ [1]
$2x - y + 3z = +2$ [2]
$3x - 2y + z = -11$ [3]

6)
$4x + 2y + z = 0$ [1]
$x + 5y + 3z = 8$ [2]
$3x + y - 5z = -10$ [3]

3)
$2x + y - 3z = -5$ [1]
$x + 2y - z = -6$ [2]
$-3x + 3y - 2z = -5$ [3]

7)
$x + 7y - 2z = -32$ [1]
$4x + 3y - z = -7$ [2]
$2x - y - 4z = -4$ [3]

4)
$-4x + 3y - 2z = -5$ [1]
$12x - 4y + 3z = 8$ [2]
$-8x + 2y - 4z = -2$ [3]

8)
$2x + 5y - 4z = 0$ [1]
$3x - 2y - 3z = 16$ [2]
$5x + 3y = 2z = -7$ [3]

Por igualación

En el método de reducción por igualación se maneja una modalidad de la sustitución, ya que se despeja a la misma incógnita de las tres ecuaciones para después igualar la primera con la segunda, y a continuación la primera o segunda con la tercera. Se resuelve el sistema simultáneo formado con las dos ecuaciones obtenidas de las igualaciones. Por último se sustituyen los valores obtenidos en cualquiera de las ecuaciones.

Ejemplos:

$x + 2y + 3z = -11$ [1]
$2x - 3y + 2z = -9$ [2]
$3x + 4y - z = 15$ [3]

Despejando x de cada una de las ecuaciones:

$x = -2y - 3z - 11$ [1']

$$x = \frac{+3y - 2z - 9}{2} \quad [2']$$

$$x = \frac{-4y + z + 15}{3} \quad [3']$$

Igualando [1'] con [2'] miembro a miembro:

$$x = x \therefore x - x = 0$$
$$0 \equiv 0$$
$$-2y - 3z - 11 = \frac{3y - 2z - 9}{2}$$
$$-4y - 6z - 22 = 3y - 2z - 9$$
$$-4y - 3y - 6z + 2z = 22 - 9$$
$$-7y - 4z = 13 \quad [A]$$

Igualando [1'] con [3'] miembro a miembro:

$$x = x \therefore x - x = 0$$
$$0 \equiv 0$$
$$-2y - 3z - 11 = \frac{-4y + z + 15}{3}$$
$$-6y - 9 - 33 = -4y + z + 15$$
$$-6 + 4y - 9z - z = 15 + 33$$
$$-2y - 10z = 48 \quad [B]$$

Resolviendo el sistema formado por [A] y [B]:

$$-7y - 4z = 13 \quad [A]$$
$$-2y - 10z = 48 \quad [B]$$

Despejando la incógnita y de ambas:

$$y = \frac{13 + 4z}{-7} \qquad y = \frac{10z + 48}{-2}$$
$$y = y \therefore y - y = 0$$
$$0 \equiv 0$$

$$\frac{13 + 4z}{-7} = \frac{10z + 48}{2}$$
$$-26 - 8z = -70z - 336$$
$$70z - 8z = 26 - 336$$
$$62z = -310$$
$$z = -5$$

Sustituyendo el valor numérico de z en [A]:

$$\begin{aligned} -7y-4(-5) &= 13 \\ -7y+20 &= 13 \\ -7y &= 13-20 \\ -7y &= -7 \\ y &= 1 \end{aligned}$$

Sustituyendo los valores numéricos de z y de y en [1]:

$$\begin{aligned} x+2(1)+3(-5) &= -11 \\ x+2-15 &= -11 \\ x-13 &= -11 \\ x &= 13-11 \\ x &= 2 \end{aligned}$$

Comprobación:

En [1]

$$(2)+2(1)+3(-5)=-11$$
$$2+2-15=-11$$
$$-11\equiv-11$$

En [2]

$$2(2)-3(1)+2(-5)=-9$$
$$4-3-10=-9$$
$$-9\equiv-9$$

En [3]

$$3(2)+4(1)-(-5)=15$$
$$6+4+5=15$$
$$15\equiv15$$

- $3x+4y-z=-1$ [1]
  $5x+3y-z=-11$ [2]
  $2x+y-z=-3$ [3]

Despejando z en cada ecuación:

$z=3x+4y+1$ [1']

$z=5x+3y+11$ [2']

$z=2x+y+3$ [3']

Igualando ['1] y [2']:

$$3x+4y+1=5x+3y+11$$
$$2x-y=-10 \quad \text{[A]}$$

Igualando [1'] con [3']:

$$3x + 4y + 1 = 2x + y + 3$$
$$x + 3y = 2 \quad [B]$$

Despejando x en [A] y [B]

$$x = \frac{y - 10}{2} \quad [A'] \quad x = 2 - 3y \quad [B']$$

Igualando [A'] y [B']:

$$\frac{y - 10}{2} = 2 - 3y$$
$$y = 2$$

Sustituyendo en [A]:

$$2x - (2) = -10$$
$$x = -4$$

Sustituyendo en [1]:

$$3(-4) + 4(2) - z = -1$$
$$z = -3$$

- $7x + 2y - 3z = 5 \quad [1]$
  $4x + 5y - 2z = 11 \quad [2]$
  $9x + 5y - 3z = -2 \quad [3]$

Despejando x en cada una de las ecuaciones:

$$x = \frac{5 - 2y - 3z}{7} \quad [1']$$
$$x = \frac{11 - 5y + 2z}{4} \quad [2']$$
$$x = \frac{3z - 5y - 2}{9} \quad [3']$$

Igualando [1'] y [2']:

$$\frac{5 - 2y - 3z}{7} = \frac{11 - 5y + 2z}{4}$$
$$4(5 - 2y - 3z) = 7(11 - 5y + 2z)$$
$$27y - 26z = 57 \quad [A]$$

Igualando [2'] y [3']:

$$\frac{11-5y+2z}{4}=\frac{3z-5y-2}{9}$$
$$9\,(11-5y+2z)=4\,(3z-5y-2)$$
$$25y-6z=107 \qquad [B]$$

Despejando y en [A] y [B]:

$$y=\frac{26z+57}{27} \qquad [A']$$
$$y=\frac{6z+107}{25} \qquad [B']$$

Igualando [A'] y [B']:

$$\frac{26z+107}{27}=\frac{6z+107}{25}$$
$$(26z+107)\;=26\,(6z+107)$$
$$z=3$$

Sustituyendo en [B]

$$25y-6(3)=107$$
$$y=5$$

Sustituyendo en [2]:

$$4x+5(5)-2(3)=11$$
$$x=-2$$

Práctica 7.8

Ejercicios para resolver:

I Resolver aplicando el método de reducción por igualación.

1) $x+y-z=-3$ [1]
$-2x+2y-2z=-18$ [2]
$x+3y+3z=9$ [3]

2) $-3x+2y-z=16$ [1]
$-x+y-2z=-5$ [2]
$-2x+3y-z=15$ [3]

3) $x-5y+2z=16$ [1]
$x+4y-3z=-1$ [2]
$x+2y-7z=13$ [3]

4) $2x-y+5z=-5$ [1]
$7x-y+3z=-29$ [2]
$3x+y+6z=7$ [3]

5) $4x - 3y - z = -13$ [1]
$3x + y - z = -2$ [2]
$5x + 4y + 2z = -17$ [3]

6) $2x + y + 5z = 9$ [1]
$x - 3y + 3z = 17$ [2]
$3x - 4y - z = -4$ [3]

7) $8x - 5y - 3z = 1$ [1]
$4x - 9y - 2z = 19$ [2]
$2x + 3y + 6z = 1$ [3]

8) $2x + 4y - 3z = -11$ [1]
$4x - 3y - 2z = -13$ [2]
$5x - 2y - 4z = -2$ [3]

Método por determinantes

Como ya se mencionó, para resolver un sistema simultáneo de tres ecuaciones es necesario emplear un determinante de tercer orden que tiene un acomodo de tres columnas y tres renglones:

Sea el sistema literal.

$a_1x + b_1y + c_1z = d_1$ [1]
$a_2x + b_2y + c_2z = d_2$ [2]
$a_3x + b_3y + c_3z = d_3$ [3]

El determinante del sistema será:

$$\Delta = \begin{vmatrix} a_1 & b_1 & c_1 \\ a_2 & b_2 & c_2 \\ a_3 & b_3 & c_3 \end{vmatrix}$$

Para resolver un determinante de tercer orden se aplica la regla de Sarrus que indica:

a) Escribir el primero y segundo renglones abajo del determinante.
b) Sumar los productos de los elementos en dirección: a_1, $b_2\,c_3$ y los de sus paralelas.
c) Sumar los productos de los elementos en dirección: a_3, b_2,, c_4 y los de sus paralelas.
d) Restar a la suma de los primeros y de sus paralelas la suma de los segundos y de sus paralelas:

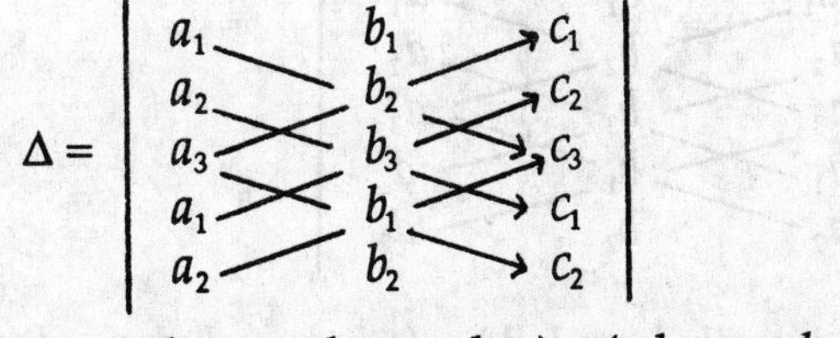

$$\Delta = (a_1b_2c_3 + a_2b_3c_1 + a_3b_1c_2) - (a_3b_2c_1 + a_1b_3c_2 + a_2b_1c_3)$$

La aplicación de la regla produce los mismos resultados si a la derecha del determinante se repiten la primera y segunda columna:

$$\Delta = \begin{vmatrix} a_1 & b_1 & c_1 & a_1 & b_1 \\ a_2 & b_2 & c_2 & a_2 & b_2 \\ a_3 & b_3 & c_3 & a_3 & b_3. \end{vmatrix}$$

El determinante Δx se forma substituyendo los coeficientes de la primera variable x por los términos independientes. Para resolverse se aplica la regla de Sarrus:

$$\Delta x = \begin{vmatrix} d_1 & b_1 & c_1 & d_1 & b_1 \\ d_2 & b_2 & c_2 & d_2 & b_2 \\ d_3 & b_3 & c_3 & d_3 & b_3 \end{vmatrix}$$

$$\Delta x = (d_1b_2c_3 + b_1c_2d_3 + c_1d_2b_3) - (d_3b_2c_1 + b_3c_2d_1 + c_3d_2b_1)$$

$$x = \frac{\Delta x}{\Delta}$$

El determinante Δy se forma sustituyendo los coeficientes de la segunda variable y por los términos independientes. Se resuelve como ya se indicó:

$$\Delta y = \begin{vmatrix} a_1 & d_1 & c_1 & a_1 & d_1 \\ a_2 & d_2 & c_2 & a_2 & d_2 \\ a_3 & d_3 & c_3 & a_3 & d_3. \end{vmatrix}$$

$$\Delta y = (a_1d_2c_3 + d_1c_2a_3 + c_1a_2d_3) - (a_3d_2 = c_1 + d_3c_3a_1 + c_3a_2d_1)$$

$$y = \frac{\Delta y}{\Delta}$$

El determinante Δz se forma substituyendo los coeficientes de la columna de la variable z por los términos independientes y se resuelve:

$$\Delta z = \begin{vmatrix} a_1 & b_1 & d_1 \\ a_2 & b_2 & d_2 \\ a_3 & b_3 & d_3 \\ a_1 & b_1 & d_1 \\ a_2 & b_2 & d_2 \end{vmatrix}$$

$$\Delta z = (a_1b_2d_3 + a_2b_3d_1 + a_3b_1d_2) - (a_3b_2d_1 + a_1b_3d_2 + a_2b_1d_3)$$

$$z = \frac{\Delta z}{\Delta}$$

Ejemplo numérico:

Sea el sistema:

$2x + 3y - 5z = 7$ [1]
$x - 2y + 3z = 2$ [2]
$3x - y + 2z = 9$ [3]

$$\Delta = \begin{vmatrix} 2 & 3 & -5 \\ 1 & -2 & +3 \\ 3 & -1 & +2 \\ 2 & 3 & -5 \\ 1 & -2 & 3 \end{vmatrix} = -8 + 5 + 27 - 30 + 6 - 6 = \quad \Delta = -6$$

$$\Delta x = \begin{vmatrix} 7 & 3 & -5 \\ 2 & -2 & 3 \\ 9 & -1 & 2 \\ 7 & 3 & -5 \\ 2 & -2 & 3 \end{vmatrix} = -28 + 10 + 81 - 90 + 21 - 12 = \quad \Delta x = -18$$

$$\Delta y = \begin{vmatrix} 2 & 7 & -5 \\ 1 & 2 & 3 \\ 3 & 9 & 2 \\ 2 & 7 & 5 \\ 1 & 2 & 3 \end{vmatrix} = 8 - 45 + 63 + 30 - 54 - 14 = \quad \Delta y = -12$$

$$\Delta z = \begin{vmatrix} 2 & 3 & 7 \\ 1 & -2 & 2 \\ 3 & -1 & 9 \\ 2 & 3 & 7 \\ 1 & -2 & 2 \end{vmatrix} = -36 - 7 + 18 + 42 + 4 - 27 = \quad \Delta z = -6$$

$$x = \frac{\Delta x}{\Delta} \qquad y = \frac{\Delta y}{\Delta} \quad z = \frac{\Delta z}{\Delta}$$

$$x = \frac{-18}{-6} \qquad y = \frac{-12}{-6} \qquad z = \frac{-6}{-6}$$

$$x = 3 \qquad y = 2 \qquad z = 1$$

- $2x - y + 3z = 18$ [1]

$5x + 2y - z = 15 \quad [2]$

$3x - 3y - 4z = 3 \quad [3]$

$$\Delta = \begin{vmatrix} 2 & -1 & 3 \\ 5 & 2 & -1 \\ 3 & -3 & -4 \\ 2 & -1 & 3 \\ 3 & -3 & -4 \end{vmatrix} \quad = -16 - 45 + 3 - 18 - 6 - 20$$

$\Delta = -102$

$$\Delta x = \begin{vmatrix} 18 & -1 & 3 \\ 15 & 2 & -1 \\ 3 & -3 & -4 \\ 18 & -1 & 3 \\ 15 & 2 & -1 \end{vmatrix} \quad = -144 - 135 + 3 - 18 - 54 - 60$$

$\Delta x = -408$

$$\Delta y = \begin{vmatrix} 2 & 18 & 3 \\ 5 & 15 & -1 \\ 3 & 3 & -4 \\ 2 & 18 & 3 \\ 5 & 15 & -1 \end{vmatrix} \quad = -120 + 45 - 54 - 135 + 6 + 360$$

$\Delta y = 102$

$$\Delta z = \begin{vmatrix} 2 & -1 & 18 \\ 5 & 2 & 15 \\ 3 & -3 & 3 \\ 2 & -1 & 18 \\ 5 & 2 & 15 \end{vmatrix} \quad = 12 - 270 - 45 - 108 + 90 + 15$$

$\Delta z = -306$

$x = \dfrac{\Delta x}{\Delta} \quad x = \dfrac{-408}{-102} \qquad x = 4$

$y = \dfrac{\Delta y}{\Delta} \quad y = \dfrac{102}{-102} \qquad y = -1$

$z = \dfrac{\Delta z}{\Delta} \quad z = \dfrac{-306}{-10} \qquad z = 3$

- $4x - 3y - 8z = -9 \quad [1]$

  $5x + 7y + 3z = 8 \quad [2]$

  $2x + 3y - 2z = 7 \quad [3]$

$$\Delta = \begin{vmatrix} 4 & -3 & -8 \\ 5 & 7 & 3 \\ 2 & 3 & -2 \\ 4 & -3 & -8 \\ 5 & 7 & 3 \end{vmatrix} \quad = -56 - 120 - 18 + 112 - 36 - 30$$

$\Delta = -148$

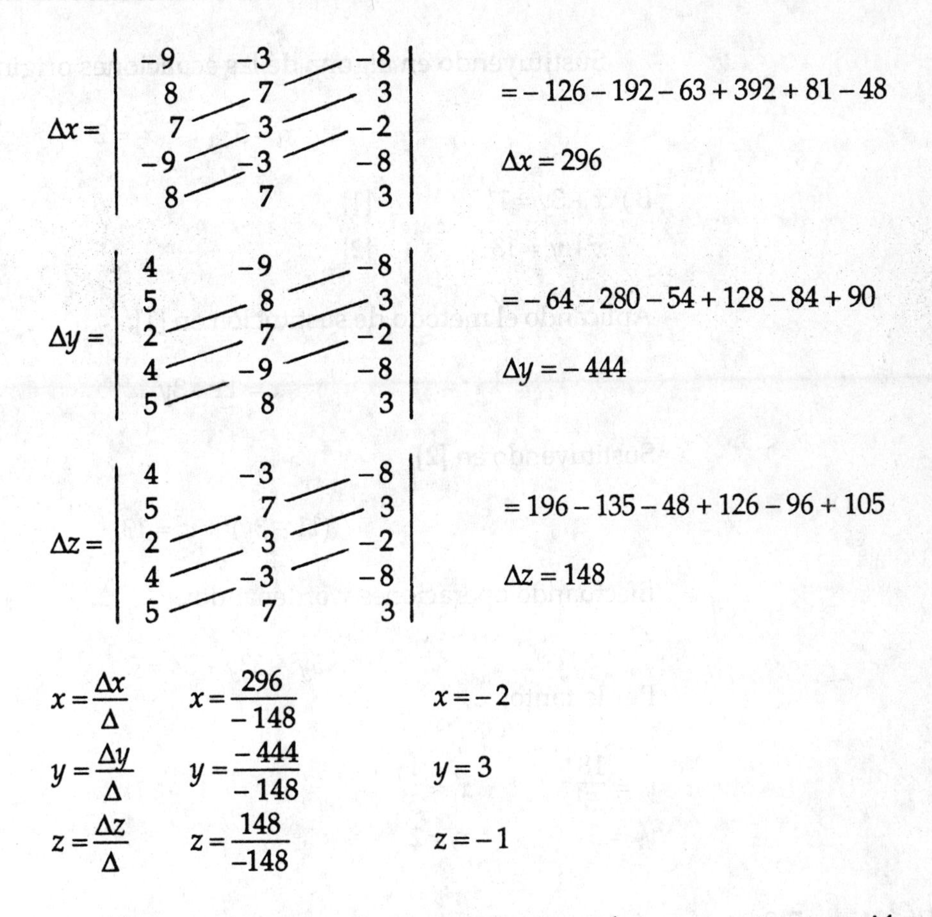

$$\Delta x = \begin{vmatrix} -9 & -3 & -8 \\ 8 & 7 & 3 \\ 7 & 3 & -2 \\ -9 & -3 & -8 \\ 8 & 7 & 3 \end{vmatrix} = -126 - 192 - 63 + 392 + 81 - 48$$

$$\Delta x = 296$$

$$\Delta y = \begin{vmatrix} 4 & -9 & -8 \\ 5 & 8 & 3 \\ 2 & 7 & -2 \\ 4 & -9 & -8 \\ 5 & 8 & 3 \end{vmatrix} = -64 - 280 - 54 + 128 - 84 + 90$$

$$\Delta y = -444$$

$$\Delta z = \begin{vmatrix} 4 & -3 & -8 \\ 5 & 7 & 3 \\ 2 & 3 & -2 \\ 4 & -3 & -8 \\ 5 & 7 & 3 \end{vmatrix} = 196 - 135 - 48 + 126 - 96 + 105$$

$$\Delta z = 148$$

$$x = \frac{\Delta x}{\Delta} \qquad x = \frac{296}{-148} \qquad x = -2$$

$$y = \frac{\Delta y}{\Delta} \qquad y = \frac{-444}{-148} \qquad y = 3$$

$$z = \frac{\Delta z}{\Delta} \qquad z = \frac{148}{-148} \qquad z = -1$$

Algunos sistemas, cuyas ecuaciones varían en su estructuración, presentan algunas modificaciones importantes en su proceso, independientemente del método que se aplique:

A) $3x + 5y = 21$ [1]

$2xy = 12$ [2]

Aplicando el método de reducción:

$2y(3x + 5y = 21)$ [1]

$-3(2xy = 12)$ [2]

$$\begin{array}{lll} 6xy + 10y^2 & = 42y & [1] \\ \underline{-6xy} & \underline{= -36} & [2] \\ 10y^2 - 42y + 36 & = 0 & \end{array}$$

Por lo tanto:

$$y_1 = \frac{6}{5} \qquad y_2 = 3$$

Sustituyendo en alguna de las ecuaciones originales se obtiene:

$$x_1 = 5 \qquad x_2 = 2$$

B) $x + 3y = 11$ [1]

$x^2 + y^2 = 13$ [2]

Aplicando el método de sustitución en [1]:

$$x = 11 - 3y$$

Sustituyendo en [2]:

$$(11 - 3y)^2 + y^2 = 13$$

Efectuando operaciones y ordenando:

$$5y^2 - 33y + 54 = 0$$

Por lo tanto:

$$y_1 = \frac{18}{5} \qquad x_1 = \frac{1}{5}$$

$$y_2 = 3 \qquad x_2 = 2$$

Práctica 7.9

Ejercicios para resolver:

I. Resolver aplicando el método de los determinantes.

1) $2x - 3y + z = -9$
$x + 2y - z = 11$
$3x - y + 2z = -4$

4) $3x - 5y + 4z = -37$
$2x - y + z = -11$
$-2x + 3y + 3z = 12$

2) $5x - y + z = 15$
$3x + 2y - z = 1$
$-x + 3y + 2z = -2$

5) $3x - 4y + 2z = 20$
$5x + 3y - z = 2$
$2x + 5y - 7z = -36$

3) $4x - 3y + 2z = 5$
$x + 2y - 3z = 9$
$3x - 4y + z = 3$

6) $2x + 3y - 5z = -4$
$5x - 2y + 4z = -8$
$3x + 5y - 3z = 10$

7) $6x + 2y + 3z = 9$
$4x - 3y + z = 22$
$x + 9y - 3z = -14$

8) $5x - y + 8z = 19$
$x + 7y - 2z = -11$
$4x + 3y - z = 3$

9) $3x + 4y + 5z = -3$
$3y + 9z = -6$
$2x + 7y - 2z = 26$

10) $2x + 7y = -11$
$8y - 9z = -6$
$3x + 2y + 5z = -1$

II. Resolver por cualquier método.

1) $2x + y = 3$ [1]
$xy = -2$ [2]

2) $3x - y = 11$ [1]
$2xy = -12$ [2]

3) $3x - y = 22$ [1]
$x^2 + y^2 = 84$ [2]

4) $5x - 3y = -30$ [1]
$3x^2 + 2y^2 = 77$ [2]

8. Inecuaciones con una y dos variables

Desigualdades: Concepto de desigualdad. Sus propiedades.

Inecuaciones: Inecuación y sus características. Conjunto solución. Representación gráfica del conjunto solución. Resolución de una inecuación de primer grado con una variable. Resolución gráfica de una inecuación de primer grado con dos variables. Gráfica de un sistema formado por una inecuación y una ecuación. Gráfica de un sistema formado por dos inecuaciones.

Los creadores de la matemática

Sabías que...

La matemática en la Europa medieval

Boecio

Nació en Roma hacia el año 480, fue estadista, como su padre, por razones de orden político o religioso fue hecho prisionero y, después de permanecer durante muchos años encarcelado, fue condenado a muerte en el año 524. Además de gran filósofo, como lo atestigua su ensayo filosófico escrito en prisión titulado *De consolatione de Philosophiae*, en el que se refiere a la responsabilidad moral desde el punto de vista de la filosofía de Platón y Aristóteles, también escribió sobre teología y música. Autor de obras para cada una de las ramas del "quadrivium", en sus libros *De institutione arithmetica libri duo* hace una remodelación y enriquece con explicaciones la obra *Introducción Aritmética* de Nicómaco, en donde trata los diversos métodos de clasificación de los números con sus propiedades, así como una interpretación mística de los números escriturarios. Su obra se convirtió en el elemento documentado más verídico que sirviera de texto para la enseñanza de las matemáticas durante más de mil años en la época medieval. Su manual de *Geometría* es una traducción de los cuatro primeros libros de los *Elementos* de Euclides, dando sólo los enunciados, definiciones, postulados, axiomas y proposiciones, sin demostraciones.

Fibonacci

Su verdadero nombre fue Leonardo de Pisa; hijo de un mercader italiano llamado Bonaccio, quien en 1192 fue enviado a Burgía como gerente, solicitó la presencia de su hijo para que aprendiera todo lo relacionado con los negocios, el comercio y el cálculo. Estudió con un maestro árabe aprendiendo los conocimientos del cálculo desde sus fuentes, también viajó por Egipto, Siria, Grecia y Sicilia, descubrió que los métodos de cálculo de los hindúes eran superiores a los demás. A su regreso a su ciudad natal en 1202, compuso su famosa obra *Liber Abaci* o *Libro del Abaco*, en la que presenta problemas usando números indoarábigos y métodos algebraicos para resolverlos. Fibonacci estaba de acuerdo en que la aritmética y la geometría están estrechamente relacionadas formando un reforzamiento. Desde el inicio de su obra insiste en el uso de los símbolos hindúes de los números hasta el nueve y el signo cero (cuyo nombre se obtiene del latín *zephirum* del árabe *sifr*) creando así una numeración indoarábiga de tipo posicional como la nuestra. Desarrolló las cuatro operaciones elementales con números enteros, la descomposición de los números en sus factores primos y su carácter de divisibilidad; en el estudio de las fracciones las clasificó en tres clases: comunes, sexagesimales y unitarias, sin tomar en cuenta las fracciones decimales; formó tablas de conversión de fracciones comunes a fracciones unitarias; desde luego, trató problemas de aplicación de tipo comercial, problemas de sociedades, problemas de cambio y análisis indeterminado de primer grado; en los últimos capítulos trató los cálculos a efectuar con radicales al cuadrado y al cubo y la resolución de ecuaciones de segundo grado. En esta obra se encuentra el famosísimo problema que es clásico para muchos estudiosos de las matemáticas: "¿Cuántas parejas de conejos obtendremos al final de un cierto año?" si empezamos con una pareja, cada pareja produce cada mes una nueva pareja que puede reproducirse al segundo mes de existencia. Con este problema surgió la llamada "sucesión de Fibonacci": 0, 1, 1, 2, 3, 5, 8, 13, 21, ... $U_{n-1} + U_{n-2}$, que se puede interpretar como: "Cada uno de los términos de la sucesión, empezando por el 2, es la suma de los dos términos sucesivos que le preceden". Entre otras propiedades de esta serie está la sucesión áurea. Otras de sus obras son: *Práctica Geometriae*, *Flor de soluciones de ciertas cuestiones relativas al número y a la geometría* y el *Liber Cuadratorum*.

Oresme

Nicolás de Oresme nació en Normandía en 1323. Fue estudiante, profesor y gran maestro en el colegio de Navarra, París y posteriormente obispo de Lisleux. En el campo de la matemática obtuvo reglas equivalentes a las leyes de los exponentes, notaciones particulares de potencias fraccionarias o irracionales, así como la representación gráfica de variaciones; la primera aproximación probable a la doctrina de lo indivisible de Cavalieri, algunas reglas para la suma de series infinitas y algunas leyes particulares para la determinación de la convergencia y divergencia de ciertas series infinitas. Entre las obras que escribió, en *Algoritmos proportionum* desarrolla la primera exposición sistemática de reglas operacionales para la multiplicación y división de razones con exponentes enteros o fraccionarios. En su *Proportionibus proportionum*, escrita en 1360, presenta una base teórica al tratamiento de las relaciones y las proporciones que enmarcan a los exponentes. Su exposición sobre los exponentes irracionales tuvo probablemente consecuencias sobre el pensamiento matemático de los siglos siguientes. Además, escribió un tratado sobre *La esfera*, un tratado *Del Cielo y del Mundo*, traducciones al francés de Aristóteles y Petrarca y la obra *Las Quaestiones*, en donde presenta series infinitas, nociones de conmensurable e inconmensurable, una geometría de las cualidades y un estudio de los ángulos.

DESIGUALDADES

Cuando se establece la correspondencia entre los elementos de dos conjuntos, puede suceder que en uno de los conjuntos queden elementos sin relacionar, dando lugar a una relación de desigualdad.

$$A \neq B \Rightarrow \quad \begin{matrix} A > B \\ A < B \end{matrix}$$

Desigualdad es la expresión que indica que la relación entre dos valores es tal, que una es mayor o menor que la otra.

En toda desigualdad al primer valor se le considera primer miembro y al segundo valor, segundo miembro, separados entre sí por el signo *mayor que* (>) o el signo *menor que* (<).

$$\text{Primer miembro} \gtrless \text{segundo miembro.}$$

Toda desigualdad satisface sus caracteres y propiedades ya estudiadas, que aquí se mencionan:

- Si un número es mayor que otro y éste mayor que un tercero, el primero es mayor que el tercero.

- Si un número es menor que otro y éste menor que un tercero, el primero es menor que el tercero.
- Una desigualdad no varía su sentido cuando se le suma o se le resta el mismo valor a cada miembro.
- Una desigualdad no varía su sentido cuando sus dos miembros se multiplican por un mismo factor positivo o se dividen entre un mismo divisor positivo, diferente de cero.

INECUACIONES

La *inecuación* es una desigualdad condicionada, ya que solamente se cumple con ciertos valores dados a la incógnita. Existen inecuaciones de primero, segundo grado, etc., y con una o más incógnitas.

$$4x - 2 < 6$$
$$x^2 + 5x - 1 \geq 0$$
$$3x < y$$

En cada inecuación es necesario considerar en qué conjunto de números está definida la incógnita. Para nuestro curso siempre estarán definidas en el conjunto de *números reales*.

Conjuntos definidos

El conjunto de todos los números que son soluciones de la inecuación se llama *conjunto solución*, y se presenta con la letra S.

Ejemplos:

- En la inecuación $4x - 2 < 6 \Rightarrow S = \{x / x < 2\}$
- En la inecuación $3x < y \Rightarrow S = \{(x; y) / x \in R;\ y \in R;\ 3x < y\}$

La gráfica de la inecuación $4x - 2 < 6$ constituye un *intervalo abierto*, ya que hacia la derecha 2 no es extremo porque no pertenece al conjunto solución y hacia la izquierda siempre existirá un número negativo que sea solución.

-6 -5 -4 -3 -2 -1 0 1 2 3 4 5 6

- En la inecuación $x \geq 2 \Rightarrow S = \{x / x \geq 2\}$.

La gráfica correspondiente a esta inecuación deberá incluir al número 2 en el conjunto de solución, ya que el signo ≥ así lo indica. Esta inecuación constituye un *intervalo semiabierto*, ya que su extremo es 2.

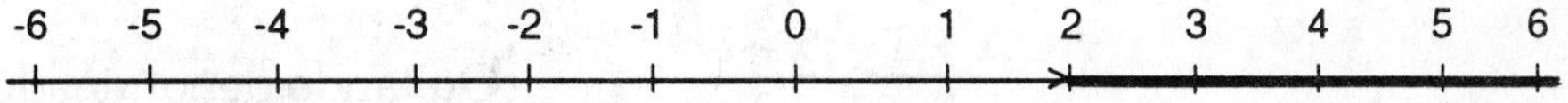

-6 -5 -4 -3 -2 -1 0 1 2 3 4 5 6

• **En la inecuación** $| x | \leq 2 \Rightarrow S = \{x/x-2 \leq x \leq 2\}$.
La gráfica correspondiente está representada por el conjunto de puntos que pertenecen al ***intervalo cerrado*** **– 2; 2.**

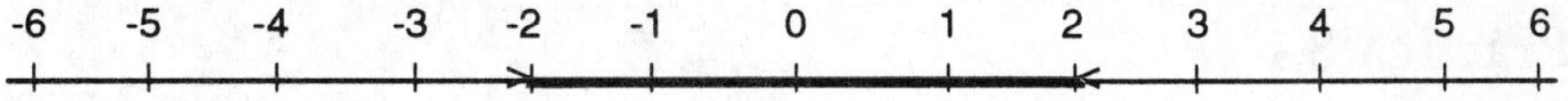

-6 -5 -4 -3 -2 -1 0 1 2 3 4 5 6

Nota: Si la inecuación fuera $| x | < 2$, el conjunto de solución estaría determinado por la condición $-2 < x < 2$ que agrupa a todos los puntos del intervalo abierto –2; 2, o sea, sin incluir los extremos.

Su gráfica sería:

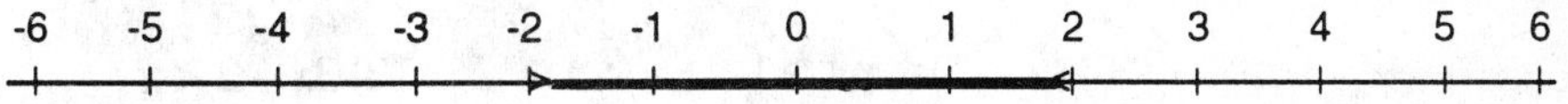

-6 -5 -4 -3 -2 -1 0 1 2 3 4 5 6

Resolución de inecuaciones de primer grado con una variable

Aplicando los caracteres y propiedades de las desigualdades se van obteniendo inecuaciones equivalentes que, siguiendo un proceso análogo al empleado en la resolución de ecuaciones de primer grado, nos conducen a la solución de las inecuaciones numéricas de primer grado.

Ejemplos:

• $2x - 5 < 7$ — Inverso aditivo de – 5 es + 5
$2x < 7 + 5$ — Efectuando la reducción de 7 + 5
$2x < 12$ — Inverso multiplicativo de 2 es divisor 2
$x < \frac{12}{2}$ — Efectuando la operación $\frac{12}{2}$
$x < 6$ — *Solución*.

• $3x \leq 16 - x$ — Agrupando x en el primer miembro.

$3x + x \leq 16$	Haciendo reducciones de $3x + x$.
$4x \leq 16$	
$x \leq \frac{16}{4}$	
$x \leq 4$	*Solución.*

- $\frac{x+3}{2} \geq \frac{x-1}{3}$ Quitando denominadores m.c.m. = 6

$3(x+3) \geq 2(x-1$	Suprimiendo paréntesis.
$3x + 9 \geq 2x - 2$	Agrupando términos semejantes.
$3x - 2x \geq -9 - 2$	Reduciendo términos semejantes.
$x \geq -11$	*Solución.*

Práctica 8.1

Ejercicios para resolver:

I. Determinar el *conjunto solución* de las siguientes inecuaciones y trazar la gráfica correspondiente:

1) $x > 1$	11) $2x + 3 > x + 1$
2) $\mid x \mid \geq 1$	12) $3x - 2 < x$
3) $x \geq 2$	13) $2x - 5 > x + 2$
4) $\mid x \mid \geq 2$	14) $2(x + 1 < 3x + 5$
5) $x > 2$	15) $3(x-2) \geq x + 3$
6) $x > 0$	16) $\frac{x}{2} + 5 > x - 2$
7) $x \geq 0$	17) $\frac{x}{3} - \frac{2}{5} < 2(x+4)$
8) $\mid x \mid < 3$	18) $\frac{2x}{3} + 3 \geq x - 4$
9) $x - 2 > 1$	19) $\frac{x+5}{3} > 2x + 1$
10) $x + 1 > 6$	20) $3x + 4 \geq 0$

Resolución de inecuaciones de primer grado con dos variables

Si la inecuación contiene dos variables, puede resolverse en forma algebraica o en forma gráfica. Un procedimiento general para resolverla algebraicamente es el siguiente:

a) Se despeja de la inecuación a una de las variables.

b) Se le dan valores cualesquiera a la variable no despejada para efectuar las operaciones indicadas y así obtener los infinitos valores de la variable despejada que correspondan a dicha desigualdad.

c) Considerando el valor que se da a la variable no despejada y los obtenidos de las operaciones, se forman infinitos pares de valores que son *soluciones de la inecuación*.

Ejemplos:

• $y - 3x > 2$

$y > 2 + 3x$ Despejando y.

Cuando $x = 0$

$$y > 2 + 3\,(0)$$
$$\therefore\ y > 2$$

En consecuencia, algunas de las soluciones de la inecuación son:

$$S_1 = \left(0, \frac{5}{2}\right); (0, 3); (0, 4); (0, 8)...$$

Cuando $x = 1$

$$y > 2 + 3\,(1)$$
$$\therefore\ y > 5$$

En consecuencia, son también soluciones de la misma inecuación:

$$S_2 = \{ \left(1, \frac{16}{3}\right); (1, 6); (1, 8); (1, 25)...$$

En la misma forma podría continuarse al darse valores cualquiera a x y obtener así pares de valores que son soluciones de la inecuación. Como se habrá observado, este procedimiento, además de largo, únicamente determina algunas de las infinitas soluciones. En consecuencia, es preferible obtener una solución gráfica que permite observar en forma rápida y panorámica las soluciones correspondientes.

Para resolver gráficamente una inecuación, se procede en la forma siguiente:

a) Se despeja una de las variables (preferentemente y) para obtener una inecuación equivalente.

b) La inecuación equivalente se transforma en ecuación, reemplazando el signo de desigualdad por el de igualdad.

c) En un sistema de ejes coordenados se traza la recta correspondiente a la ecuación; con las abscisas y ordenadas obtenidas para cada uno de sus puntos por el segundo miembro de la ecuación.

d) Como la inecuación con su signo impone las condiciones para los valores de la incógnita despejada (preferentemente y), las infinitas soluciones son las coordenadas de los puntos del semiplano, excluyendo o no la recta.

Ejemplo:

- $y - 3x > 2$

$y > 2 + 3x$	Despejando y.
$y = 2 + 3x$	Reemplazando el signo > por el signo = para obtener la ecuación.

Dando los valores {0, 1, 2} a x se determinan las coordenadas A (0, 2); B (1, 5); C (2, 8) de la recta correspondiente a la función de la ecuación formada.

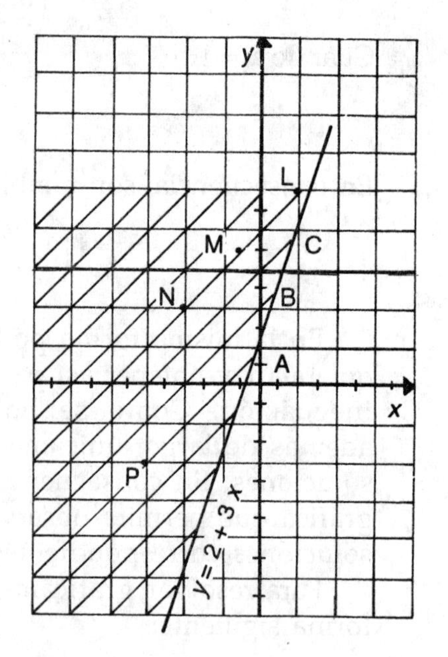

Como la inecuación propuesta indica que los valores de y sean mayores que el valor obtenido del segundo miembro, las infinitas soluciones son las coordenadas de los puntos del semiplano superior, respecto a la recta formada por la ecuación y que no puede ser considerada en las soluciones.

Las coordenadas de los puntos M, N y P son algunas de las infinitas soluciones de la inecuación propuesta:

L (2, 10); M (– 1, 7); N (– 4, 4); P (– 6, – 4)

Comprobación:

En la inecuación $y - 3x > 2$ sustituyendo con las coordenadas del punto L:

$$10 - 3(2) > 2$$
$$10 - 6 > 2$$
$$4 > 2$$

Ahora sustituyendo con las coordenadas del punto M:

$$7 - 3(-1) > 2$$
$$7 + 3 > 2$$
$$10 > 2$$

Sustituyendo con las coordenadas del punto N:

$$+4 - 3(-4) > 2$$
$$+4 + 12 > 2$$
$$16 > 2$$

Con las coordenadas del punto P:

$$-4 - 3(-6) > 2$$
$$-4 + 18 > 2$$
$$14 > 2$$

Nota. Este tipo de inecuaciones con dos variables proporciona una forma para la definición de semiplanos haciendo una exclusión de la recta como frontera del semiplano.

Ejemplo:

Obtener la resolución gráfica de la inecuación:

- $2x + 3y \leq 1 + 2y$

  Se despeja la incógnita y

  $3y - 2y \leq 1 - 2x$

  $y \leq 1 - 2x$

La ecuación correspondiente es:
$y = 1 - 2x$

Dando valores a la variable: x de {0, 1, 2}, al tabular se determinan las coordenadas de la recta que representa la función de la ecuación formada:

$$A\ (0, 1);\ B\ (1, -1);\ C\ (2, -3)$$

Como la inecuación impone que los valores de "y" sean menores que el segundo miembro:

$$y < 1 - 2x$$

Las infinitas soluciones serán las coordenadas de los puntos correspondientes al semiplano inferior, respecto a la recta trazada incluyendo ésta, lo que se ilustra iluminando con el mismo color el semiplano y la recta.

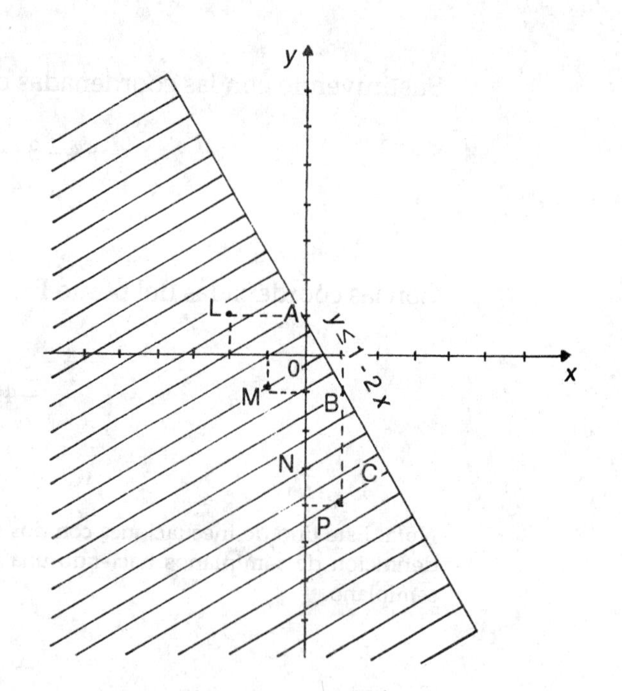

Práctica 8.2

Ejercicios para resolver:

I. Resolver gráficamente las siguientes inecuaciones con dos incógnitas.

$1)\ y - x < 3$ $\quad 4)\ y - 3x > 0$
$2)\ y - x \leq 3$ $\quad 5)\ 3x + 2y < 5$
$3)\ y + 2x > 2$ $\quad 6)\ 2x + 2y \leq 3 - x$

Resolución gráfica de un sistema formado por una inecuación y una ecuación

Sea el sistema:

$$4y + x < 5 \quad [1]$$
$$y = 3x - 2 \quad [2]$$

Despejando y de la inecuación:

$$y < \frac{5 - x}{4} \quad [1']$$

La inecuación define el semiplano inferior con respecto a la recta:

$$y = \frac{5 - x}{4}$$

La ecuación del sistema está representada por la recta:

$$y = 3x - 2$$

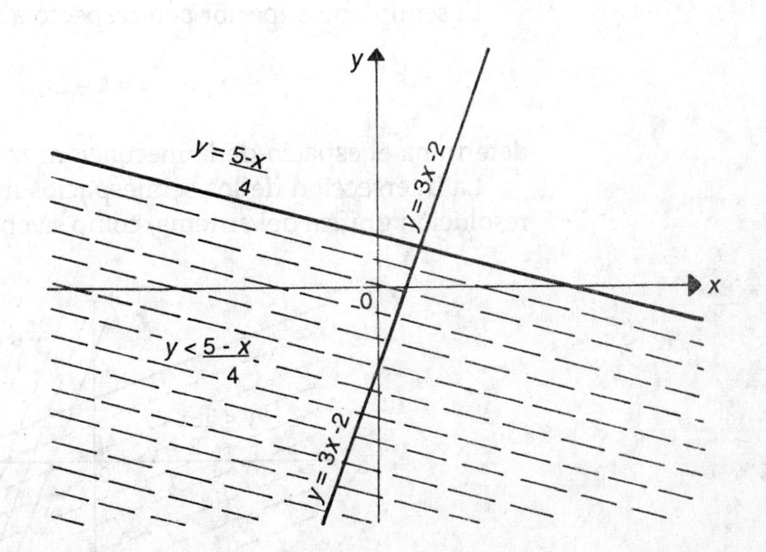

Las soluciones del sistema están formadas por las coordenadas de los puntos de la recta que a la vez pertenecen al semiplano de la inecuación. Se excluye el punto de intersección de las dos rectas.

Resolución gráfica de un sistema formado por dos inecuaciones

Cuando un sistema está formado por dos inecuaciones, la resolución gráfica está representada por la intersección de los semiespacios o semiplanos definidos por cada inecuación, cuyas fronteras se determinan por las rectas representadas en cada caso.

Sea el sistema:

$$2y + x < 5 \qquad [1]$$
$$y + 2x > 4 \qquad [2]$$

Despejando y de las inecuaciones:

$$y < \frac{5-2y}{2} \qquad [1']$$
$$y > 4 - 2x \qquad [2']$$

El semiplano inferior con respecto a la recta respectiva

$$y = \frac{5-2y}{2}$$

determina el espacio de la inecuación.

El semiplano superior con respecto a la recta respectiva

$$y = 4 - 2x$$

determina el espacio de la inecuación.

La intersección de los semiespacios mencionados representan la resolución gráfica del sistema, como se observa:

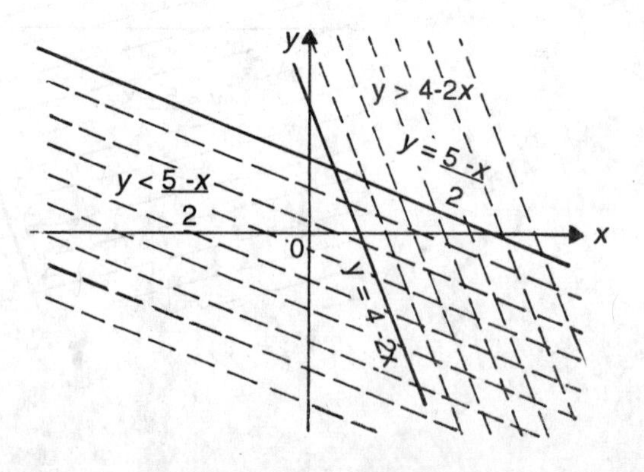

Las coordenadas de los puntos localizados en la zona de intersección determinan el conjunto solución del sistema de las inecuaciones excluyendo los puntos que determinan las rectas.

Práctica 8.3

Ejercicios para resolver:

I. Resolver gráficamente los sistemas de inecuaciones considerados a continuación.

1) $3y + x < 4$ [1]
   $y = 2x - 5$ [2]

2) $3y + x < 6$ [1]
   $y + 3x > 5$ [2]

Respuestas de las prácticas

Práctica 1.1

I. Respuestas:

1) $x \in A$	3) $a \notin B$	5) $A \subseteq B$
2) $b \in M$	4) $M \subseteq N$	6) $M \subseteq P$

II. Respuestas:

1) Elemento *m* pertenece al conjunto M.
2) Conjunto A incluido estrictamente en conjunto B.
3) Elemento *a* no pertenece al conjunto M.
4) Conjunto N no está incluido estrictamente en el conjunto P.
5) Para todo *x* tal que *x* pertenece al conjunto A.
6) Conjunto vacío.

III. Respuestas:

1) A = {domingo, lunes, martes, miércoles, jueves, viernes, sábado}, o bien A = {*a*, *b*, *c*, *d*, *e*, *f*, *g*}
2) M= {enero, febrero, marzo, abril, mayo, junio, julio, agosto, septiembre, octubre, noviembre, diciembre}, o bien M = {*a*, *b*, *c*, *d*, *e*, *f*, *g*, *h*, *i*, *j*, *k*, *l*}
3) V = {*a*, *e*, *i*, *o*, *u*}
4) B = {1, 3, 5, 7, 9, 11, 13, 15, 17, 19}
5) C = {2, 4, 6, 8, 10, 12, 14...} conjunto infinito
6) N = {0, 5, 10, 15, 20, 25,... 85, 90, 95, 100}

IV. Respuestas:

1) A = {*x* /*x* sea un día de la semana}
2) M = {*x* /*x* sea un día del mes}
3) V = {*x* /*x* sea una vocal del abecedario}
4) B = {*x* /*x* sea un número impar comprendido hasta 20}
5) C = {*x* /*x* sea un número par}
6) N = {*x* /*x* sea un múltiplo de 5 comprendido hasta 100}

V. Respuestas:

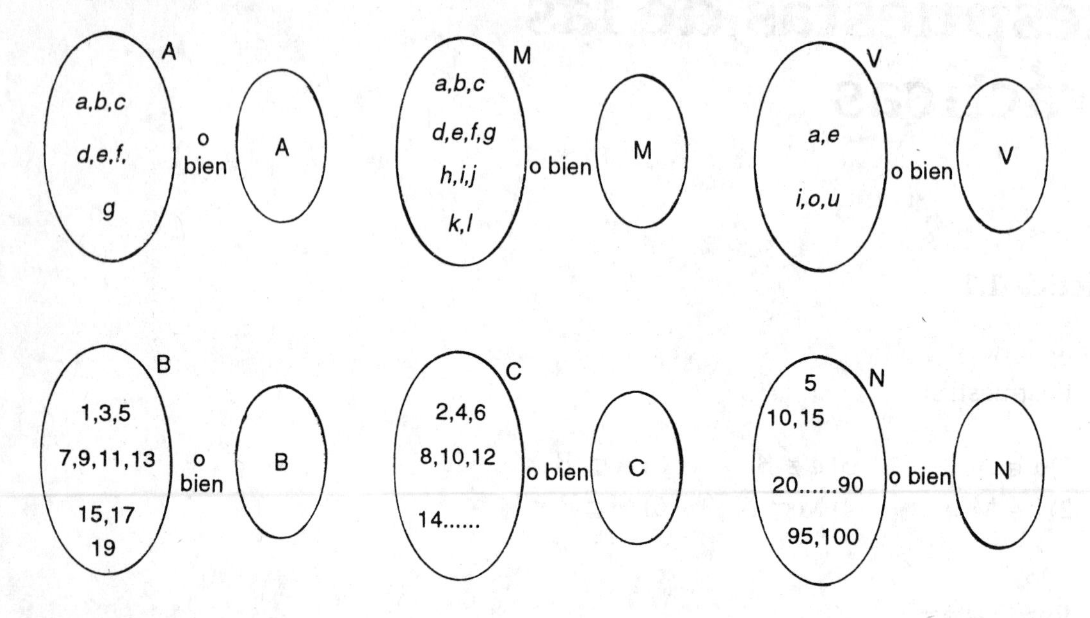

VI. Respuestas:

1) A = B porque los conjuntos tienen los mismos elementos.
2) C = D ya que en los dos conjuntos hay los mismos elementos.
3) E = F pues $1 \in E \Rightarrow 1 \in F$; $2 \in E \Rightarrow 2 \in F$; $3 \in E \Rightarrow 3 \in F$;
4) $G \neq H$ pues $a \notin H$ y $e \notin G$.
5) $I \neq J$ ya que los elementos de cada conjunto son diferentes.

VII. Respuestas:

1) {mesa}. Sus subconjuntos son: ∅; {mesa}
2) {silla, mesa}. Sus subconjuntos son: ∅; {silla}; {mesa}; {silla, mesa}
3) {3, 6, 9}. Sus subconjuntos son: ∅; {3}; {6}; {9}; {3, 9}; {3, 6}; {3, 9}; {6, 9}; {3, 6, 9}
4) {m, n, p, q, r}. Sus subconjuntos son: ∅; {*m*}; {*n*}; {*p*}; {*q*}; {*r*}; {*m*, *n*}; {*m*, *p*}; {*m*, *q*}; {*m*, *r*}; {*n*, *p*}; {*n*, *q*}; {*n*, *r*}; {*p*, *q*}; {*p*, *r*} {*q*, *r*}; {*m*, *n*, *p*}; {*m*, *n*, *q*}; {*m*, *n*, *r*}; {*m*, *q*, *r*}; {*n*, *q*, *r*}; {*r*, *p*, *m*}; {*p*, *q*, *m*}; {*p*, *q*, *n*}; {*p*, *q*, *r*}; {*m*, *p*, *r*}; {*q*, *r*, *n*}; {*q*, *r*, *p*}; {*m*, *n*, *p*, *q*}; {*m*, *n*, *p*, *r*}; {*n*, *p*, *q*, *r*}; {*m*, *n*, *p*, *q*, *r*}

VIII. Respuestas:

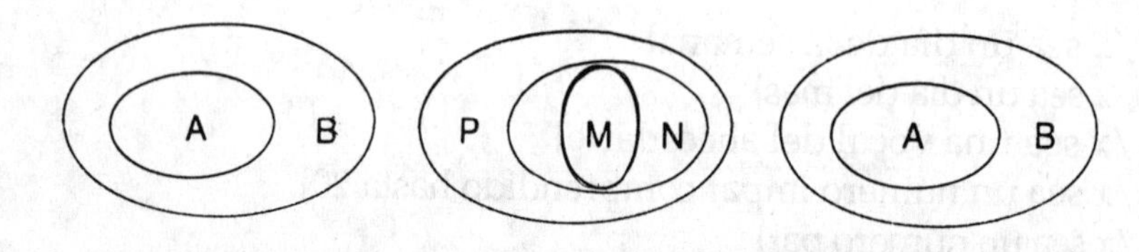

Práctica 1.2

I. Respuestas

1) $b \varepsilon A$
2) $x \notin A$
3) $\varnothing$
4) $A \subset B$
5) $M \not\subset A$
6) $\forall x$
7) $A \subseteq B$
8) $M \subseteq B$
9) $\exists$
10) $\exists$

II 1) M = {a, b, c, d, e, f, g, h, i, j, k, l,}
M = {*x/x* sea un mes del año}
2) C = {a, b, c, d, e, f, g}
C = {*x/x* sea un color del arco iris}
3) A = {1, 2, 3, ... 38, 39, 40}
A = {*x/x* sea un alumno que integra la clase de matemáticas}
4) D = {1, 2, 3, ... 363, 364, 365}
D = {*x/x* sea un día del año}
5) N = {2, 4, 6, 8, 10, 12, 14, 16, 18, 20}
N = {*x/x* sea un número par entre 1 y 21}
6) I = {21, 23, 25, 27, 29}
I = {*x/x* sea un número impar entre 20 y 30}
7) ...

II. Diagramas de Venn que correspondan

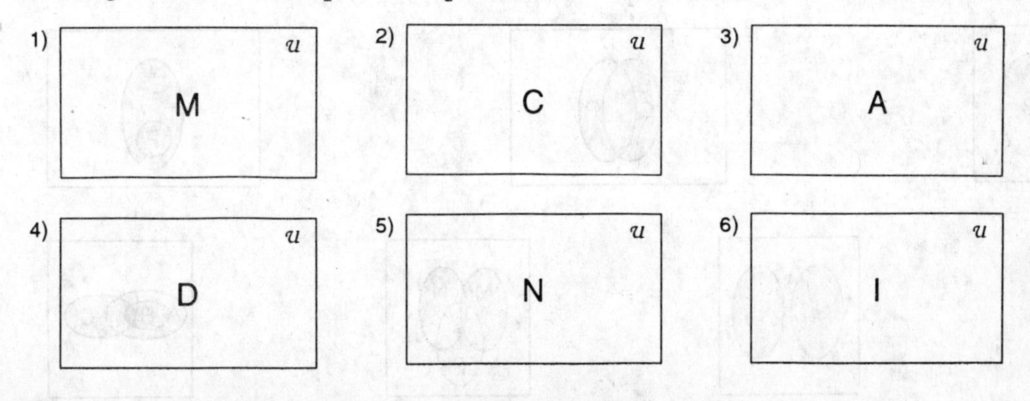

IV. 1) A = B porque tienen los mismos elementos

2) C ≠ D porque C > D
3) E ≠ F porque E < F
4) G = H porque tienen los mismos elementos
5) I ≠ J porque I > J
6) R = L porque tienen los mismos elementos

V. 1) ∅; {escritorio}
2) ∅; {a}
3) ∅; {regla}, {lápiz}; {regla, lápiz}
4) ∅; {a}; {b}; {a, b}
5)

Práctica 1.3

I. Respuestas:

1) $A \cup B = \{3, 6, 9, 12, 15, 2, 4, 8, 16\}$
2) $C \cup D = \{3, 6, 9, 12, 15, 18, 2, 4, 8, 10, 14, 16\}$
3) $E \cup F = \{2, 4, 6, 8, 10, 12, 14, 16\}$
Como $F \subset E \Rightarrow E \cup F = E$
4) $G \cup H = \{a, b, c, d, e, f, g, h, i, o, u\}$
5) $I \cup J = \{a, e, i, o, u, b, c, d, f, g\}$
6) $M \cup N \cup P = \{2, 4, 6, 8, 10, 12, 16, 24, 32\}$
7) $A \cup B \cup C = A \cup (B \cup C) = \{1, 2, 3, 4, 5, 6, 7, 8, 9, 12\}$
8) $P \cup Q \cup R = (P \cup Q) \cup R = \{a, b, c, d, e, f, g, h, i, j, k\}$
9) $X \cup Y \cup Z = \{a, b, c, d, m, n, e, f, g, h, i\}$
10) $A \cup B \cup C = \{x / x \in A \text{ o } x \in B \text{ o } x \in C\}$

II. Respuestas:

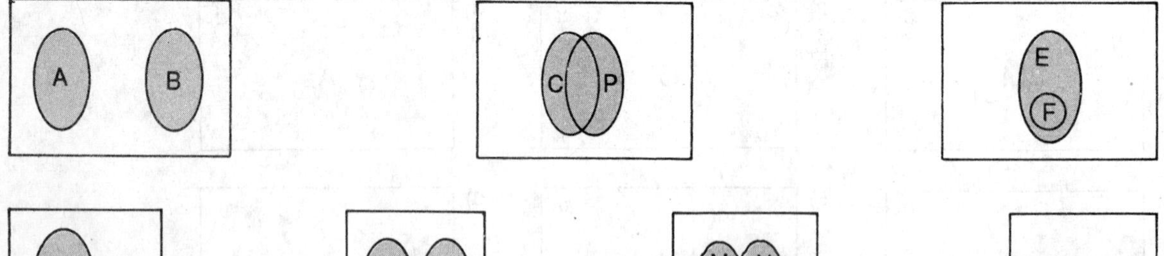

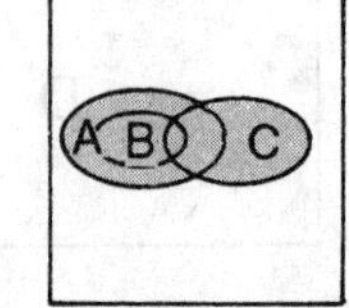

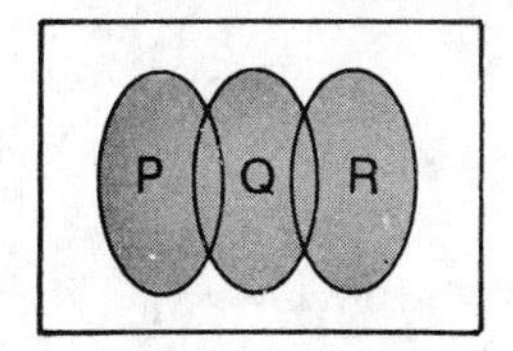

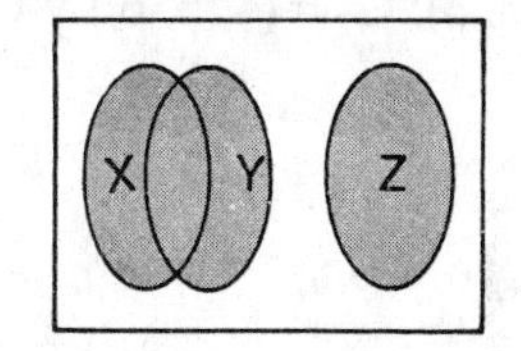

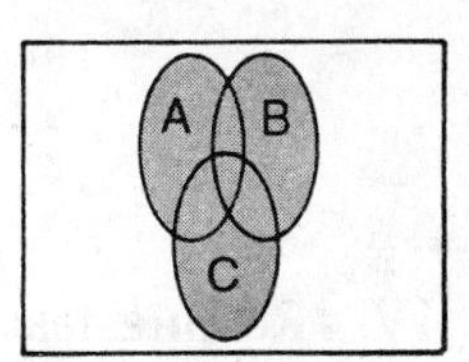

III. Respuestas:

1) Primera partición de A, con dos subconjuntos:

$$A_1 = \{a, b, c\} \qquad A_2 = \{d, e, f, g, h, i, j\}$$

porque $A_1 \cup A_2 = A$.
La primera partición se puede hacer regular si

$$A_1 = \{a, b, c, d, e\} \qquad A_2 = \{f, g, h, i, j\}$$

Segunda partición de A, con tres subconjuntos:

$$A_1 = \{a, b\} \qquad A_2 = \{c, d, e\} \qquad A_3 = \{f, g, h, i, j\}$$

porque $A_1 \cup A_2 \cup A_3 = A$.

2) Primera partición de B, con dos subconjuntos:

$$B_1 = \{m\}; B_2 = \{n, p\} \therefore B_1 \cup B_2 = B$$

Segunda partición de B, con tres subconjuntos:

$$B_1 = \{m\}; B_2 = \{n\}; B_3 = \{p\} \therefore B_1 \cup B_2 \cup B_3 = B$$

3) Primera partición de C, con dos subconjuntos:

$$C_1 = \{1, 2, 3\}; C_2 = \{4, 5, 6, 7, 8\}$$

porque $C_1 \cup C_2 = C$.
También se puede hacer partición regular:

$$C_1 = \{1, 2, 3, 4\}; C_2 = \{5, 6, 7, 8\}$$

ya que $C_1 \cup C_2 = C$.
Segunda partición de C, con tres subconjuntos:

$$C_1 = \{1, 2, 3\};\ C_2 = \{4, 5, 6,\}\ \text{y}\ C_3 = \{7, 8\}$$

pues $C_1 \cup C_2 \cup C_3 = C$.

IV. Respuestas:

1) $A \cap B = \{6, 12, 18\}$
2) $C \cap D = \{2, 4, 8, 16\}$ $\quad \therefore D \subset C \Rightarrow C \cap D = D$
3) $E \cap F = \varnothing$
4) $G \cap H \cap I = \{8\}$
5) $J \cap K \cap L = \{6, 8\}$

V. Respuestas:

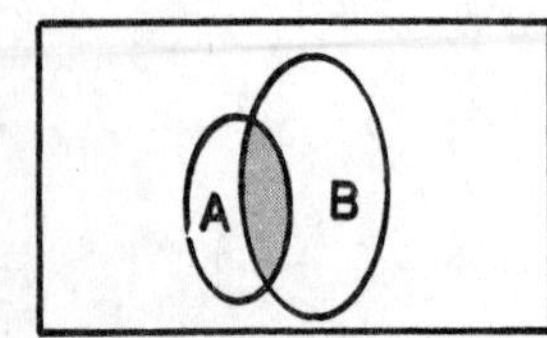

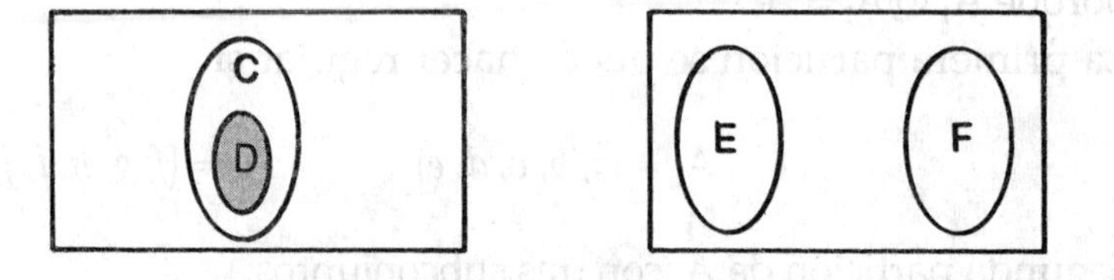

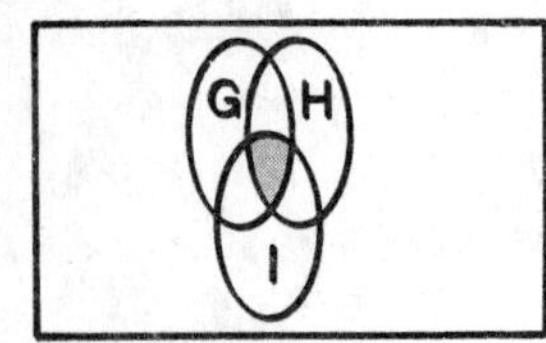

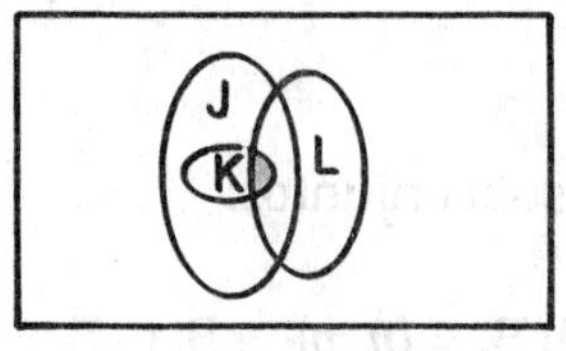

VI. Respuestas:

1) $A - B = \{m, n\}$
2) $C - D = \{1, 3, 5, 7\}$
3) $E - F = \varnothing$

VII. Respuestas:

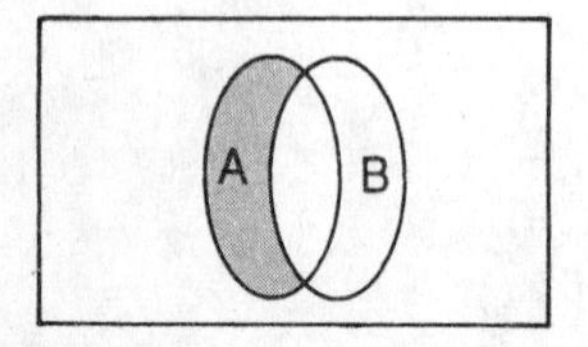

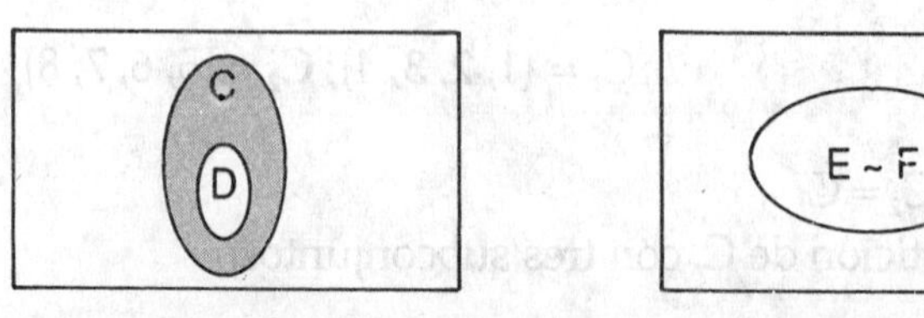

VIII. Respuestas:

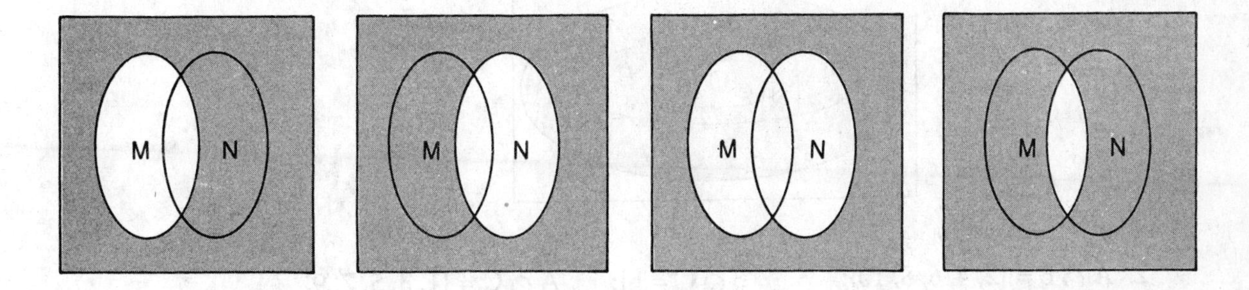

IX. 1. $A \cup B \cup C = \{a, b, c, d, e, f, g, h, i, j, k, l, m, n, p, q\}$

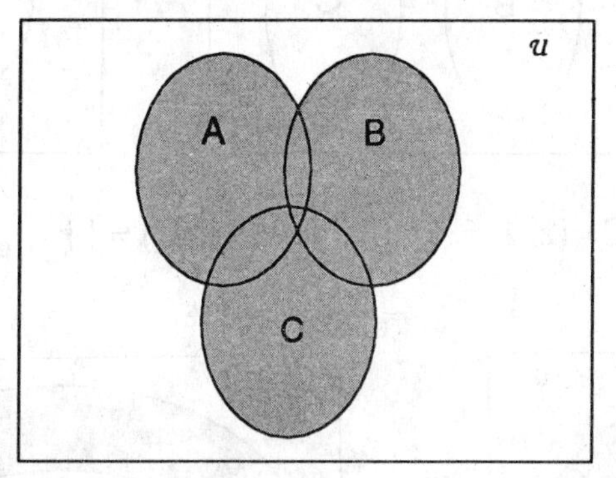

2. $A \cap B \cap C = \{c, h, g\}$

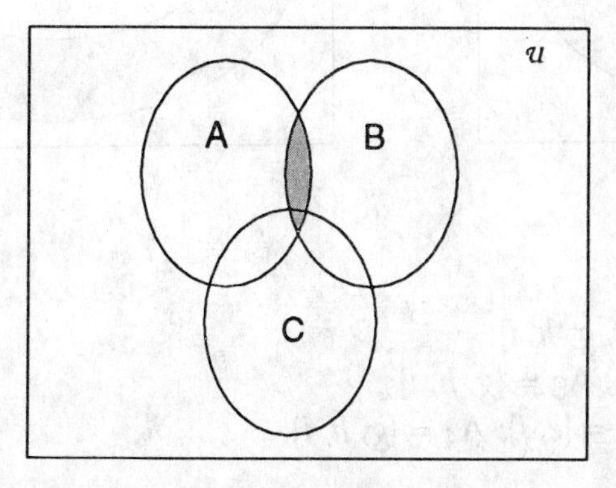

3. $A - B = \{a, b, d, e, f\}$; $B - C = \{i, j, k, l, m\}$; $A - C = \{a, b, d, e, f\}$

X. 1. $A \cup B \cup C = \{1, 2, 3, 4, 5, 6, 7, 8, 9, 10\}$

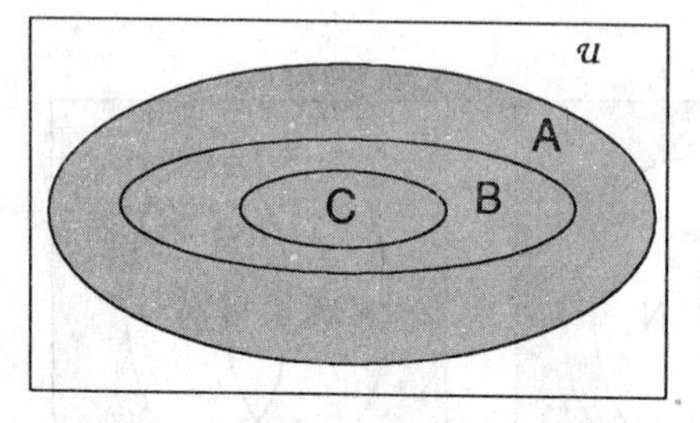

2. $A \cap B = \{2, 4, 6, 8, 10\}$; $B \cap C = \{\ \}$; $A \cap C = \{1, 3, 5, 7, 9\}$

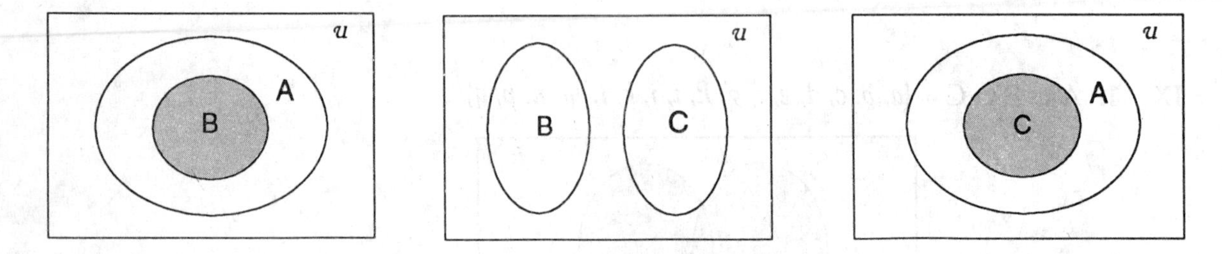

3. $A - B = \{1, 3, 5, 7, 9\}$; $A - C = \{2, 4, 6, 8, 10\}$; $A - (B \cup C) = \{\ \}$

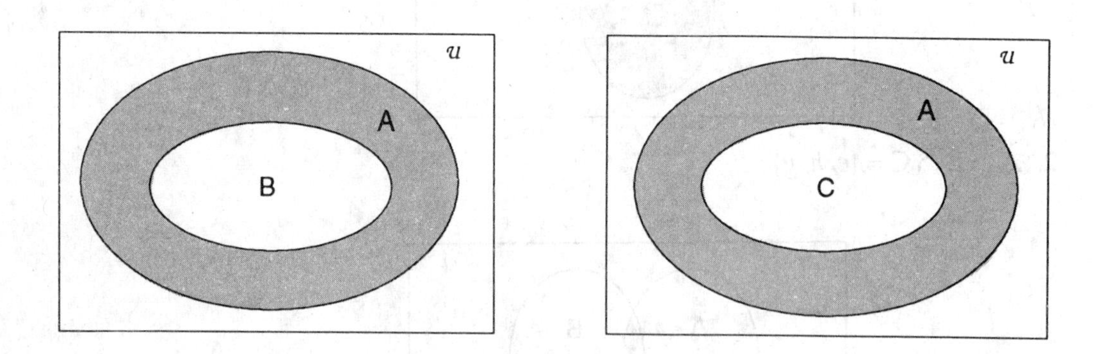

XI. 1. $A_1 = \{a, b, c, d, e\}$; $A_2 = \{f, g, h, i\}$
$A_1 = \{a, b, c\}$; $A_2 = \{d, e, f\}$; $A_3 = \{g, h, i\}$
$A_1 = \{a, b\}$; $A_2 = \{c, d\}$; $A_3 = \{e, f\}$; $A_4 = \{g, h, i\}$

2. $B_1 = \{1, 2, 3\}$; $B_2 = \{4, 5, 6\}$
$B_1 = \{1, 2\}$; $B_2 = \{3, 4\}$; $B_3 = \{5, 6\}$

$B_1 = \{1\}$; $B_2 = \{2, 3\}$, $B_3 = \{4, 5\}$; $B_4 = \{6\}$

3. $C_1 = \{a, b, c, d, e\}$; $C_2 = \{1, 2, 3, 4, 5\}$
   $C_1 = \{a, b, c\}$; C_2 {d, e}; $C_3 = \{1, 2, 3, 4, 5\}$
   $C_1 = \{a, b\}$; $C_2 = \{1, 2\}$; $C_3 = \{c, d, e\}$; $C_4 = \{3, 4, 5\}$

Práctica 1.4

Respuestas:

1) a) 2   c) -3 e) a
   b) -1 d) $-\dfrac{3}{4}$ f) x

2) a) A X B = {(2, 1); (2, 3); (2, 4); (5, 1); (5, 3); (5, 4)}
   b) M X N = {(a, x); (a, y); (a, z); (b, x); (b, y); (b, z)}

3)

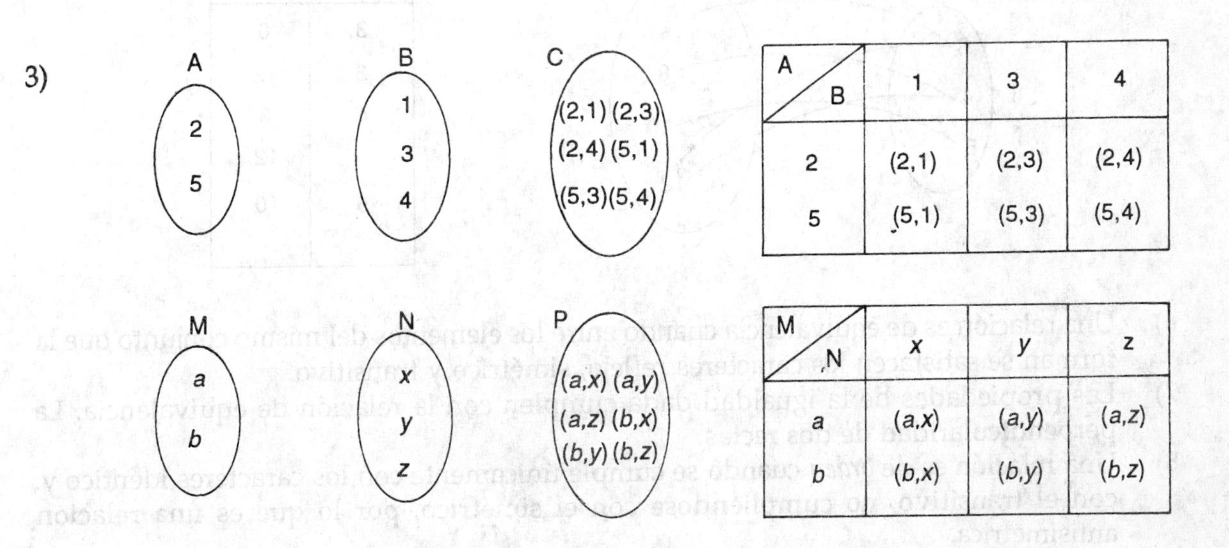

A \ B	1	3	4
2	(2,1)	(2,3)	(2,4)
5	(5,1)	(5,3)	(5,4)

M \ N	x	y	z
a	(a,x)	(a,y)	(a,z)
b	(b,x)	(b,y)	(b,z)

4) El *dominio*, campo de definición o campo existencial, es el conjunto formado por los primeros elementos de los pares ordenados correspondientes a esa relación.
   El *contradominio*, imagen o codominio, es el conjunto formado por los elementos del conjunto formado por los segundos elementos de los pares ordenados correspondientes a esa relación.

5) a) Del conjunto A· B = C, el subconjunto que cumple con la relación $\mathfrak{R} \rightarrow$ menor que, es:

C = {(10, 13); (10, 11); (8; 13); (8, 11); (8, 9); (6, 13); (6, 11); (6, 9); (6, 7)}

Representación gráfica *Distribución práctica*

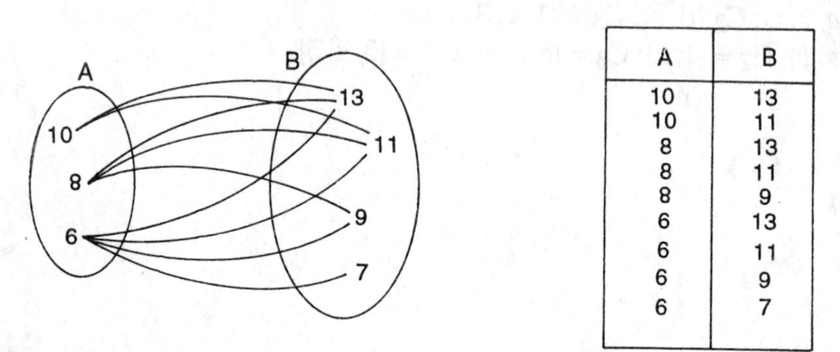

A	B
10	13
10	11
8	13
8	11
8	9
6	13
6	11
6	9
6	7

b) Del conjunto M · N = P, el subconjunto que cumple con la relación $\Re \rightarrow$ múltiplo de, es:
P = {(3, 6); (3, 12); (4, 8); (4, 12); (5, 10)}

Representación gráfica *Distribución práctica*

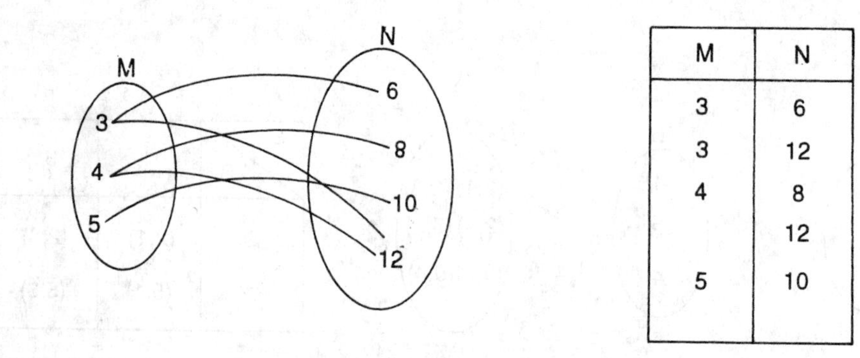

M	N
3	6
3	12
4	8
	12
5	10

6) Una relación es de equivalencia cuando entre los elementos del mismo conjunto que la forman se satisfacen los caracteres reflejo, simétrico y transitivo.
7) Las propiedades de la igualdad dada cumplen con la relación de equivalencia. La perpendicularidad de dos rectas.
8) Una relación es de *orden* cuando se cumple únicamente con los caracteres idéntico y con el transitivo, no cumpliéndose con el simétrico, por lo que es una relación antisimétrica.
9) Los números que pertenecen a la relación "*divisor de*".
10) Cuando una relación cumple únicamente con el carácter transitivo, se le considera como relación de *orden estricto.*

Práctica 2.1

1) Respuestas:

+2	+6	+5	+6
0	0	0	0
–2	–6	–5	–6
+8	+1	+15	+23
–4	–8	–47	–82

2) Respuestas:

+27	+70
+19	+36
+13	–3
0	–1
+5	–41

3) Respuestas:

+7	–6
0	–3
+5	0
+25	–25
+20	–10

4) Respuestas:

+5
–31
+54
–35
–53

5) Respuestas:

(7, 0)(3, 0) = (7·3 + 0·0, 7·0 + 0·3) = (21 + 0, 0 + 0) = (21, 0) = +21
(5, 0)(8, 0) = (5·8 + 0·0, 5·0 + 0·8) = (40 + 0, 0 + 0) = (40, 0) = +40
(0, 4)(0, 2) = (0·0 + 4·2, 0·2 + 4·0) = (0 + 8, 0 + 0) = (8, 0) = +8
(0, 5)(0, 6) = (0·0 + 5·6, 0·6 + 5·0) = (0 + 30, 0 + 0) = (30, 0) = +30
(7, 0)(0, 5) = (7·0 + 0·5, 7·5 + 0·0) = (0 + 0, 35 + 0) = (0, 35) = –35
(4, 0)(0, 3) = (4·0 + 0·3, 4·3 + 0·0) = (0 + 0, 12 + 0) = (0, 12) = –12
(0, 5)(7, 0) = (0·7 + 5·0, 0·0 + 5·7) = (0 + 0, 0 + 35) = (0, 35) = –35

6)

+180	–198
–117	–90
+120	+195
–168	+720

+378	−1080

7)

-5	-4
$+6$	$+\frac{1}{2}$
$-\frac{1}{3}$	$+\frac{1}{2}$
-1	-1
$+1$	-2

8)

+25	−64
+81	−6
+1	−8
+100	+64
+1	0

9)

$(+7)^6 = +117\,649$	$(-3)^7 = -2187$
+5	+1
$(+6)^{-1} = \frac{1}{6}$	$(-5)^6 = +15625$
+256	$(+2)^6 = +64$
+256	$(+1)^9 = +1$

10)

+5; −5	+3
+9; −9	−5
+11	+8
no hay resultado en Z	−2
no hay resultado en Z	+6

Práctica 2.2

I. Respuestas:

1)

=	>	<
$(4)(25) = (5)(20)$	$(4)(3) > (5)(2)$	$(4)(6) < (5)(5)$
$100 = 100$	$12 > 10$	$24 < 25$

2)

<	=	>
$(12)(6) < (15)(5)$	$(12)(5) = (15)(4)$	$(12)(3) > (15)(2)$
$72 < 75$	$60 = 60$	$36 > 30$

3) $<$ $\quad$ $>$ $\quad$ $=$

$(7)(5) < (9)(4)$ $\quad$ $(7)(5) > (9)(2)$ $\quad$ $(7)(18) = (9)(14)$

$35 < 36$ $\quad$ $35 > 18$ $\quad$ $126 = 126$

4) $=$ $\quad$ $>$ $\quad$ $=$

5) $<$ $\quad$ $>$ $\quad$ $<$

6) $=$ $\quad$ $=$ $\quad$ $=$

7) $<$ $\quad$ $<$ $\quad$ $<$

8) $<$ $\quad$ $=$ $\quad$ $>$

II. Respuestas:

1) $\frac{43}{30}$; 2) $-\frac{51}{40}$; 3) $\frac{149}{140}$; 4) $-\frac{142}{315}$; 5) $-\frac{7}{20}$; 6) $-\frac{25}{24}$;
7) $-\frac{3}{20}$; 8) $-\frac{69}{20}$; 9) $-\frac{21}{20}$; 10) $-\frac{9}{70}$; 11) $\frac{11}{35}$; 12) $\frac{1}{20}$;
13) $\frac{1}{40}$; 14) $\frac{35}{45}$; 15) $\frac{59}{56}$; 16) $\frac{6}{5}$; 17) -1; 18) $-\frac{5}{4}$;
19) 0; 20) 0; 21) $-\frac{1}{10}$; 22) $\frac{1}{30}$; 23) $-\frac{26}{35}$; 24) $-\frac{43}{60}$;
25) $\frac{16}{7}$; 26) $+\frac{12}{35}$; 27) $-\frac{1}{3}$; 28) $-\frac{6}{315}$; 29) $\frac{4}{5}$; 30) $-\frac{1}{6}$;
31) $-\frac{21}{10}$; 32) $\frac{9}{5}$; 33) $-\frac{21}{11}$; 34) -1 35) 4; 36) $-\frac{14}{15}$;
37) $-\frac{6}{7}$; 38) $\frac{35}{12}$; 39) $\frac{81}{25}$; 40) -1; 41) $\frac{4}{81}$; 42) $-\frac{27}{64}$;
43) $\frac{625}{256}$; 44) $\frac{343}{1728}$; 45) $\frac{1}{3125}$; 46) $\frac{2}{3}; -\frac{2}{3}$; 47) $-\frac{2}{3}$;

48) $\frac{\sqrt{5}}{4} = 0.5590\ldots$; 49) $\frac{3}{\sqrt[3]{200}} = 5.848\ldots$; 50) 0.77459...; 51) .9196...

III. Respuestas:

1) $\frac{103}{10}$; 2) $\frac{115}{24}$; 3) $\frac{5}{2}$; 4) $-\frac{1033}{140}$;
5) $-\frac{119}{17}$; 6) $-\frac{199}{80}$; 7) $\frac{2}{9}$; 8) $\frac{881}{126}$;
9) $\frac{21149}{36}$; 10) $\frac{1034309}{68400}$; 11) $\frac{4}{3}$; 12) $-\frac{1}{2}$;

13) 0; 14) $\frac{8}{3}$; 15) $\frac{7}{10}$.

Práctica 2.3

1)	9	12)	15.625×10^{-2}
2)	1.2	13)	2.56×10^{-10}
3)	5×10^{-6}	14)	12×10^{4}
4)	14.4×10^{4}	15)	5×10^{-3}
5)	7.8×10^{-3}	16)	15×10^{-3}
6)	2×10^{7}	17)	11×10^{-3}
7)	4×10^{-4}	18)	8.4×10^{4}
8)	1.5	19)	4×10
9)	6.4×10^{-8}	20)	5×10^{9}
10)	34.3×10^{-14}	21)	2×10^{3}
11)	1.44×10^{12}	22)	1.2

* " x " Se trata del signo de multiplicar y no de la literal "equis":

Práctica 2.4

I. Respuestas:

1) 9.77964; 2) –6.639667; 3) 4.912; 4) –5.987650; 5) 1.20629

II. Respuestas:

1) 9.327; 2) –4.7705; 3) 1.9996; 4) 0.06344; 5) 0

III. Respuestas:

1) –2.105488; 2) 2.106682; 3) –8.230446; 4) –0.012096; 5) 0.015568

IV. Respuestas:

1) 3.0408; 2) –4.295; 3) 1.9769; 4) –0.7373; 5) .001185

V. Respuestas:

1) 0.0025; 2) 0.000343; 3) 0.00000081; 4) 0.002704;

5) –.000001; 6) 0.000000000625; 7) 9.4864; 8) –187.149248;

9) 1.259712; 10) 1.010040080080032

VI. Respuestas:

1) 2.0223; y –2.0223 2) 0.5; y –0.5 3) 0.2; y –0.2 4) 0.063255; y – 0.063255 5) 0.04; y –0.04

VII. Respuestas:

1) –0.60; 2) 3.542; 3) –17.305; 4) –1.92; 5) –3.65

VIII. Respuestas:

1) 0.492851; 2) –0.17687; 3) 10.10917; 4) 197437.105; 5) –0.511102

IX. Respuestas:

1. *a*) 3.18×10^{-2}; *b*) 5.2×10^{-4}; *c*) 2.15×10^{-5}; *d*) 8×10^{-9}; *e*) 1.27×10^{-8}
2. *a*) 0.00025; *b*) 0.000000415; *c*) 0.000032; *d*) 0.00000000108;
   e) 0.0000000000017

X. Respuestas:

1) 5.25×10^{-9}; 2) 16.32×10^{7}; 3) 13.5×10^{-2}; 4) 3.6;
5) 7.14×10^{-4}

Práctica 2.5

I. Respuestas:

1) +Z	2) –Z	3) +Q
4) +Q	5) –Q	6) –Z
7) +Z	8) –Q	9) +Q
10) +Z	11) +Z	12) –Q
13) –Q	14) +Q	15) +Z

II. Respuestas:

1) I	2) Q	3) I
4) I	5) I	6) Q
7) I	8) Q	9) I
10) Q	11) I	12) I
13) Q	14) I	15) Q

III. Respuestas:

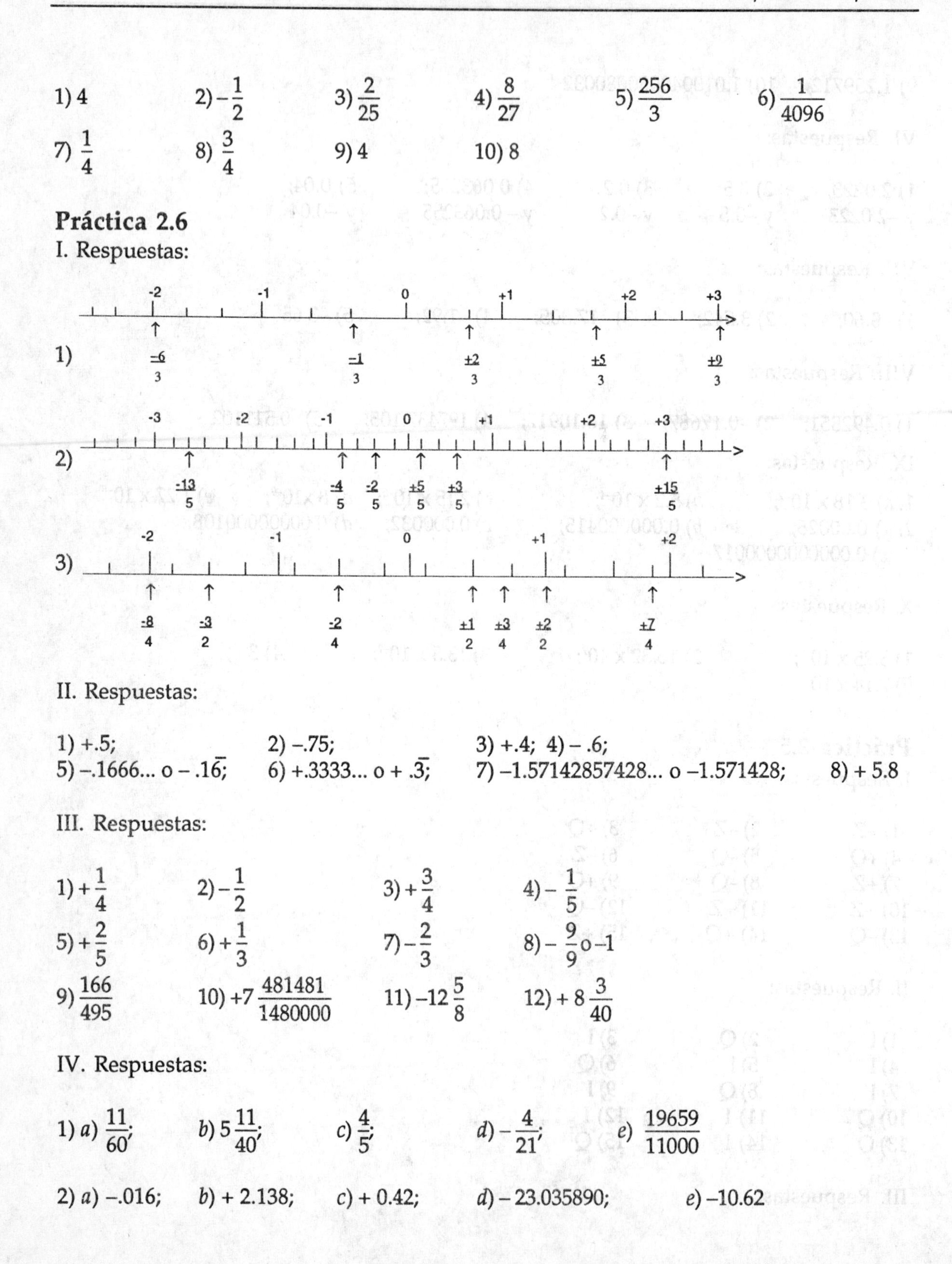

1) 4 2) $-\frac{1}{2}$ 3) $\frac{2}{25}$ 4) $\frac{8}{27}$ 5) $\frac{256}{3}$ 6) $\frac{1}{4096}$

7) $\frac{1}{4}$ 8) $\frac{3}{4}$ 9) 4 10) 8

Práctica 2.6

I. Respuestas:

1)

2)

3)

II. Respuestas:

1) +.5; 2) –.75; 3) +.4; 4) – .6;
5) –.1666... o – $.1\overline{6}$; 6) +.3333... o + $.\overline{3}$; 7) –1.57142857428... o –1.571428; 8) + 5.8

III. Respuestas:

1) $+\frac{1}{4}$ 2) $-\frac{1}{2}$ 3) $+\frac{3}{4}$ 4) $-\frac{1}{5}$

5) $+\frac{2}{5}$ 6) $+\frac{1}{3}$ 7) $-\frac{2}{3}$ 8) $-\frac{9}{9}$ o -1

9) $\frac{166}{495}$ 10) $+7\,\frac{481481}{1480000}$ 11) $-12\,\frac{5}{8}$ 12) $+8\,\frac{3}{40}$

IV. Respuestas:

1) *a*) $\frac{11}{60}$; *b*) $5\,\frac{11}{40}$; *c*) $\frac{4}{5}$; *d*) $-\frac{4}{21}$; *e*) $\frac{19659}{11000}$

2) *a*) –.016; *b*) + 2.138; *c*) + 0.42; *d*) – 23.035890; *e*) –10.62

3) *a*) + 9 y – 9; *b*) +12 y –12; *c*) +15 y – 15; *d*) + 25 y – 25;

e) $+\frac{3}{4}$ y $-\frac{3}{4}$; *f*) $+\frac{2}{9}$ y $-\frac{2}{9}$; *g*) $+\frac{6}{11}$ y $-\frac{6}{11}$; *h*) $+\frac{5}{10}$ y $-\frac{5}{10}$;

i) +.7 y –.7; *j*) +.05 y –.05; *k*) +10.5 y –10.5; *l*) +.007 y –.007

4) *a*) +3; *b*) –4; *c*) +5; *d*) –7;

e) $+\frac{6}{2}$; *f*) $-\frac{5}{6}$; *g*) $+\frac{2}{10}$; *h*) –1.7

V. Respuestas:

1) 5.4818 2) 3.7272
3) 6.7526 4) 8.0153
5) 9.3021

VI. Respuestas:

-1 -9 -8 -7 -6 -5 -4 -3 -2 -1 0 +.1 +.2 +.3 +.4 +.5 +.6 +.7 +.8 +.9 +1

↑ -0.8674 ↑ -0.2543 ↑ +0.0326 ↑ +0.5634 ↑ +0.9004

VII. Respuestas:

-4 -3 -2 -1 0 +1 +2 +3 +4

↑ $-\sqrt{2}$ ↑ $-\sqrt{5}$ ↑ $-\sqrt{2}$ ↑ $\sqrt{3}$ ↑ $\sqrt{5}$ ↑ $\sqrt{8}$

Práctica 2.7

I. Respuestas:

1) 4; 2) $3\sqrt{10}$; 3) $\sqrt{231}$; 4) $\sqrt{15}$; 5) $12\sqrt{30}$;

6) 2; 7) $3\sqrt[3]{5}$; 8) $\sqrt[3]{210}$; 9) 2; 10) $6\sqrt[4]{4}$

II. Respuestas:

1) 3; 2) 6; 3) $\frac{11}{9}$; 4) $\frac{2}{7}$; 5) $\frac{\sqrt{5}}{4}$

6) $\frac{4}{3}$; 7) $\frac{1}{2}$; 8) $\frac{5}{2}$; 9) 6; 10) $\frac{3}{2}$

III. Respuestas:

1) $8\sqrt{2}$; 2) $-12\sqrt{3}$; 3) $-2\sqrt{5}$; 4) 0; 5) $-2\sqrt[3]{3}$;

6) $-\sqrt{2}$; 7) 0; 8) $5\sqrt{3}+\sqrt{2}$; 9) $2\sqrt[3]{4}$; 10) 0

IV. Respuestas:

1) $5\sqrt{5}$; 2) 0; 3) $-5\sqrt[3]{4}$; 4) $\sqrt[3]{3}$; 5) $-4\sqrt[4]{6}$

V. Respuestas:

1) $\frac{\sqrt{6}}{2}$; 2) $\frac{\sqrt{8}}{4}$; 3) $\frac{5\sqrt[3]{16}}{4}$; 4) $\sqrt[3]{18}$; 5) $2\sqrt[4]{8}$

Práctica 3.1

I. Respuestas:

1) -3

2) 2

3) $\frac{20}{9}$

4) -36

5) $\frac{14}{27}$

6) 9

7) 2

8) $-\frac{49}{3}$

9) $\frac{100}{9}$

10) 81

11) 4913

12) 10

13) -3

14) 1

15) $-\frac{7}{2}$

16) $-\frac{58}{41}$

17) $-\frac{14}{15}$

18) 60

19) 12

20) $-\frac{39}{2}$

21) $\frac{24}{11}$

22) $-\frac{17}{9}$

23) $-\frac{82}{47}$

24) $-\frac{631}{6}$

25) $-\frac{94}{35}$

26) $\frac{1259}{36}$

27) $-\frac{598}{15}$

28) $-\frac{19}{20}$

29) $\frac{49}{8}$

30) $\frac{3}{7}$

Práctica 3.2

II. Tabulaciones:

1) °F = {77, 104, 131, 185}
2) e = {25, 100, 225, 400, 625, 900}
3) y = {.2679, .5739, 1, 1.732, 3.732, 00}
4) cos α= {.9659, .9135, .7880, .7071, .5000, .2588}
5) fx = {23, –1, 26, 5, 21, 29}

Práctica 3.3

Respuestas:

1) $20ab$
2) $13m^2$
3) $25x^3y^4$
4) $\frac{22}{3}x$
5) $\frac{95}{18}m^2x$
6) $\frac{29}{6}ax^5$
7) $5.89m^2n^2$
8) $3.69a^2b$
9) $3.285m^5n^2$
10) $-35xy$
11) $-32mn$
12) $-\frac{9}{2}a^2b$
13) $-5y^4z$
14) $-7by$
15) $-2a$
16) $12a^2b^2$
17) $6a-6b$
18) $21ab^2c+2ab-9bc$
19) $\frac{57}{10}b^2c-\frac{3bc^2}{20}-\frac{13}{20}a^3x$
20) $-\frac{29}{20}ax^3+\frac{23}{30}a^3x$

Práctica 3.4

Respuestas:

1) $-b^2xz$	11) $7m^3n^4$
2) $9a^5b^3$	12) $-35xy^4$
3) $-25x^2y^7$	13) $15x^3z^2$
4) $-3x^5y$	14) $-12ab$
5) $\frac{23}{21}a^2b^3$	15) $-11.61m^5$
6) $-\frac{13}{8}b^5c^2$	16) $9.85a^3b^3$
7) $\frac{37}{18}x^2y^3$	17) $1.809y^4$
8) $-0.91b^4c^5$	18) $\frac{4}{7}a^4b^4$
9) $-1.68m^5n^4$	19) $\frac{29}{8}b^3c^4$
10) $-\frac{21}{10}a^7b^2c^5$	20) $-\frac{31}{6}m^2n^4$

Práctica 3.5

I. Respuestas:

1) $-15ax^5y$
2) $-560x^8$
3) $30ax^7y^4z^2$
4) $-10x^7y^6$
5) $0.84a^4b$
6) $\frac{9}{5}m^7n^7y^3$
7) $-10.2x^4y^4$
8) $2.13m^3n^3x$
9) $-14756a^3bx$
10) $\frac{3}{4a}m^2x^6y^2$
11) $-18a^2x^5y^3$
12) x^7y^4
13) $0.273a^4b^3m^3n^2$
14) $-12a^3b^2-20a^2b^3+12a^4b^4$
15) $-10a^3x^5+4a^3x^4-6a^4b^4x^3$
16) $96a^2b^2x^5+132a^3b^3x^5-60ab^3x^7+36a^2b^2x^5$
17) $-\frac{15}{8}m^4n^3+\frac{9}{20}m^5n^2-2m^3n$
18) $-\frac{4}{9}ax^5y^3-10ax^3y^3$
19) $-2.16r^4s^3-3.6\,ars^4+1.8r^2s^3$

20) $-\frac{8}{3}a^3z^5 + 10a^2z^6 - 16az^7 + 5.6az^2$

Práctica 3.6

Respuestas:

1) $125x^6$
2) $9x^6$
3) $16x^{20}$
4) $-343x^6y^9$
5) $16x^8y^8z^{12}$
6) $25x^8y^6$
7) $729x^3y^{12}$
8) $36x^8y^8$
9) $\frac{4}{25}a^6$
10) $\frac{9}{49}b^8$
11) $-\frac{125}{512}a^6b^3$
12) $-\frac{27}{512}a^9b^6$
13) $-\frac{1024}{243}m^{10}n^{25}$
14) $-\frac{8}{125}a^6b^{12}c^3$
15) $-\frac{27}{343}m^6b^{15}$

Práctica 3.7

Respuestas:

1) $3a^2bc$
2) $5x$
3) $-3m^3n$
4) $-3b^2$
5) $\frac{n^2x^3}{4a}$
6) $\frac{4ax^5}{z^3}$

7) $\frac{7y}{x}$

8) $\frac{4}{a^2b^3}$

9) $\frac{3a^3}{bx}+\frac{4x^4}{b^2}-\frac{9b^2}{ax}$

10) $\frac{2}{n}-\frac{5am^3x}{n^5}+\frac{5m}{2n^2}-\frac{1}{2m^2n^5}$

11) $15xb^4-\frac{3mx}{a}$

12) $\frac{2y}{m^2}-\frac{5x^3y^2}{2mz}+\frac{y^3}{2z}$

13) $-x^4-4x^3+10x^2+2x.$

14) $\frac{3x}{10y}+\frac{4}{15xy}-\frac{1}{y}$

15) $5-6xy-16x^2y^2$

Práctica 3.8

Respuestas:

1) $2m^2$
2) $3n^4$
3) $5x^3$
4) $8x^2y^6$
5) $4m^4n^3$
6) $2a^2$
7) $4b^3$
8) $3ab^2$
9) $6a^3$
10) $7b^4$
11) $25m^3$
12) $18m^5$
13) $9a^2b^4$
14) $5y^5z^3$
15) $3m^2n^4$
16) $5m^2z^5$
17) $\frac{10a^3}{7b^2}$
18) $\frac{7x^5y^4}{30m^3n^2}$
19) $\frac{4x^7y^3}{5a^4}$
20) $\frac{2m^3}{5a^4}$

Práctica 3.9

Respuestas:

1) $9a^2b+8ab^2+a^2b^2-ab$
2) $8a^3b^2+2a^2b^3c+4abc-10ab^2c^2$
3) $-3x^4y+x^3y^2-3xy^4$
4) $4a^2-4a+4\sqrt{a}$

5) $4\sqrt{a^2+b^2}+4\sqrt{a+b}-3\sqrt[3]{a+b}$
6) $12x^3y+8x^2y^2+9xy^3-5$
7) $-12m^4n+mp+2np$
8) $\frac{-9}{12}a^2-\frac{3}{4}a^2+\frac{1}{12}c$
9) $\frac{2}{5}m+\frac{11}{12}mn-\frac{31}{60}n$
10) $\frac{9}{4}x^2y+\frac{1}{24}xy-xy^2$
11) $-\frac{1}{15}a^2b^3-\frac{1}{9}a^3b^3+\frac{3}{20}a^4b^2$
12) $-7.1a^4+0.6b^3-13c^2$
13) $3.23mx^2-1.26n^2y+3.55xy$
14) $-\frac{5}{6}a^4+\frac{39}{20}a^3+\frac{21}{10}a^2$
15) $\frac{29}{30}x^3y^2-\frac{173}{40}x^2y^3$

Práctica 3.10

Respuestas:

1) $5x^4y^5-4x^2y^4+3xy$
2) $6x^2y-8xy+20xy^2$
3) $4m^3n+3m^4n^2+11m^5n^3$
4) $\frac{31}{10}x+\frac{19}{15}y+xy$
5) $\frac{14}{15}x+\frac{1}{2}xy+\frac{5}{18}y$
6) $\frac{17}{9}x^3y^2-\frac{43}{35}x^2y^2+\frac{59}{5}6\,x^2y^3$
7) $-1.99x^3-1.04y^2$
8) $0.45a^2b+7.15a^3b^2-5.22a^3b^3$
9) $-\frac{1}{2}m^2-\frac{15}{28}m$
10) $\frac{63}{20}m^3+0.83m^2+\frac{22}{9}$
11) $8\sqrt{ax}-7\sqrt[3]{a}+\sqrt[3]{ax}$.
12) $-4a^2b+7ab^2-4a^2b^2$
13) $xy^4-3x^2y^2$
14) $7ab^2c-7a^2bc+5abc^2-2a^2b^2-7a$
15) $16xy^4+8xy-2x^2y^2-3x^2b$

Práctica 3.11

Respuestas:

1) $10a^2 - 29a^3b + 4a^2b^2 + 15ab^3$
2) $21x^6y^4 + 6x^4y^3 - 29x^5y^5 - 4x^3y^4 + 10x^4y^6$
3) $-30a^4b^8 + 20a^4b^6 - 53a^6b^6 + 12a^6b^4 - 21a^8b^4$
4) $-14x^6 + 35x^5y - 43x^3y^3 - 8x^5y + 20x^4y^2 - 43x^2y^4 + 21y^6$
5) $30x^4 - 48x^3 - 39x^2 + 39x + 18$
6) $\frac{3}{5}x^2 - \frac{139}{120}xy + \frac{5}{9}y^2$
7) $\frac{70}{63}x^2 + \frac{47}{42}xy - \frac{12}{5}y^2$
8) $\frac{2}{3}x^4 - \frac{40}{27}x^3y + \frac{31}{30}x^2y + \frac{2}{3}xy^2 - \frac{3}{5}y^2$
9) $\frac{8}{21}x^6 + \frac{32}{315}x^5 - \frac{104}{135}x^4 - \frac{1}{3}x^3$
10) $\frac{4}{7}a^2x^2 + \frac{14}{9}b^2y^2 - \frac{8}{5}c^2z^2 + \frac{113}{54}abxy + \frac{247}{270}bcyz - \frac{19}{35}acx$
11) $0.51a^2 - 9.28ab + 3.22b^2$
12) $3.132a^2 - 1.894ab - 4.346b^2$
13) $-0.06a^2b^3 - 0.29a^3b^5 + 1.19a^3b^4 + 0.06a^2b^4$
14) $3.78x^4y^2 - 15.97x^3y^2 - 3.72x^3y^3 + 14.57x^2y^2 + 3.59x^2y^3 - 13.26x^2y$
15) $0.15a^2 + 0.24b^2 - 0.14c^2 + 0.49ab - 0.29ac + 0.1ad + 0.35ae$
$+0.5bc + 0.6bd + 0.21be + 0.4cd + 0.14ce$

Práctica 3.12

Respuestas:

1) $28x^2 + 51x - 27$
2) $9x^3 + 18x^2 + 31x - 40$
3) $12x^3y^4 + 4x^4y^3 + 18x^3y^3 + 6x^4y^2$
4) $-29x^5y^3 + 25x^4y^4 - 6x^3y^5 + 10x^3y^2$
5) $-8a^4b^3 - 4a^4b^2 - 12a^3b^4 - 16a^3b^3 - 10a^3b^2 + 25a^2b^3 + 15a^2b^2$
6) $-15x^5y^3 + 39x^4y^4 + 10x^4y^3 - 18x^3y^5 - 6x^3y^5 - 6x^3y^4 - 6x^3y^2 +$
$+ 12x^2y^3 + 4x^2y^2$
7) $-\frac{3}{10}a^2 - \frac{397}{420}ab - \frac{3}{7}b^2$
8) $\frac{16}{21}x^3 + \frac{17}{7}x^2 + \frac{15}{8}x$
9) $\frac{8}{15}x^4 - \frac{8}{63}x^3 - \frac{173}{525}x^2 + \frac{3}{70}x - \frac{3}{10}$
10) $12.19x^4 - 7.49x^3 - 3.59x^2 + 1.78x + 0.12$

Práctica 3.13

Respuestas:

1) $25a^2 + 20ab + 4b^2$
2) $64x^3 - 336x^2 + 588x - 343$
3) $243a^5 - 2025a^4b + 6750a^3b^2 - 11250a^2b^3 + 9375ab^4 - 3125b^5$
4) $9x^4 - 30x^3 + 25x^2$
5) $\frac{16}{25}a^2 - \frac{8}{5}ab + b^2$
6) $\frac{27x^3}{125} + \frac{54x^2y}{175} + \frac{36xy^2}{245} + \frac{8y^3}{343}$
7) $a^4 + 4a^3b + 6a^2b^2 + 4ab^3 + b^4$
8) $16x^4 + 32x^3 + 24x^2 + 8x + 1$
9) $243x^5 - 810x^4 + 1080x^3 - 720x^2 + 240x - 32$
10) $16x^4 - 160x^3 + 600x^2 - 1000x + 625$
11) $\frac{256x^8}{81} - \frac{1280x^6}{27} + \frac{800x^4}{3} - \frac{2000x^2}{3} + 625$
12) $\frac{27a^3}{b^3} + \frac{45a^2}{b^2} + \frac{25a}{b} + \frac{125}{27}$

Práctica 3.14

Respuestas:

1) $3x + 5$
2) $5x - 1$
3) $5x^2 - 4$
4) $8x^3 + 5$
5) $9x^4 + 7x^2 + 8$
6) $2x^2 - 3x + 11$
7) $4x^3 + 3x - 1$
8) $5x^3 + 2x^2 - 3x$
9) $7x^4 - 3x^2 - 1$
10) $5x^5 - 3x^3 + 2x$
11) $x^4 + x^2 + 1$
12) $x^2 - 1$
13) $3x - 2$
14) $64a^6 + 40a^3b + 25b^3$
15) $81x^2y^4 - 36abxy^2 + 16a^2b^2$
16) $x^4 + x^3y + x^2y^2 + xy^3 + y^4$
17) $2x - 7$
18) $x^2 - 3$
19) $5x^2 + 1$

20) $3x^4 + 2x^3 - 5x^2 - 3$

Práctica 3.15

Respuestas:

1) $x + 5; r = 23$
2) $x - 7; r = 11$
3) $7x + 3; r = 43$
4) $15x - 9; r = -100$
5) $16x - 7; r = -50$
6) $x^2 - 6x - 4; r = -18$
7) $3x^2 - 5x - 10; r = -48$
8) $5x^2 - 9x - 4; r = -30$
9) $4x^2 - 8x - 6; r = -28$
10) $7x^2 - 17x + 3; r = 27$
11) $3x^3 + 2x^2 - 5x + 7; r = 0$
12) $5x^3 + 7x^2 - 9x - 6; r = 0$
13) $8x^3 - 5x^2 - 7x + 4; r = 0$
14) $11x^3 - 2x^2 - 9x - 7; r = -50$
15) $18x^3 + 6x^2 + 7x + 9; r = 100$

Práctica 3.16

Respuestas:

1) $x^2 + 2xy + y^2$
2) $m^2 - 2mn + n^2$
3) $4x^2 + 4xy + y^2$
4) $25a^2 - 10ab + b^2$
5) $m^2 + 14mn + 49n^2$
6) $x^2 - 8xz + 16z^2$
7) $49a^2 + 28ab + 4b^2$
8) $16x^2 - 72xy + 81y^2$
9) $64a^2 + 176ab + 121b^2$
10) $49x^2 - 210xy + 225y^2$
11) $9a^4 + 42a^2b + 49b^2$
12) $64a^4x^2 - 80a^3x^4 + 25a^2x^6$
13) $81m^8n^6 + 108a^2m^6n^2 + 36a^4m^4$
14) $25x^8y^2 - 70x^4y^4z^2 + 49y^6z^4$
15) $64a^8b^{10} + 32a^5b^6c^4 + 4a^2b^2c^8$
16) $81m^6n^8 - 198am^5n^4 + 121a^2m^4$
17) $64x^8y^6 + 240x^4y^5 + 225y^4$
18) $289m^6 - 374m^5 + 121m^4$
19) $256a^4b^2 + 160a^2bmx^3 + 25m^2x^6$

20) $361a^2x^{10}y^2 - 418a^2bx^6y^6 + 121a^6b^2x^2$

21) $\frac{9x^2}{16} - 3x + 4.$

22) $25a^2 + \frac{40a}{3} + \frac{16}{9}$

23) $\frac{49a^2}{25} + \frac{21a}{10} + \frac{9}{16}$

24) $\frac{9a^4}{25} - \frac{4a^3}{5} + \frac{4a^2}{9}$

25) $\frac{64x^2y^2}{81} + \frac{16xy^2z}{15} + \frac{9y^2z^2}{25}$

26) $\frac{49x^2y^2}{81} - 2x^4y^3 + \frac{81x^2y}{49}$

27) $\frac{144x^2y^8}{121} + \frac{40x^4y^5}{33} + \frac{25x^6y^2}{81}$

28) $\frac{81a^6b^2c^2}{49m^2} - \frac{144a^4b^3c}{35m^3} + \frac{64a^2b^4}{25m^4}$

29) $\frac{121x^4y^2}{25a^2} + \frac{66bx^2}{35} + \frac{9a^2b^2}{49y^2}$

30) $\frac{196m^4}{25x^6} - \frac{56m}{3x} + \frac{100x^4}{9m^2}$

31) $\frac{4x^6y^2}{a^6} + \frac{20x^4}{3a} + \frac{25x^2}{9y^2}$

32) $\frac{121x^2y^6}{9a^4b^2} - 11 + \frac{9a^4b^2}{4x^2y^6}$

33) $\frac{25a^2}{4b^2} + 2 + \frac{4b^2}{25a^2}$

34) $\frac{9a^2\,x^6}{y^2\,z^4} + 21 + \frac{49y^2\,z^4}{a^2\,z^4}$

Práctica 3.17

Respuestas:

1) $a^3 + 3a^2b + 3ab^2 + b^3$
2) $m^3 - 3m^2n + 3mn^2 - n^3$
3) $125x^3 + 75x^2y + 15xy^2 + y^3$
4) $a^3 - 21a^2b + 147ab^2 - 343b^3$
5) $512x^3 + 576x^2y + 216xy^2 + 27y^3$
6) $27m^3 - 216m^2n + 576mn^2 - 512n^3$
7) $27a^3 + 297a^2b + 1089ab^2 + 1331b^3$
8) $125x^3 - 600x^2y + 960xy^2 - 512y^3$
9) $64m^3 + 336m^2n + 588mn^2 + 343n^3$

10) $729y^6 - 1215y^5 + 675y^4 - 125y^3$
11) $125y^9 + 225xy^7 + 135x^2y^5 + 27x^3y^3$
12) $349b^9 - 441b^8 + 189b^7 - 27b^6$
13) $125m^9 + 150m^8n + 60m^7n^2 + 8m^6n^6$
14) $27m^3n^3 - 135m^4n^2 + 225m^5n - 125m^6$
15) $216x^9y^3 + 540x^7y^4 + 450x^5y^5 + 125x^3y^6$
16) $349x^9 + 735x^7y^2 + 525x^5y^4 + 125x^3y^6$
17) $27x^6y^9 - 162x^9y^7 + 324x^{12}y^5 - 216x^{15}y^3$
18) $216m^9n^6 - 216m^7n^8 + 72m^5n^{10} - 8m^3n^{12}$
19) $\frac{64x^3}{3} + 32x^3 + 16x + 8$
20) $\frac{27a^6}{125} - \frac{27a^5}{25} + \frac{9a^4}{5} - a^3$
21) $\frac{b^6}{27} + 8b^4 + 64b^2 + 512$
22) $\frac{27b^6}{125} - \frac{27b^5}{200} + \frac{9b^4}{320} - \frac{b^3}{312}$
23) $\frac{1728x^3}{343} + \frac{1728x^2}{245} + \frac{576x}{175} + \frac{64}{125}$
24) $\frac{27m^6}{343} - \frac{54m^7}{25} + \frac{36m^8}{175} - \frac{8m^9}{125}$
25) $\frac{343a^6b^3}{729} + \frac{245a^5b^4}{189} + \frac{175a^4b^5}{147} + \frac{125a^3b^6}{343}$
26) $\frac{512x^9y^6}{27a^3} + \frac{160x^5y^4}{3a} + 50axy^2 + \frac{125a^3}{8x^3}$
27) $\frac{343a^6}{27x^3} - \frac{21a^3}{2x} + \frac{81x}{28} - \frac{729x^3}{2744a^3}$
28) $\frac{512\ x^6}{27m^6}\ y^3 + \frac{48xy^2}{m} + \frac{81\ m^4y}{x^4} + \frac{729\ m^9}{64x^9}$
29) $\frac{343b^9}{27a^3} - \frac{98b^3}{15a} + \frac{28a}{25b^3} - \frac{8a^3}{125b^9}$
30) $\frac{27a^3b^9c^3}{512x^6y^3} + \frac{81ab^5cy}{80x^3} + \frac{171by^5}{25ac} + \frac{1728x^3y^9}{125a^3b^3c^3}$

Práctica 3.18

Respuestas:

1) $225a^2 - 64b^2$
2) $324m^2 - 121n^2$
3) $441x^4 - 256y^6$
4) $81a^6b^8c^2 - 25x^4$
5) $64a^6b^2 - 49a^2b^6$
6) $625x^6y^8 - 256y^8z^6$
7) $0.04a^2 - 9$

8) $1.69m^4 - 4.41n^4$
9) $0.64x^6 - 6.25y^4z^6$
10) $3.61a^4b^2 - 0.25y^8$
11) $a^2 - \dfrac{4}{9}$
12) $\dfrac{a^2}{25} - 9$
13) $\dfrac{9x^2}{16} - \dfrac{4}{9}$
14) $\dfrac{49x^4}{4y^2} - \dfrac{16y^2}{25b^2}$
15) $\dfrac{196a^6b^2}{81x^4} - \dfrac{100a^2b^6}{49x^4y^2}$
16) $\dfrac{324x^8y^6}{9a^4b^2} - \dfrac{25x^4y^8}{64a^2b^4}$
17) $\dfrac{144m^{14}n^{10}}{25a^2b^2} - \dfrac{36m^{12}n^8}{49a^4b^4}$
18) $\dfrac{81a^6}{441x^4} - \dfrac{49x^4}{225y^6}$
19) $\dfrac{9m^2n^6}{256a^6b^8} - \dfrac{49a^4b^2}{81m^8}$
20) $\dfrac{121a^{10}}{729b^8} - \dfrac{9x^6}{676a^{12}}$

Práctica 3.19

Respuestas:

1) $a^2 + 16a + 55$
2) $b^2 + 5b - 84$
3) $c^2 - 11c - 42$
4) $d^2 - 24d + 95$
5) $m^2 + 23m + 90$
6) $n^2 + 8n - 153$
7) $v^2 - 5v - 414$
8) $x^2 - 23x + 132$
9) $4a^2 + 32a + 63$
10) $9b^2 + 18b - 55$
11) $16c^2 - 32c - 33$
12) $25d^2 - 80d + 63$
13) $36m^2 + 96m + 55$
14) $49n^2 + 63m - 36$
15) $64v^2 - 32v - 45$

16) $81z^2 - 54z + 8$
17) $9x^2 - 9x - 28$
18) $4x^2y^2 - 6xy - 18$
19) $25x^4y^2 - \frac{5x^2y}{4} - \frac{3}{8}$
20) $9a^2b^2 + 2ab - \frac{8}{9}$
21) $16m^2 + 8m - \frac{21}{4}$
22) $9x^6 - \frac{18x^3}{5} + \frac{8}{25}$
23) $49a^6b^2 + \frac{14a^3b}{5} - \frac{8}{25}$
24) $9a^4 - 6a^3 + \frac{8a^2}{9}$
25) $25m^2 + \frac{5mx}{7} - \frac{6x^2}{49}$
26) $49x^2y^2 + \frac{7axy}{5} - \frac{12a^2}{25}$
27) $\frac{a^2}{25} - \frac{ab}{25} - \frac{3b^2}{100}$
28) $\frac{m^2}{49} - \frac{mx}{70} - \frac{x^2}{50}$
29) $\frac{a^2b^2}{16} - \frac{19ab^2c}{56} - \frac{3b^2c^2}{14}$
30) $\frac{x^2}{25} + \frac{xy}{14} - \frac{y^2}{14}$
31) $\frac{4a^2}{25} + \frac{ab}{5} - \frac{10b^2}{9}$
32) $\frac{49a^2}{9} + \frac{182am}{27} + \frac{16m^2}{27}$
33) $6.25a^2 + 2.75a - 0.12$
34) $53.29x^2 - 39.42x + 7.13$
35) $38.44x^6 - 0.682x^5 + 0.001x^4$
36) $10.24m^4 + 1.6bm^2 - 3.36b^2$

Práctica 3.20

I. Resultados:

1) $a^2 - 4a - 165$
2) $9x^2 + 84x + 196$
3) $49m^2 - \frac{4}{9}$

4) $1331a^3 - 1452a^2 + 528a - 64$
5) $m^2 + 16m - 105$
6) $729m^3 + 1215m^2n + 675mn^2 + 125n^3$
7) $8x^3 - 16x^2 + 32x - \frac{64}{27}$
8) $121x^2 + 66xy + 9y^2$
9) $\frac{64m^4}{25} - \frac{9n^6}{4}$
10) $a^3 + \frac{15a^2}{2} + \frac{75a}{2} + \frac{125}{8}$
11) $4x^2 - 44x + 105$
12) $64x^2 - 48x + 9$
13) $49x^2 - \frac{7x}{2} - \frac{15}{16}$
14) $64a^4 - 121b^4$
15) $25x^2 - \frac{15x}{2} + \frac{9}{16}$
16) $196x^4 - y^6$
17) $\frac{125x^3}{27} - 5x^2 + \frac{9x}{5} - \frac{27}{125}$
18) $16a^2 - 4a - \frac{35}{4}$
19) $\frac{49x^2}{9} - \frac{16y^2}{121}$
20) $81x^2 - 198x + 121$

Práctica 3.21

I. Respuestas

1) $\frac{25m^4n^6}{9x^2y^4} - \frac{4x^8y^6}{49m^2n^2}$
2) $x^2 - 30x + 189$
3) $9a^4 - 30a^2b^3 + 25b^6$
4) $\frac{36m^4}{25} + \frac{99m^2}{70} + \frac{9}{28}$
5) $9a^2 - 4b^2$
6) $125x^3 + 150x^2y + 60xy^2 + 8y^3$
7) $25x^2 - \frac{15x}{2} + \frac{9}{16}$
8) $\frac{81x^2}{25} + \frac{3xy^3}{10} - 2y^6$
9) $\frac{64a^6}{125} - \frac{144a^4}{175} + \frac{108a^2}{245} - \frac{27}{343}$

10) $\frac{4m^4}{9x^2}-\frac{25x^6}{4y^2}$

11) $\frac{25m^4n^2}{4}-\frac{17m^2n^4}{2}+\frac{289n^6}{100}$

12) $9a^4+\frac{37a^2}{6}-\frac{10}{9}$

13) $36m^4-\frac{9}{25}$

14) $27x^3-54x^2+36x-8$

15) $4x^2+4x-35$

16) $343m^6n^9+\frac{42m^4n^6xy}{7}+\frac{12m^2n^3x^2y^2}{7}+\frac{8x^3y^3}{343}$

17) $\frac{16x^4}{9}+x^3+\frac{9x^2}{64}$

18) $\frac{216y^9}{125}-\frac{48y^6}{25}+\frac{32y^3}{45}-\frac{64}{729}$

19) $64x^4-49x^2y^2$

20) $49x^4y^2-\frac{28b^3x^2y^2}{5}+\frac{4b^6y^2}{25}$

Práctica 3.22

Respuestas:

1) $x^6+12x^5y+60x^4y^2+160x^3y^3+240x^2y^4+192xy^5+64y^6$
2) $a^8-8a^7m+28a^6m^2-56a^5m^3+70a^4m^4-56a^3m^5+$
$+28a^2m^6-8am^7+m^8$
3) $3125x^5+21875x^4y+61250x^3y^4+85750x^2y^3+60025xy^4+$
$+16807y^5$
4) $81x^4y^4-432mx^3y^3+864m^2x^2y^2-768m^3xy+256m^4$
5) $m^7+7m^6n+21m^5n^2+35m^4n^3+35m^3n^4+21m^2n^5+$
$+7mn^6+n^7$
6) $\frac{m}{256}-\frac{m^3x}{80}+\frac{3m^2x^2}{200}-\frac{mx^3}{125}+\frac{x^4}{625}$

7) $\frac{a^5}{b^5}+\frac{10a^4x}{3b^4y}+\frac{40a^3x^2}{9by^2}+\frac{80a^2x^3}{27by^3}+\frac{80ax^4}{81by^4}+\frac{32x^5}{243y^5}$
8) $8x^6+36x^4y^3+54x^2y^6+27y^9$
9) $343x^9y^3-294x^7y^4+84x^5y^5-8x^3y^6$
10) $59049m^{15}-131220m^{12}n^2+116640m^9n^4-51\,840m^6n^6+$
$+11\,520m^3n^8+1024n^{10}$

11) $\frac{243x^4y^4}{256}+\frac{27x^3y^5}{40}+\frac{27x^2y^6}{50}+\frac{24xy^7}{125}+\frac{16y^8}{625}$

12) $\frac{64a^6b^6}{729}+\frac{16^8b^7}{27}+\frac{20a^{10}b^8}{3}+20a^{12}b^9+\frac{135a^{14}b^{10}}{4}+$
$+\frac{243a^{16}b^{11}}{8}+\frac{729a^{18}b^{12}}{64}$

13) $\frac{216m^6n^9}{125x^3y^3}-\frac{144m^2n^4}{25x}+\frac{32xy^3}{5m^2n}-\frac{64x^3y^6}{27m^6n^6}$

14) $\frac{256a^4b^8}{81c^4}+\frac{512a^2b^5d}{27}+\frac{128b^2c^4d^2}{3}+\frac{128c^8d^8}{3a^2b}+\frac{16c^{12}d^4}{a^4b^4}$

15) $\frac{3125m^{10}n^{15}}{32x^5}-\frac{1875m^5n^{10}}{16x^2}+\frac{225n^5x}{4}-\frac{27x^4}{2m^5}+$
$+\frac{81x^7}{50m^{10}n^5}-\frac{343x^{10}}{3125m^{15}n^{10}}$

Práctica 3.23

Respuestas:

1) $4a^2bx\,(5-3y^2)$
2) $3x^2y^3\,(2a^2x-7b^2y)$
3) $5m^3n^2\,(7m^2x+4n^3y+5m^2nxy)$
4) $6b^2c^4d\,(4c^3d^2+7bc^2-5b^3x)$
5) $8a^2x^5\,(-7a+5x^2-2)$
6) $33a^3b^3\,(4b^2-5a^2b+7b)$
7) $32x^5y^3\,(6-9xy+5y^2)$
8) $65a^6b^2\,(7b^2-10a)$
9) $45x^3y^5\,(5y-9x+3)$
10) $18a^2m^4n^5x\,(7+11a-4a^2)$
11) $27ax\,(10x^2-7a^2+5ax)$
12) $36m^2\,(8a+12b-7c)$
13) $a^4b\,(9ab^2-7a^2b+4)$
14) $xy^3\,(-3ax+2by+3)$
15) $abc^2\,(3a+2b-5c^2)$
16) $3m^2\,(6m-5)$
17) $4a^2\,(3a+2b)$
18) $5xy\,(7x-8y)$
19) $7x^2y^2\,(8x+7y)$
20) $6a^3b\,(7ab-4)$
21) $8xy^3\,(5x^2+3x)$
22) $11mn^2\,(3m-11n)$
23) $10a^2b^2\,(7a^2+5a)$
24) $15x^3y^2\,(2x-5y)$
25) $12m^2n^3\,(3m+2n-5)$

Práctica 3.24

Respuestas:

1) $(8a^2 + 3m^3)(8a^2 - 3m^3)$

2) $(6m - 9x^2)(6m + 9x^2)$

3) $(11a + 12m^2)(11a - 12m^2)$

4) $(4m^3n - 13x^2y^3)(4m^3n + 13x^2y^3)$

5) $(14x^3y^2 + 5a)(14x^3y^2 - 5a)$

6) $(15b^3 - 8m^4)(15b^3 + 8m^4)$

7) $(16a + 1)(16a - 1)$

8) $(3x^2 - 17y^3)(3x^2 + 17y^3)$

9) $(18m^4n^2 + 5y^5)(18m^4n^2 - 5y^5)$

10) $(19ab^6 - 7y^4)(19ab^6 + 7y^4)$

11) $(2m^3 + 27y^5z^4)(2m^3 - 27y^5z^4)$

12) $\left(\frac{3x}{2} - \frac{4y^2}{5}\right)\left(\frac{3x}{2} + \frac{4y^2}{5}\right)$

13) $\left(\frac{21m}{23} + \frac{25}{22}\right)\left(\frac{21m}{23} - \frac{25}{22}\right)$

14) $\left(\frac{13y^2}{15} + \frac{16}{17}\right)\left(\frac{13y^2}{15} - \frac{16}{17}\right)$

15) $\left(20 - \frac{3y^3}{23}\right)\left(20 + \frac{3y^3}{23}\right)$

Práctica 3.25

Respuestas:

1) $(4a + 5b)^2$

2) $(3ab - 2b^2)^2$

3) $(7a^2 - 4c)^2$

4) $(8m^3n + 3mn^2)^2$

5) $(6x^2y^4 + 7xy^2)^2$

6) $(11x^2 - 3y)^2$

7) $\left(7ab - \frac{4abc}{5}\right)^2$

8) $\left(\frac{3a^2}{5b} + \frac{2a^3}{3b^2}\right)^2$

9) $\left(\frac{2x^3y}{5bc} - \frac{2y^2}{c^3}\right)^2$

10) $\left(\frac{7a^2b^2}{5c} + \frac{2b^3}{4c}\right)^2$

11) $\left(\frac{3a}{2b} - \frac{5b}{4}\right)^2$

12) $\left(\frac{7x}{5} + \frac{4y}{3x}\right)^2$

13) $\left(\frac{8ab}{5} - \frac{5b}{6a}\right)^2$

14) $\left(\frac{4a}{3} + \frac{5}{6b}\right)^2$

15) $(2a + 3)^2$

16) $(5b - 7)^2$

17) $(4x + 3y)^2$

18) $(6m - 5n)^2$

19) $(3a + 8b)^2$

20) $(7x - 9y)^2$

21) $(10m + 3n)^2$

22) $(11a - 2b)^2$

23) $(12x + 5y)^2$

24) $(7m - 11n)^2$

25) $(a^2 + b)^2$

26) $(m - n^2)^2$

27) $(x^2 + y^2)^2$

28) $(2a^3 + 3b^2)^2$

29) $(5m^2 - 7n^3)^2$

30) $(8x^3 + 3y^2)^2$

Práctica 3.26

1) $30a$

2) $-28xy$

3) $81y^2$

4) 121

5) $49a^2$

6) $81m^4$

7) $112x^2y^2$

8) $30x^3y^2$

9) $25n^6$

10) $9y^6$

11) $\frac{25}{9}$

12) $\frac{4a^2}{25}$

13) $\frac{-28xy}{3}$

14) $\frac{-12mn}{35}$

15) $\frac{25b^2}{4}$

Práctica 3.27

Respuestas:

1) $(x+9)(x-5)$
2) $(x+15)(x-5)$
3) $(x+4)(x-1)$
4) $(x-11)(x-7)$
5) $(x-16)(x-8)$
6) $(x-21)(x-7)$
7) $(x-21)(x+20)$
8) $(x-35)(x+5)$
9) $(x-28)(x+10)$
10) $(x-45)(x+15)$
11) $(3x+2)(3x+5)$
12) $(4x+5)(4x-2)$
13) $(5x+3)(5x+4)$
14) $(2x+7)(2x-5)$
15) $(3x-4)(2x-5)$
16) $(x+8)(x+6)$
17) $(x-9)(x+4)$
18) $(x-18)(x-2)$
19) $(x+10)(x-3)$
20) $(x+12)(x+9)$
21) $(x-14)(x+3)$
22) $(x-15)(x-9)$
23) $(x+16)(x-8)$
24) $(a+18)(a+5)$
25) $(b-20)(b+5)$
26) $(d-24)(d-3)$

27) $(m + 25)(m - 10)$
28) $(a + 15)(a + 12)$
29) $(b - 18)(b - 12)$
30) $(m - 24)(m + 15)$

Práctica 3.28

Respuestas:

1) $(c + d)(m + n)$
2) $(a + 2b)(r + s)$
3) $(a - 2b)(2m - 5)$
4) $(3x - 1)(2y + 3)$
5) $(2x - 3)(5y - 4)$
6) $(4a - 7)(3b - 2)$
7) $(4m - 5)(5n - 6)$
8) $(7a - 3)(5x - 4)$
9) $(x - 5)(y + 1)$
10) $(2x - 9)(3y + 2)$
11) $(5x - 11)(7y + 5)$
12) $(6m - 7)(n + 5)$
13) $(8xy + 3)(5x - 2)$
14) $(3ab - 5)(2a + 3)$
15) $(7mn - 6)(5n - 1)$
16) $(a + b)(m + n)$
17) $(a - b)(m + n)$
18) $(3a + b)(2x + y)$
19) $(a + b)(m - n)$
20) $(x + 4y)(m + 3n)$
21) $(a - b)(m - n)$
22) $(3a + 2b)(5m + 4n)$
23) $(2x - 3y)(7a - 3b)$
24) $(2a + 7b)(4x - 5y)$
25) $(3a - 4b)(2x - 5y)$

Práctica 3.29

Respuestas:

1) $(2x + 5)(x + 3)$
2) $(3x - 1)(x + 4)$
3) $(x + 3)(2x - 1)$
4) $(2x + 1)(3x - 4)$
5) $(3x - 2)(x - 4)$
6) $(3x - 4)(4x + 3)$

7) $(5x-2)(x+1)$
8) $(4x+3)(x+2)$
9) $(4x-5)(x-4)$
10) $(9x+2)(x+4)$
11) $(16x-5)(x-1)$
12) $(5x+3)(4x-1)$
13) $(8x+1)(2x-3)$
14) $(5x-3)(3x-7)$
15) $(4x+3)(3x+5)$
16) $(x+4)(2x+3)$
17) $(x-9)(3x-5)$
18) $(2x+5)(x-8)$
19) $(2x-3)(3x+5)$
20) $(3x+4)(2x-5)$
21) $(3x-7)(2x-3)$
22) $(3x+8)(2x+5)$
23) $(3x-5)(2x-7)$
24) $(5x+3)(2x+7)$
25) $(4x+9)(3x-5)$
26) $(2x-5)(3x-7)$
27) $(4x-3)(5x-1)$
28) $(5x+3)(2x+9)$
29) $(8x-9)(2x-7)$
30) $(4x+7)(3x-2)$

Práctica 3.30

Respuestas:

1) $(1-x)(1+x+x^2)$

2) $(2x^3-3)(4x^6+6x^3+9)$

3) $(8a+5m^3)(64a^2-40am^3+25m^6)$

4) $(6m^5+1)(36m^{10}-6m^5+1)$

5) $(7a^4-b)(49a^8+7a^4b+b^2)$

6) $(z-9m^3)(z^2+9m^3z+81m^6)$

7) $(8a^2b+3a)(64a^4b^2-24a^3b+9a^2)$

8) $(2x^6y^7+5z^4)(4x^{12}y^{14}-10x^6y^7z^4+25z^8)$

9) $\left(1-\frac{2a}{5}\right)\left(1+\frac{2a}{5}+\frac{4a^2}{25}\right)$

10) $\left(\frac{11}{5}-7a^6b^3\right)\left(\frac{121}{25}+\frac{77a^6b^3}{5}+49a^{12}b^6\right)$

11) $\left(8+\frac{1}{2a}\right)\left(65-\frac{4}{a}+\frac{1}{4a^2}\right)$

12) $\left(\frac{1}{9m^2}+m\right)\left(\frac{1}{81m^4}-\frac{1}{9m}+m^2\right)$

13) $\left(2m^5-\frac{1}{5y^2}\right)\left(4m^{10}+\frac{2m^5}{5y^2}+\frac{1}{25y^4}\right)$

14) $\left(3m^2-\frac{2x}{y^3}\right)\left(9m^4+\frac{6m^2x}{y^3}+\frac{4x^2}{y^6}\right)$

15) $\left(\frac{7}{11}-4m^4\right)\left(\frac{49}{121}+\frac{28m^4}{11}+16m^8\right)$

Práctica 3.31

I. Respuestas:

1) $(5a + 3)^2$

2) $(a + 5b)(x + 3y)$

3) $m^2(5am^3 + 4am^2 - 7)$

4) $(3x + 5)(x - 9)$

5) $(x - 11)(x - 4)$

6) $(4x + 21)(x + 1)$

7) $(12a + 15b^2)(12a - 15b^2)$

8) $(4ab + 3)(3bc - 2)$

9) $(7a^2 + 3b^3)(49a^4 - 21a^2b^3 + 9b^6)$

10) $(x + 18)(x - 15)$

11) $(2x + 3)(4x - 5)$

12) $(9a^2 - 1)(81a^4 + 9a^2 + 1)$

13) $(4x + 3)(4x - 1)$

14) $3x^2y^2(5x^2 - 11xy + 9y^2)$

15) $\left(2m^2 - \frac{8n^4}{3}\right)\left(4m^4 + \frac{16m^2n^4}{3} + \frac{64n^8}{9}\right)$

16) $(7ab^2 - 3a^3)^2$

17) $\left(\frac{11m^3}{2} + \frac{5a}{4b^2}\right)\left(\frac{121m^6}{4} - \frac{55am^3}{8b^2} + \frac{25a^2}{16b^4}\right)$

18) $(17a^3b - 13m^3n^6)(17a^3b + 13m^3n^6)$

19) $(7x + 3)(2y - 1)$

20) $(7x + 2)(x - 3)$

21) $\left(\frac{3a^2}{5} + \frac{2ab}{3}\right)^2$

22) $(4x - 9)(7x + 5)$

23) $48a^3b^2(3b^2 - 5a^2 + 7)$

24) $(3x + 8)(3x - 5)$

25) $\left(\frac{2}{3} + \frac{9b^2}{10}\right)\left(\frac{2}{3} - \frac{9b^2}{10}\right)$

26) $(2x^2 - 3m^5)(4x^4 + 6m^5x^2 + 9m^{10})$

27) $(x + 12)(x - 9)$

28) $(11x - 2)^2$

29) $36bc^2(3a^4 + 4bc^2)$

30) $(5x-7)(7x+5)$

31) $(10y^4+3z^5)(100y^8-30y^4z^5+9z^{10})$

32) $(x+4)(7x-5)$

33) $(y+12)(y+4)$

34) $(4x-3y)(3a-2b)$

35) $(9a+8b)^2$

36) $54m^2n^4(m^2n^3-2)$

37) $(3a-4x)(2b-3y)$

38) $(7m^4-16n^2)(7m^4+16n^2)$

39) $(z-10)(z-7)$

40) $(2x-5)(5x+7)$

Práctica 3.32

Respuestas:

1) $(2a-b+3)(2a+b+3)$
2) $(5-a-b)(5+a+b)$
3) $(x+y-a-b)(x+y+a+b)$
4) $(3a-x+1)(3a+x+1)$
5) $(a-2x-y+2)(a+2x+y+2)$
6) $3a(a+1)(a-1)$
7) $4bx(x+y)^2$.
8) $2m(2x+1)(2x-3)$
9) $3x^2(3a+2)(5b-3)$
10) $7xy(2x-3)(4x^2+6x+9)$

Práctica 3.33

Respuestas:

1) $\frac{4}{3a}$

2) $\frac{x}{2m}$

3) $\frac{1}{4x-9}$

4) $\frac{5x-3}{5x+3}$

5) $\frac{x-3}{4x^2y}$

6) $\frac{x-1}{3a}$

7) $\frac{2(b-2)}{3a-4}$

8) $\frac{4x-1}{3x-1}$

9) $\frac{3ab-4}{9a^2b^2+12ab+16}$

10) $\frac{4a+5b}{3ab(4a-5b)}$

11) $\frac{a-21}{a+9}$

12) $2(3m^3-2n^2)$

13) $\frac{3b+4y}{4a}$

14) $\frac{2x-3}{5x-8}$

15) $\frac{49x^4-35x^2y+25y^2}{2x^2}$

16) $\frac{3x-1}{9x^2-3x+1}$

17) $\dfrac{2x-3}{x-5}$

18) $\dfrac{3x^2y}{4x^2+10x+25}$

19) $\dfrac{7x-3}{2x+5}$

20) $\dfrac{x-15}{x+19}$

21) $\dfrac{2\,(3x-1)}{4y+3}$

22) $\dfrac{x\,(3xy+2)}{3xy-4}$

23) $\dfrac{5x-7}{x}$

24) $\dfrac{n\,(3m-8)}{2\,(3m-2)}$

25) $\dfrac{2\,(a^2x^2-2ax+4)}{a\,(x-1)}$

26) $\dfrac{b\,(x-1)}{2\,(2x-1)}$

27) $\dfrac{4\,(11x+3)}{7x\,(x-1)}$

28) $\dfrac{(2x+7)\,(3x-5)}{3\,(6x-1)\,(6x+5)}$

29) $\dfrac{3x^2+5}{2x^2}$

30) $\dfrac{3a\,(3x-5)}{b^3x\,(y+1)}$

Práctica 4.1

Respuestas:

1) x^6

2) x^3

3) $\frac{1}{x}$

4) $m^{\frac{8}{3}}$

5) $m^{\frac{10}{9}}$

6) $m^{\frac{9}{4}}$

7) $\frac{1}{5^{\frac{7}{6}}}$

8) $\frac{1}{x^8}$

9) $\frac{1}{2x}$

10) $\frac{1}{3x}$

11) $a^{\frac{1}{3}}$

12) $a^{\frac{9}{5}}$

13) $c^{\frac{1}{2}}$

14) $x^{\frac{19}{15}}$

15) $\frac{1}{y^{\frac{5}{3}}}$

16) $\frac{1}{b^{13/6}}$

17) $\dfrac{1}{(3y)^{7/6}}$

18) $(4a + 3)^{\frac{1}{2}}$

19) $2a + 1$

20) $(3x - 1)^{\frac{4}{3}}$

21) x^{a+1}

22) y^{2+b}

23) $(3x)^{a+2b+5}$

24) a^{4x-1}

25) a^{n+6}

26) a^{x+3}

27) $m^{\frac{6a+2}{3}}$

28) $x^{\frac{19a}{6}}$

29) $b^{\frac{5x+1}{2}}$

30) $m^{\frac{45-8a}{20}}$

31) 8

32) 0

33) $\dfrac{1}{5^{\frac{3}{4}}}$

Práctica 4.2

Respuestas:

1) m^2

2) $a^{\frac{13}{3}}$

3) $\frac{1}{b}$

4) $\frac{1}{x^{1/2}}$

5) $\frac{1}{y}$

6) m

7) $\frac{1}{z^{1/3}}$

8) $\frac{1}{c^{1/4}}$

9) $\frac{1}{d^{3/4}}$

10) $\frac{1}{m^{25/6}}$

11) $x^{\frac{1}{6}}$

12) $\frac{1}{y^{5/12}}$

13) a^2

14) $\frac{1}{b^{7/4}}$

15) $x^{5/3}$

16) $\frac{1}{m^{1/2}}$

17) x^{m-2}

18) a^n

19) y^{2x-8}

20) m^{a-1}

21) $(3x)^{n-b}$

22) $(2a + b)^{4-2x}$

23) $a^{\frac{5}{4}} b^{n-2}$

24) $\dfrac{y}{x^3 z^5}$

25) $\dfrac{m^n}{x^5}$

26) ab^2

27) $\dfrac{1}{x^n z^{2a}}$

28) $\dfrac{y^{2-n}}{x^{n+5}}$

29) b^3

30) $\dfrac{1}{m^3 n^2 x.}$

31) 5

32) $\dfrac{1}{49}$

33) 128

34) $\dfrac{1}{81}$

35) $\dfrac{1}{11}$

Práctica 4.3

Respuestas:

1) $64a^9b^6$

2) $9m^4b^8$

3) $4m^6n^8$

4) $-125\,a^6b^9$

5) xy^4

6) xy^4

7) $\frac{m^{\frac{3}{2}}}{n}$

8) $\frac{b^{10}}{a^2c^3}$

9) $a^{4x}b^6y^2$

10) $m^{9a}\,n^{\frac{15a}{2}}$

11) x^4y^{10}

12) $\frac{y^{\frac{a}{2}}}{x^a}$

13) $a^{4n-2}b^{6-4n}$

14) $a^{2-\frac{4}{n}} \cdot b^{2+\frac{2}{n}}c^{\frac{4}{n}-2}$

15) $x^{4x-2}\,y^{2nx-n}$

16) x^6

17) $x^{\frac{2}{3}}y^{4}$

18) $\dfrac{b^{\frac{3n}{8}}}{xn^{2}}$

19) $a^{6-\frac{2}{n}}$

20) $m^{x^{2}-1}$

Práctica 4.4

Respuestas:

1) $m^{2}n^{4}$
2) ab^{3}

3) xy^{5}

4) $m^{4}n^{5}$

5) $a^{\frac{n}{2}}$

6) $b^{\frac{x}{3}}$

7) $x^{\frac{1}{n}}$

8) $m^{\frac{1}{x}}$

9) m^{3}

10) a^{2}

11) $a^{\frac{x-1}{2}}$

12) $m^{\frac{2a+1}{3}}$

13) $a^{\frac{2}{x-1}}$

14) $x^{\frac{3}{n+2}}$

15) $a^{\frac{1}{3}}$

16) $m^{\frac{1}{4}}$

Práctica 4.5

Respuestas:

(no hay modificación)

1) $2\sqrt{5}$

2) $4\sqrt{7}$

3) $5\sqrt{10}$

4) $3\sqrt{15}$

5) $4\sqrt[3]{2}$

6) $3\sqrt[3]{5}$

7) $5\sqrt[3]{3}$

8) $6\sqrt[3]{2}$

9) $3a\sqrt{5ab}$

10) $2ab\sqrt[3]{5ab^2}$

11) $5xy\sqrt{7xyz}$

12) $4b^2\sqrt[3]{7a^2}$

13) $3mn^2\sqrt{6m}$

14) $7x^2y^3\sqrt[3]{3x^2y^2}$

15) $7ab^2\sqrt{11b}$

16) $8m^2\sqrt[3]{5m\,n}$

17) $15xy\sqrt{10xy}$

18) $11a^2b^4\sqrt[3]{14a^2b^2c}$

19) $\dfrac{5ab}{2x^2}\sqrt{\dfrac{15ab}{11xy}}$

20) $\dfrac{4a^2b^5}{9x^3}\sqrt[3]{\dfrac{9a^2b}{5x^2}}$

Práctica 4.6

Respuestas:

1) $\sqrt{12ax}$

2) $\sqrt[3]{320a^2b}$

3) $\sqrt{50a^3b}$

4) $\sqrt[3]{1\,372a^5b^3}$

5) $\sqrt{1\,620a^7b^5}$

6) $\sqrt[3]{324x^5y^4z}$

7) $\sqrt{2160a^5b^9c}$

8) $\sqrt[3]{104\,976x^4y^9}$

9) $\sqrt{\dfrac{45a^3x}{3b^3x}}$

10) $\sqrt[3]{\dfrac{1\,715am^5n^3}{1\,375b5x^4}}$

Práctica 4.7

Respuestas:

1) $2\sqrt{30}$

2) $10\sqrt{3}$

3) $20\sqrt{140}$

4) $2\sqrt{30ab}$

5) $25m\sqrt{2}$

6) $ax\sqrt{15m}$

7) $xy\sqrt{105a^2xz}$

8) $2abm\sqrt[4]{9a^2b}$

9) $2ay\sqrt{66ab^3x^4y^3}$

10) $3a\sqrt[3]{6a\,m}$

11) $8mn\sqrt[3]{15n^2}$

12) $30xy\sqrt[3]{20z^2}$

13) $12abc\sqrt[4]{1080a^2b^2c}$

14) $600am^2x^2\sqrt[3]{100m^2x^2}$

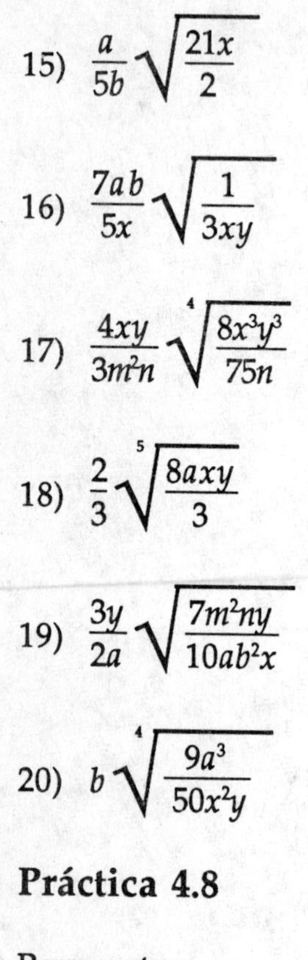

15) $\frac{a}{5b}\sqrt{\frac{21x}{2}}$

16) $\frac{7ab}{5x}\sqrt{\frac{1}{3xy}}$

17) $\frac{4xy}{3m^2n}\sqrt[4]{\frac{8x^3y^3}{75n}}$

18) $\frac{2}{3}\sqrt[5]{\frac{8axy}{3}}$

19) $\frac{3y}{2a}\sqrt{\frac{7m^2ny}{10ab^2x}}$

20) $b\sqrt[4]{\frac{9a^3}{50x^2y}}$

Práctica 4.8

Respuestas:

1) $\sqrt[6]{2250}$

2) $9\sqrt[6]{500}$

3) $4\sqrt[6]{200}$

4) $6\sqrt[4]{108}$

5) $10\sqrt[4]{125}$

6) $a\sqrt[6]{ab^3}$

7) m^2

8) $ab\sqrt[6]{a^5b^5}$

9) $xy\sqrt[12]{x^5}$

10) $a^2b^2c\sqrt[12]{b^3}$

11) $3a\sqrt[6]{4b^4}$

12) $2a\sqrt[6]{72ax^5}$

13) $54\sqrt[4]{20amx^2}$

14) $2ab\sqrt[10]{200ab^3}$

15) $5ax\sqrt{8x}$

16) $5am\sqrt[4]{3\,375a}$

17) $36a^2b\sqrt[12]{11\,644a^5b^2}$

18) $2a^2b\sqrt[12]{36b^3}$

19) $\sqrt[6]{\dfrac{2x^3}{3ab^2}}$

20) $b\sqrt[12]{\dfrac{2000a^3b^6}{3y^7}}$

Práctica 4.9

Respuestas:

1) $a\sqrt[3]{a}$

2) $ax\sqrt{ax}$

3) $\sqrt[3]{25x^2}$

4) $m^2 \sqrt[4]{27mn^3}$

5) $81a^2b^4$

6) $16m^2n \sqrt[3]{m^2n}$

7) $n\sqrt[5]{9m^2n^3}$

8) $7a^2b^3 \sqrt[4]{7a^2b^3}$

9) $16x^6y^4z^3 \sqrt{2y}$

10) $2axy^4 \sqrt{2axy}$

Práctica 4.10

I. Respuestas:

1) $a\sqrt{10}$

2) $\sqrt[3]{15am}$

3) $\sqrt[4]{\dfrac{3x^2}{2}}$

4) $\sqrt[5]{\dfrac{5m^3n}{8}}$

5) $y\sqrt{\dfrac{y}{4x^2}}$

6) $\sqrt[9]{\dfrac{4n^2}{9}}$

7) $\dfrac{6a^3}{n^2}\sqrt{5}$

8) $5x^2y \sqrt[3]{5x^2}$

9) $\frac{3m}{n}\sqrt{\frac{3m}{n}}$

10) $\frac{b}{2a^2}\sqrt{\frac{b}{2a}}$

II. Respuestas:

1) $\sqrt[6]{a}$

2) $\sqrt[4]{a}$

3) $\sqrt[6]{\frac{2}{a}}$

4) $\sqrt[6]{5x}$

5) $\sqrt[8]{3a^2x}$

6) $\sqrt[9]{\frac{4n^2}{9}}$

7) $\sqrt[6]{\frac{m}{n}}$

8) $\sqrt[12]{\frac{8n^9}{m^2x^4}}$

9) $\sqrt[12]{\frac{4m^2x^3}{a^4y^4}}$

10) $\frac{1}{ac}\sqrt[6]{\frac{b}{54c^5}}$

11) $\sqrt[12]{\dfrac{25a^3b^6}{3c^4}}$

12) $\sqrt[16]{\dfrac{8a^5}{b^5x^{11}}}$

Práctica 4.11

Respuestas:

1) $\sqrt[8]{3x^2}$

2) $\sqrt[4]{4xy}$

3) $\sqrt[6]{15a^3b^2}$

4) $2a\sqrt[6]{8a^2}$

5) $3a^2\sqrt[6]{27a^2}$

6) $2mnz\sqrt[6]{4m^3n^2z}$

7) $mn^2\sqrt[9]{42}$

8) $2n\sqrt[12]{m^{10}n^6}$

9) $2xy\sqrt[15]{x^5y^3}$

10) $amn\sqrt[8]{1521m^2n^4}$

11) $\sqrt[12]{89n^4n^5}$

12) $mxy^2\sqrt[18]{n^2x^{12}y}$

Práctica 4.12

Respuestas:

1) $\dfrac{m\sqrt{x}}{x}$

2) $a\sqrt{b}$

3) $y\sqrt{xy}$

4) $\dfrac{3y^3\sqrt{x}}{8}$

5) $\dfrac{5mn\sqrt{m}}{3}$

6) $\dfrac{(a+b)\sqrt{x}}{x}$

7) $\dfrac{(a-b)\sqrt{a}}{a}$

8) $\dfrac{(7x-y)\sqrt{y}}{7y}$

9) $\dfrac{x\sqrt[3]{y^2}}{y}$

10) $\dfrac{m^2\sqrt[3]{4y^2}}{2y}$

11) $\dfrac{b\sqrt[3]{a}}{2}$

12) $\dfrac{3\sqrt[3]{25m^2}}{20}$

13) $\frac{b^2\sqrt[4]{m^3}}{m}$

14) $m\sqrt[3]{x}$

15) $x\sqrt[4]{a}$

16) $\frac{y\sqrt[5]{a^4x^3}}{a}$

17) $5ab^3\sqrt[6]{a^5}$

18) $\frac{(3a-b)\sqrt[5]{a^2}}{a}$

19) $\frac{(4m-3x)\sqrt[5]{m^3}}{m}$

20) $\frac{(3ab-x)\sqrt[6]{a^5x}}{ax}$

21) $\frac{4x(3-\sqrt{x})}{9-x}$

22) $\frac{8xy(4+\sqrt{ab})}{16-ab}$

23) $\frac{(3a-b)(5-\sqrt{xy})}{25-xy}$

24) $\frac{(m-x)(\sqrt{x}-m)}{x-m^2}$

25) $\frac{(5x-y)(\sqrt{5x}+y^2)}{5x-y^4}$

26) $\dfrac{3m^2(\sqrt{5x}+\sqrt{a})}{5x-a}$

27) $\dfrac{6xy^2(\sqrt{3a}-2b)}{3a-2b}$

28) $\dfrac{(3x+4)(\sqrt{3x}-2)}{3x-4}$

29) $\sqrt{2m}+\sqrt{5n}$

30) $\sqrt{7x^2y}+\sqrt{3xy^2}$ ó $x\sqrt{7y}+y\sqrt{3x}$

31) $10+5\sqrt{3}$

32) $\dfrac{36-9\sqrt{5}}{11}$

33) $\dfrac{5\sqrt{3}+6}{7}$

34) $\dfrac{28-6\sqrt{7}}{19}$

35) $\dfrac{\sqrt{3}}{2}$

36) $61+24\sqrt{3}+5\sqrt{7}$

37) $\sqrt{15}-\sqrt{10}$

38) $\dfrac{3\sqrt{15}+1}{2}$

Práctica 4.13

Respuestas:

1) $9\sqrt{2}$

2) $\sqrt{3}$

3) $6\sqrt{7}-\sqrt{11}$

4) $10\sqrt[3]{2}$

5) $4\sqrt[4]{2}$

6) $4\sqrt[3]{4}+4\sqrt{2}$

7) $5\sqrt{3}+6\sqrt{2}$

8) $6\sqrt{2a}+\sqrt[3]{2a}$

9) $-2\sqrt[3]{10a}+12\sqrt{10a}$

10) $2\sqrt[3]{5ab}$

11) $11\sqrt{3xy}+2\sqrt[3]{3xy}$

12) $\sqrt{3a}\,(5x-y)$

13) $x\sqrt{2x}\,(3a-2)$

14) $\sqrt{5xy}\,(4x+3y-7xy)$

15) $4\sqrt[3]{m}\,(2a-5bm)$

16) $\sqrt[3]{5a^2m}\,(3a+2b+5m)$

17) $x^2\sqrt{7xy}\,(6y^3-9xy^2+8x^2)$

18) $a^2b\sqrt[3]{2ab^2}\,(5-3a^2b-8b^2)$

19) $2x\sqrt{3ax}+3xy\sqrt{2a}-3bx\sqrt{3x}$

20) $\frac{-38}{3}\sqrt{3a}$

Práctica 5.1

I. Respuestas:

1) 24
2) $4x^2y$
3) $9a^2b$
4) $8m^2n^3x$
5) $18x^3y^4z^3$
6) $27a^2b^3$
7) $72m^4nx^3$
8) $125ab^3$
9) $280m^3$
10) $288a^5b^2$

II. Respuestas:

1) $(2x-9)$
2) $(3x-5)$
3) $(x+3)$
4) $(a-3b)$
5) $(4a-1)$
6) $(x-3)$
7) $(3a+1)$
8) $(5x-3)$
9) $(7a-2b)$
10) $(4x-3)$

III. Respuestas:

1) $4x^3y$
2) xy
3) ab^2
4) 8
5) a^2b

Práctica 5.2

I. Respuestas:

1) $144m^5n^4x^3$
2) $720x^5y^4z^3$
3) $288a^4b^3c^4$
4) $340a^5b^5c^5$
5) $96a^2b^3m^3n^4$
6) $120x^5y^4z^4$
7) $300a^3b^2x^4y^3$
8) $230p^2q^3n^4$
9) $270abm^5n^3$
10) $54x^2y^4z^5$
11) $144a^7b^5c^5$
12) $420a^2b^4c^2x^5$

II. Respuestas:

1) $(5x+1)^2$
2) $4(3x-2)^2(3x-1)(3x+1)$
3) $6a^2(x+2)^2(x-2)(4x-3)$
4) $5xy(x-2y)^2(x-y)(x^2+2xy+4y^2)$
5) $54b^2(3a-4)^2(9a^2+12a+16)$
6) $(8x+5)(8x-5)(x+3)(5x-2)$
7) $3ax(3x-5)^2(2x+3)(9x^2+15x+25)$
8) $27a^2x(m^2+5)^2(m^2-5)$
9) $4x(6x+1)^2(6x-5)(36x^2-6x+1)$
10) $4xy(2x+3)^2(5x-3)(5x+3)$
11) $3x^2y^2(x+5)(15x+7)(15x-7)$
12) $4x^2y^2(7x-3)^2(3x+4)(49x^2+21x+9)$

Práctica 5.3

Respuestas:

1) $\frac{17n^2}{9m}$

2) $\frac{4ab^6}{3c^2}$

3) $\frac{9y}{8x^3z^2}$

4) $\frac{8x^3y^4}{3z^4}$

5) $\frac{6a^2b^2c^5}{5m^2}$

6) $\frac{4n^6n^2}{3a}$

7) $\frac{4m^3z^5}{3n^3}$

8) $\frac{3x^2}{y^3}$

9) $\frac{6n^3z^5}{mx^2}$

10) $\frac{6b^4}{a^3c^2}$

11) $\frac{9x^2}{m^2}$

12) $\frac{2}{c}$

13) $\frac{x}{2}$

14) $\frac{1}{3}$

15) $\frac{z^2}{3}$

16) $\frac{x+5}{4a^2}$

17) $\frac{a+5}{2ax}$

18) $\frac{3x-2}{3m^2x}$

19) $\frac{x+5}{x+4}$

20) $\frac{2x-7}{2x+3}$

21) $\frac{x-7}{4x+3}$

22) $\frac{x-5}{5x+7}$

23) $\frac{3x-7}{x^2-4x+16}$

24) $x+5$

25) $\frac{4a-3}{9a^2-15a+25}$

26) $\frac{x+1}{3x^2}$

27) $\frac{2x-1}{7x^3}$

28) $\frac{5xy}{9x^2-6x+4}$

29) $\frac{4x+3}{16x^2+12x+9}$

30) $\frac{x(x-3)}{3}$

31) $\frac{x(5x+3)}{2a^4(x+5)}$

32) $\frac{2y^2(3x-5)}{3(2x-1)}$

33) $\frac{9x(x-1)}{2y(2x+1)}$

34) $\frac{4x(x+2)}{y}$

35) $\frac{a\,(x-5)}{3(x+5)}$

36) $\frac{3x^2y}{2x+7}$

37) $4xy$

38) $\frac{3x-1}{2\,(x-9)}$

Práctica 5.4

Respuestas:

1) $\frac{x}{a}$

2) $\frac{11ab}{4x}$

3) $-\frac{12m^2y}{ax}$

4) $-\frac{3x^4y^3}{3a^2z}$

5) $\frac{8a-13}{4b^2c}$

6) $\frac{7x+2}{5x^2y}$

7) $\frac{3a-2}{12}$

8) $\frac{-9a^2-6ab+7a+5b}{9a^2}$

9) $\frac{3ax^2-2x^2-30a}{15x^3}$

10) $\dfrac{10abm - 3a^2m - 56br}{14a^2b}$

11) $\dfrac{-5x-5}{5x+3}$

12) $\dfrac{9ax^3 + 30a^3x + 8x^3 - 36a^3}{84a^2x^2}$

13) $\dfrac{12x^2 - 23x - 3}{18x^3}$

14) $\dfrac{-8x^4 + 3ax^3 + 2a^2x^2 + 3a^2x + 3a^2}{36a^2x^3}$

15) $-\dfrac{10x}{a+b}$

16) $\dfrac{7x^3 + 10x^2}{(x+1)^2}$

17) $\dfrac{12}{x-y}$

18) $\dfrac{4a^2b - 4ab - a^2}{b\ (a+b)}$

19) $\dfrac{7ax - 4a}{x\ (x+4)}$

20) $\dfrac{2x}{(x+1)\ (x-1)}$

21) $\dfrac{-x^2 + 7x - 10xy + 1}{x^2 - 4y^2}$

22) $\dfrac{-a^4 - 2a^3 + 2a^2 - 3a + 1}{a\ (a+1)^2}$

23) $\dfrac{2mx - 6m - 8n - 3x + 2}{(m+n)\ (m-n)}$

24) $\dfrac{x^2 + 6x - 8}{(x+4)\ (x+1)}$

25) $\dfrac{2x^3 - 8x^2 - 2xy^2 - 4y^2 + 18xy + 18x + 24y}{3\,(x - y)\,(x + y)}$

26) $\dfrac{4x^2 - 7x - 1}{(2x - 3)\,(x - 1)}$

27) $\dfrac{-7a^3 + 8a^2b - 5a^2 - 2b^3}{a\,(a - b)\,(a + b)}$

28) $\dfrac{9a^2 - 3am^2 + 4am + 4m^2}{3a\,(a + m)}$

29) $\dfrac{-3a^2 - 10a - 3}{(a - 1)^2\,(a + 1)}$

30) $\dfrac{-2x^2 - 4x - 2}{(2x + 3)\,(2x - 1)}$

31) $\dfrac{2x^2 + 4x - 8}{(x + 2)\,(x + 3)}$

32) $\dfrac{5x^2 + 16x - 23}{(x + 7)\,(x - 7)\,(x + 2)}$

33) $\dfrac{21x^2 - 19x - 2}{(2x + 3)\,(3x - 2)\,(x - 2)}$

34) $\dfrac{7x^3 + 7x^2 + 62x + 12}{(x - 2)\,(x + 2)\,(x + 3)\,(3x - 1)}$

35) $\dfrac{9a^2 - 2ab - 3b^2}{3\,(a - b)\,(a + b)}$

36) $\dfrac{-57a^2 + 11a - 69ab + 7b}{18\,(a + b)\,(a - b)}$

37) $\dfrac{-12m^2 - 42m - 10mn + 76n}{14\,(m + n)\,(m - n)}$

Práctica 5.5

Respuestas:

1) $\dfrac{12x^2}{35y}$

2) $\dfrac{14y}{15a}$

3) $\dfrac{8m^3x}{15ay^2}$

4) $\dfrac{ab^2y^4}{5m^2}$

5) $\dfrac{17m^3x^3}{36b}$

6) $\dfrac{4bm^5x^2}{3a^7}$

7) $\dfrac{27am^4n^3y^3}{5bx}$

8) $28nx^5y.$

9) $\dfrac{9a^2by}{2mnx}$

10) $\dfrac{48a^2b^3y^2}{xz}$

11) $\dfrac{x^3-5x^2}{2}$

12) $\dfrac{x+3}{3}$

13) $\dfrac{x^2-2x-15}{x-3}$

14) $\dfrac{3x-1}{2x^2-2x}$

15) $3x-1$

16) $\frac{4x-6}{x}$

17) $\frac{3x+21}{2x-1}$

18) $\frac{2x-3}{x+3}$

19) $\frac{3x-1}{3x}$

20) $\frac{4x^2+23x+15}{32x^2-24x}$

Práctica 5.6

Respuestas:

1) $\frac{3y^2}{4x}$

2) $\frac{by^3}{6a^4x^4}$

3) $\frac{35a^6x^3}{12y^4}$

4) $\frac{n^3yz}{2a^2x}$

5) $\frac{10ax}{m^2y^4}$

6) $\frac{14a^3x}{15my^3}$

7) $\frac{2b^4my^2}{3axz}$

8) $\frac{28b^4c^2z}{a^3m^2}$

9) $\dfrac{m^8x^3}{18y^3}$

10) $\dfrac{3a^3x^3}{8b^2c^4y}$

11) $\dfrac{16a-4}{a-2}$

12) $\dfrac{5mx-3m+20x-12}{3x}$

13) $\dfrac{14a^2-2a}{7a+1}$

14) $\dfrac{7}{2}$

15) $\dfrac{4x^2-16x+15}{2x+7}$

16) $\dfrac{3x^2+10x+3}{8x^2-72x}$

17) $\dfrac{3x^2-8x+5}{10x^2+30x}$

18) $\dfrac{x^2-x-12}{12x^3+36x^2+27x}$

19) $\dfrac{2x^2-2xy-3x+3y}{3x^2+3x-2xy-2y}$

20) $\dfrac{5x^2+25x+28}{x^2+12x+35}$

21) $2x^2-3x-2xy+3y$

22) $\dfrac{2x+6}{x+4}$

23) $8x^2+20x+50$

24) $\dfrac{6x^3-18x^2+36x-24}{2x-1}$

Práctica 6.1

I. Respuestas:

1) $x=\frac{14}{3}$

2) $x=5$

3) $x=4$

4) $x=-5$

5) $x=\frac{45}{13}$

6) $x=-1$

7) $x=-14$

8) $x=-8$

9) $x=2$

10) $x=-\frac{16}{13}$

11) $x=\frac{277}{454}$

12) $x=-1$

13) $x=\frac{12}{17}$

14) $x=-1$

15) $x=-\frac{15}{17}$

16) $x=-\frac{2}{3}$

17) $x = \frac{3}{40}$

18) $x = -1$

19) $x = -3$

20) $x = \frac{2}{19}$

21) $x = 7$

22) $x = -\frac{1}{3}$

23) $x = -\frac{2}{13}$

24) $x = -\frac{1}{2}$

25) $x = -\frac{87}{20}$

26) $x = 3$

27) $x = -5$

28) $x = 4$

29) $x = -7$

30) $x = 9$

31) $x = -\frac{8}{5}$

32) $x = 47$

33) $x = \frac{136}{17}$

34) $x = -2$

35) $x=\frac{9}{14}$

36) $x=3$

37) $x=4$

38) $x=2$

39) $x=-3$

40) $x=4$

41) $x=-2$

42) $x=5$

43) $x=-1$

44) $x=-\frac{1}{2}$

45) $x=\frac{8}{3}$

46) $x=-\frac{141}{40}$

47) $x=\frac{46}{9}$

48) $x=\frac{27}{8}$

49) $x=2$

50) $x=5$

51) $x=-2$

52) $x=-3$

53) $x=12$

54) $x=-\frac{127}{50}$

55) $x=-\frac{5}{13}$

56) $x=-\frac{8}{3}$

57) $x=\frac{1}{10}$

58) $x=1$

Práctica 6.2

Respuestas:

1) $y=-5a$

2) $z=\frac{2ab}{3+a}$

3) $x=5a$

4) $x=\frac{12b}{7}$

5) $x=\frac{26a}{11}$

6) $x=\frac{16b+3}{7}$

7) $x=\frac{16a}{13}$

8) $\frac{-7b}{19}$

9) $x=\frac{8a}{9}$

10) $x = \frac{-7a}{5}$

Práctica 6.3

Respuestas:

1) $b = \sqrt{a^2 - c^2}\,; c = \sqrt{a^2 - b^2}$

2) $c = \frac{100i}{rt}; \quad r = \frac{100i}{ct}; \quad t = \frac{100i}{cr}$

3) $r = \sqrt[3]{\frac{3v}{4\pi}}$

4) $n = \frac{s}{180} + 2$

5) $n = \frac{360}{180 - j}$

6) $b = \sqrt{\frac{25}{\tan A}}$

7) $R = \sqrt{\frac{A}{\pi} - r^2} \qquad r = \sqrt{R^2 - \frac{A}{\pi}}$

8) $b = \frac{a \operatorname{Sen} B}{\operatorname{Sen} A}; \qquad \operatorname{Sen} B = \frac{b \operatorname{Sen} A}{a}$

9) $a = \sqrt{b^2 + c^2 - 2bc \operatorname{Cos} A}$

10) $m_2 = \frac{\tan \theta + m_1}{1 - m_1 \tan \theta}$

Práctica 6.4

I. Respuestas:

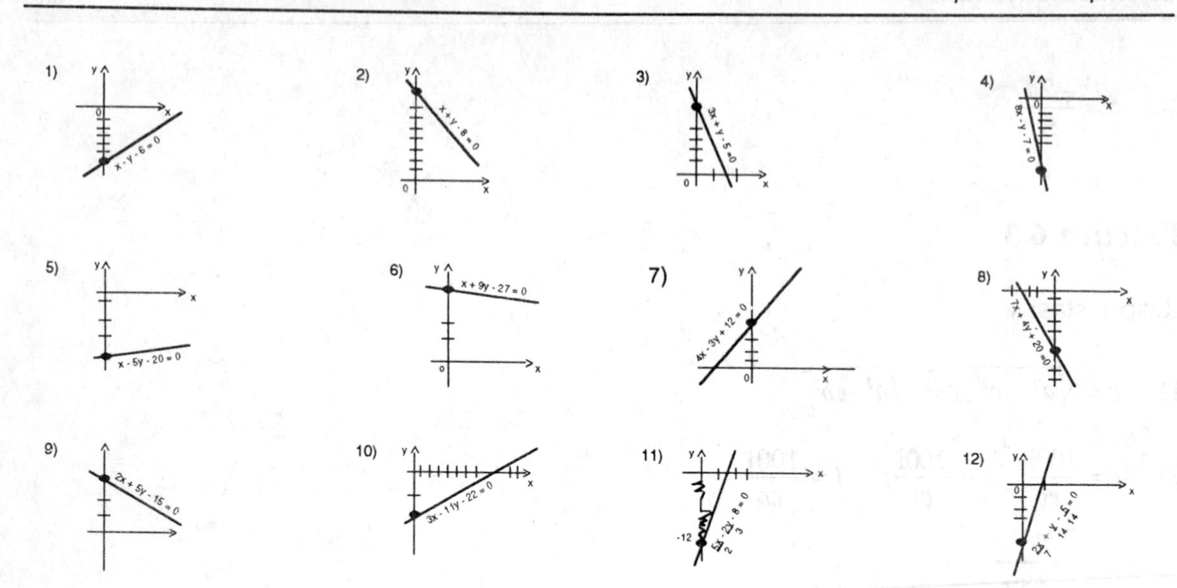

Práctica 6.5

I. Respuestas:

1) El número es 17
2) El número es 11
3) El número es 24
4) El número es 10
5) El número es 6
6) Los números consecutivos son 161 y 162
7) Los números consecutivos son 207, 208 y 209
8) Los números consecutivos son 509 y 510
9) Los números consecutivos son 338, 339 y 340
10) Los números consecutivos son 275, 276, 277, y 278
11) Los ángulos son A=35°, D=105°, C=75°
12) Los lados son a=25, b=75, c=85
13) El lado diferente mide 15 m y cada uno de los lados iguales es de 25 m.
14) El ancho es de 17 m y el largo de 30 m.
15) La altura es 12 m, la base menor de 16 m y la base mayor de 22 m.
16) Tiempo recorrido 3 hrs. Los automóviles se cruzan a las 11 hrs.
    El primer automóvil ha recorrido 225 km; el segundo, 195 km.
17) El segundo ciclista alcanza al primero en 27 minutos
18) La patrulla intercepta al automóvil infractor a los 30 km de la caseta
19) La herencia es de $28 800,000.00
20) El sueldo es de $ 360 000.00 mensuales

Práctica 6.6

Respuestas:

1) $x_1 = 0;\ x_2 = -5$

2) $x_1 = 0;\ x_2 = -3$

3) $x_1 = 0;\ x_2 = \frac{1}{2}$

4) $x_1 = 0;\ x_2 = \frac{3}{7}$

5) $x_1 = 0;\ x_2 = \frac{7}{6}$

6) $x_1 = -\frac{1}{3};\ x_2 = \frac{1}{3}$

7) $x_1 = \frac{3}{2};\ x_2 = -\frac{3}{2}$

8) $x_1 = \frac{1}{5};\ x_2 = -\frac{1}{5}$

9) $x_1 = \frac{3}{4};\ x_2 = -\frac{3}{4}$

10) $x_1 = \frac{2}{7};\ x_2 = -\frac{2}{7}$

11) $x_1 = -3;\ x_2 = -3$

12) $x_1 = 7;\ x_2 = 7$

13) $x_1 = \frac{5}{2};\ x_2 = \frac{5}{2}$

14) $x_1 = \frac{3}{5};\ x_2 = -\frac{3}{5}$

15) $x_1 = \frac{1}{7};\ x_2 = \frac{1}{7}$

16) $x_1 = -3;\ x_2 = -2$

17) $x_1 = -\frac{1}{2};\ x_2 = \frac{3}{2}$

18) $x_1 = \frac{4}{3}; x_2 = -\frac{1}{3}$

19) $x_1 = \frac{3}{5};\ x_2 = -\frac{2}{5}$

20) $x_1 = \frac{5}{3};\ x_2 = -3$

21) $x_1 = \frac{1}{2};\ x_2 = -2$

22) $x_1 = -\frac{2}{3};\ x_2 = \frac{1}{2}$

23) $x_1 = -7;\ x_2 = \frac{1}{3}$

24) $x_1 = \frac{5}{2};\ x_2 = \frac{3}{4}$

25) $x_1 = \frac{2}{5};\ x_2 = -\frac{7}{3}$

Práctica 6.7

I. Respuestas:

1) $x_1 = -3;\ x_2 = \frac{5}{2}$

2) $x_1 = 4;\ x_2 = \frac{1}{3}$

3) $x_1 = -\frac{3}{2};\ x_2 = 3$

4) $x_1 = -\frac{4}{3};\ x_2 = 3$

5) $x_1 = -\frac{1}{2};\ x_2 = \frac{2}{3}$

6) $x_1 = \frac{7}{5}$; $x_2 = -9$

7) $x_1 = -\frac{7}{2}$; $x_2 = \frac{3}{5}$

8) $x_1 = \frac{4}{3}$; $x_2 = \frac{1}{4}$

9) $x_1 = \frac{2}{5}$; $x_2 = -3$

10) $x_1 = \frac{1}{4}$; $x_2 = -\frac{3}{2}$

11) $x_1 = \frac{7}{3}$; $x_2 = -\frac{3}{2}$

12) $x_1 = \frac{1}{6}$; $x_2 = -\frac{2}{3}$

13) $x_1 = \frac{1}{4}$; $x_2 = -\frac{3}{5}$

14) $x_1 = \frac{2}{3}$; $x_2 = -\frac{5}{4}$

15) $x_1 = -\frac{3}{5}$; $x_2 = -\frac{5}{2}$

16) $x_1 = \frac{3}{4}$; $x_2 = \frac{5}{2}$

17) $x_1 = +\frac{8}{3}$; $x_2 = +\frac{3}{2}$

18) $x_1 = \frac{1}{6}$; $x_2 = -3$

19) $x_1 = -\frac{8}{5}$; $x_2 = -\frac{7}{3}$

20) $x_1 = \frac{5}{3}$; $x_2 = \frac{3}{2}$

Respuestas:

1) $x_1 = -\frac{1}{4}$; $x_2 = -\frac{1}{4}$

2) $x_1 = -\frac{8}{3}$; $x_2 = -\frac{8}{3}$

3) $x_1 = \frac{7}{4}$; $x_2 = \frac{7}{4}$

4) $x_1 = -\frac{3}{5}$; $x_2 = -\frac{3}{5}$

5) $x_1 = -\frac{5}{7}$; $x_2 = -\frac{5}{7}$

6) $x_1 = -\frac{3}{2}$; $x_2 = -\frac{1}{2}$

7) $x_1 = \frac{4}{5}$; $x_2 = \frac{7}{5}$

8) $x_1 = -\frac{2}{3}$; $x_2 = \frac{5}{3}$

9) $x_1 = \frac{1}{8}$; $x_2 = \frac{7}{8}$

10) $x_1 = \frac{7}{3}$; $x_2 = -\frac{1}{3}$

11) $x_1 = -\frac{3}{2}$; $x_2 = \frac{4}{5}$

12) $x_1 = \frac{1}{3}$; $x_2 = -\frac{3}{4}$

13) $x_1 = \frac{2}{7}$; $x_2 = \frac{1}{4}$

14) $x_1 = \frac{5}{3}$; $x_2 = \frac{7}{2}$

15) $x_1 = -\frac{3}{8}; \quad x_2 = -5$

16) $x_1 = \frac{5}{2}; \quad x_2 = -\frac{5}{2}$

17) $x_1 = -\frac{4}{3}; \quad x_2 = \frac{4}{3}$

18) $x_1 = -\frac{1}{5}; \quad x_2 = \frac{1}{5}$

19) $x_1 = \frac{3}{2}; \quad x_2 = -\frac{3}{2}$

20) $x_1 = -\frac{4}{7}; \quad x_2 = \frac{4}{7}$

21) $x_1 = 0; \quad x_2 = -\frac{3}{4}$

22) $x_1 = 0; \quad x_2 = -\frac{1}{3}$

23) $x_1 = 0; \quad x_2 = 7$

24) $x_1 = 0; \quad x_2 = -\frac{3}{2}$

25) $x_1 = 0; \quad x_2 = \frac{3}{5}$

Práctica 6.9

I. Respuestas:

1) R. R. D.	10) R. I. D.	19) R. I. D.
2) R. I. D.	11) R. R. D.	20) R. R. D.
3) I.	12) R. I.	21) I.
4) R. I.	13) R. R. D.	22) R. I. D.
5) R. R. D.	14) I.	23) R. R. D.
6) R. I.	15) R. I.	24) I.
7) I.	16) R. I.	25) R. R. D.
8) R. R. D.	17) R. R. D.	
9) R. R. D.	18) R. R. D.	

Práctica 6.10

I. Respuestas:

1) $x^2 - 8x + 15 = 0$
2) $x^2 + 7x + 12 = 0$
3) $x^2 + 3x - 10 = 0$
4) $x^2 - 4x - 21 = 0$
5) $x^2 - 11x + 6 = 0$
6) $7x^2 + 29x + 24 = 0$
7) $40x^2 + 49x + 15 = 0$
8) $15x^2 - 11x - 14 = 0$
9) $28x^2 + 17x + 45 = 0$
10) $27x^2 + 21x - 20 = 0$

Práctica 6.11

I. Respuestas:

1) $x_1 = \frac{5}{2}$; $x_2 = -5$
2) $x_1 = \frac{3}{2}$; $x_2 = \frac{3}{2}$
3) $x_1 = 2.83$; $x_2 = 4.83$
4) $x_1 = 1.45$; $x_2 = 0.5$
5) $x_1 = 10.15$; $x_2 = -41.15$
6) $x_1 = 2.43$; $x_2 = -11.43$
7) $x_1 = 0.51$; $x_2 = 2$
8) $x_1 = 1.4$; $x_2 = -5.9$
9) $x_1 = 3$; $x_2 = \frac{8}{3}$
10) $x_1 = 2.865$; $x_2 = 0.276$
11) $x_1 = +3$; $x_2 = 2$
12) $x_1 = -\frac{20}{9}$; $x_2 = -3$
13) $x_1 = 4$; $x_2 = 1$
14) $x_1 = 0$; $x_2 = 1$
15) $x_1 = 13$; $x_2 = 1$

Práctica 6.13

I. Respuestas:

1) Primer número: 23; su consecutivo: 24.
2) Primer número: 15; segundo número: 22.
3) Primer número: 18; su consecutivo: 19.
4) Primer número: 5; segundo número: 8; tercer número: 10.
5) Ancho: 9 m; largo: 20 m.
6) Ancho: 15 m; largo = 30 m.
7) Base: 15 m; altura: 22 m.
8) Diagonal mayor: 14 m; diagonal menor: 8 m.
9) Lado del cuadrado mayor: 35 m; lado del cuadrado menor: 15 m.

10) Altura: 8 cm; base menor: 12 cm.
11) v = 6.7 kph; t : 11.7 hr.
12) v = 15.6 kph; t: 7.6 hr.
13) t = 15.97 seg.
14) t = 7.14 seg.
15) a = 18.832; b = 21.832; c = 25..832

Práctica 7.1

I. Respuestas:

1) $x = 1; \quad y = -3$
2) $x = -3; \quad y = 5$
3) $x = -2; \quad y = -4$
4) $x = 11; \quad y = -3$
5) $x = -1; \quad y = -11$
6) $x = \frac{1}{2}; \quad y = \frac{3}{2}$
7) $x = -4; \quad y = -5$
8) $x = 9; \quad y = 0$
9) $x = -4; \quad y = 3$
10) $x = -1; \quad y = 7$
11) $x = -3; \quad y = 2$
12) $x = 3; \quad y = -5$
13) $x = \frac{87}{28}; \quad y = \frac{61}{28}$
14) $x = -5; \quad y = 2$
15) $x = -3; \quad y = -1$
16) $x = \frac{2}{3}; \quad y = -3$

Práctica 7.2

I. Respuestas:

1) $x = 5; \quad y = 4$
2) $x = 3; \quad y = 7$
3) $x = -6; \quad y = -1$
4) $x = 9; \quad y = -6$
5) $x = -3; \quad y = -4$
6) $x = \frac{1}{3}; \quad y = \frac{1}{2}$
7) $x = -\frac{2}{5}; \quad y = -3$

8) $x = -1;\ y = -2$
9) $x = -4;\ y = 3$
10) $x = \frac{3}{2};\quad y = -3$
11) $x = 5;\quad y = 2$
12) $x = \frac{5}{2};\quad y = -\frac{5}{4}$

Práctica 7.3

I. Respuestas:

1) $x = 8;\quad y = 2$
2) $x = -3; y = -5$
3) $x = 7;\quad y = -7$
4) $x = 8;\quad y = 3$
5) $x = -3; y = 7$
6) $x = -9;\quad y = -3$
7) $x = 4;\quad y = 7$
8) $x = 3;\quad y = -7$
9) $x = \frac{3}{4};\quad y = -\frac{1}{2}$
10) $x = 1;\quad y = -2$

Práctica 7.4

I. Respuestas:

1) $x = 2;\quad y = 5$
2) $x = -2;\ y = 3$
3) $x = -5;\ y = -4$
4) $x = 3;\quad y = -7$
5) $x = 4;\quad y = -3$
6) $x = -5;\ y = 1$
7) $x = 5;\quad y = 0$
8) $x = 0;\quad y = -4$
9) $x = -1;\ y = 4$
10) $x = 3;\quad y = 3$

Práctica 7.5

I. Respuestas:

1) $x = 2;\quad y = 3$
2) $x = 1;\quad y = -4$

3) $x = 5;\quad y = -11$
4) $x = -7; y = -5$
5) $x = 4;\quad y = -3$
6) $x = 12;\ y = -6$
7) $x = 3;\quad y = -7$
8) $x = -5; y = 8$
9) $x = -4; y = -3$
10) $x = 8;\quad y = 3$

Práctica 7.6

I. Respuestas:

1) $x = 8;\quad y = 5;\quad z = 4$
2) $x = -3;\ y = 2;\quad z = -1$
3) $x = -2;\ y = \frac{1}{2};\quad z = 3$
4) $x = \frac{1}{2};\quad y = -\frac{2}{3};\ z = \frac{1}{4}$
5) $x = -1;\ y = 2;\quad z = -2$
6) $x = 2;\quad y = -1;\ z = 3$
7) $x = 4;\quad y = 2;\quad z = -3$
8) $x = -2;\ y = 5;\quad z = -3$
9) $x = -4;\ y = -3;\ z = -2$
10) $x = 4;\quad y = -5;\ z = -4$

Práctica 7.7

I. Respuestas:

1) $x = 5;\quad y = -3;\ z = -1$
2) $x = -3;\ y = -2z\ z = 2$
3) $x = -1;\ y = -2;\ z = 1$
4) $x = \frac{1}{4};\quad y = -2;\ z = -1$
5) $x = 2;\quad y = -1;\ z = 2$
6) $x = 1;\quad y = -3;\ z = 2$
7) $x = 2;\quad y = -4;\ z = 3$
8) $x = -3;\ y = 2;\quad z = +1$

Práctica 7.8

I. Respuestas:

1) $x = 3;\quad y = -2;\ z = 4$

2) $x=-5;\quad y=4;\quad z=7$
3) $x=5;\quad y=-3;\quad z=-2$
4) $x=-4;\quad y=7;\quad z=2$
5) $x=-3;\quad y=2;\quad z=5$
6) $x=-4;\quad y=-3;\quad z=4$
7) $x=-1;\quad y=-3;\quad z=2$
8) $x=-4;\quad y=-3;\quad z=-3$

Práctica 7.9

I. Respuestas:

1) $x=1;\quad y=3;\quad z=-2$
2) $x=2;\quad y=-2;\quad z=3$
3) $x=3;\quad y=1;\quad z=-2$
4) $x=-3;\quad y=4;\quad z=-2$
5) $x=2;\quad y=1;\quad z=5$
6) $x=-2;\quad y=5;\quad z=3$
7) $x=4;\quad y=-3;\quad z=-3$
8) $x=2;\quad y=-3;\quad z=-4$
9) $x=-3;\quad y=4;\quad z=-2$
10) $x=5;\quad y=-3;\quad z=-2$

II. Respuestas:

1) $x=2;\ y=-1$
2) $x=3;\ y=-2$
3) $x=5;\ y-7$
4) $x=3;\ y=-5$

Práctica 8.1

Respuestas:

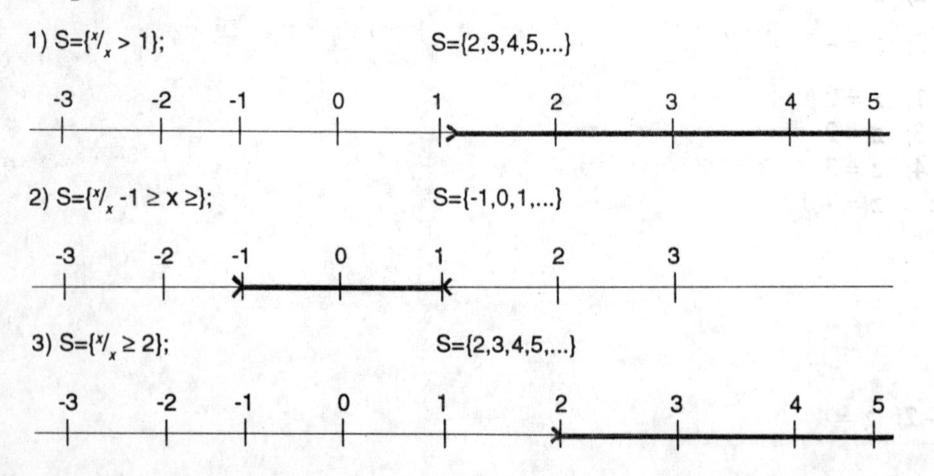

4) $S = \{x / x - 2 \geq x \geq 2\}$; $S = \{-2, -1, 0, 1, 2\}$

-4 -3 -2 -1 0 1 2 3 4

5) $S = \{x / x > 2\}$; $S = \{3, 4, 5, 6, ...\}$

-3 -2 -1 0 1 2 3 4 5

6) $S = \{x / x > 0\}$; $S = \{1, 2, 3, 4, 5, ...\}$

-3 -2 -1 0 1 2 3 4 5

7) $S = \{x / x \geq 0\}$; $S = \{0, 1, 2, 3, 4, 5, ...\}$

-3 -2 -1 0 1 2 3 4 5

8) $S = \{x / x - 3 < x < 3\}$; $S = \{-3, -2, -1, 0, 1, 2, 3\}$

-4 -3 -2 -1 0 1 2 3 4

9) $S = \{x / x > 3\}$; $S = \{4, 5, 6, 7, ...\}$

-3 -2 -1 0 1 2 3 4 5

10) $S = \{6, 7, 8, 9, 10, ...\}$

1 2 3 4 5 6 7 8 9 10

11) $S = \{-1, 0, 1, 2, 3, ...\}$

-3 -2 -1 0 1 2 3 4 5 6

12) $S = \{...-4, -3, -2, -1, 0\}$

-6 -5 -4 -3 -2 -1 0 1 2 3

13) $S = \{8, 9, 10, 11, 12, ...\}$

3 4 5 6 7 8 9 10 11 12

14) $S = \{...-10, -9, -8, -7, -6, -5, -4\}$

-10 -9 -8 -7 -6 -5 -4 -3 -2 -1

15) S = {2, 3, 4, 5, 6,...}

-3 -2 -1 0 1 2 3 4 5 6

16) S = {15, 16, 17, 18,...}

14 15 16 17 18

17) $S = \{... -\frac{70}{25}, -\frac{69}{25}, -\frac{68}{25}, -\frac{67}{25}\}$

$\frac{-71}{25}$ $\frac{-70}{25}$ $\frac{-69}{25}$ $\frac{-68}{25}$ $\frac{-67}{25}$ $\frac{-66}{25}$ $\frac{-65}{25}$ $\frac{-64}{25}$ $\frac{-63}{25}$ $\frac{-62}{25}$

18) S = {21, 22, 23, 24, 25,...}

18 19 20 21 22 23 24 25 26 27

19) $S = \{\frac{3}{5}, \frac{4}{5}, \frac{5}{5}, \frac{6}{5}, \frac{7}{5},...\}$

0 $\frac{1}{5}$ $\frac{2}{5}$ $\frac{3}{5}$ $\frac{4}{5}$ $\frac{5}{5}$ $\frac{6}{5}$ $\frac{7}{5}$ $\frac{8}{5}$ $\frac{9}{5}$

0

20) $S = \{-\frac{4}{3}, -\frac{3}{3}, -\frac{2}{3}, -\frac{1}{3}, 0, \frac{1}{3}, \frac{2}{3}, \frac{3}{3}...\}$

$\frac{-6}{3}$ $\frac{-5}{3}$ $\frac{-4}{3}$ $\frac{-3}{3}$ $\frac{-2}{3}$ $\frac{-1}{3}$ 0 $\frac{1}{3}$ $\frac{2}{3}$ $\frac{3}{3}$

-2 -1 0 1

Práctica 8.2

I. Respuestas:

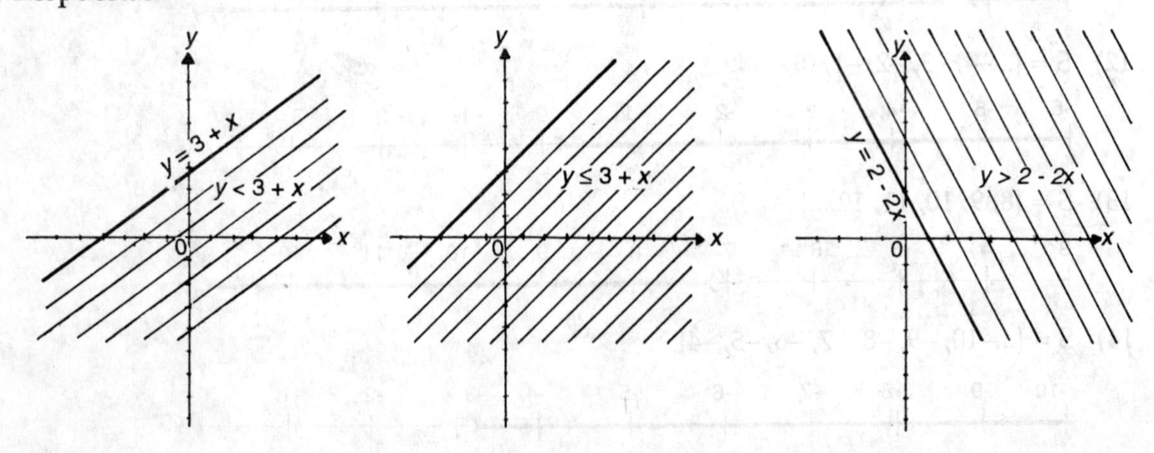

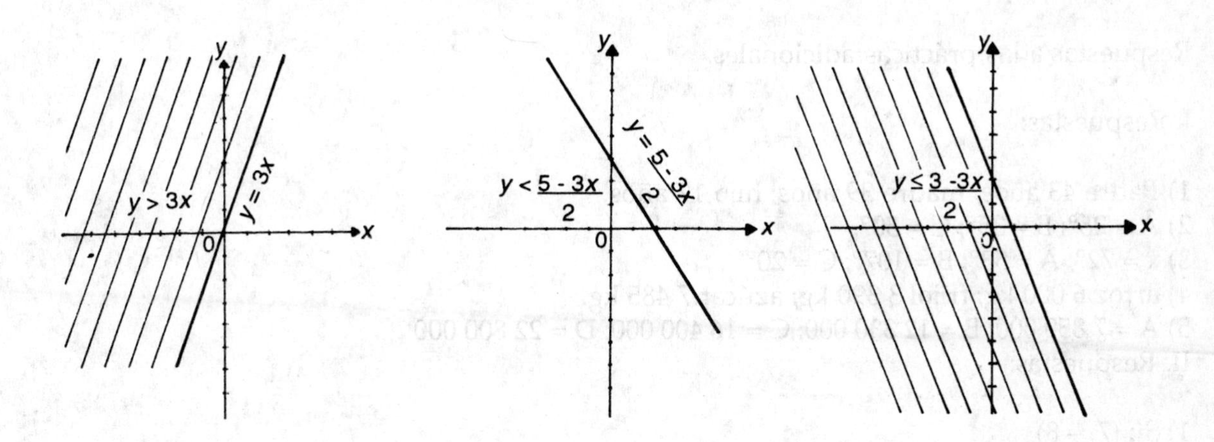

Práctica 8.3

I. Respuestas:

1)

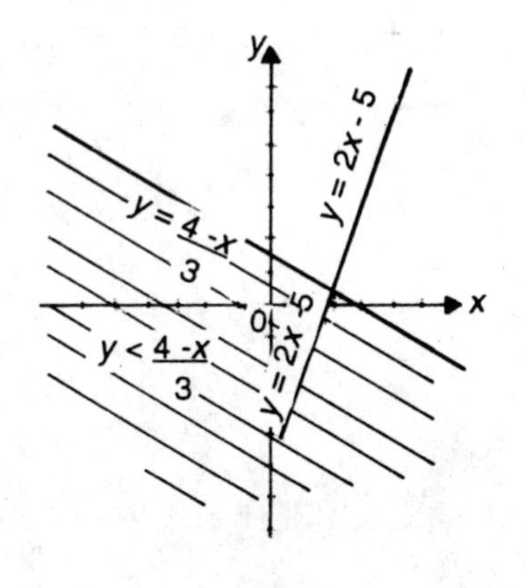

2)

y
y = 5 - 3x
y = 6 -x
3
y > 5 - 3x
y < 6 -x
3
0
x

Respuestas a las prácticas adicionales

I. Respuestas:

1) Padre 43 años; madre 39 años; hijo 17 años.
2) Â = 25°; B = 35°; C = 30°.
3) x = 72°; Â = 53°; B = 107°; C = 20°.
4) arroz 6 000 kg; frijol 3 390 kg; azúcar 7 485 kg.
5) A = 7 850 000; B = 12 330 000; C = 16 400 000; D = 22 800 000

II. Respuestas:

1) Sí; (7, – 8)
2) (23, – 7)
3) (2, – 1); (7, 2); (– 13, – 10)
4) (– 15, – 7)
5) (– 3, 1)

III. Respuestas:

1) (4, – 2, 9)
2) (– 5, 2, – 7)
3) (11, – 19, – 24)
4) (23, 19, 32)

PRÁCTICAS ADICIONALES

I. Resolver con ecuación de primer grado:

1) La suma de las edades de una familia es 99 años. Si el padre tiene 3 años menos que el triple de la edad del hijo, y la madre 5 años más que el doble de la edad del hijo, ¿qué edad tiene cada uno?

2) Los ángulos Â, B y C son complementarios tales que el ángulo B equivale a la quinta parte del séptuplo del Â y el ángulo C es cinco grados mayor que el ángulo A. Determinar el valor de cada uno de esos ángulos.

3) Los ángulos interiores de un triángulo oblicuángulo están determinados por las ecuaciones: $\frac{2x+15}{3}$; $\frac{5x+17}{4}$ y $\frac{3x-56}{8}$. Calcular la medida de cada uno.

4) Un camión transporta una carga total de 16 875 kg, distribuida en la siguiente forma: arroz, la tercera parte del total de la carga ya aumentado en 1 125 kg; frijol, la séptima parte del cuádruplo del arroz ya disminuido en 270 kg, y azúcar, la quinta parte del séxtuplo del arroz ya aumentado en 1 425 kg. Determinar con exactitud cuántos kilogramos se transportan de cada producto.

5) Un premio de lotería por $ 59 380 000.00 debe repartirse entre cuatro personas de acuerdo con las siguientes relaciones matemáticas: al primero (A) una cierta cantidad; al segundo (B), $3 370 menos que el doble del segundo; al tercero (C), $4 070 000 más que al segundo, y al cuarto (D), $750 000 menos que el triple del primero. ¿Qué cantidad correspondió a cada uno?

II. Resolver con sistema de dos ecuaciones de primer grado.

1) En un puerto aéreo dos aviones comerciales efectúan maniobras de acercamiento a las pistas asignadas para su despegue de acuerdo con las trayectorias que corresponden a las ecuaciones $2x - 7y = 70$ y $5x + 2y = 19$, respectivamente. Se desea saber si existe la posibilidad de que se intercepten y determinar, para tal caso, las coordenadas del punto de intersección.

2) En una pista de hielo dos jóvenes sufrieron aparatoso accidente cuando chocaron. Se supo que cada uno recorría trayectorias rectilíneas de acuerdo con las siguientes ecuaciones: $9x + 2y = 193$ y $3x + 11y = -50$. Hallar las coordenadas del punto en que sucedió el percance.

3) En una carrera de lanchas, se ha definido como meta la recta cuya ecuación es $3x - 5y - 11 = 0$. Las tres primeras lanchas recorren trayectorias paralelas que corresponden a las siguientes ecuaciones: $5x + 3y - 7 = 0$; $5x + 3y - 41 = 0$ y $5x + 3y + 95 = 0$. Se desea conocer las coordenadas en que cada una de las lanchas intersecará la línea de meta.

4) Dos avenidas rectas corresponden a las siguientes ecuaciones: $7x - 2y + 91 = 0$ y $4x - 11y - 17 = 0$. Determinar las coordenadas del punto en que se cruzan ambas avenidas.

5) En una mesa de billar dos bolas recorren trayectorias rectilíneas que corresponden a las ecuaciones $4x - 3y + 15 = 0$ y $2x - 7y + 13 = 0$. Hallar las coordenadas del punto en donde se intersecan.

III. Resolver los siguientes problemas a través de un sistema de tres ecuaciones con tres incógnitas.

1) Con la intención de aterrizar, tres aviones pretenden cruzar simultáneamente el espacio próximo a un aeropuerto. Cada uno describe una trayectoria rectilínea de acuerdo con las ecuaciones: $5x - 3y + 11z = 125$; $x + 4y - 2z = -22$ y $x - 2y - 9z = -73$. Se desea saber en qué punto se pueden interceptar para evitar tal situación.

2) En el vestíbulo de un hotel se interrumpe momentáneamente el suministro de energía eléctrica. Tres personas, situadas en diferentes puntos, tratan de localizar la lámpara principal utilizando linternas comunes. Cuando al fin coinciden los rayos luminosos en la lámpara se sabe que generaron tres ecuaciones: $5x - 2y - 8z = 27$; $2x + 7y + 9z = -29$ y $2x - 4y + 5z = -53$. Determinar las coordenadas del punto en que se localiza la lámpara.

3) Unos pilotos aviadores acrobáticos, en la presentación de uno de sus números más emocionantes, hacen volar sus aparatos hacia un punto común siguiendo trayectorias rectilíneas que corresponden a las ecuaciones: $2x + 7y - 4z = 15$; $9x - 3y + 7z = -12$ y $5x - 9y + 11z = 158$. Determinar las coordenadas del punto donde existe la posibilidad de intercepción.

4) Una torre retransmisora debe fijarse en posición vertical; para ello se utilizan tres cables que de la propia torre parten de un mismo punto, y en el terreno se fijan en diversos puntos. Dichos cables determinan las ecuaciones: $5x + 7y - 9z = 40$; $6x + 9y - 2z = 245$ y $8x - 3y - 4z = -1$. Precisar las coordenadas de los puntos donde se interceptan los cables en la torre.

–ooo–

Impreso en Imprenta Aldina, s.a. de c.v. • 212814 000 08 95 506